Charlotte Link
OHNE SCHULD

Charlotte Link

Ohne Schuld

Kriminalroman

blanvalet

Verlagsgruppe Random House FSC® N001967

1. Auflage
Copyright © 2020 by Blanvalet
in der Verlagsgruppe Random House GmbH,
Neumarkter Straße 28, 81673 München
Lektorat: Nicola Bartels
Umschlaggestaltung: www.buerosued.de
Umschlagmotiv: © TrevillionImages/Graham Hunt und
Plainpicture/chinch gryniewicz
NG · Herstellung: sam
Satz: GGP Media GmbH, Pößneck
Druck und Bindung: GGP Media GmbH, Pößneck
Printed in Germany
ISBN 978-3-7645-0738-1

www.blanvalet.de

WEST BROMWICH, FREITAG, 3. NOVEMBER 2006

Die Beamtin, die den Notruf um 17 Uhr und zwei Minuten entgegennahm, hatte größte Mühe, die Anruferin zu verstehen. Es war eine Frau, und sie keuchte so, dass sie kaum ein Wort hervorbrachte. Sie war entweder sehr schnell gelaufen, oder sie befand sich in einem Zustand höchster Aufregung oder beides. Letzteres war am wahrscheinlichsten.

»Ganz ruhig«, sagte die Beamtin beschwichtigend. »Jetzt atmen Sie erst einmal tief durch. Versuchen Sie, sich zu beruhigen. Bitte.«

Die Frau am anderen Ende der Leitung bemühte sich, etwas Atem zu gewinnen, aber es gelang ihr kaum. Sie schien am Ende ihrer Kräfte zu sein.

»Er ... hat ein Kind ... er hat ein Kind bei sich«, stieß sie schließlich hervor.

»Wer? Und von wo rufen Sie an?«

»West Bromwich. Shaw Street. Aber die Polizei muss in die Harvills Hawthorne. Ganz am Ende ... Industriegebiet ...« Sie rang nach Luft.

»Ganz, ganz ruhig«, mahnte die Beamtin erneut, obwohl gerade alle Alarmlichter bei ihr ansprangen. Es ging um ein Kind. Das sich offenkundig in Gefahr befand. Trotzdem hatte es keinen Sinn, jetzt schnelle, drängende Fragen abzuschießen. Ihre Gesprächspartnerin durfte nicht die Nerven verlieren, sonst legte sie am Ende noch auf. Obwohl es immerhin schon eine vage Ortsbeschreibung gab.

»Da sind Garagen. Die meisten sind leer. In einer davon ist er. Er hat ein Kind bei sich.«

»Wie alt ist das Kind?«

»Ich weiß nicht ... drei oder vier ...«

»Und er ist nicht der Vater des Kindes?«

»Nein. Nein, er hat kein Kind, er ist selbst noch ein Junge. Aber er ist krank. Gestört. Gefährlich. Er hat sich die Kleine irgendwo geschnappt und dorthin gebracht. Bitte, Sie müssen sich beeilen!«

»Ja, ich schicke sofort jemanden los«, sagte die Beamtin. Sie blickte auf. Eine Kollegin, die mithörte, flüsterte ihr zu: »Wir haben seit eineinhalb Stunden eine Vermisstenmeldung vorliegen. Ein dreijähriges Mädchen, verschwunden aus dem Vorgarten des Elternhauses. In West Bromwich.«

Die Beamtin, die das Telefon bediente, machte ein Handzeichen, die Kollegin nickte. Sie würde sofort die nächste Streife an den angegebenen Ort schicken.

»Kennen Sie den Namen des Entführers?«

»Ian Slade.«

»Und wie ist *Ihr* Name?«

Statt ihren Namen zu nennen, gab die Frau ein kurzes, verzweifeltes Lachen von sich. »Den kann ich Ihnen nicht nennen. Der darf nie rauskommen. Er wird mich sonst umbringen.«

»Wir werden alles zu Ihrem Schutz tun.«

»Können Sie nicht.«

»Sie klingen sehr jung. Wie alt sind Sie?«

»Egal.«

»Sie rufen von einer Telefonzelle an?« Diese Relikte gab

6

es ja noch da und dort. Und gerade war deutlich das Klappern eines durchrutschenden Geldstückes zu hören gewesen.

»Ja.«

»Hören Sie, ich kann jemanden zu Ihnen schicken, der einfach erst einmal mit Ihnen spricht und ...«

»Nein.«

»Ich glaube, dass Sie Angst haben, und vielleicht könnten wir ...«

»Angst?« Jetzt war ein Schluchzen in der Stimme zu hören. »Angst? Ich habe *Todesangst*. Es könnte sein, dass er mich gesehen hat, und dann hat er mich am Ende erkannt.«

»Wir können Sie nur beschützen, wenn Sie uns ...«

Ein Klicken, mit dem der Hörer zurück auf die Gabel gehängt wurde.

Das Gespräch war beendet.

TEIL I

DREIZEHN JAHRE SPÄTER

FREITAG, 19. JULI 2019

Die Mieterin eines der Ferienappartements hatte die Polizei verständigt.

»Hier im Haus wird geschossen. Ich glaube, es war in der Wohnung nebenan. Bitte kommen Sie ganz schnell!«

Unmittelbar nach dem Telefonat war ein weiterer Schuss gefallen, wie andere Hausbewohner den eintreffenden Streifenbeamten mitteilten. Die Wohnung in dem Appartementhaus direkt am Strand der Nordbucht von Scarborough, in der geschossen wurde, war von einem Mr. Jayden White für zwei Wochen gemietet worden.

Alle Feriengäste im Haus wurden von den Beamten nach draußen gebracht, ebenso wurden Läden und Cafés im Erdgeschoss des Gebäudekomplexes geräumt, die Promenade oberhalb des Strandes sowie der vor dem Haus befindliche Strandabschnitt weiträumig gesperrt. Da der Tag heiß war und außerdem die Ferien begonnen hatten, wimmelte es von Badegästen, obwohl es erst elf Uhr am Vormittag war. Es war schnell alles getan worden, um die Sicherheit der Menschen zu gewährleisten, dennoch war ein bewaffneter und möglicherweise zu allem entschlossener Mann inmitten eines Ferien- und Strandgebietes ein Alptraum für jeden Polizisten. Vorsichtshalber wurde der CID, die Kriminalabteilung, verständigt. Niemand wusste, welchen Verlauf diese

Geschichte noch nehmen würde. Niemand wollte später eines Versäumnisses schuldig sein.

Detective Chief Inspector Caleb Hale traf gemeinsam mit seinem engsten Mitarbeiter ein, Robert Stewart, der erst zwei Wochen zuvor zum Detective Inspector befördert worden war und seitdem eine stolzgeschwellte Attitüde zur Schau trug. Caleb fand, dass er seit dem Karrieresprung plötzlich arroganter auftrat als vorher, aber manch anderer hätte vielleicht gesagt: selbstbewusster. Caleb hatte jedenfalls den Eindruck, dass sich irgendetwas zwischen ihnen beiden geändert hatte, geringfügig und schwer in Worte zu fassen. Irgendwann in den nächsten Tagen wollte er mit Robert darüber reden.

Jetzt war allerdings ein absolut ungeeigneter Moment.

Er starrte an der Hauswand hinauf. Die Anlage bestand aus zwei großen Gebäuden, wovon das erste halb rund gebaut war. Es gab dort Ferienappartements in den verschiedensten Größen und Ausführungen zu mieten, ein Zimmer, Zwei- oder Drei-Zimmer-Wohnungen, Meeresblick oder auch die preiswertere Variante zur Rückseite hin. Balkon reihte sich an Balkon. Von der Vorderseite aus hatte man den direkten Blick auf das Meer und auf Scarborough Castle, das stolz auf der Landzunge thronte, die die Stadt in eine Süd- und in eine Nordbucht teilte. Allerdings saß man direkt über einer Vielzahl an Läden, Cafés, einem Diner, einem Eissalon. Und über der wogenden Menge an Badegästen. Zumindest im Sommer. Im Winter war es hier gähnend leer.

Einer der Streifenbeamten, der ganz zu Anfang am Ort des Geschehens gewesen war, stand neben Caleb und Robert und erstattete Bericht.

»Die Schüsse sind nach übereinstimmenden Zeugenaussagen in einer Wohnung im dritten Stock gefallen. Es ist die

Wohnung, die wir von hier direkt sehen können, über dem Fish 'n' Chips gelegen.« Er wies nach oben.

Caleb folgte seinem ausgestreckten Finger. Eine Wohnung wie jede andere, ein Balkon wie jeder andere. Allerdings waren an den Fenstern die Jalousien hinuntergelassen worden. Nichts regte sich. Auf dem Balkon befand sich niemand. Caleb kniff die Augen zusammen. Nur ein Tisch und drei Stühle.

»Der Mieter des Ferienappartements heißt Jayden White«, führte der Beamte weiter aus. »Er verbringt dort zwei Wochen mit seiner Frau Yasmin und zwei kleinen Töchtern. Wie alt die Kinder genau sind, wusste der Vermieter nicht zu sagen. Er schätzt sie auf sechs und sieben Jahre.«

»Die Familie ist zum ersten Mal hier?«, erkundigte sich Caleb.

»Nein. Das fünfte Jahr in Folge. Immer im Sommer. Der Vermieter sagt, es gab ein Problem mit Mr. Whites Kreditkarte, aber da er ihn so gut kennt, hat er sich darauf eingelassen, dass White erst am Ende des Urlaubs bezahlt ohne vorherige Kartenabsicherung.«

»Wo leben die Whites?«

»In der Nähe von Sheffield. Mr. White betreibt dort ein Café.«

»Was sagen andere Gäste über die Familie? Falls es da Kontakte gibt?« Es war wichtig, sich ein Bild zu machen, aber Caleb wusste auch, dass er rasch irgendetwas unternehmen musste. Jemand schoss in der Wohnung. Es gab dort zwei kleine Kinder.

»Es gab wohl nicht viel Kontakt mit ihnen, aber nach bisherigen Zeugenaussagen fielen sie jedenfalls nicht unangenehm auf. Eine ruhige Familie. Höflich und sehr zurückhaltend. So beschreibt sie auch der Vermieter.«

»Sie sagten, mit der Kreditkarte von Mr. White stimmte etwas nicht?«, mischte sich Robert Stewart ein.

Der Beamte zögerte. »Nicht direkt. Der Vermieter berichtete, dass in den Jahren davor immer die Kreditkarte hinterlegt worden sei, dass Mr. White jedoch diesmal sagte, es gebe da ein Problem. Welcher Art dieses Problem war, erläuterte er nicht näher. Er werde zum Ende der Ferien in bar bezahlen. Da es nie Schwierigkeiten mit ihm gegeben hatte, ließ sich der Vermieter darauf ein.«

»Ich würde den Vermieter gerne selbst sprechen«, sagte Caleb.

»Er muss hier noch irgendwo herumschwirren«, meinte der Beamte vage, und Caleb verbiss sich den Hinweis, dass es sinnvoll gewesen wäre, den Mann festzuhalten.

»Gibt es eine Möglichkeit, Kontakt mit Mr. White aufzunehmen?«, fragte Robert. »Oder mit seiner Frau?«

Der Beamte hob resigniert die Schultern. »Es gibt einen Festnetzanschluss in dem Appartement. Wir haben mehrfach durchklingeln lassen, aber niemand meldet sich.«

»Wie sicher ist es denn, dass überhaupt jemand in der Wohnung ist?«, erkundigte sich Caleb. Es war so absolut still dort oben. Der ganze Auflauf hier von Polizeieinsatzkräften – am Ende nur, um eine leere Wohnung zu beobachten, deren Bewohner irgendwo schwimmen gegangen waren.

»Zwei Schüsse«, sagte der Beamte. »Das haben wirklich mehrere Hausbewohner unabhängig voneinander ausgesagt. Sie werden definitiv dem dritten Stock zugeordnet. Die Wohnung der Whites war die einzige, in der niemand öffnete. Alle anderen Wohnungen wurden evakuiert und von uns gesichert. Wenn dort oben geschossen wurde, kann es nur dort gewesen sein.«

»Hm«, machte Caleb. Er wusste, dass man sich manchmal vertat, was die Zuordnung von Geräuschen anging. Wieder blickte er angestrengt nach oben, als könnten die glatte Fassade und der schweigende Balkon ihm irgendwelche Erkenntnisse bringen. Was ging hinter jenen gut verschlossenen Jalousien vor sich?

»Sir«, sagte Robert Stewart, »was tun wir als Nächstes?«

Caleb wischte sich den Schweiß von der Stirn. Er fand es entsetzlich heiß, und es gab hier unten auf der Promenade keinerlei Schatten. Sehnsüchtig blickte er hinüber zu den Sonnenschirmen vor einer Bar am Ende der Häuserzeile. Er wünschte, das ganze Drama würde sich dort zutragen, dann hätten sie alle den Schatten aufsuchen können. Allerdings hatte er nicht den Eindruck, dass irgendjemand so stark schwitzte wie er. Robert Stewart wirkte beneidenswert kühl und ungerührt, obwohl er einen dunkelgrauen Anzug und eine förmliche Krawatte trug. Caleb hatte sein Jackett längst abgelegt und zerfloss trotzdem. Er hätte den Whisky nicht trinken sollen, heute früh um neun Uhr, als er am Schreibtisch gesessen und irgendwann an nichts anderes mehr als an die Flasche im gut verschlossenen Fach rechts unten hatte denken können. Bei der Hitze … Generell sollte man allerdings wohl nicht morgens um neun den ersten Whisky des Tages zu sich nehmen. Er hoffte, dass Robert nichts roch. Er stand so dicht neben ihm.

Ein weiterer Beamter trat heran, streckte Caleb einen Zettel hin. »Sir, ein junges Mädchen, die Tochter des Betreibers vom Eissalon, hat die Handynummer von Mrs. White. Sie hat in der letzten Woche einmal auf die Kinder aufgepasst, als die Whites abends noch etwas trinken gingen. Sie erwähnte, dass sie das vereinbarte Geld nicht bekommen habe. Mrs. White habe gerade kein Bargeld gehabt, ihr jedoch zugesagt, sie am nächsten Tag zu bezahlen. Das sei bisher nicht geschehen.«

»Ein Problem mit der Kreditkarte, kein Geld für das Kindermädchen«, sagte Robert. »Seltsame Häufung, oder? Geldprobleme bei den Whites?«

»Könnte sein«, meinte Caleb. Das alles klang nicht gut. Leider waren es häufig finanzielle Schwierigkeiten, die Männer, und gerade auch Familienväter, völlig durchdrehen ließen. Er griff den Zettel. »Ich versuche es mal.«

Er holte sein Handy hervor, tippte die Nummer ein. Stellte auf Lautsprecher, damit Robert das Gespräch ebenfalls hörte. Täuschte er sich, oder betrachtete ihn sein Mitarbeiter tatsächlich irgendwie lauernd?

Nicht der Moment, darüber nachzudenken, entschied er.

Es dauerte so lange, dass er schon fast aufgegeben hätte, aber dann meldete sich plötzlich ein zittriges Stimmchen. »Ja?«

»Mrs. White?«

»Ja.« Es klang wie ein Hauchen.

»Mrs. White, hier spricht Detective Chief Inspector Caleb Hale vom CID Scarborough. Befinden Sie sich im Moment in einem Ferienappartement der Scarborough Beach Chalets am Peasholm Gap?«

»Ja.«

»Ihre beiden Kinder auch?«

»Ja.«

»Und Ihr Mann?«

Von Yasmin White kam ein ersticktes Schluchzen. »Er … ist auch hier …«

»Mrs. White, werden Sie und die Kinder bedroht?«

»Ja.«

»Ist Ihr Mann bewaffnet?«

»Ja.«

Caleb wischte sich erneut den Schweiß von der Stirn. Er wünschte, Sergeant Helen Bennett, die eine Zusatzausbildung als Polizeipsychologin hatte, träfe endlich ein. Sie war für Gespräche der Art, wie er sie nun führen musste, besser geeignet als er. Sie hatte sich freigenommen, weil sie ein langes Wochenende mit ihrer Mutter verbringen wollte, die in Saltburn-by-the-sea lebte. Sie hatten Helen erreicht, und sie hatte versprochen, so schnell wie möglich zu kommen, aber sie hatte zum Zeitpunkt des Telefonats mit ihrer Mutter in einem Café gesessen und musste die ältere Frau nun zuerst in deren Wohnung zurückbringen. Wenn sie anschließend schnell durchkam, wäre Helen dann nach ungefähr einer Stunde Fahrzeit in Scarborough. Meist dauerte es länger, weil man auf dieser Landstraße entlang der Küste immer wieder hinter langsam dahinschleichenden Fahrzeugen festhing.

Er würde diese Situation hier allem Anschein nach alleine durchstehen müssen.

»Mrs. White, Hausbewohner haben Schüsse gehört. Hat Ihr Mann geschossen?«

»Ja.«

»Ist jemand verletzt?«

»Nein. Aber …« Sie senkte die Stimme, sprach noch leiser. Caleb musste sich sehr anstrengen, um noch etwas zu verstehen. »Sie müssen uns helfen. Bitte. Er ist … er ist nicht er selbst. Er will uns alle töten.«

»Mrs. White, bleiben Sie auf jeden Fall ganz ruhig und verlieren Sie nicht die Nerven. Wir sind alle hier, um Ihnen zu helfen. Können Sie mir sagen, wo in der Wohnung Sie sich befinden? In dem vorderen Zimmer zum Balkon hinaus?«

»Nein. Ich bin in einem der Schlafzimmer. Es geht nach hinten. Zum Hof.«

»Okay. Sind Ihre Kinder bei Ihnen?«

»Ja.«

»Und wo ist Ihr Mann?«

»Ich weiß nicht. Ich glaube, im Wohnzimmer.«

»Gibt es irgendeine Möglichkeit für Sie, mit den Kindern die Wohnung zu verlassen?«

»Nein. Das Fenster ist zu hoch. Wir können nicht springen.«

»Verstehe.« Caleb bedeutete mit einigen Handbewegungen, dass Robert Stewart auf die Rückseite des Hauses wechseln sollte. Dort waren bereits Beamte positioniert, aber Robert sollte sich selbst ein Bild von den Gegebenheiten dort machen. Caleb spürte, wie er sofort leichter atmen konnte, als sein Mitarbeiter nicht mehr unmittelbar neben ihm stand.

»Haben Sie die Tür des Schlafzimmers abgeschlossen?«

»Er hat den Schlüssel abgezogen.«

»Können Sie etwas unter die Türklinke schieben? Eine Kommode? Einen Stuhl?«

Er vernahm ihr leises Weinen. »Nein. Das würde er hören.«

»Könnten Sie mit den Kindern das Bad erreichen? Und sich dort einschließen?«

»Nein. Nein, das ist zu gefährlich. Da müssten wir über den ganzen Flur.« Sie war ganz offenbar wie paralysiert vor Angst. Caleb konnte sie sich vorstellen, wie sie irgendwo in dem Schlafzimmer kauerte, beide Mädchen eng an sich gepresst, mit angehaltenem Atem, ohne die geringste Bewegung.

»Wir werden Sie da rausholen. Bitte bleiben Sie ruhig.«

Ein Klicken, und das Gespräch war beendet. Yasmin White hatte aufgelegt. Vielleicht hatte sie ihren Mann kommen hören. Oder einfach die Nerven verloren.

Robert Stewart tauchte wieder auf. »Sir, es geht nach hinten um die Tiefgarage herum und dann durch ein Hoftor. Alles schön bepflanzt, und es gibt auch Balkone. Aber nicht bei dem Appartement der Whites, denn die haben ihren Balkon ja nach vorne.«

»Was ist mit den Wohnungen nebenan? Balkone, von denen aus man das Schlafzimmerfenster erreichen könnte?«

Robert schüttelte den Kopf. »Nein. Zu weit weg. Wenn wir jemanden in die Wohnung schicken, sollten wir es von oben machen. Mit einem Seil vom Dach. Das ist meiner Ansicht nach etwas weniger gefährlich und deutlich realistischer.«

»Wenn wir auf diese Weise wenigstens die Kinder rausbekämen, dann …«

Sein Handy klingelte. Das Display zeigte die Nummer von Yasmin White. Er meldete sich sofort. »Mrs. White?«

»Hier ist Jayden White. Sie haben mit meiner Frau gesprochen.«

»Ja. Mr. White, hier ist DCI Caleb Hale. Ich bin froh, dass Sie sich bei mir melden. Sehr froh.« Er hatte sich selten so sehr nach Helen gesehnt. Sie würde das einfach besser können als er.

»Was wollten Sie von meiner Frau?«

»Ich wollte wissen, wie es ihr geht. Und den Kindern. Den beiden kleinen Mädchen.«

»Es geht allen gut.« Jayden White hatte eine monotone Sprechweise ohne Höhen und Tiefen. Zumindest hatte er sie *jetzt*. Caleb vermutete, dass er für gewöhnlich ganz anders sprach. Er wirkte wie jemand, der völlig neben sich stand. Oder in einen Schockzustand geraten war. Er legte die Hand auf den Apparat und zischte Robert zu: »Wir brauchen einen Psychologen. Der Mann kommt mir wie in Trance vor.«

»Helen ist auf dem Weg.«

»Das dauert zu lange. Versuchen Sie, jemand anderen zu bekommen!«

Robert verdrehte ganz leicht die Augen. Caleb verstand die Botschaft sofort: *Das müssen Sie auch so schaffen, Chef!*

»Mr. White, wollen Sie mir erzählen, was geschehen ist?«

»Es ist nichts geschehen.«

»Nachbarn haben gehört, dass ...«

»Einen Scheiß haben die gehört!« Jayden sagte auch dies völlig monoton. »Einen Scheiß! Die sollen sich um ihren eigenen Kram kümmern.«

»Mr. White, ich verstehe sehr gut, wenn Sie keine Lust haben, Ihre privaten Angelegenheiten mit Ihrer Nachbarschaft zu teilen. Deshalb schlage ich Ihnen ja ein Gespräch mit mir vor. Nur wir beide. Unter vier Augen.«

»Was soll das bringen?«

»Es bringt immer etwas, wenn man redet. Dinge sortieren sich.«

»Mir kann niemand helfen.«

»Ich bin sicher, dass wir Ihnen helfen können.«

Es kam keine Erwiderung. Caleb fragte: »Sind Sie noch da, Mr. White?«

»Ich bin noch da.«

»Wie wäre es, wenn Sie Ihre Frau und die Kinder nach draußen schicken würden? Es ist herrliches Wetter, sie könnten sich am Strand aufhalten. Ich komme dann zu Ihnen. Nur ich, sonst niemand. Wir können in aller Ruhe miteinander sprechen.«

»Meine Familie verlässt nicht diese Wohnung!«

»Okay. Aber darf ich reinkommen?«

Wieder ein langes Schweigen.

»Es hat keinen Sinn«, sagte Jayden schließlich. Sein Atem ging schwer.

»Was immer Ihr Problem ist, wir werden einen Ausweg finden«, sagte Caleb. Ihm war bewusst, wie drängend er klang. Er musste vorsichtig sein. Wenn Jayden das Gefühl bekam, dass Druck auf ihn ausgeübt wurde, konnte die Situation eskalieren. Menschen, die sich und ihre Familie in eine Lage wie die brachten, die sich gerade in diesem Haus abspielte, standen bereits wahnsinnig unter Druck, vollkommen mit dem Rücken zur Wand.

»Wenn Sie das möchten«, fügte er daher hinzu. Ihm klang im Ohr, was Helen einmal über einen Geiselnehmer gesagt hatte – und in gewisser Weise war White ein Geiselnehmer: *Geben Sie ihm das Gefühl, eine Wahl zu haben. Geben Sie ihm einen Handlungsspielraum. Schnüren Sie ihm um keinen Preis die Luft ab.*

»Es gibt keinen Ausweg«, sagte Jayden.

Es schien das zu sein, was sich in seinem Kopf, in seinem Bewusstsein verfestigt hatte und was er von nun an auf alles erwidern würde, was Caleb vorschlug oder sagte oder fragte: Dass es keine Lösung gab, keinen Ausweg, dass nichts mehr Sinn machte, dass alles zu Ende war.

»Ich weiß, dass ich Sie jetzt mit nichts, was ich sage, wirklich erreiche«, sagte Caleb. »Aber bitte glauben Sie mir, das Leben ist auch in schwierigen Situationen nicht einfach zu Ende. Geben Sie sich und Ihrer Frau und vor allem Ihren Kindern die Chance weiterzuleben. Sie sind nicht der Mann, der so etwas tut. Der eine Frau und zwei kleine Mädchen einfach erschießt.«

»Sie haben keine Ahnung«, sagte Jayden.

Caleb hoffte, dass er keinen Fehler machte, aber er beschloss, das einzige Thema, das er sich aufgrund seiner Informationslage vorstellen konnte, anzusprechen. »Wenn es möglicherweise um finanzielle Schwierigkeiten geht, Mr. White, so denke ich …«

»Ich habe keine finanziellen Schwierigkeiten«, entgegnete Jayden.

»Nun, umso besser, dann …«

»Ich stecke in einer finanziellen Tragödie«, sagte Jayden.

Dann legte er auf.

Eine halbe Minute später fielen mehrere Schüsse.

1

Der Zug der London North Eastern Railway hatte London King's Cross pünktlich um neun Uhr verlassen und nahm nun den Weg Richtung Norden. Draußen wechselten Städte mit Dörfern und mit Wiesen, Wäldern und Feldern ab. Das Land lag unter hochsommerlicher Sonne. Keine Wolke war am tiefblauen Himmel zu sehen. Es war ein Tag, um auf dem Balkon zu sitzen oder mit dem Fahrrad an einen See zu fahren oder sich mit Handtuch und Picknickkorb bewaffnet ans Meer zu begeben.

Xenia Paget seufzte, weil sie wusste, dass ihr nach der Ankunft in Leeds keine dieser Möglichkeiten offenstehen würde. Das lag nicht nur daran, dass es in der Nähe von Bramhope, wo sie wohnte, weder Meer noch See gab; immerhin hatte sie einen Garten und eine Terrasse. Leider aber auch einen Ehemann, der es als einen unverzeihlichen Ausbruch schlimmster Faulheit ansehen würde, wenn sie sich nach fast drei Tagen Abwesenheit auch noch ein paar gemütliche Stunden im Liegestuhl gönnte. Während sie fort gewesen war, hatte er mit Sicherheit weder den Staubsauger betätigt noch die Waschmaschine angeschaltet oder die

Blumen gegossen. Das hatte er für sie aufgehoben. Und würde erwarten, dass sie sofort mit der Arbeit anfing.

Xenia lehnte sich in ihrem Sitz zurück. Besser, sie genoss die Reise. Immerhin war es ein kleiner Ausflug in die Freiheit gewesen. Es würde sehr lange dauern, ehe sie eine solche Gelegenheit erneut bekam.

Wenn nur der Kerl, der ihr jenseits des Ganges in diesem Großraumwagen schräg gegenübersaß, nicht dauernd zu ihr hinschauen würde. Die ganze Zeit über starrte er sie an. Seit London. Sie blickte zum Fenster hinaus, sie blickte zur Decke, sie schaute in das Buch, das sie dabeihatte, sie schickte WhatsApp-Nachrichten an ihre Freundin Maya, bei der sie zu Besuch gewesen war ... aber wann immer sie dann wieder den Blick nach vorne richtete, begegnete sie seinen Augen. Schwarze Augen. Sehr dunkel, sehr leer. Absolut unheimlich. Der Mann war ziemlich jung, höchstens Mitte zwanzig, und er war bestimmt nicht an ihr interessiert. An einer siebenunddreißigjährigen, stark übergewichtigen Frau in einem wallenden Hippiekleid, mit dessen Stofffülle sie ihre üppigen Formen zu kaschieren versuchte. Es waren auch keineswegs begehrliche Blicke, die er ihr zusandte. Dafür waren sie viel zu starr.

Bedrohlich.

Wer war das, und was wollte er?

Sie hatte sich überall im Wagen umgeschaut, aber es gab keinen freien Platz, auf den sie hätte ausweichen können. Sie war zur Toilette gegangen und hatte auch dabei nach einer Alternative gesucht, aber nichts entdeckt. Der Zug war voll besetzt. Sie traute sich nicht zu weit von ihrem Koffer weg, daher ging sie nicht durch alle Wagen bis nach vorne. Sie wagte auch nicht, ihren Koffer einfach mitzunehmen. Das wäre zu auffällig gewesen. Irgendetwas sagte ihr, dass der

Typ ihr folgen würde, wenn er begriff, dass sie den Platz wechseln wollte.

Okay, nicht mehr weit bis York. Dort würde sie umsteigen in den Zug nach Leeds. Unwahrscheinlich, dass der seltsame Mann auch dorthin wollte. Und wenn doch, dann würde sie sich diesmal geschickter platzieren. Es war heller Tag, es konnte ihr nichts passieren. In Leeds würde Jacob, ihr Mann, sie am Bahnhof abholen. Nicht, dass sie sich darüber normalerweise gefreut hätte, aber diesmal kam es ihr entgegen.

Sie klappte ihr Buch zu und schob es in ihre Handtasche. Sie konnte sich ohnehin nicht konzentrieren. Vorsichtig hob sie den Blick. Der Typ glotzte. Er sah verschlagen aus. Lauernd. Aggressiv. Und irgendwie krank. Total gestört.

Sie fröstelte. Hätte sie nur mehr Selbstbewusstsein. Dann würde sie so lange zurückstarren, bis es ihm zu blöd wurde. Oder sie würde ihn ganz offensiv ansprechen. Aber ihr fehlte der Mut. Wie immer.

Sie schaute an die Decke, da hörte sie, wie die Frau, die neben ihr saß, erschrocken seufzte. Instinktiv sah Xenia sofort zu dem Fremden hin.

Er hielt eine Pistole in der Hand. Plötzlich.

Xenia zweifelte keinen Moment daran, dass er sie benutzen würde. Und dass sie das Opfer war.

Sie griff noch ihre Handtasche, sprang auf und rannte los.

So ein schöner Sommertag, dachte Kate, und da muss ich Stunden in diesem klimatisierten Zug sitzen!

Sie war müde, und sie hatte schlechte Laune, aber sie wusste, dass sie bei alldem etwas ungerecht war. Die Fahrt nach Leeds dauerte, einschließlich des Umsteigens in York, zweieinhalb Stunden, sie würde also keineswegs den ganzen

Tag im Zug verbringen. Und das Wellnesswochenende in den Yorkshire Dales, das ihr die Kollegen von Scotland Yard zum Abschied geschenkt hatten, war im Grunde nichts, was ein Drama darstellen müsste, zumindest nicht für einen normalen Menschen. Kate hatte, selbstkritisch, wie sie war, allerdings manchmal den Verdacht, nicht ganz normal zu sein. Müsste sie denn nicht Lust auf ein Wochenende in einem schönen Hotel haben, immerhin nur den Samstagnachmittag und den halben Sonntag, mit gutem Essen, mit Massagen und Schlammpackungen und Gurkenscheiben auf dem Gesicht? Mit Heubädern und sonstigen seltsamen Anwendungen, die ihr alle guttun würden? Sie hatte so etwas noch nie gemacht. Sie hatte die Befürchtung, dass sie es keine halbe Stunde lang ertragen würde.

Am Donnerstagabend hatte sie für die Kollegen eine kleine Abschiedsfeier gegeben, mit zwei Kisten Sekt und einem Buffet vom Caterer. Sie wusste, dass man sie in ihrer Abteilung immer für eigenartig gehalten hatte und dass Attribute wie *verschlossen, introvertiert, undurchschaubar* noch zu den netteren gehörten, mit denen man über sie sprach. Tatsache war, zwanzig Jahre bei Scotland Yard hatten sie bis zuletzt eine Außenseiterin sein lassen, und trotz ihrer beachtlichen Erfolgsquote hatte sie es nur bis zum Detective Sergeant gebracht. Es war üblich, dass der Vorgesetzte seine Mitarbeiter für die Prüfung zum nächsthöheren Rang vorschlug und ihnen auch Mut machte, sich anzumelden. Ihr Vorgesetzter hatte das nie getan. Ihre Prüfungen hatte Kate auf eigene Initiative in die Wege geleitet, sich entsprechend unsicher gefühlt und auch das Gefühl gehabt, dass sich die anderen über sie mokierten. Nach dem Motto *Ganz schön überheblich. Ohne Rückendeckung vom Chef.* Dabei war Kate nicht überheblich, nicht im Mindesten, und gerade ihr mangelhaftes Selbstbewusstsein wurde ihr andererseits auch oft genug angekreidet.

Ein ewiger Kreislauf. Unlogisch und ohne Ausweg.

Sie atmete tief und schaute zum Fenster hinaus. Das Kapitel lag hinter ihr. Ein neues vor ihr. Die Frage war, ob nun alles besser würde.

»In Scarborough hat es gestern ein scheußliches Verbrechen gegeben. Ganz schlimm.«

Sie zuckte zusammen, wandte sich ihrem Sitznachbarn zu. Colin Blair. Er war vielleicht der einzige Freund, den sie hatte, wobei der Begriff *Freundschaft* fast schon zu hoch gegriffen war. Eigentlich waren sie eine Art Notgemeinschaft, zwei Menschen, die das Problem mit den sozialen Kontakten nicht richtig in den Griff bekamen und sich nun gelegentlich an den Wochenenden trafen, um nicht völlig alleine zu sein. Sie hatten sich zwei Jahre zuvor beim Onlinedating getroffen. Es hatte nicht gefunkt zwischen ihnen, sie waren kein Paar geworden, aber irgendwie waren ihre einsamen Seelen doch in eine Beziehung getreten. Kate wusste nicht einmal, ob sie wirklich Sympathie für Colin empfand. Zumindest aber verstand sie ihn. Und hatte den Eindruck, dass es ihm umgekehrt genauso ging.

Das Abschiedsgeschenk der Kollegen war für zwei Personen vorgesehen. Kate fragte sich die ganze Zeit, ob das Unbedarftheit war oder eine perfide Form, ihr das Alleinsein noch einmal deutlich unter die Nase zu reiben. Allgemein wusste man, dass es keine engen Beziehungen in Kates Leben gab. Keine Freunde und schon gar keinen Partner oder Ehemann. Woher sollte sie jemanden nehmen, der sie zu einem Wochenende in einem Wellnesshotel begleitete? Tatsächlich war ihr bloß Colin eingefallen, und letztlich hatte sie ihn dann nur gefragt, um die Kollegen zu überraschen. Es gab doch jemanden! Sie würde insgeheim einen Zuschlag bezahlen, damit Colin sein eigenes Zimmer bekam, aber das brauchte niemand zu erfahren. Tatsächlich war ihre Kollegin Christy McMarrow, der sie am Vorabend ihre Katze Messy für die zwei Tage ihrer Abwesenheit gebracht hatte, ausgesprochen überrascht gewesen.

»Ach, du nimmst wirklich jemanden mit?«, hatte sie perplex gefragt.

»Ja«, hatte Kate erwidert, »einen Freund.« Und hatte Christy mit offenem Mund stehen gelassen.

Dafür hatte sie nun Colin am Hals, aber vielleicht ließen sich Heubäder zu zweit tatsächlich besser ertragen.

Colin verbrachte die Fahrt mit dem Smartphone vor der Nase und war nun offensichtlich auf eine interessante Meldung gestoßen.

»Ein Verbrechen?«, fragte Kate. »In Scarborough?«

»Ein Mann hat seine ganze Familie erschossen. Seine Frau und seine zwei noch ziemlich kleinen Kinder. Die Polizei war von Nachbarn gerufen worden, die Schüsse gehört hatten. Zu dem Zeitpunkt lebten aber noch alle, der Mann hatte einfach an die Decke geschossen. Dein neuer Chef hat dann mit ihm über Handy verhandelt.«

»Caleb Hale?« In seiner Abteilung hatte sie sich beworben und war angenommen worden. Was natürlich niemand in ihrem Umfeld verstand: Beamtin bei Scotland Yard, bei einer der berühmtesten Behörden der Welt. Und dann ging sie zur North Yorkshire Police, zum CID Scarborough. In den strukturschwachen Nordosten Englands und zu einer Behörde, die kein Mensch kannte. Egal. Kate wusste, warum sie es tat. Sie und Caleb hatten zwei Fälle zusammen gelöst. Er war vielleicht der einzige Mensch im gesamten Polizeiapparat Großbritanniens, der Kate für eine geniale Ermittlerin hielt.

»Ja. DCI Caleb Hale. Aber er hat es nicht verhindern können. Der Typ hat das Gespräch abgebrochen und dann unmittelbar die beiden Kinder und seine Frau erschossen. ›Geradezu hingerichtet‹, schreibt die *Daily Mail*.« Colin schüttelte den Kopf. »Echt krass.«

»Hat er sich selbst auch erschossen?«, fragte Kate. Die Geschichte war schrecklich, aber es handelte sich um ein nicht allzu seltenes Phänomen. Männer, die keinen Sinn mehr in ihrem Leben sahen, die sich von der Last ihrer Probleme erdrückt fühlten und allem ein Ende setzen wollten, neigten dazu, ihre Familien in ihren Selbstmord mitzunehmen. So wie es auch eher Männer waren, die ihren Abgang als Geisterfahrer auf einer Autobahn inszenierten und dabei Unbeteiligte mit in den Tod rissen. Tatsächlich geschah dies bei Frauen äußerst selten: Im Allgemeinen beschränkten sie ihren Suizid ausschließlich auf sich selbst.

»Nein«, sagte Colin, »hat er nicht. Hier steht, er wurde festgenommen und habe erklärt, dass er sich selbst auch töten wollte, aber es dann doch nicht fertiggebracht habe. Du liebe Güte. Was für ein Feigling!«

»Grauenhaft«, sagte Kate, »ganz grauenhaft.«

»Für die Presse ist das alles natürlich ein gefundenes Fressen«, meinte Colin. »Eine tote Frau. Zwei tote Kinder. Und die Polizei stand die ganze Zeit vor dem Haus. ›Wurde zu spät eingegriffen?‹, wird hier gefragt. Dein Caleb Hale dürfte jetzt einigen Ärger am Hals haben.«

Kate nickte. Das fürchtete sie auch. In Fällen wie diesen brauchte man einen Schuldigen. Das war natürlich der Familienvater, aber mit Sicherheit würden sich mildernde Umstände für ihn finden lassen. Viel besser und dramatischer ließ sich auf die Polizei einschlagen. Problemlos konnte in jede Richtung spekuliert werden. Und natürlich war die Beurteilung einer Situation im Rückblick immer wesentlich einfacher. Hätte die Polizei die Wohnung gestürmt und es hätte tote Kinder gegeben, wäre ein Sturm der Kritik losgebrochen. Im vorliegenden Fall hatte Caleb Hale als der Einsatzleiter offensichtlich auf Verhandlung gesetzt, und es hatte trotzdem tote Kinder gegeben. Nun würde er ebenfalls in einem Kritikhagel stehen. Immer wieder wurde in Fällen wie diesem eine Tatsache negiert, die Kate für ebenso traurig wie zutreffend und unveränderbar hielt: dass es Situationen im Leben gab, die eine gute Lösung ausschlossen. Egal, was man tat und wie man es tat.

»Caleb wird einiges aushalten müssen«, meinte Kate. »Aber er schafft das. Es gehört zu seinem Job, mit Kritik und Anfeindungen umgehen zu müssen.«

Schlimmer würden für ihn die Vorwürfe sein, die er sich selbst machte. Eine wehrlose Familie, grausam ermordet im eigenen Schlafzimmer. Er, wenige Meter entfernt mit seinen Leuten, hatte ihnen nicht helfen können. Sie kannte ihn, und sie wusste, wie sehr ihn die Bilder verfolgen, wie sehr ihn die Frage nach möglichem eigenem Versagen quälen würde. Leider kannte sie auch die Art, wie er auf Stress, auf Krisen, auf Selbstzweifel reagierte: Er war Alkoholiker. Seit vielen Jahren. Zwischendurch hatte er einen Entzug in einer Klinik gemacht und bezeichnete sich seitdem als *trockenen Alkoholiker*. Was er nicht war, wie Kate wusste. Er war längst rückfällig. Die Frage war, wie lange er damit noch durchkommen würde.

»Er bekommt ja jetzt dich an seine Seite«, meinte Colin. »Da kann nichts mehr schiefgehen.«

Sie lächelte ihn an. Manchmal konnte Colin durchaus charmant sein.

Sie blickte auf die Uhr. In wenigen Minuten würden sie den Bahnhof in York erreichen, wo sie umsteigen mussten. Sie stand auf.

»Ich gehe noch ganz schnell zur Toilette. Passt du auf meine Tasche auf?«

»Klar.« Colin nickte.

Kate ging den Gang zwischen den rot gepolsterten Sitzen im Großraumwagen entlang und dann durch einen Wagen mit geschlossenen Abteilen. Sie hatte die Toilettentür fast erreicht, als sie hinter sich Schritte vernahm, schnelle Schritte. Jemand kam den Gang entlanggerannt. Kate drehte sich um.

Eine Frau stürzte auf sie zu. Sie keuchte. Ihr Gesicht glänzte von Schweiß. Ihre Augen waren weit aufgerissen. Sie stolperte, als sie Kate fast erreicht hatte, und konnte sich nur auf den Beinen halten, weil Kate blitzschnell ihren Arm griff und sie stützte.

»Oh Gott. Helfen Sie mir. Bitte helfen Sie mir!«

»Was ist denn los?«

»Er ... er ist da hinten!« Sie wies in die Richtung des Ganges, aus der sie gekommen war. Kate folgte mit den Augen ihrem ausgestreckten Zeigefinger. Der Gang war leer.

»Wer denn? Beruhigen Sie sich doch.«

»Ich weiß es nicht«, flüsterte die Frau. »Ich habe keine Ahnung. Er hat eine Waffe.«

Kate wollte schon zu einer beschwichtigenden Rede ansetzen und sich nach möglichen Angehörigen oder Freunden der Frau im Zug erkundigen, weil sie glaubte, es mit einer Psychotikerin zu tun zu haben, da ging die gläserne Automatiktür auf, die zum Großraumwagen führte. Ein Mann erschien. Und in der nächsten Sekunde peitschte ein Schuss haarscharf an den beiden Frauen vorbei.

Die Fremde schrie. »Nein! Nein!«

Kate, die immer noch den Arm der Frau hielt, drückte mit der Schulter die Tür zur Toilette auf, stieß die Frau hinein, drängte hinter ihr her, zog die Tür zu und schob den Riegel vor. Draußen fiel ein zweiter Schuss. Die Frau begann wie eine Irre zu schreien.

Kate schob sie in den toten Winkel hinter der Tür und platzierte sich vor ihr. Sie hatte richtig vermutet: Im nächsten Moment durchschlug eine Kugel die Tür.

»Ruhig, ganz ruhig.« Kate hielt die Hand der Frau. »Wie heißen Sie?«

Die Frau starrte sie aus panischen Augen an. »Xenia.«

»Okay, Xenia. Ich heiße Kate. Wir sind hier drinnen in Sicherheit. Beruhigen Sie sich.«

Die nächste Kugel kam durch die Tür. Der Täter konnte die beiden Frauen in der Ecke, in der sie kauerten, nicht direkt treffen, aber es musste nur eine Kugel von den gegenüberliegenden Wänden abprallen, dann rettete sie nichts mehr.

Wieder zwei schnell aufeinanderfolgende Schüsse.

Kate blickte auf die Uhr. Noch zwei Minuten bis York. Der Zug fuhr schon langsamer. Menschen würden in die Gänge strömen, um die Türen zu erreichen. Sie konnte nur hoffen, dass man die Schüsse bereits gehört hatte und dass niemand den Gang vor der Toilette betreten würde. Es konnte sich um einen Amokläufer handeln, der wahllos auf alles schießen würde, was sich bewegte. Kate fingerte in den Taschen ihrer Jeans herum und stöhnte, als ihr aufging, dass sich ihr Handy in ihrer Handtasche befand. Und die hatte sie auf dem Sitz neben Colin stehen gelassen. Sie konnte sich mit niemandem in Verbindung setzen.

Wieder ein Schuss. Xenia zitterte wie Espenlaub.

»Xenia, haben Sie ein Handy?«

»Ich habe meine Handtasche verloren, als ich durch den Zug gerannt bin. Ich war ja ganz hinten in einem der Wagen … Ich weiß nicht, wo sie ist.« Sie begann zu weinen.

»Kein Problem. Bleiben Sie ruhig.« Natürlich war es ein Problem. Sie saßen jetzt in dieser Zugtoilette fest, und vor der Tür stand ein Mann mit einer Waffe. Hilfe konnten sie nicht herbeitelefonieren. Allerdings würde der Zug jeden Moment zum Stehen kommen. Und andere Reisende mussten die Schüsse gehört haben. Vielleicht war die Polizei längst verständigt.

Kates Blick glitt zu dem Schiebefenster an der Zugaußenwand hin. Sie wusste nicht, ob es sich öffnen ließ, aber es wäre einen Versuch wert. Während sie daran herumrütteln würde, wäre sie allerdings die perfekte Zielscheibe für den Verrückten draußen. Wenn er schoss, konnte er sie direkt in den Rücken treffen. Sie musste es trotzdem probieren.

»Bleiben Sie ganz still«, flüsterte sie Xenia zu. »Er soll nicht mitbekommen, dass ich unsere Ecke hier verlasse. Ich versuche, das Fenster zu öffnen.«

Xenia umklammerte sofort ihre Hand. »Bitte nicht. Bleiben Sie hier. Bitte.«

»Ich öffne nur das Fenster. Und dann klettern wir beide nach draußen.«

Xenias Zittern verstärkte sich, aber sie nickte. So tief geduckt, wie sie konnte, bewegte sich Kate zu dem Fenster hinüber. Mehr als knappe zwei Schritte waren es nicht in dem winzigen Raum. Links von ihr befand sich jetzt das Waschbecken aus Edelstahl mit dem kleinen Spiegel darüber. Direkt vor ihr die Toilettenschüssel. Darüber das Fenster. Hinter ihr, in direkter Linie, die Tür mit dem Schützen dahinter. Kate spürte, dass ihr der Schweiß ausbrach. Zum

Glück dröhnte das Rattern der Räder laut genug, um mögliche Geräusche des Fensters zu übertönen. Kate griff in die Halterungen und zog daran. Tatsächlich glitt die Scheibe geräuschlos und ohne größere Schwierigkeiten nach unten. Allerdings nur ein Stück weit. Dann war Schluss. Warme Sommerluft strömte herein. Weich.

Ich will nicht sterben, dachte Kate, ich will auf keinen Fall sterben.

Sie musterte die schmale Fensteröffnung. Sie selbst würde möglicherweise mit einiger Anstrengung hindurchpassen, sie war relativ klein und sehr dünn. Aber Xenia hätte keine Chance. Sie war ziemlich mollig, und das war freundlich formuliert. Hoffnungslos, sie nach draußen schieben zu wollen.

Xenia erkannte das Problem ebenfalls. »Bitte lassen Sie mich nicht allein. Bitte!«

»Natürlich nicht.« Das war klar. Kate war Polizistin, auch wenn sie gerade nicht im Dienst war: Bei Scotland Yard hatte sie zwei Tage zuvor aufgehört. Und in Scarborough würde sie im August beginnen. Sie befand sich im Augenblick in einer Art beruflichem Niemandsland. Dennoch hätte sie nie im Leben eine Frau in Xenias Situation zurückgelassen und sich selbst in Sicherheit gebracht. Das war vollkommen ausgeschlossen.

In diesem Moment fiel der nächste Schuss, und fast gleichzeitig kam der Zug mit kreischenden Bremsen und quietschenden Rädern im Bahnhof von York zum Stehen.

Kate spürte einen Schmerz an ihrer rechten Wade, scharf und durchdringend, aber nur kurz, und sie dachte eine Sekunde später schon, sie habe sich das nur eingebildet. Sie kroch zu Xenia zurück in die Ecke. Er war noch da. Immer noch.

Durch das geöffnete Fenster drangen Lautsprecheransagen. Ein weiterer Zug fuhr dröhnend ein. Man hörte das Rattern von Rollkoffern auf Bahnsteigen. Entfernt Stimmen. Bahnhofsgeräusche.

»Er ist noch vor der Tür«, hauchte Xenia.

»Ja, offensichtlich. Aber inzwischen müssen andere Leute etwas mitbekommen haben. Mit Sicherheit ist die Polizei schon verständigt. Die werden uns hier rausholen. Keine Angst.«

Sie fragte sich, was Colin jetzt tat. War es ihm schon komisch vorgekommen, wie lange sie auf der Toilette blieb? Hatte er die Schüsse gehört? Er musste nervös sein. Sie mussten hier umsteigen, ihr Zug nach Leeds ging knappe zwanzig Minuten später. Sie hoffte, dass er nicht kam, um nach ihr zu schauen. Er würde dem Täter direkt vor die Waffe laufen.

Xenia stieß plötzlich einen Schreckenslaut aus und deutete auf Kates Beine. »Sie bluten da!«

Kate sah, dass sich der Stoff ihrer Jeans an ihrer rechten Wade rotbraun verfärbt hatte. Der Fleck schien auch ständig größer zu werden. Sie entsann sich des scharfen Schmerzes. Sie war getroffen worden. Es tat seltsamerweise nicht weh. Der Schock, die Überflutung mit Adrenalin.

»Ein Streifschuss«, flüsterte sie, obwohl sie keine Ahnung hatte, »nicht weiter schlimm.«

»Er wird uns töten. Oh Gott, er wird uns töten!«

»Haben Sie irgendeine Ahnung, wer er ist? Und warum er hinter Ihnen her ist?«

»Nein. Ich saß im letzten Großraumwagen im Zug. Er saß mir schräg gegenüber, zwischen uns der Gang. Er starrte mich die ganze Zeit an, es war absolut unangenehm und unheimlich.«

»Und Sie haben den Mann nie zuvor gesehen?«

»Nein.«

»Hm. Das ist sehr merkwürdig.« Es gab Amokläufer. Die schossen dann aber meist wild um sich, egal, wen sie trafen, Hauptsache, sie erwischten viele Opfer. Dieser Mann jedoch hatte ausschließlich Xenia ins Visier genommen. Das wies darauf hin, dass es irgendeine Verbindung zwischen ihnen gab.

»Ich höre gar nichts mehr«, hauchte Xenia. »Aus dem Zug.«

Tatsächlich waren da die Geräusche des Bahnhofs. Aber der Zug klang wie ausgestorben.

»Glauben Sie, er ist noch da?«

»Ich weiß nicht. Ich möchte ungern meinen Kopf da rausstrecken. Es müssten eigentlich neue Passagiere einsteigen, und das würden wir mitbekommen. Da das nicht der Fall ist, hat die Polizei wohl schon die Kontrolle über die Situation übernommen.«

Xenia entspannte sich ein wenig. Sie zitterte nicht mehr so heftig, ihr Atem ging etwas ruhiger. Dann schraken sie beide heftig zusammen, als plötzlich an die Tür gehämmert wurde.

»Polizei! Wer ist da drinnen?«

Kate hielt Xenia, die sofort zur Tür stürzen wollte, zurück. »Detective Sergeant Kate Linville. Und eine Passagierin.«

Xenia blickte fassungslos drein. »Sie sind …?«

»Hier ist Detective Sergeant Jenkins von der North Yorkshire Police. Können Sie öffnen? Es ist alles unter Kontrolle.«

»Und wenn *er* es ist?«, fragte Xenia leise.

»Das hätte er dann schon längst auf diese Weise versucht«, meinte Kate. Sie humpelte zur Tür. Ihr Bein fing jetzt an zu schmerzen, und sie konnte kein Gewicht darauf verlagern. Sie schob den Riegel zurück. Vor ihr erschien ein Mann in dunklem Anzug.

»DS Linville?«

»Ja.«

»Ist jemand verletzt?«

»Ich habe einen Streifschuss am Bein«, erklärte Kate. »Sonst sind wir beide in Ordnung.«

»Sie sind also eine Kollegin?«, fragte Jenkins.

»Ja. Aber nicht im Dienst. Ich bin zufällig in diese Situation geraten.« Sie schaute den Gang auf und ab. Überall Polizei. Auch draußen auf dem Bahnsteig.

»Mehrere Passagiere haben Notrufe abgesetzt. Im Zug werde geschossen. Sekunden nachdem der Zug eingelaufen war, trafen auch wir zur Unterstützung der Bahnhofspolizei ein.« Er zögerte. Kate ahnte, was kam.

»Sie haben ihn nicht?«

»Nein. Es stürzten massenweise Menschen raus und liefen davon, die beiden Beamten der Bahnhofspolizei waren völlig überfordert. Wir haben dann versucht, die Lage zu kontrollieren, aber viele Passagiere waren bereits auf und davon. Einige werden in einem Raum des Bahnhofsgebäudes betreut. Andere sind über alle Berge. Wir mussten erst mal Gleise absperren, den Bahnhof sichern. Den Zug durchsuchen.« Er wischte sich über die Stirn. Es war nicht optimal gelaufen. Da draußen war ein Mann mit einer Waffe. Er war flüchtig. Er hatte sein Ziel nicht erreicht.

Xenia war noch bleicher geworden. »Wenn er es wieder versucht?«, flüsterte sie. »Was mache ich, wenn er es wieder versucht?«

DS Paul Jenkins wirkte ein wenig überfordert, aber er gab sich Mühe, eine erste Ordnung in die ganze Angelegenheit zu bringen. Er saß mit Kate Linville und mit Xenia in einem kleinen Raum, den ihnen die Bahnhofsaufsicht zur Verfügung gestellt hatte. Seine Mitarbeiter befragten draußen andere Reisende, die in dem Zug von London nach York gesessen hatten. Zumindest die, die noch da waren. Etliche hatten das Durcheinander genutzt und das Weite gesucht, vor allem, um ihre Anschlüsse zu bekommen und die eigentliche jeweilige Planung des Tages zu retten. Kate war, gestützt auf einen Sanitäter, aus dem Zug gehumpelt und auf dem Bahnsteig auf Colin gestoßen, der so sichtlich erleichtert war, sie lebendig anzutreffen, dass es sie rührte. Er hielt ihre Handtasche umklammert und war sogar geistesgegenwärtig genug gewesen, ihre beiden kleinen Rollkoffer mit nach draußen zu nehmen.

»Gott sei Dank, du bist in Ordnung!«, rief er. »Ich hatte schon Angst. Du warst kaum in Richtung Toilette entschwunden, da kam eine Frau durch den Waggon gerannt. Und kurz darauf ein Mann. Dann fielen Schüsse. Ich dachte … oh Gott …« Er fand nicht die Worte für das, was er gedacht hatte. Ein Polizist berührte ihn an der Schulter und schob ihn zur Seite. »Ich würde Ihnen gerne auch ein paar Fragen stellen«, sagte er.

»Natürlich. Natürlich!« Auf nichts war Colin erpichter. Kate vermutete, dass er eine sehr weitläufig ausgeschmückte Variante dessen, was er erlebt hatte, präsentieren würde.

Sie bat ihn, sich keinesfalls vom Bahnhof fortzubewegen und die beiden Koffer im Auge zu behalten. Ihre Handtasche nahm sie an sich. Sodann verarztete der Sanitäter ihr Bein. Es handelte sich tatsächlich um einen Streifschuss.

»Glück gehabt«, meinte der Sanitäter. »Viel Blut, dadurch sieht es schlimmer aus, als es ist. Ich desinfiziere das jetzt, Sie bekommen einen Verband, und ich gebe Ihnen etwas gegen die Schmerzen. Sie sollten aber trotzdem noch einmal einen Arzt aufsuchen.«

»Mach ich«, versprach Kate.

DS Jenkins hatte sich schon mit Xenia zur Vernehmung begeben wollen, aber Xenia hatte vollkommen hysterisch reagiert. »Nicht ohne Kate! Ich gehe nirgendwohin ohne Kate!« Kate hatte ihr das Leben gerettet. Kate war Polizistin. Xenia schien in ihr den einzigen sicheren Felsen inmitten der Brandung dieses alptraumhaften Tages zu sehen.

Daher saßen sie nun beide in dem heißen, kleinen Raum. Die Julisonne knallte durch das Südfenster, offenbarte den Staub auf der Scheibe und hatte das Zimmer mit den Aktenschränken aus Metall und dem sehr aufgeräumten Schreibtisch in einen Backofen verwandelt. Es gab keine Jalousien, keine Vorhänge. Kate fühlte sich nach wenigen Minuten wie ein Spiegelei auf einer glühenden Herdplatte. Großartig, das alles. Der Zug nach Leeds war weg. Das Wellnesswochenende würde mit einiger Verspätung beginnen. Wenn überhaupt. Am liebsten wäre sie nach Hause gefahren, hätte sich mit einem kühlen Getränk auf ihren Balkon gesetzt und das schmerzende Bein hochgelegt. Die blutverkrustete Jeans endlich ausgezogen.

Aber DS Jenkins musste seinen Job machen. Wer wüsste das besser als sie.

Er nahm Xenias Daten auf. Xenia Paget. Wohnhaft in Leeds-Bramhope, Yorkshire. Verheiratet. Keine Kinder. Geboren am 10. Mai 1982.

»Wo sind Sie geboren?«, fragte Jenkins.

Xenia zögerte. »Kirov. Russland. Damals Sowjetunion.«

Jenkins richtete sich auf. »Sie sind Russin?«

»Ich habe die britische Staatsbürgerschaft.« Xenia griff neben sich, dorthin, wo sie wohl für gewöhnlich ihre Handtasche stehen hatte. Dann fiel ihr ein, dass sie sie im Zug auf der Flucht vor ihrem Verfolger verloren hatte. »Meine Tasche! Sie ist noch im Zug. Meine Papiere sind da drinnen. Mein Pass. Ich habe einen britischen Pass!«

»Keine Sorge, der Zug ist abgesperrt, er wird von meinen Leuten durchsucht. Man wird Ihre Tasche finden, und Sie werden alles wiederbekommen«, sagte Jenkins beschwichtigend. Er zog ein Taschentuch hervor, fuhr sich damit über die Stirn, lockerte dann seine Krawatte. »Gott, ist das heiß hier drinnen.«

»Ich habe einen Engländer geheiratet«, erklärte Xenia. »Jacob Paget. Ich konnte deshalb die Einbürgerung beantragen.«

Es war ihr wichtig, sehr wichtig, wie Kate feststellte. Auf keinen Fall wollte sie den Verdacht aufkommen lassen, illegal in England zu leben. Kate fand, dass sie ein wirklich perfektes Englisch sprach. Wenn man wusste, dass sie aus Russland stammte, fiel ein kaum hörbarer Akzent auf; wusste man es nicht oder achtete nicht darauf, hätte man nicht gemerkt, dass sie keine Engländerin war.

»Seit wann leben Sie in England?«, fragte Jenkins.

»Seit 2006. Ich habe im Juni 2006 geheiratet.«

»Ihr Mann und Sie haben sich ...«

»Wir haben uns über eine Agentur kennengelernt«, erklärte Xenia. »Mein Mann wollte eine Frau aus Russland finden. Er hatte mit den Engländerinnen kein Glück, da wollte er es eben anders probieren.«

»Sie hießen damals …?«

»Xenia Petrowa Sidorowa.«

Jenkins notierte den Namen, die ungewohnte Buchstabenfolge leise buchstabierend.

»Nun, Mrs. Paget«, sagte er dann, »was mich natürlich am meisten interessiert, ist das, was heute in diesem Zug passiert ist. Ein Mann hat auf Sie geschossen. Können Sie mir den Verlauf der Geschichte bitte ganz genau schildern?«

Xenia wiederholte, was sie bereits Kate berichtet hatte: Wie der Fremde sie unablässig angestarrt hatte, von London King's Cross an.

»Mir wurde immer unheimlicher zumute. Aber weit und breit gab es keinen freien Platz, ich konnte mich nicht umsetzen. Und dann, kurz vor York, hatte er plötzlich eine Pistole in der Hand. Da bin ich aufgesprungen und losgelaufen. Meine Reisetasche habe ich im Gepäcknetz gelassen.« Sie unterbrach sich. »Meine Reisetasche …«

»Auch die bekommen Sie zurück«, beruhigte Jenkins.

»Ich lief immer schneller. Im nächsten Waggon wagte ich, mich umzusehen. Er folgte mir. Ich lief noch schneller. Er auch.«

»Sie liefen praktisch durch den ganzen Zug hintereinander her?«

»Ja. Ich war ja sehr weit hinten eingestiegen. Kurz bevor ich den Wagen erreichte, in dem ich dann Kate traf, sah ich mich noch einmal um. Der Typ war etwa eine halbe Waggonlänge hinter mir. Er hielt immer noch die Pistole in der Hand. Ich geriet total in Panik, weil ich wusste, ich muss jetzt bald am Ende des Zuges sein, und dann kann ich nicht weiter. Ich rannte. Dann traf ich Kate. Und dann schoss er auch schon.«

»Mrs. Paget, wenn ich Sie richtig verstanden habe, saßen

Sie dem Mann eine ganze Zeit lang gegenüber. Er starrte Sie an, das heißt, wann immer Sie Ihren Blick hoben, sahen Sie ihn. Ich nehme an, Sie können uns eine gute Personenbeschreibung liefern?«

Xenia seufzte. »Ich war so ängstlich und verwirrt, aber … Er war ziemlich jung, das fiel mir auf. Mindestens zehn Jahre jünger als ich. Also eher nicht der Typ Mann, der mich anschauen würde, weil er mich als Frau interessant findet.«

»Diesen Schluss halte ich nicht für zwingend«, meinte Jenkins. »Aber in diesem Fall scheint er definitiv nicht an einem Kennenlernen interessiert gewesen zu sein.«

»Nein. Er wollte mich umbringen.«

»Sie schätzen ihn also auf Mitte zwanzig. Können Sie etwas zu seiner Statur sagen? Augenfarbe? Haarfarbe?«

»Er war sehr groß. Kräftig. Dichte schwarze Haare. Lockig. Kein erkennbarer Haarschnitt. Er wirkte verwahrlost.«

»Nur wegen der Haare? Oder auch sonst?«

»Seine Jeans waren ausgeleiert und ziemlich verbeult. Ich glaube, er trug ein Sweatshirt. Grau. Fleckig.«

»Seine Augenfarbe?«

»Ich weiß nicht. Ich glaube, dunkelbraun. Es kann aber auch sein, dass einfach die Pupillen riesig und dunkel waren. Ein ganz starrer Blick. Absolut nicht normal.«

»Wir müssten bitte versuchen, mit Ihrer Hilfe ein Phantombild zu erstellen.«

»Ja, sicher. Ich helfe Ihnen, so gut ich kann.«

»Das ist gut«, sagte Jenkins. Er überlegte. »Sie wohnen in Leeds, sagen Sie. Was machen Sie beruflich?«

»Nichts. Im Moment. Ich gebe einmal die Woche ehrenamtlich einen Sprachkurs für Flüchtlinge, aber ansonsten mache ich nichts. Mein Mann meint, ich muss nicht arbeiten.«

»Was ist Ihr Mann von Beruf?«

»Er arbeitet als Hausverwalter. Für mehrere Wohnungseigentumsgesellschaften in Leeds und Umgebung.«

»Ich verstehe. Aber Sie haben sicher irgendwann einmal einen Beruf ausgeübt?«

»Ich habe in Russland begonnen, Sprachen zu studieren. Asiatische Sprachen. Ich spreche recht gut Chinesisch und Koreanisch.«

»Sie sind wohl ein echtes Talent«, bemerkte Jenkins. »Auch Ihr Englisch ist hervorragend.«

Xenia errötete vor Freude. »Vielen Dank.«

»Sie haben Ihr Studium aber nicht abgeschlossen?«

»Nein. Meine Familie verarmte völlig. Mein Vater war in der Rüstungsindustrie tätig, und nach dem Ende des Kalten Krieges hielt er sich nur noch mit Gelegenheitsarbeiten über Wasser. Meine Mutter auch. Irgendwann verloren beide auch diese Jobs. Ich habe noch vier jüngere Geschwister, wissen Sie. Also habe ich mein Studium abgebrochen und die Familie unterstützt. Ich habe als Kellnerin gearbeitet und auch geputzt. Aber es kam der Moment, da wollte ich …«

»Ja?«

»Ich wollte nur noch weg aus meinem Land. Ich habe da einfach keine Zukunft für mich gesehen. Ich war damals jung und hübsch. Ich habe mich bei einer englischen Agentur beworben, die Frauen aus dem Osten nach England vermittelt. Ich habe das als meine einzige Chance gesehen.«

»Sie müssen sich überhaupt nicht rechtfertigen«, sagte DS Jenkins beruhigend.

Kate betrachtete Xenia von der Seite. Was für eine tragische Geschichte, dachte sie. Eine intelligente Person, die mehrere Sprachen vermutlich fließend spricht, trotzdem putzen und kellnern musste, und nun mit einem Mann verheiratet ist, der nicht möchte, dass sie arbeitet. Ob sie deshalb so dick ist? Kompensiert sie ihren Frust, ihre Leere auf diese Weise?

Aber dann rief sie sich zur Ordnung. Sie spekulierte. Sie wusste nicht genug über Xenia, um sich ein Urteil über ihr Leben erlauben zu können.

»Was hatten Sie in London zu tun?«, fragte Jenkins.

Xenia schien einen Moment verwirrt. »In London?«

»Nun ja, Sie sind heute früh in London King's Cross in den Zug gestiegen.«

»Ach so. Ja. Ich hatte eine Freundin besucht. Ich bin am Donnerstag zu ihr gefahren und heute zurück. Mein Mann will mich in Leeds vom Bahnhof abholen.« Sie schien plötzlich erschrocken. »Oh Gott. Ich komme ja jetzt viel später an. Ich muss ihm unbedingt Bescheid sagen.«

»Wollen Sie mein Handy dafür benutzen?«, bot Kate an.

»Ja, bitte.« Xenia sprang auf. »Kann ich kurz nach draußen gehen?«

»Natürlich«, sagte Jenkins.

Xenia verließ mit Kates Handy, nachdem diese es entsperrt hatte, den Raum.

Als sie draußen war, fragte Jenkins: »Wie beurteilen Sie die Situation? Als Kollegin?«

Kate überlegte. »Ich finde, das ist im Augenblick schwer zu durchschauen. Der Mann im Zug war nicht einfach ein Amokläufer, sonst hätte er wahllos ein Blutbad unter den Fahrgästen angerichtet. Er hatte es eindeutig auf Xenia abgesehen. Ich geriet nur in die Schusslinie, weil ich mich mit ihr zusammen verbarrikadiert hatte. Das spricht für eine Beziehungstat – in dem Sinne, dass es irgendeine Art von Beziehung zwischen ihm und Xenia geben muss.«

»Könnte es mit Russland zu tun haben? Glauben Sie, es wäre sinnvoll, ihre Geschichte zu überprüfen?«

»Ich fürchte, das wären sehr teure und langwierige Untersuchungen. Zumindest, was den russischen Teil angeht. Vielleicht wäre ein Gespräch mit der Agentur sinnvoll, die sie damals an ihren heutigen Mann vermittelt hat.«

»Möglicherweise ist sie Geld schuldig geblieben. Die Russen sind bekannt für drastische Inkassomaßnahmen.«

»Aber es handelte sich um eine englische Agentur.«

»Trotzdem könnte ein Geschäftspartner in Russland beteiligt gewesen sein. Beteiligt an der Abwicklung, damit auch an der Provision.«

»Das alles liegt dreizehn Jahre zurück. Sie hat 2006 geheiratet, nach eigenen Angaben zumindest. Angenommen, die Provision wurde nicht bezahlt oder nicht vollständig und irgendjemand in Russland fühlt sich übers Ohr gehauen – hätte derjenige nicht früher interveniert?«

»Hat er vielleicht. Ohne Erfolg. Und deshalb wurde die Methode nun etwas drastischer.«

»Das klingt schon sehr nach einem Film über die Russen-Mafia«, meinte Kate.

Jenkins zuckte die Schultern. »Xenia Paget ist nun einmal gebürtige Russin.«

»Aber so eine Partnervermittlung kann ja nicht ein Vermögen kosten. Wenn Jacob Paget seit dreizehn Jahren aufgefordert worden wäre, seine Schuld zu begleichen, und wenn nun der Druck erhöht worden wäre ... Meinen Sie nicht, er hätte dann, in Gottes Namen, inzwischen gezahlt, ehe er sich mit solchen Leuten dauerhaft anlegt?«

»Ich weiß nicht, was für ein Typ Mensch er ist«, sagte Jenkins. »Vielleicht verlangen die seiner Ansicht nach zu viel, und eher lässt er sich vierteilen, als dass er nachgibt.«

Kate überlegte. »In jedem Fall würde es Sinn machen, mit Mr. Paget zu sprechen. Ich würde zumindest vermuten, dass hier ein Problem liegt. Ob es allerdings relevant für die Geschichte heute im Zug ist, weiß ich nicht.«

»Inwiefern sehen Sie ein Problem?«

»Ich weiß nicht, ob ich so weit gehen würde zu sagen, dass Xenia Paget Angst vor ihrem Mann hat. Sie wirkt zumindest eingeschüchtert.«

Jenkins war überrascht. »Woran machen Sie das fest? Weil er nicht will, dass sie arbeitet?«

»Könnte ein Indiz sein. Wenn es stimmt, was sie erzählt, dann ist sie eine äußerst sprachenbegabte junge Frau, die als Übersetzerin oder Dolmetscherin möglicherweise sehr erfolgreich wäre. Warum lässt sie sich in dieser Hinsicht völlig kaltstellen?«

»Dafür mag es Gründe geben. Vielleicht will sie Kinder, vielleicht nimmt sie deshalb Stress raus. Keine Ahnung.«

»Okay. Aber fanden Sie nicht, dass sie fast panisch reagierte, als ihr plötzlich aufging, dass sie nicht rechtzeitig in Leeds ankommen und ihr Mann vergeblich am Bahnhof warten würde?«

»Ich hatte den Eindruck, sie will nicht, dass er sich Sorgen macht.«

»Möglich«, sagte Kate.

Xenia kehrte zurück, reichte Kate das Handy. »Vielen Dank.« Sie setzte sich. Sie schien nicht erleichterter, sondern noch bedrückter als zuvor. »Mein Mann wollte wissen, wann ich heimkomme. Dauert das hier noch lange?«

»Nein«, sagte Jenkins. »Ich kann verstehen, dass Sie nach Hause möchten. Sagen Sie mir aber bitte noch, wie Ihre Freundin in London heißt? Und woher Sie sie kennen?«

»Maya Price. Sie hat früher in Leeds neben uns gewohnt. Wir haben uns angefreundet. Dann, vor zwei Jahren, zog sie nach London. Genauer gesagt, nach Southend-on-Sea, nahe London. Ich vermisse sie sehr. Manchmal besuche ich sie.«

»Warum besuchen Sie sie an einem Donnerstag und Freitag, und fahren am Samstag zurück? Warum besuchen Sie sie nicht über das komplette Wochenende?«

Xenia zögerte. »Mein Mann möchte gerne, dass ich am Wochenende zu Hause bin. Damit wir Zeit für uns haben.«

Kate und Jenkins tauschten Blicke. Na bitte, sagte der von Kate.

Na und?, sagte der von Jenkins.

»Okay. Mrs. Paget, können Sie sich an irgendetwas erinnern, was Ihnen in London seltsam vorkam? Oder sogar schon auf der Fahrt dorthin?«

»Seltsam?«

»Dass Sie sich bereits beobachtet gefühlt haben vielleicht. Nicht so deutlich und direkt wie im Zug. Aber manchmal spürt man doch, dass man angeschaut wird. Oder irgendetwas anderes. Irgendetwas, dem Sie keine Beachtung schenkten. Was aber jetzt im Zusammenhang mit den heutigen Geschehnissen doch befremdlich erscheint?«

Xenia schien aufrichtig bemüht, sich zu erinnern. »Nein«, sagte sie dann. »Da war nichts. Absolut nichts.«

»Und dieser Mann: Sie sind sicher, dass Sie ihn nie zuvor gesehen haben?«

»Ich bin sicher.«

»Und könnte es etwas geben, irgendetwas, in Ihrer Vergangenheit? Hier oder in Russland. Könnte es da irgendetwas gegeben haben, weshalb jemand sich veranlasst gefühlt

hat, Sie heute durch den halben Zug zu jagen und dann auf
Sie zu schießen?«

»Nein«, sagte Xenia. In der nächsten Sekunde flackerte
etwas in ihren Augen. Ganz kurz nur. Kate sah es, weil sie
Xenia fixierte. Jenkins schien es nicht zu bemerken.

Eben, dachte Kate, ist ihr etwas eingefallen. Aber sie will
nicht darüber sprechen.

3

Das Ergebnis der Blutprobe war eindeutig gewesen: 0,7 Promille.

Caleb war gefragt worden, ob er sich freiwillig Blut abnehmen ließe. Nach dem Einsatz in der Nordbucht. Der so
schrecklich geendet hatte: eine tote Frau. Zwei tote Kinder.
Ein Täter, der haltlos schluchzend im Schlafzimmer der
Ferienwohnung auf dem Fußboden saß, die Waffe noch in
der Hand.

»Ich konnte es nicht«, hatte er gewimmert, »ich konnte es
nicht tun.« Damit meinte er sein eigentliches Vorhaben: am
Ende sich selbst zu erschießen.

Caleb hatte eine Stunde später beim DCS, dem Detective
Chief Superintendent antreten müssen.

»Was ist da schiefgegangen?«, hatte der gebellt. »Drei
Tote. Die beiden Kinder sind sechs und sieben Jahre alt.
Großer Gott! Ihre Leute stehen die ganze Zeit um das Haus
herum, Schüsse sind bereits gefallen, es ist klar, dass da drinnen ein durchgeknallter Typ seine Familie bedroht. Und Sie

tun … nichts. Sie warten seelenruhig ab, bis der eine Frau und zwei Kinder buchstäblich exekutiert. Dann erst stürmen Sie die Wohnung!«

Das war ungerecht. Caleb wusste es, und sein Vorgesetzter wusste es auch. Aber er stand unter dem Druck der Öffentlichkeit. Er würde die Wogen der Entrüstung in den Medien aushalten müssen, und es war klar, dass sie heftig ausfallen würden. Tote Kinder. Das war das Schlimmste. Auch deshalb, weil die Zeitungen damit Auflage machen konnten, umso mehr, je dramatischer sie darauf herumritten.

»Sir, so wie sich die Situation darstellte, hielt ich das Stürmen der Wohnung für viel zu riskant«, erklärte Caleb. »Es hätte mit absoluter Sicherheit zu einem Blutbad geführt.«

»Ach, und so hat es das nicht?«

»Doch. Leider. Aber es war die einzige Chance, diesen Mann zu erreichen, um an sein Gewissen appellieren zu können. Er hatte zuvor in die Decke und in eine Wand geschossen. Nicht sofort auf seine Familie.«

»Soll man ihn dafür loben?«

»Es sagt etwas aus. Er war zunächst nicht hundertprozentig entschlossen. Im Gegenteil, in dem Moment, in dem er in einem Mehrfamilienhaus ziellos herumschießt, riskiert er, dass jemand die Polizei verständigt.«

»Und?«

»Ich glaube, dass er reden wollte. Dass er eigentlich Hilfe suchte.«

»Das ist dann aber gründlich schiefgegangen. Offenbar haben Sie, als Sie ihn am Handy hatten, irgendetwas gesagt, was seine Sicherungen von einem Augenblick zum nächsten durchbrennen ließ.«

»Ich habe …«

Der DCS blickte auf eine Notiz, die vor ihm auf seinem

Schreibtisch lag. »Mir wurde berichtet, dass Sie ihn offensiv auf seine finanziellen Sorgen ansprachen. Und da drehte er durch.«

»Ich wollte ihm klarmachen, dass es einen Ausweg gibt. Dass auch finanzielle Probleme lösbar sind.«

»Nun, offenbar konnten Sie ihm das nicht überzeugend vermitteln. Im Gegenteil. Sie haben praktisch in dem Moment den Auslöser für alles Weitere betätigt. Großartige Leistung, Hale!«

Das kam beißend. Wütend. Vernichtend.

Wer hat ihm den Wortlaut meines Gesprächs mit Jayden White berichtet?, fragte sich Caleb. Der Einzige, der direkt neben ihm gestanden und zugehört hatte, war DI Robert Stewart gewesen. Sein engster Mitarbeiter und Vertrauter. Andererseits, wenn der Superintendent ihn gefragt hatte, war Robert gar keine Wahl geblieben, als wahrheitsgetreu zu berichten. Dennoch, irgendetwas ließ Caleb frösteln.

»Sir, ich weiß nicht …«, setzte er an, wurde jedoch unterbrochen.

»Wo war eigentlich Sergeant Helen Bennett?«

»Sie hatte sich freigenommen. Sie besuchte ihre Mutter in Saltburn. Sie war verständigt und bereits auf dem Weg zurück nach Scarborough.«

»Und Ihnen gelang es nicht, Jayden White wenigstens so lange hinzuhalten, bis Sie an eine *kompetente Mitarbeiterin* übergeben konnten?«

»Nein«, sagte Caleb.

Der DCS musterte ihn aus schmalen Augen. »Mir ist noch mehr zu Ohren gekommen, Hale. Nämlich, dass Sie ziemlich betrunken waren, als Sie den Einsatz leiteten.«

Caleb hatte geglaubt, nicht richtig gehört zu haben. »Wie bitte?«

Sein Vorgesetzter hatte sich verlegen geräuspert. »Inspector, ich darf Ihnen sagen, dass man es riecht. Ich wusste in dem Moment, dass es stimmt, als Sie hier in mein Zimmer kamen.«

»Sir, ich …«

»Herrgott!« Der DCS schlug mit der Faust auf den Tisch. »Ich dachte, wir wären da durch. Ich dachte, *Sie* wären durch. Sie haben damals den Entzug gemacht und glaubhaft versichert, alles sei in Ordnung. Sie gehen auf die fünfzig, verdammt, und *schaffen das einfach nicht?* Sie schaffen es nicht, dieses blöde Problem zu lösen?«

Bis Caleb fünfzig war, dauerte es noch ein paar Jahre, aber er war natürlich nicht mehr wirklich jung. Wobei das nicht in einem Zusammenhang stand, Sucht war Sucht, in jedem Alter.

»Ich habe mich für Sie eingesetzt, als es darum ging, Ihnen die Rückkehr in Ihre alte Position zu ermöglichen«, fuhr der DCS fort. »Ich habe an Sie geglaubt. Und jetzt höre ich, dass Sie längst rückfällig sind. Dass Sie bereits ein halbes Jahr nach Ihrem Entzug zum ersten Mal wieder abgestürzt sind. Dass Sie regelmäßig und viel trinken. Im Dienst!«

»Wer hat Ihnen das gesagt?«

»Das spielt keine Rolle. Die Frage ist, stimmen Sie einer Blutprobe zu? Sie müssen das nicht, ich weiß.«

»Sir, ich …«

»Wenn Sie es nicht tun, finde ich Mittel und Wege, Sie aus dem Weg zu räumen, Hale. Sie sind nicht mehr tragbar. Ich werde das jedem erzählen, der meinen Weg kreuzt, und ich werde jeden darauf ansetzen, Sie zu melden, wenn Sie getrunken haben. Wenn Sie aber jetzt kooperieren …«

»Dann?«

»Sie werden vom Dienst suspendiert, wenn der Alkoholtest positiv ist, wovon ich ausgehe. Ich werde Ihre Suspendierung aber als Folge dieses letzten Einsatzes, bei dem zwei Kinder starben, kommunizieren. Dass Sie betrunken waren, bleibt unter uns. Sie haben dann die Gelegenheit, dieses Problem in den Griff zu kriegen. Endlich. Hoffentlich.«

»Und dann?«

»Ich kann Ihnen nichts versprechen. Aber es ist eine Chance.«

»Es bleibt unter uns«, sagte Caleb bitter. »Da draußen ist aber jemand, der das Thema offenbar ganz gerne unter die Leute bringt.«

»Da kann ich Ihnen nicht helfen.«

»Verstehe.«

»Sie willigen in den Bluttest ein?«

»Ja«, sagte Caleb. Erschöpft. Resigniert.

»In Ordnung.« Der DCS wirkte erleichtert. »Übrigens, die Ermittlungen im Fall White übernimmt DI Stewart. Er leitet auch die Pressekonferenz, die wir für morgen Vormittag zehn Uhr angesetzt haben. Sie treten dort bitte nicht in Erscheinung.«

Robert, hatte Caleb gedacht. Er war nicht wirklich erstaunt. Aber tief verletzt. Robert Stewart. Er ist endlich da, wo er immer hinwollte.

An diesem Samstag nun hatte die Lawine zu rollen begonnen. Die Presse überschlug sich. Eine tote Mutter. Zwei tote Kinder. Die Polizei, die frühzeitig verständigt worden war und sodann *untätig* auf der Straße vor dem Wohnblock herumgestanden hatte. »Warum habt ihr nichts getan?«, fragte die *Yorkshire Post* in der Schlagzeile auf ihrer Titelseite.

Darunter die Bilder der Opfer: Yasmin White, eine junge,

zerbrechlich wirkende Frau mit großen dunklen Augen in einem sehr ernsten Gesicht. Ava White, sieben Jahre. Sina White, sechs Jahre. Fröhliche kleine Mädchen mit braunen Locken und dunklen Augen.

»Mussten sie sterben, weil die Polizei zu lange zögerte?«, ging es darunter weiter im Text. Die Abwesenheit der Polizeipsychologin wurde thematisiert (»Hätte sie den verzweifelten Vater von seiner schrecklichen Tat abhalten können?«), um dann auf den Einsatzleiter, DCI Caleb Hale, überzuleiten: »An ihm klebt das Blut der kleinen Mädchen«, hieß es, und zwei Sätze weiter wurde behauptet, Hale sei bei dem Telefonat mit dem Familienvater so offensiv und ungeschickt vorgegangen, dass er damit die Eskalation überhaupt erst herbeigeführt habe. Alkohol wurde nirgends erwähnt. Noch nicht. Caleb wusste, dass sich das jeden Moment ändern konnte.

Caleb Hale und Robert Stewart waren einander am Freitagnachmittag nicht mehr begegnet, jeder war mit ganz anderen Dingen beschäftigt gewesen, Caleb vor allem damit, Vorwürfe schweigend hinzunehmen und seine berufliche Laufbahn in Stücke zersplittern zu sehen, aber jetzt, an diesem Samstagabend, in seinem leeren, schweigenden Haus, hatte Caleb den Eindruck, keine weitere Stunde zu ertragen, ohne mit Robert Stewart gesprochen zu haben. Er musste wissen, ob er es gewesen war, der ihm so in den Rücken gefallen war.

Bevor er ging, hörte er den Anrufbeantworter ab. Das Telefon hatte am Nachmittag ein paar Mal geklingelt, aber er war nicht drangegangen, weil er einfach keine Lust hatte, mit irgendjemandem über die ganze verfahrene Situation zu sprechen. Die Stimme von Kate Linville erklang. »Hallo, Caleb. Ich habe von dem erweiterten Selbstmord gestern in Scarborough gehört und gelesen. Na ja, erweiterter Selbstmord trifft es ja nicht, der Mann hat sich ja nicht umgebracht. Ich hoffe, Sie haben nicht zu viele Probleme deswegen.« Zögern. »Die *Yorkshire Post* äußert sich ja nicht allzu freundlich. Wenn Sie reden wollen, rufen Sie mich einfach jederzeit an. Ich bin auf meinem Handy erreichbar. Ich muss ein grässliches Wellnesswochenende in den Dales absitzen, Abschiedsgeschenk der Kollegen im Yard. Ich bin, fürchte ich, nicht der Typ für Schlammpackungen und solches Zeug. Na ja, dafür hatte ich eine ausgesprochen aufregende Anreise. Steht morgen bestimmt in der Zeitung.« Wieder eine Pause. »Also«, sagte sie dann, »bis später.«

Es folgten zwei Nachrichten von seiner Exfrau, aber die hörte Caleb sich gar nicht an, sondern löschte sie sofort. Sie hatte die *Yorkshire Post* natürlich gelesen und würde wissen wollen, ob Caleb während des Einsatzes nüchtern gewesen sei. Seine Sucht war der Grund gewesen, weshalb sie ihn vor vielen Jahren verlassen hatte.

Kurz überlegte Caleb, ob er Kate zurückrufen sollte. Aber dann dachte er, dass das Gespräch mit Robert Stewart Vorrang haben musste. Er brauchte Klarheit.

Robert wohnte mitten in der Stadt, in einer kleinen Wohnung im dritten Stock eines Hauses, das sich in einer verkehrsberuhigten Parallelstraße zur vielbefahrenen Victoria Road befand. Er traf zufällig gleichzeitig mit Caleb ein, sie parkten sogar direkt hintereinander am Straßenrand. Stiegen aus. Robert kam offenbar gerade aus dem Büro, denn er trug trotz der Wärme Anzug und Krawatte. Angesichts der Geschehnisse hatte er den Gedanken an ein geruhsames Wochenende abhaken müssen. Am Vormittag hatte er die Pressekonferenz geleitet. Den Nachmittag, wie Caleb annahm, mit der Vernehmung Jayden Whites verbracht. Er sah müde aus.

Einen Moment lang schien er sich nach einer Fluchtmöglichkeit umzusehen, aber dann straffte er die Schultern und reckte den Kopf. Ein Ausweichen war ohnehin nicht möglich. Robert Stewart war bereit, sich der Situation zu stellen.

»DI Stewart«, sagte Caleb förmlich.

»Sir«, sagte Robert.

Sie standen einander gegenüber im Schein der Abendsonne. Es roch nach warmem Asphalt und nach den Rosen, die in einem der Vorgärten blühten. Ein wenig nach Salz und Meer. Sommerabendgeruch. Die Stadt war von einem Drama erschüttert worden, über das nun alle sprachen, aber dieser milden Abendstimmung war nichts davon anzumerken.

»Warum?«, fragte Caleb, nachdem sie beide einige Momente geschwiegen hatten.

Robert wusste, was er meinte.

»Es ist nicht mehr tragbar«, antwortete er. Und nach einem Augenblick des Zögerns fügte er hinzu: »*Sie* sind nicht mehr tragbar.«

»Sind Sie der Meinung, dass ich betrunken war gestern? Und deswegen der Lage nicht gewachsen?«

»Ich habe gerochen, dass Sie getrunken hatten. Und ich habe bemerkt, dass es Ihnen körperlich nicht gut ging. Sie waren schweißüberströmt und haben sich ständig verzweifelt nach einem schattigen Platz umgesehen. Sie wirkten wie jemand, der sich recht mühsam auf den Beinen hält.«

Dem war schwer zu widersprechen. Caleb erinnerte sich nur zu gut, wie stechend er die Sonne empfunden hatte. Und dieses Gefühl, dass die Zunge am Gaumen festklebte. Seine körperliche Befindlichkeit hatte ihn gequält – aber trotzdem war er zu hundert Prozent sicher, dass nichts anders gelaufen wäre, hätte er nicht getrunken. Er hätte dieselben Entscheidungen getroffen, auch wenn er nüchtern gewesen wäre.

»Es ging mir nicht gut, ja. Aber bitte erklären Sie mir, an welcher Stelle ich *deswegen* einen gravierenden Fehler gemacht habe? Oder überhaupt einen Fehler?«

»Sie haben keinen Fehler gemacht, Sir.«

»Aber ...«

»Nichts aber. Sie haben keinen Fehler gemacht. Sie haben nicht zu lange gewartet, und es war völlig richtig, zunächst auf eine telefonische Verhandlung zu setzen, anstatt die Wohnung in dieser unklaren Situation sofort stürmen zu lassen. Dass der Typ plötzlich abbrechen und dann durchdrehen würde, war natürlich eine tragische Entwicklung, aber das war nicht vorhersehbar.«

»Dennoch hielten Sie es für nötig, mich dem Superintendenten als betrunken zu melden. Ich verstehe das nicht.«

Robert blickte auf die Spitzen seiner makellos blank polierten schwarzen Schuhe, dann hob er den Kopf, sah seinen Chef an, und es brach aus ihm heraus: »Es ist nicht mehr tragbar. Für mich. Ich habe es immer mitbekommen, immer. Die Flasche in Ihrem Schreibtisch. Das hastige Trinken. Ihr ganzes Büro roch danach. Ihr Atem roch danach. Und immer musste ich gute Miene machen. So tun, als wäre nichts. Ich war Mitwisser von etwas, was ich eigentlich sofort hätte melden müssen. Das hat Sie nie gestört. Dass ich etwas decken musste, was ich vollkommen unmöglich fand. Wie es mir damit ging – danach haben Sie doch nie gefragt.«

Caleb war zusammengezuckt unter Roberts heftig geführter Rede. Das Schlimme war: Er konnte nicht widersprechen. Nichts von dem, was Robert Stewart sagte, war absurd oder übertrieben oder an den Haaren herbeigezogen. Er konnte ihn ... verstehen.

»Ich konnte nicht …«, begann er, aber Robert unterbrach ihn. »Natürlich konnten Sie nicht. Es gab das Thema ja nicht. Offiziell gab es ja das ganze Problem nicht. Wie hätten Sie da mit mir reden sollen? Der unausgesprochene Deal war ja der, dass ich nichts sehe, nichts höre, nichts rieche. Damit haben Sie sich glänzend arrangiert.«

Die Formulierung, dass er sich *glänzend arrangiert* habe, hätte Caleb nicht gewählt. Er hatte sich ständig unter Druck gesetzt gefühlt. Schuldig gefühlt. Seiner Sucht ausgeliefert und manchmal zutiefst gestresst in seinen Bemühungen, seinen Zustand vor seiner Umgebung zu verbergen. Jetzt, da er endlich loslassen konnte, weil es passiert war – sein Vorgesetzter wusste Bescheid, er war suspendiert, es gab nichts mehr zu beschönigen –, merkte er erst, wie angestrengt er sich gefühlt hatte. Wie schwer die Last gewesen war.

»Die Situation gestern war für uns alle grauenhaft«, fuhr Robert fort. »Ein bewaffneter Mann, der die Nerven verliert und in einem Ferienappartement herumschießt. Der ganz offensichtlich seinem Leben ein Ende setzen und seine völlig wehrlose Familie mitnehmen will. Der schließlich Frau und Kinder per Kopfschuss tötet. Mich hat in all meinen Dienstjahren noch selten ein Fall so mitgenommen. Diese beiden toten Mädchen zu sehen …«

»Ich weiß«, sagte Caleb.

Robert wies anklagend mit dem Zeigefinger auf ihn. »Und wir stehen draußen mit einem alkoholisierten Einsatzleiter. Woher sollen wir denn die Kraft nehmen, solche Einsätze durchzuziehen, schwere Entscheidungen zu treffen, die Wut der Medien auszuhalten, wenn es, so wie gestern, komplett schiefgeht? Das geht doch nur, wenn wir selbst uns zumindest im Dienst einwandfrei benehmen. Wenn wir selbst uns nichts vorwerfen müssen.«

Caleb nickte langsam. Es ließ sich schwer etwas entgegnen.

Dennoch sagte er schließlich: »Ich hätte es fairer gefunden, Sie hätten mit mir gesprochen. Zuerst. Mich vorgewarnt. Mir noch irgendeinen Weg ermöglicht. Wenn Sie all das, was Sie mir gerade gesagt haben, gestern gesagt hätten. Als letzte Warnung meinetwegen. Einfach als eine Chance.«

Robert blickte an ihm vorbei. »Die ganze Zeit über«, sagte er, »seit Jahren schon, habe ich mit dem Gedanken gespielt. Aber ich habe es nicht gewagt. Sie waren mein Vorgesetzter. Eine Instanz, an der ich nicht zu kratzen wagte.«

»Nun ja«, sagte Caleb. »Das hat sich ja nun erledigt. Ich bin nicht mehr Ihr Vorgesetzter. Mal sehen, wer die Abteilung nun leiten wird. Vielleicht bekommen ja sogar Sie den Posten!«

Robert Stewart versuchte etwas zu schnell, eine unbeteiligte Miene aufzusetzen. Caleb wusste Bescheid.

»Verstehe. Sie haben den Posten schon. Dann hat es sich ja gelohnt. Sind Sie ganz sicher, dass der Gedanke an eine Beförderung nicht mitspielte, als Sie beschlossen, die Moral der Truppe herzustellen und von dem störenden Element, nämlich meiner Person, zu befreien?«

Robert wollte etwas erwidern, aber Caleb gab ihm nicht die Gelegenheit dazu. Er stieg in sein Auto, drehte den Zündschlüssel um, ließ den Motor aufheulen. Vielleicht war er nicht ganz gerecht gewesen.

Aber er hatte sich jetzt auch einfach Luft machen müssen.

Vielleicht werde ich langsam etwas wunderlich. Davor habe ich schon lange Angst. Ich bin fünfundsechzig geworden im Januar, und ich lebe seit zwölf Jahren alleine. Meinen Beruf als Steuerberater habe ich vor einem halben Jahr an den Nagel gehängt. Ich hatte einfach keine Lust mehr, und ich habe ein Alter erreicht, in dem andere auch aufhören. Finanziell komme ich über die Runden. Keine großen Sprünge, aber dafür bin ich sowieso nicht der Typ.

Ich habe nicht bedacht, dass ich noch viel einsamer sein werde ohne meine Arbeit:

Mir fehlen Freunde und ein Hobby. Komisch, dass ich es nicht geschafft habe, entweder Menschen für mich zu gewinnen oder etwas auf die Beine zu stellen, was mir nun Halt geben würde. War ich immer so? So kontaktarm? So antriebslos?

In jüngeren Jahren nicht, so viel weiß ich. Es war diese Geschichte damals, diese schreckliche Geschichte. Ich bin aus der Bahn gefallen. Weder ich noch mein Leben haben auf die alten Gleise zurückgefunden.

Ich bin ein fünfundsechzigjähriger, sehr einsamer Mann. Wenn ich allzu lange über meine Lebensbilanz nachdenke, werde ich schwermütig. Am besten lenke ich mich ab. Nur womit? Ich stehe morgens auf und frühstücke, und wenn ich das Geschirr gespült und die Küche gewischt habe, frage ich mich schon, weshalb ich eigentlich aufgestanden bin.

Dann liegt der Tag vor mir. Wie eine Ewigkeit.

Keine Struktur mehr. Der einzige Mensch, den ich regelmäßig sehe, ist meine Putzfrau. Isla. Sie kommt jeden Dienstag und bringt die Wohnung auf Hochglanz. Sie ist ziemlich einfältig, aber nett. Eigentlich würde ich gar keine Putzfrau brauchen, ich habe mehr als genug Zeit, meine Wohnung alleine sauber zu halten. Aber wenn ich Isla kündige, kommt überhaupt kein Mensch mehr zu mir, und alles wäre noch schrecklicher.

So weit ist es gekommen: Ich fiebere meiner Putzfrau entgegen.

Ich bin seit zwölf Jahren geschieden. Meine Ehe mit Alice hat die Tragödie, die uns zugestoßen ist, nicht überstanden. Es heißt oft, Schicksalsschläge schweißen Paare zusammen. Wir sind ein Beispiel dafür, dass das keineswegs immer der Fall ist. Der Kummer, die Schuldgefühle, die Vorwürfe … das alles hat uns, jeden Einzelnen von uns beiden, nach und nach aufgefressen. Und unsere Liebe getötet. Alice hat sich nicht ein einziges Mal mehr blicken lassen oder sich gemeldet, nachdem wir geschieden waren. Entfernte Bekannte haben mir einmal erzählt, sie hätten gehört, Alice lebe zusammen mit einer Frau in Cornwall. Ob als Paar oder nur als Freundinnen, wusste niemand zu sagen. Fand Alice die Ehe mit mir so schwierig, dass sie den Männern gleich ganz abgeschworen hat? Ich weiß es nicht.

Ich glaube, dass ich zu einem sehr wehleidigen Menschen geworden bin. Ich finde, das Leben hat mich nicht gut behandelt. Vielleicht noch bis in meine Vierziger hinein. Aber später lief dann alles aus dem Ruder, und es ist nie wieder gut geworden.

Aber da ist noch etwas. Etwas, das mich sehr beunruhigt. Seit vielleicht drei Wochen geht das so. Ich fühle mich irgendwie beobachtet. Mehrfach, als ich aus dem Fenster meiner Küche, die zur Straße hinausgeht, geblickt habe, sah ich einen Mann auf der gegenüberliegenden Straßenseite stehen. Es gibt dort nichts, keine Bushaltestelle, keinen Taxistand, eigentlich nichts, weshalb man dort herumstehen müsste. Erst dachte ich, er warte auf irgendjemanden. *Aber dann fiel mir auf, dass er mein Haus anstarrte. Er schaute nicht die Straße auf und ab, wie man es tut, wenn man auf jemanden wartet. Nein, er fixierte das Haus.*

Am nächsten Tag sah ich ihn wieder. Dann war er zwei Tage lang verschwunden, und ich lachte über mich und darüber, dass ich mir Gedanken gemacht hatte. Aber am Tag darauf stand er wieder da. Und am nächsten und übernächsten. Dann wieder nicht, aber das ließ mich diesmal nicht mehr aufatmen. Denn natürlich, er tauchte wieder auf. Stand da und starrte.

Ich überlegte, ob ich rausgehen und ihn ansprechen sollte, aber ich verwarf den Gedanken. Was hätte ich sagen sollen? »*Warum stehen Sie hier herum? Schauen Sie etwa mein Haus an?*« *Ich fürchtete, mich lächerlich zu machen. Er tat ja nichts Verbotenes. Man darf rumstehen und schauen. Es gibt kein Gesetz dagegen.*

Ich blieb also, wo ich war. Beobachtete ihn durch die Küchenvorhänge. Ich hatte den Mann noch nie im Leben gesehen, konnte ihn allerdings auf die Entfernung vielleicht auch nicht genau erfassen. Jedenfalls lösten seine Physiognomie, seine schwarzen Haare, seine Körpergröße, seine breiten Schultern keinerlei Erkennen in mir aus.

Was will er?

Wahrscheinlich gibt es eine ganz harmlose Erklärung.

Ich werde mit Isla reden, wenn sie am Dienstag kommt. Vielleicht fällt ihr etwas dazu ein. Wie gesagt, Isla ist etwas einfältig, aber sie steht mit beiden Beinen fest auf dem Boden. Sie ist immer sehr unaufgeregt.

Allerdings weiß sie nicht alles aus meinem Leben. Zum Glück nicht. Wahrscheinlich würde sie sonst nicht mehr für mich arbeiten. Aber dadurch kann sie natürlich auch nicht beurteilen, ob dieser Mann da draußen ... ob er etwas mit den Ereignissen von damals zu tun hat. Aber gerade deshalb wird sie auf mich beruhigend wirken. Sehr paradox. Ein einziger Selbstbetrug. Ich lasse mich von jemandem beruhigen, der die Faktenlage nicht kennt. Der mich nicht beruhigen würde, wenn er sie kennen würde.

So bin ich. Ich drehe die Dinge, bis sie passen. Oder zu passen scheinen. Das ist der tiefere Grund für die Katastrophen in meinem Leben.

MONTAG, 22. JULI

Das Schönste am Sommer waren die hellen Morgen. Das Zweitschönste die großen Ferien. Sophia Lewis, die seit frühester Kindheit zu den frühen Vögeln gehörte und winterliche Dunkelheit als eine Last empfand, die nur dazu diente, sie in ihrem Tatendrang zu bremsen, stieg wie immer in der warmen Jahreszeit pünktlich um sechs Uhr morgens auf ihr Fahrrad. Es gehörte einfach für sie dazu, es gab keinen besseren Start in den Tag. Eine große Runde fahren, die frische Luft einatmen, ihren Körper richtig anstrengen – und dann nach Hause kommen, eine prickelnd heiße Dusche, ein großer Becher Kaffee. Das war für sie der Inbegriff des guten Lebens.

Sophia war einunddreißig Jahre alt, sehr schlank und fit, eine Frau, die sich gerne bewegte. Sport war ihr Lebenselixier. Sie unterrichtete als Lehrerin für Mathematik und Physik an der Graham School in Scarborough. Bei den Schülern war sie beliebt, unter den Kollegen trotz ihres noch jungen Alters überaus geschätzt.

Als sie an diesem herrlichen Morgen, der wieder einen heißen Tag versprach, auf ihr Fahrrad stieg, dachte sie plötzlich inbrünstig: Es ist schön. Mein Leben ist schön.

Stainton Dale war ein Dorf, das aus weit verstreut liegenden Gehöften auf einer Hochebene über dem Meer bestand.

Dazwischen dehnten sich Wiesen, von Weidezäunen, Hecken und Steinmauern durchzogen. Kleine Waldstücke, schmale Feldwege, sprudelnde Bäche. Ein Ort, an dem sich Fuchs und Hase gute Nacht sagten. Für Sophia einfach das Paradies.

Wenn es überhaupt so etwas wie einen Dorfkern gab, dann war es das kleine Postamt in der Prior Wath Road, um die Ecke der Kirche gelegen. Man konnte dort Briefmarken, Busfahrkarten und ein paar wenige Lebensmittel kaufen. Unweit entfernt stand eine rote Telefonzelle, die zudem die ansonsten nicht gekennzeichnete Bushaltestelle darstellte. Sophia wohnte ein Stück die Prior Wath Road hinauf, somit gewissermaßen im Zentrum des Ortes. An ihren Garten voller Blumen und Apfelbäume schlossen sich Wiesen und Felder an.

Sophia radelte die Straße hinunter, am Postamt vorbei, und bog auf die Landstraße. Hier fuhren selten Autos, um diese Uhrzeit und noch dazu in den großen Ferien überhaupt keine. Sophia trat kräftig in die Pedale. Es war noch frisch, die kühle Luft vom Meer lag über dem Boden. Sophia trug nur ein T-Shirt zu ihrer engen schwarzen Radlerhose, und sie hatte am Anfang etwas gefröstelt, aber das war in Ordnung. Sie wusste, wie schnell ihr warm werden würde.

Nach einigen Minuten verließ sie die Straße und bog nach rechts in einen breiten Feldweg ein. Er war voller Schottersteine, das Fahrrad rumpelte und hüpfte. Es ging an einer Farm vorbei, die etwas geduckt in einer Talsenke lag. Der Bauer stand draußen und betrachtete versonnen die Hühner, die zu seinen Füßen im Gras pickten.

»Hallo, Mrs. Lewis!«, rief er und winkte. »Sie sind wieder pünktlich auf die Minute!«

»Typisch Lehrerin eben!«, rief Sophia und winkte zurück. Die meisten Leute hier kannten sie. Obwohl sie in einem Vorort von Birmingham aufgewachsen war und dann in Manchester studiert und zunächst dort an einer Schule unterrichtet hatte, war sie bei ihrem Umzug ein Jahr zuvor hier in dieser ländlichen Abgeschiedenheit mit offenen Armen aufgenommen worden. Man mochte sie. Und man bewunderte ihre Sportlichkeit.

»Sie ist immer in Bewegung!«, sagten die Leute.

Und eigentlich stimmte das auch.

Sophia tauchte jetzt in ein Waldstück ein. Hier war der Weg sehr schmal und ging eine Weile recht steil bergauf. Die Belohnung wartete aber, denn vom höchsten Punkt an ging es dann ebenso steil wieder hinunter, dann öffnete sich der Wald, und der Weg führte durch eine Wiese, von der aus man über das Meer schauen konnte. Diese Stelle liebte Sophia am meisten.

Sie strampelte den Hang hoch, jetzt wurde ihr richtig warm, und die Anstrengung verursachte ein angenehmes Ziehen in den Beinmuskeln. Genau so, wie sie es gerne mochte. Das letzte Stück stellte sie sich in den Pedalen auf, jetzt musste sie mit aller Kraft treten. Das lag auch an dem unebenen Boden, auf einer asphaltierten Straße wäre es viel einfacher gewesen. Aber dann hatte sie den Hügelkamm erreicht, und vor ihr lag der Abhang, den sie gleich hinuntersausen würde. Um sie herum Bäume und der Frieden eines noch ganz frühen Sommermorgens. Ein paar Vögel zwitscherten, in der Ferne vernahm sie das Pochen eines Spechts. Sonst war alles still. Es war ein Gefühl, als sei man, bis auf die Tiere, alleine auf der Welt.

Sie stieß noch einmal kräftig in die Pedale, beugte sich etwas nach vorne und schoss los.

Es gab hier Wurzeln und Steine, aber Sophia kannte den Weg so gut, war vertraut mit jeder Erhebung, mit jedem Hindernis. Sie konnte es sich erlauben, in diesem Tempo den ziemlich steilen Hang hinunterzujagen. An einer ihr weniger bekannten Stelle hätte sie das nicht riskiert, aber hier gab sie sich ganz dem Rausch der Geschwindigkeit hin. Es war herrlich. So herrlich.

Im Bruchteil einer Sekunde, ehe sie stürzte, sah sie den Draht, der über den Weg gespannt war. Er war dünn, aber dennoch zu erkennen. Zudem fielen frühe Sonnenstrahlen durch die dichten Baumwipfel, und in einem von ihnen blitzte es silbern auf.

Zu spät. Sie konnte nicht mehr reagieren. Nicht mehr bremsen. Schon gar nicht bei dieser Geschwindigkeit.

Sophia flog durch die Luft. Sie sah in schneller, wild wirbelnder Abfolge Bäume, kleine Stücke blauen Himmels, Sonne, Waldweg, Farn. Sie drehte einen Salto und dachte noch, dass es besser gewesen wäre, einen Helm anzuziehen. Dann krachte sie auf den Weg. Sie fühlte einen kurzen Schmerz, der sich weit weniger schlimm anfühlte, als sie gefürchtet hatte, eigentlich war er harmlos, alles nicht so tragisch … Dann war alles schwarz, und sie war weg.

Den Schuss hörte sie schon nicht mehr.

DIENSTAG, 23. JULI

I

Noch drei Tage bis zum Umzug. Am Freitag würde der Mö-
belwagen kommen. Kate sah sich in ihrer Wohnung um.
Das Wochenende in dem Wellnesshotel, so gut es von ihren
Kollegen gemeint gewesen sein mochte, hatte ihr einen dicken Strich durch ihre Planung gemacht. Zwar hatte sie das
ganze Jahr über schon ausgemistet und sortiert, viele Dinge
weggeworfen und auch schon etliches verpackt, aber als eigentliche Großkampftage waren der vergangene Samstag
und Sonntag geplant gewesen, und die hatte sie nun im Zug
nach Leeds, unter Beschuss irgendeines Irren, und anschließend in endlosem Gespräch mit der North Yorkshire Police
verbracht. Als Krönung hatte sie dann in dem Hotel gesessen, in Schlamm eingepackt und mit irgendeiner Maske auf
dem Gesicht und war kurz davor gewesen durchzudrehen.
Die weiteren Anwendungen des Wellnesspakets, das Teil des
Abschiedsgeschenks gewesen war, hatte sie schließlich abgelehnt – es gab Grenzen – und hatte sich mit Colin in den
Park des Hotels auf eine Bank gesetzt und ihr verletztes
Bein hochgelegt. Colin hatte von nichts anderem als von
dem Erlebnis im Zug gesprochen und wilde Theorien dazu

aufgestellt, aber das war erträglich gewesen, weil auch Kate ständig darüber nachdachte.

»Wir sollten den Fall auf eigene Faust klären«, hatte Colin, der sich gerne als begabten Ermittler sah, schließlich gesagt, aber Kate hatte den Kopf geschüttelt. »Das ist Sache der ermittelnden Beamten in York. Und die werden das ohne unsere Hilfe schaffen.«

Wieder zu Hause hatte sie den ganzen Montag von morgens bis abends Kisten gepackt, und heute, am Dienstag, war sie auch in aller Frühe aufgestanden und hatte weitergemacht. Es sah schon ganz gut aus, wenngleich bis zum Freitag noch viel Arbeit übrig blieb. Messy, die Katze, saß in einem leer geräumten Bücherregal und blickte beleidigt drein. Es gefiel ihr gar nicht, was Kate aus ihrer beider Zuhause machte.

»Du kennst doch das Haus in Scarborough«, sagte Kate zu ihr, »und du mochtest es dort. Wir haben viel mehr Platz. Und wir fangen ganz neu an.«

Messy miaute leise und begann, ihre Pfoten zu putzen.

Zurück in das Haus ihrer Eltern, in das Haus ihrer Kindheit. Kate hatte das kleine Haus im Stadtteil Scalby in Scarborough fünf Jahre zuvor geerbt und sich seither immer wieder mit dem Gedanken getragen, es zu verkaufen. Tatsächlich hatte sie das jedoch nicht geschafft. Schließlich hatte sie es vermietet, an eine Familie, die jedoch bei Nacht und Nebel verschwunden war und das Haus völlig verwüstet hinterlassen hatte. Mitten im Chaos hatte eine kleine schwarze Katze gesessen und Kate aus verzweifelten Augen angeschaut. Kate hatte sie behalten, und seitdem waren sie unzertrennlich.

Das Handy klingelte. Kate, die vor einer Kiste gekniet hatte, stand auf und unterdrückte dabei einen Schmerzenslaut. Die Wunde am Bein machte ihr noch sehr zu schaffen.

Einen Moment lang hoffte sie, es sei Caleb Hale, ihr neuer Chef, der endlich zurückrief. Sie hatte schon mehrfach auf seine Mailbox gesprochen, aber er meldete sich nicht. Auch diesmal sah sie eine unbekannte Nummer auf dem Display.

»Kate Linville«, meldete sie sich.

»Ah, Sergeant Linville. Hier ist DS Jenkins von der North Yorkshire Police. Sie erinnern sich bestimmt noch …«

»Natürlich, Sergeant. Was gibt es denn?« Kate hoffte, dass sich keine neuen Verwicklungen anbahnten, in die sie hineingezogen würde. Sie hatte einfach im Moment keine Zeit.

Jenkins am anderen Ende seufzte. »Das alles wird immer undurchdringlicher. Haben Sie von dem Anschlag gestern auf eine junge Frau in Stainton Dale bei Scarborough gehört?«

»Nein.« Sie war so mit Packen beschäftigt gewesen, dass sogar ein Kriegsausbruch an ihr vorbeigegangen wäre. »In Stainton Dale, sagen Sie?« Sie kannte die Gegend in- und auswendig. Stainton Dale war die schiere Idylle. Ein Anschlag?

»Eine Lehrerin, die dort lebt. Und die jeden Morgen mit dem Fahrrad eine bestimmte Strecke fährt. Über einen Waldweg, der bergab führt und den sie vermutlich mit einigem Tempo hinunterfuhr, war ein dünnes Drahtseil gespannt.«

»Du lieber Gott!«

»Sie ist schrecklich gestürzt. Ist jetzt im Krankenhaus. Sie lebt, ist aber nicht ansprechbar. Wirbelsäulenfraktur. Könnte eine Querschnittslähmung bedeuten, aber die Ärzte halten sich noch bedeckt.«

»Das ist ja grauenhaft. Könnten es Schüler von ihr gewesen sein? Sie sagen, sie ist Lehrerin? Manchmal machen Schüler unfassbar idiotische Dinge.«

»In diese Richtung würde ich normalerweise auch denken. Aber die Sache ist komplizierter. Ein Bauer, der draußen auf seinem Hof arbeitete und an dem sie ein paar Minuten zuvor noch vorbeigeradelt war, hörte nämlich plötzlich einen Schuss. Er machte sich Sorgen und lief den Weg entlang, den sie immer fuhr. Er fand sie daher ziemlich schnell, nachdem sie gestürzt war. Das dürfte ihr das Leben gerettet haben. Sie hätte sonst eine Ewigkeit dort liegen können, ehe jemand vorbeikommt.«

»Und ist wirklich auf sie geschossen worden? Zusätzlich zu der Falle mit dem Draht?«

»Sie hat keine Schussverletzung. Aber die Kollegen aus Scarborough haben eine Kugel gefunden. Nicht weit von ihrem Kopf entfernt in einem Baumstumpf steckend. Wer immer geschossen hat, konnte offenbar sehr schlecht zielen. Eigenartig, denn er hätte ihr ja, hilflos wie sie dalag, die Waffe direkt an die Schläfe setzen können. Aber das eigentlich Irritierende ist, und deshalb wurden wir verständigt ...« Er machte eine Pause.

»Ja?«

»Im Vergleich mit kürzlich erfolgten Überfällen mit Schusswaffengebrauch war schnell klar, dass es sich um dasselbe Kaliber und denselben Hersteller handeln musste wie bei der Waffe, mit der im Zug auf Xenia Paget und Sie geschossen wurde. Die Untersuchung unter dem Vergleichslichtmikroskop lässt keinen Zweifel offen: Auf die junge Frau aus Stainton Dale wurde mit derselben Waffe geschossen, mit der wir es am Samstag im Bahnhof von York zu tun hatten.«

»Das gibt es doch nicht!«

»Eindeutig.«

»Dann muss es eine Verbindung geben zwischen Xenia Paget und dieser ...«

»Sophia Lewis.«

»Ja. Ist da etwas?«

Jenkins seufzte erneut. »Ich habe auf Bitten des CID Scarborough bereits mit Xenia Paget gesprochen. Sie hat den Namen nie gehört. Kennt niemanden in Scarborough, schon gar keine Lehrerin. Dasselbe sagt ihr Mann.«

»Was ist mit Freunden und Kollegen von Sophia Lewis? Kennen die Xenia?«

»Darum kümmern sich die Beamten in Scarborough. Ich habe noch keine Rückmeldung. Auf jeden Fall überschneiden sich die Fälle jetzt. Es muss sich um denselben Täter handeln.«

Während Kate noch überlegte, fuhr Jenkins fort: »Sie sagten ja, dass Sie Anfang August beim CID Scarborough anfangen. DI Stewart, der den Fall leitet, bestätigte mir das auch, und da habe ich ihm den Vorschlag gemacht, dass Sie ...«

»Moment«, unterbrach Kate. »DI Stewart leitet die Ermittlungen? Nicht DCI Caleb Hale?«

Jenkins zögerte. »Sie wissen das noch nicht?«

»Was denn?«

»DCI Hale ist vorläufig vom Dienst suspendiert.«

»Wieso denn? Wegen der Sache mit dem Familienvater?«

»Offiziell ja. Aber wohl nicht nur, weil das eskalierte. Sondern auch ... Es sind allerdings Gerüchte, aber ...«

»Was denn? Welche Gerüchte?«

Jenkins seufzte nun zum dritten Mal. »Hale soll betrunken gewesen sein, als er vor dem Haus stand und mit dem

Typen verhandelte. Deswegen. Deswegen kann er seine Karriere nun wohl abschreiben.«

Sie war wie vor den Kopf geschlagen, noch eine Stunde, nachdem Jenkins das Gespräch beendet hatte. Sie saß zwischen all den Kisten und starrte an die Wände, auf grau gefärbte Vierecke, die jene Stellen markierten, an denen Bilder gehangen hatten.

Caleb Hale.

Er war vielleicht der einzige Polizeibeamte, der sie für eine geniale Ermittlerin hielt, der ihr Potenzial sah, obwohl sie so unfähig war, ihre Erfolge nach außen darzustellen und sich selbstbewusst als die clevere Polizistin zu zeigen, die sie war. Kate stolperte, seitdem sie auf der Welt war, immer wieder über ihre eigenen Füße, über ihre Verschlossenheit, ihre Schüchternheit, ihr Misstrauen. Sie hatte bei Scotland Yard entscheidend zur Lösung etlicher sehr komplexer Fälle beigetragen, aber am Ende war der Erfolg immer ihren Kollegen zugeschrieben worden, weil Kate sich so sehr zurückgenommen hatte, dass niemandem richtig klar wurde, wie groß ihr Anteil am Gelingen war. Gab es doch einmal ein Lob von ihrem Vorgesetzten, hatte sie es so kratzbürstig abgewehrt, dass selbst ihr Chef schließlich glaubte, sich in seiner Einschätzung geirrt zu haben. Es war nicht so, dass man sie für eine schlechte Polizistin hielt. Man hatte einfach gar nicht darüber nachgedacht, wer sie war und worin ihre Stärken bestanden. Sie war unsichtbar.

Nur nicht für Caleb. In zwei seiner Fälle war sie durch Zufall hineingeraten, beide hatte sie gelöst, an seiner Person vorbei, aber immer auf der richtigen Spur, während er sich in falsche Annahmen verstrickt hatte und in die Irre gegangen war. Die meisten Vorgesetzten hätten danach zeitlebens einen Bogen um Kate gemacht. Nicht so Caleb Hale. Im Gegenteil. Er hatte nicht geruht, ehe sie eingewilligt hatte, sich für seine Abteilung beim CID Scarborough zu bewerben.

»Ich brauche erstklassige Leute«, hatte er bei einem ihrer Gespräche gesagt. »Und Sie sind erstklassig, Kate.« Und jetzt hatte sie es getan, das Ruder ihres Lebens herumgeworfen, hatte sich auf die Zusammenarbeit mit Caleb Hale gefreut – und nun das. Er war suspendiert. Wegen seiner fatalen Alkoholsucht. Es war fraglich, ob er je wieder würde arbeiten dürfen.

Sie hatte gewusst, dass er nach seinem Entzug vor fünf Jahren längst wieder rückfällig geworden war. Auf eine unvernünftige Weise hatte sie immer gehofft, außer ihr hätte es niemand mitbekommen, was, wie ihr jetzt aufging, idiotisch gewesen war: Sie sah ihn naturgemäß nicht allzu oft und hatte es trotzdem gewusst. Um ihn herum gab es jede Menge Menschen, die täglich mit ihm zusammenarbeiteten. Allen voran Robert Stewart.

Der jetzt ihr neuer Chef sein würde. Anstelle von Caleb. Kate versuchte, ihn sich ins Gedächtnis zu rufen. Sie hatte so wenig mit ihm zu tun gehabt, dass sie ihn kaum einschätzen konnte. Er war ihr nicht unsympathisch gewesen, aber tatsächlich kannte sie ihn nicht genug, um zu beurteilen, ob sie gut miteinander zurechtkommen würden.

Immerhin hatte Jenkins ihr gesagt, DI Stewart wolle sie bereits jetzt in den Fall einbinden, da sie ab August sowieso daran arbeiten würde.

»Weil Sie ja noch in London sind«, hatte er gesagt, »dachten DI Stewart und ich, Sie könnten diese ehemalige Nachbarin von Xenia Paget aufsuchen. Die Frau, die sie letzte Woche besucht hat. Wir brauchen mehr Informationen zu

Mrs. Paget. Womöglich gibt es doch etwas in ihrer russischen Vergangenheit, was sie uns verschweigt, dieser Freundin aber irgendwann einmal anvertraut hat. Oder sie hat vielleicht etwas Auffälliges bemerkt während des Besuches. Irgendjemanden, der sich in ihrer Nähe aufhielt, der ihr seltsam vorkam. Ich hätte heute einen Beamten zu ihr geschickt, aber da wir nun einen gemeinsamen Fall mit Scarborough haben, Sie dort übernächste Woche anfangen, gerade sowieso noch in London sind und zudem die Situation im Zug hautnah miterlebt haben … sind Sie die ideale Besetzung.«

Kate erkannte, dass er recht hatte. Sie hätte sich weigern können, sie war nicht im Dienst, sie hatte den Umzug vor sich, aber das wäre ein schlechter Start der Zusammenarbeit mit dem ihr ziemlich unbekannten DI Stewart gewesen. Der erste Eindruck entschied manchmal über die ganze weitere Entwicklung zwischen zwei Menschen.

Sie seufzte leise. »Wo wohnt diese Frau noch mal?«

»Maya Price wohnt in Southend-on-Sea.«

»Ach ja, stimmt. Das ist nicht London, das ist ziemlich weit draußen, Richtung Themsemündung.«

»Aber von Ihnen trotzdem näher als von York aus.«

»Ich ziehe am Freitag um. Ich sitze hier im Chaos und habe noch tausend Dinge zu erledigen.«

»Sie würden uns sehr helfen«, erklärte Jenkins, und in seiner Stimme schwang keinerlei Verständnis für ihre Situation mit.

Sie hatte schließlich eingewilligt. Dann jedoch noch viel zu lang herumgesessen und an die Wand gestarrt. Zweimal versuchte sie, Caleb zu erreichen, aber wie die Tage zuvor erreichte sie nur die Mailbox.

Schließlich erhob sie sich wütend, ging in ihr Schlafzimmer, tauschte den fleckigen Jogginganzug, den sie trug, gegen Jeans und T-Shirt, schlüpfte in ihre Turnschuhe. Normalerweise zog sie sich korrekter an, wenn sie ermittelte, aber fast alle ihre Sachen waren schon verpackt, sie hatte nur Jeans, zwei T-Shirts und einen Pullover zur Hand. Schließlich hatte sie mit dieser Entwicklung der Dinge nicht rechnen können.

Sie verließ humpelnd die Wohnung.

2

Maya Price wohnte in einer adretten Doppelhaushälfte in Southend-on-Sea, in einer Straße, die aus etlichen identischen Doppelhäusern bestand und unweit des Flusses gelegen war. In den Gärten blühten Blumen und spielte der leichte Wind in den Blättern der Bäume. Ein idyllischer Ort, vierzig Minuten von London entfernt. Die meisten Menschen, die hier lebten, arbeiteten vermutlich in der Hauptstadt, zogen aber hier draußen ihre Kinder groß und genossen das viele Grün, den behaglicheren Rhythmus des Lebens, die vielen malerischen Pubs am Themseufer und die Nähe zu den Stränden entlang der Küste von Essex.

Kate war mit dem Auto gekommen, parkte vor dem Haus und stieg aus. Die Hitze, unter der London wie unter einer Glocke lag, die jede Bewegung anstrengend machte, war hier draußen erträglicher. Es ging ständig etwas Wind, und die Luft roch nach dem Salz des Meeres.

Kate hatte ihren Scotland-Yard-Ausweis bereits abgegeben, den neuen vom CID Scarborough jedoch schon erhalten und konnte sich daher ausweisen. Sie klingelte. Halb hoffte sie, Maya Price wäre nicht zu Hause. Dann könnte sie umkehren und weiterpacken und hätte trotzdem ihren guten Willen gezeigt.

Aber es dauerte nur eine Minute, dann wurde die Tür geöffnet, und eine junge Frau erschien auf der Schwelle. Sie hielt ein Baby im Arm und wirkte abgehetzt.

»Ja, bitte?«

Kate hielt ihr den Ausweis hin. »Detective Sergeant Kate Linville, North Yorkshire Police, CID Scarborough. Hätten Sie einen Moment Zeit für mich?«

»North Yorkshire Police? Ist das wegen der Geschichte im Zug nach York? Xenia hat es mir erzählt. Es ist furchtbar!«

»Dürfte ich kurz reinkommen?«

»Ja, bitte …« Maya trat einen Schritt zurück. »Ich bringe nur schnell meinen Sohn ins Bett. Gehen Sie einfach durch ins Wohnzimmer. Ich bin gleich da.«

Das Wohnzimmer befand sich auf der Rückseite des Hauses und gab den Blick auf den Garten frei, der nicht ganz so gepflegt wirkte wie die Gärten rechts und links von ihm. Das Gras stand zu hoch, in den Beeten wuchs jede Menge Unkraut, der Sand, der eigentlich in die mitten auf dem Rasen befindliche Sandkiste gehörte, verteilte sich weithin. Ein paar Gartenstühle standen kreuz und quer auf der Terrasse herum, dazwischen ein Tisch mit darauf festgeklebten Kerzen und Stapeln von Sandförmchen. Auch das Wohnzimmer selbst wirkte unaufgeräumt: Kinderspielzeug in allen Ecken, zerknäulte Kissen und Decken auf dem Sofa, eine Milchflasche und ein Schälchen mit Möhrenbrei auf dem Tisch. Der Fernseher lief. Eine Homeshopping-Sendung, in der gerade Schmuck angepriesen wurde.

Maya kam ins Zimmer. Sie sah, wie Kate erneut feststellte, wirklich abgekämpft aus. Struppige Haare und Schweißperlen auf der Stirn. »Drei Kinder«, erklärte sie. »Zwei sind im Kindergarten, der Kleine noch bei mir. Er ist erst acht Monate alt.« Sie schaltete den Fernseher aus, errötete etwas. »Er isst so schlecht. Und während ich hier sitze und ihn zu füttern versuche, stundenlang, muss ich mir irgendetwas im Fernsehen anschauen, sonst werde ich verrückt.«

»Das ist doch völlig verständlich«, versicherte Kate. Mayas Überforderung war mit den Händen greifbar. Sie offenbarte sich in jedem Winkel des Zimmers und des Gartens.

Maya fegte ein paar Strampelanzüge und Bauklötze von den Stühlen. »Setzen Sie sich doch. Das ist eine furchtbare Geschichte mit Xenia. Himmel, sie muss solche Angst gehabt haben.« Sie musterte Kate. »Sind Sie die Polizistin, die sich mit ihr in der Zugtoilette verbarrikadiert hatte?«

»Ja, die bin ich.«

»Du liebe Güte. Es muss auch für Sie schlimm gewesen sein, oder? Xenia sagte, dass Sie ein Schuss am Bein getroffen hat? Als Polizistin sind Sie so etwas vielleicht gewohnt, aber …«

»Na ja, es wird auch nicht jeden Tag auf mich geschossen«, sagte Kate. »Es war schon sehr angsterregend.«

Die beiden Frauen saßen einander jetzt am Tisch gegenüber. Maya hatte ein Babyphon vor sich liegen. »Ich hoffe, er gibt eine Weile Ruhe. Es ist … man ist schon sehr angebunden mit einem Baby.« Sie hatte dunkle Schatten unter den Augen. Kate vermutete, dass sie nur wenig Schlaf fand.

»Mrs. Price, Xenia Paget war ja in den Tagen unmittelbar vor dieser Geschichte hier bei Ihnen zu Besuch. Könnten Sie versuchen, sich zu erinnern, ob Ihnen irgendetwas aufgefallen ist? Etwas, dem Sie vielleicht kaum Beachtung geschenkt haben. Ein Mensch, dem Sie auffällig oft begegnet sind. Oder hatten Sie vielleicht das Gefühl, beobachtet zu werden? Irgendetwas.«

Maya dachte angestrengt nach. »Es tut mir leid«, sagte sie schließlich, »aber mir ist nichts aufgefallen. Wir haben allerdings auch nicht viel unternommen. Es ist ja schwierig für mich mit dem Kleinen. Ein paarmal sind wir mit ihm am Fluss entlang spazieren gegangen. Aber meistens waren wir hier zu Hause. Das Wetter war herrlich, wir saßen viel auf der Terrasse. Wir haben zusammen gekocht. Und uns einfach unterhalten.«

»Ihr Mann war nicht dabei?«

»Mein Mann hat eine Praxis für Osteopathie hier in Southend. Aber letzte Woche war er für ein paar Tage bei einer Fortbildung in Brighton. Das war ja der Grund, warum ich Xenia angerufen und sie gefragt habe, ob sie nicht kommen möchte. Mein Mann mag Xenia, das ist nicht das Problem, aber alleine konnten wir einfach noch mehr machen, was wir wollten.«

»Warum sind Sie von Leeds weggezogen, wenn ich fragen darf?«

»Weil meinem Mann hier diese Praxis angeboten wurde. In Leeds war er angestellt, hier kann er sein eigener Herr sein.«

»Ich verstehe. Zuvor haben Sie wie lange neben Xenia und Jacob Paget gewohnt?«

Maya überlegte. »Neben Xenia elf Jahre. Neben Jacob schon länger. Sie kam ja später dazu.«

»Die beiden haben sich über eine Partnervermittlung kennengelernt?«

»Ja. Es ist ja kein Geheimnis, dass Jacob Probleme mit Frauen hatte, und da kam er auf die Idee, eine aus dem

Osten zu finden. ›Die seien dankbarer‹, meinte er.« Maya hatte den letzten Satz mit unverhohlenem Abscheu in der Stimme gesagt.

Kate hakte ein. »Das klingt nicht so, als sei Ihnen Jacob Paget besonders sympathisch.«

»Ich bin traurig, dass ich Xenia nicht mehr jeden Tag sehe. Aber Jacob weine ich keine Träne nach. Keine einzige!«, sagte Maya inbrünstig.

»Warum mögen Sie ihn nicht? Und was meinen Sie, wenn Sie sagen, er hatte Probleme mit Frauen?«

»Er ist ein Pedant, ein Geizhals, ein ewiger Nörgler. Er sucht Streit mit jedem in seiner Umgebung. Er zeigt ständig Leute an, die zu laut sind oder sich an irgendeine Vorschrift nicht halten. Er grüßt niemanden. Er ist herrschsüchtig, launisch und gemein. Er liebt es, andere mit abfälligen Bemerkungen zu verletzen.« Maya hielt inne. »Das ist Jacob Paget. In Kurzform.«

»Klingt nicht gut«, meinte Kate. »Das beantwortet wohl auch die Frage, warum er Probleme mit Frauen hat.«

»Er hatte ein paar kurze Bekanntschaften, aber keine Frau hielt es länger als ein paar Tage mit ihm aus. Jede ergriff schnell die Flucht.«

»Aber Xenia bleibt seit dreizehn Jahren.«

»Was soll sie machen? Er war ihre einzige Chance, aus sehr ärmlichen und wohl ziemlich perspektivlosen Lebensverhältnissen in Russland herauszukommen. Nur durch die Heirat mit ihm konnte sie schließlich die britische Staatsbürgerschaft beantragen. Dafür musste sie aber eine ganze Weile als seine Frau hier leben.«

»Das ist nachvollziehbar«, sagte Kate, »aber inzwischen ist sie britische Staatsbürgerin. Jetzt könnte sie sich trennen.«

Maya zuckte mit den Schultern. »Sie glauben nicht, wie oft ich schon auf sie eingeredet habe. Aber irgendwie …«

»Ja?«

»Ich habe immer das Gefühl, sie hat vor irgendetwas Angst.«

»Angst vor *ihm*?«

»Eher davor, was er tun könnte, wenn sie sich ihm entzieht. Er ist, wie gesagt, äußerst herrschsüchtig. Xenia ist sein Besitz. Eigentlich darf sie nichts tun ohne seine Erlaubnis. Ich glaube schon, dass er ziemlich ausrasten würde, wenn sie plötzlich die Scheidung einreichte.«

»Hm«, machte Kate. Ihr Gefühl während des Gesprächs mit Xenia im Bahnhof von York hatte sie nicht getrogen – Xenia wurde von ihrem Mann eingeschüchtert.

Mit ihm müssen wir unbedingt noch mal reden, notierte sie sich in Gedanken. Möglicherweise trug sich Xenia tatsächlich mit Trennungsabsichten, und ihrem Mann passte das gar nicht. Dass er einen Auftragskiller auf sie angesetzt haben sollte, klang zwar ziemlich weit hergeholt, aber andererseits gab es fast nichts, was Kate während ihrer Laufbahn bei der Mordkommission noch nicht erlebt hatte.

»Immerhin *durfte* Xenia Sie für mehrere Tage besuchen«, meinte sie.

Maya lachte. »Aber daraus hat er auch ein riesiges Theater gemacht. Mindestens fünfmal hat er Xenias Besuch in den Wochen zuvor wieder abgeblasen. Xenia hat gebettelt und sich von ihrer besten Seite gezeigt, und irgendwann hat er zähneknirschend zugestimmt. Ehrlich, ich war bis einen Tag davor noch nicht sicher, ob es wirklich klappt.«

»Haben Sie Xenia am Samstag früh zum Bahnhof begleitet?«

»Nein. Der Kleine schrie wieder so sehr. Xenia meinte

dann auch, ich solle besser zu Hause bleiben. Sie ist mit dem Zug von hier nach London gefahren und dann in King's Cross in den Zug nach York gestiegen.«

Somit konnte Maya natürlich am Bahnhof nichts Ungewöhnliches beobachtet haben.

»Sagt Ihnen der Name Sophia Lewis etwas?«, fragte sie.

»Sophia Lewis? Nein. Nie gehört. Wer ist das?«

»Sie unterrichtet in einer Schule in Scarborough und lebt auch dort in der Nähe. Gestern wurde ein Anschlag auf sie verübt.«

»Oh Gott. Ist sie tot?«

»Nein, aber sehr schwer verletzt. Der Name sagt Ihnen gar nichts?«

»Nein. Leider.«

»Sie erinnern sich auch nicht an eine Bekanntschaft von Jacob Paget mit diesem Namen?« Jacob Paget, der, von allen Frauen abgelehnt, blutige Jagd auf jede machte, die ihn je enttäuscht und nach seinem Gefühl damit vermutlich grausam erniedrigt hatte ... Kate glaubte es nicht wirklich. Aber es war der einzige kleine Faden, der aus dem Knäuel bislang überhaupt herausragte.

Maya legte die Stirn in Falten, so angestrengt grübelte sie.

»Es tut mir leid. Aber nein, mir fällt da wirklich nichts ein. Allerdings hatte ich auch kaum Kontakt mit Jacob, zumindest nicht in der Zeit vor Xenia. Insofern weiß ich von fast keiner Frau, die mal ein Wochenende bei ihm war, den Namen.«

»Mrs. Price, gibt es irgendetwas, das Xenia Ihnen erzählt hat, was es rechtfertigen könnte, dass jemand mit einer Waffe hinter ihr her ist? Irgendetwas aus ihrer russischen Vergangenheit vielleicht?«

»Nein. Nichts. Ihre Vergangenheit in Russland war bitterarm und nicht schön, aber es ist nichts Besonderes vorgefallen.«

»Jemand, der es ihr übelnehmen könnte, dass sie in den Westen gegangen und dort geheiratet hat? Ein früherer Freund vielleicht?«

»Sie hat nichts erwähnt.«

»Nun gut.« Kate erhob sich. Sie war etwas enttäuscht, weil das Gespräch wenig echte Erkenntnisse gebracht hatte. Immerhin wusste sie aber, dass die Ehe der Pagets alles andere als ein Zuckerschlecken für Xenia war und dass man es bei Jacob mit einem äußerst unangenehmen Zeitgenossen zu tun hatte. Das war nicht viel, aber besser als nichts.

Sie reichte Maya ihre Karte. »Bitte rufen Sie mich jederzeit an, wenn Ihnen noch etwas einfällt.«

»Das mache ich.« Auch Maya stand auf. Aus dem Babyphon erklang leises Quengeln, das innerhalb weniger Sekunden in ohrenbetäubendes Geschrei überging.

»Gehen Sie nach oben«, sagte Kate. »Ich finde alleine raus.«

»Er schreit extrem viel«, sagte Maya. »Die beiden anderen waren nicht so schlimm. Es ist …« Sie hielt kurz inne, sagte dann jedoch plötzlich mit einer Bitterkeit, fast Wut in der Stimme, die Kate überraschte: »Es ist ein solches Tabu, nicht wahr? Als Mutter nicht überglücklich zu sein, voller Begeisterung und Liebe und Dankbarkeit. Wissen Sie, ich bin dankbar für drei gesunde Kinder, aber ich bin so müde, und ich bin überhaupt nicht mehr ich selbst. Ich kämpfe mich durch jeden Tag und schaue idiotische Sendungen im Fernsehen an und sage mir die ganze Zeit, dass ich, verdammt noch mal, glücklich sein muss, aber ich empfinde nur Leere und …« Sie brach ab und wischte sich über die Augen. »Entschuldigen Sie. Ich wollte Sie damit nicht belästigen.«

»Ich fühle mich nicht belästigt«, versicherte Kate. Tatsächlich fühlte sie sich allerdings etwas hilflos. Sie hatte keine Kinder, hatte aber immer von einer Familie geträumt. Von einem Mann, Kindern, von einer Doppelhaushälfte. Nun stand sie einer Frau gegenüber, die all das besaß, was ihr verwehrt geblieben war, aber sie schien alles andere als glücklich zu sein. Allerdings hatte das Geschrei aus dem Babyphon inzwischen eine unerträgliche Lautstärke erreicht. Wenn man das rund um die Uhr hatte, Tag und Nacht …

»Okay«, sagte Maya, nun wieder ganz gefasst, »ich muss hoch. Ich melde mich, wenn mir etwas einfällt.« Weg war sie. Kate verließ das Haus, zog die Tür hinter sich zu. Ob Maya Price überhaupt Zeit und Nerven hatte, über Xenia und Auffälligkeiten in deren Leben nachzudenken? Sie schien in einem Strudel der Überforderung zu stecken und vollauf damit beschäftigt zu sein, sich gegen das Untergehen zu wehren.

Aber ich habe jedenfalls meine Pflicht getan, dachte Kate.

3

DI Robert Stewart hatte den Vormittag im abschließenden Verhör mit Jayden White verbracht, dem Mann, der seine Frau und seine zwei kleinen Töchter per Kopfschuss hingerichtet hatte, und er konnte nicht anders, als im Anschluss daran nach draußen zu gehen und in tiefen, langsamen Zügen eine Zigarette zu rauchen, obwohl er sich seit Langem schon vornahm, mit dem Rauchen endgültig aufzuhören. Aber er war so angespannt, so frustriert, so erschöpft, so wütend – alles gleichzeitig.

Jayden White hatte nur gejammert, die ganze Zeit über. Nicht darüber, dass er drei Menschen das Leben genommen hatte, sondern nur über das Schicksal, das ihm immer übel mitgespielt hatte. Seine schwierige Kindheit, seine Versagensängste schon in der Schulzeit, der frühe Tod seines Vaters, das abgebrochene Studium. Schließlich das Café, das er sich gekauft hatte und für das er einen extrem hohen Kredit hatte aufnehmen müssen. Und dann waren nicht genug Gäste gekommen.

»Es wurde immer schlimmer. Schon die letzten zwei Sommer waren nicht gut. Aber in diesem Jahr ... Andere sagen es auch. Das Chaos um den Brexit ... Kein Mensch weiß mehr, wie sich die Dinge entwickeln werden. Die Idioten in London ...«

Robert hatte sich vorgelehnt. »*Die Idioten in London*«, hatte er betont gesagt, »haben sich nicht mit drei unbewaffneten Menschen, von denen zwei noch keine zehn Jahre alt waren, in einer Wohnung verbarrikadiert und sie schließlich mit gezielten Pistolenschüssen direkt in die Schläfen getötet. Ich möchte wissen, ich möchte versuchen *zu verstehen*, wie man so etwas tun kann. Wie *Sie* so etwas tun konnten?«

Jayden hatte fast zu weinen begonnen. »Ich wollte meiner Frau und meinen Kindern das Elend unseres Untergangs ersparen. Bei mir stapeln sich die Mahnungen von der Bank. Seit Monaten. Ich habe kein Geld mehr. Ich kann nicht einmal mehr meine Angestellten im Café bezahlen. Geschweige denn Zinsen und Tilgung für unsere Wohnung. Und für das Café.«

»Wieso mussten Sie damals ein Café *und* eine Eigentumswohnung kaufen? Ist das nicht ein bisschen viel auf einmal?«

»Weil es zunächst gut aussah. Ich dachte, ich schaffe das. Ich wollte etwas Eigenes für meine Familie. Ein Nest, aus dem sie nicht vertrieben werden können. Einmal in den eigenen vier Wänden wohnen ...« Jaydens Stimme brach vor Selbstmitleid.

»So, und nun wollten Sie Ihrer Familie die drohende Pleite ersparen und haben deshalb kurzerhand alle erschossen. Sie selbst wollten das Desaster jedoch mannhaft durchstehen?«

»Ich wollte auch meinem Leben ein Ende setzen. Bitte, glauben Sie das. Ich wollte, dass wir alle zusammen diesen furchtbaren Ort, diese schreckliche Welt verlassen. Aber ...«, wieder schwankte die Stimme, »es war zu schwer. Ich konnte es nicht. Ich konnte nicht abdrücken. Ich wollte es, ich wollte nichts so sehr wie das, aber ...«

»Ja, das kann ich schon nachvollziehen, es ist sicher leichter, zwei wehrlosen Kindern eine Kugel durch den Kopf zu jagen als sich selbst«, sagte Robert.

Jayden schluchzte. »Ich habe alles falsch gemacht. Alles. Ich hätte diese Kinder nicht in die Welt setzen dürfen, in eine Welt, von der ich ja wusste, wie grausam sie ist.«

Es reichte Robert. Er beendete das Gespräch, Jayden wurde in die Zelle im Untersuchungsgefängnis zurückgebracht. Außer Gewinsel war nichts aus ihm herauszubringen. Er sah sich als Opfer – sich alleine.

Robert warf die Zigarette auf den Boden, trat sie aus. Er musste Jayden White abhaken, der Mann kostete ihn nur Energie. Der Fall war klar, er musste nicht weiter ermitteln. Alles war dokumentiert, die Akte konnte an die Staatsanwaltschaft weitergereicht werden. Er und sicher auch Caleb Hale würden in der Gerichtsverhandlung aussagen müssen, aber ansonsten gingen die Dinge den vorgezeichneten Weg. Jayden White würde lebenslänglich ins Gefängnis gehen, aber das würde nichts mehr ändern für seine Familie. Er dachte an die ineinander verkrallten Leichen, die er und die anderen Beamten im Schlafzimmer des Ferienappartements vorgefunden hatten. Yasmin White, die über ihren toten Kindern lag, ganz offensichtlich versucht hatte, sie mit ihrem Körper zu schützen. Sie hatten alle drei keine Chance gehabt, nicht die geringste.

Manchmal verstand Robert Stewart, warum Caleb trank. Er kehrte in sein Büro zurück. Helen Bennett wartete dort auf ihn. Sie waren im Moment hoffnungslos unterbesetzt – durch Calebs Suspendierung und weil DS Kate Linville erst im August beginnen würde. Und ausgerechnet jetzt hatten sie diese Geschichte aus Stainton Dale am Hals. Die sich verquickte mit den dramatischen Geschehnissen in einem Zug am vergangenen Samstag, unmittelbar bevor dieser den Bahnhof von York erreicht hatte. Dadurch mussten sie jetzt mit den Kollegen in York ermitteln. Vielleicht war das nicht schlecht. Gerade weil sie im Moment einfach viel zu wenig Leute waren.

Sergeant Helen Bennett hatte eine Zusatzausbildung als Polizeipsychologin, aber im Moment fungierte sie eher als Mädchen für alles. »Wir haben den Bericht von Sergeant Linville bekommen«, berichtete sie. »Sie hat heute Vormittag Mrs. Maya Price, die Freundin von Xenia Paget, in Southend-on-Sea aufgesucht. Es haben sich leider keinerlei neue Erkenntnisse ergeben. Mrs. Price kann sich weder erklären, weshalb irgendjemand einen Grund haben sollte, auf Xenia Paget zu schießen, noch hat sie jemals den Namen

Sophia Lewis in irgendeinem Zusammenhang gehört. An der Stelle scheint kein Weiterkommen möglich.«

»Hm«, machte Robert. Er hatte es auch nicht wirklich erwartet. Im Lauf seiner Berufsjahre hatte er eine Witterung für einfachere und schwierigere Fälle entwickelt. Dieser hier war komplex und undurchsichtig, das spürte er bereits. »Gibt es etwas Neues von Sophia Lewis?«

Helen schüttelte den Kopf. »Ich habe mit der Klinik telefoniert. Sie ist bei Bewusstsein, kann aber nicht sprechen. Verdacht auf Schlaganfall. Das kann offenbar bei einem solchen Sturz passieren. Das Sprachzentrum scheint betroffen. Zudem kristallisiert es sich immer mehr heraus, dass sie eine Querschnittslähmung davontragen wird.«

»Wird sie überleben?«

»Der Arzt sagte mir, dass wohl keine akute Lebensgefahr mehr besteht. Es ist allerdings fraglich, wann sie wieder sprechen kann. Und sie wird nie mehr laufen oder die Arme bewegen können.« Helen schauderte. »Es ist furchtbar. Vielleicht hätte sie sich eher gewünscht ...«

»... tot zu sein?« Robert war sicher, dass *er* es ganz bestimmt bevorzugt hätte. »Wer immer ihr das angetan hat, er hätte nichts wählen können, was grausamer wäre.«

»Ich habe auch noch einmal mit dem Farmer gesprochen, der sie gefunden hat«, berichtete Helen. »Sophia Lewis brach jeden Morgen zur selben Uhrzeit zu ihrer Fahrradrunde auf, sehr früh, sowohl in der Schulzeit als auch während der Ferien. Zumindest ab dem Frühjahr und bis in den Herbst hinein, solange es die Lichtverhältnisse zuließen. Man konnte die Uhr nach ihr stellen, sagte er.«

»Und wer wusste alles davon?«

»Sehr viele in Stainton Dale, nicht nur die Leute, die entlang ihrer Fahrstrecke wohnten. Sophia Lewis ist ja erst vor einem Jahr dorthin gezogen, aber in so kleinen Gemeinden ist man dann schnell bekannter als ein bunter Hund. Sophia Lewis ist beliebt, jeder kennt sie, und sei es nur vom freundlichen Grüßen im Vorbeigehen her. Im Krankenhaus werden ständig Blumen und Karten für sie abgegeben.«

»Hat der Farmer auch potenzielle Feinde erwähnt?«

»Er sagt, er kennt niemanden, der sie nicht mag.«

»Es hilft nichts, wir müssen ihr berufliches Umfeld durchforsten«, sagte Robert. »Normalerweise würde ich sagen, der gespannte Draht könnte auf einen Schülerstreich hindeuten. Der schiere Wahnsinn natürlich, aber manchmal machen sich Teenager nicht klar, wozu ihr Handeln führen kann. Aber dazu passt die Kugel nicht. Es ist eine Sache, einen Draht zu spannen und es unglaublich komisch zu finden, wenn die Lehrerin kopfüber ins Gebüsch fliegt. Aber schießen ... das hat eine andere Dimension.«

»Noch dazu«, ergänzte Helen, »nachdem tags zuvor ein Mann aus derselben Waffe auf eine Frau im Zug von London nach York geschossen hat. Das sieht nicht nach Schülern aus.«

»Schon eher nach ehemaligen Schülern. Jemand, dem sie den Abschluss vermasselt hat?«

»Der sie deshalb umzubringen versucht?«, fragte Helen zweifelnd. »Und wie passt dann Xenia dazu? Sie ist keine Lehrerin.«

»Sie kann trotzdem Teil eines Puzzles sein in den Augen irgendeines durchgeknallten Typen«, sagte Robert. »Wir wären einen wirklich großen Schritt weiter, wenn wir eine Verbindung zwischen Xenia Paget und Sophia Lewis herstellen könnten. Es muss eine Schnittstelle geben, so unterschiedlich die beiden Frauen und so unterschiedlich auch ihre Lebensläufe sind.«

»Mit Sophia Lewis können wir leider vorläufig nicht sprechen.«

»Aber mit ihren Kollegen. Wie sieht es mit Angehörigen aus?«

Helen zuckte mit den Schultern. »Da bin ich noch dran. Eine Nachbarin meinte, dass Sophias Vater noch lebt, die Mutter jedoch nicht mehr. Von anderen Angehörigen war bislang nicht die Rede.«

»Sind Beamte bei ihr im Haus?«

»Ja. Schon seit gestern. Sie untersuchen alles nach Hinweisen, Adressen, Kontaktdaten. Aber wie es scheint, ist Sophia Lewis ziemlich allein auf dieser Welt. Eine gesellige Person – aber ohne ein größeres familiäres Umfeld.«

»Ein Freund? Partner? Exmann?«

»Ist niemandem bekannt.« Helen reichte ihm eine Liste. »Hier, die Namen ihrer Kollegen an der Schule. Und zwar derer, von denen wir herausfinden konnten, dass sie nicht verreist sind.«

»Nicht viele«, meinte Robert. Es war wirklich vertrackt. Auch die Tatsache, dass gerade die großen Ferien und viele Menschen verreist waren, stand gegen sie. »Ich spreche mit den Kollegen. Vielleicht weiß jemand von irgendeiner Geschichte, irgendeinem Vorkommnis, bei dem sich Sophia Lewis Feinde gemacht hat. Vielleicht erfahre ich auch etwas über weitere Angehörige und Freunde. Wir können jetzt nur nach und nach jeden Stein umdrehen und hoffen, dass wir irgendwo etwas finden, das uns weiterbringt.«

Es ist Dienstag. Isla ist da. Sie ist kaum in meiner Wohnung, da spreche ich sie schon auf meine Befürchtungen an.

»Da draußen steht immer ein Mann und beobachtet meine Wohnung!«

Isla sieht mich erstaunt an. »Ein Mann?«

»Ja. Schwarze Haare. Ziemlich groß. Er steht einfach auf der gegenüberliegenden Straßenseite und starrt hierher.«

»Ich habe niemanden gesehen«, sagt Isla. Sie geht in die Küche und blickt aus dem Fenster. »Da ist niemand.«

»Ja, jetzt gerade nicht.«

»Aber Sie haben gesagt, da ist immer jemand!« Isla ist der Typ, der jedes Wort auf die Goldwaage legt. Weil sie nicht versteht, dass man manchmal übertreibt, um deutlich zu machen, dass etwas extrem oder besonders ist. Wenn ich etwas als »riesig« bezeichne, dann nicht deshalb, weil es sich um die Ausmaße eines Riesen handelt, sondern weil etwas ungewöhnlich groß ist. Und mit »immer« habe ich gemeint, dass auffallend und ungewöhnlich häufig jemand vor meinem Fenster steht. Es würde keinen Sinn machen, Isla das erklären zu wollen.

»Okay. Nicht immer. Aber sehr oft.«

»Also, jetzt nicht.«

Ich seufze. »Ja, aber er ist mir jetzt schon ziemlich oft aufgefallen. Wirklich.«

Ich sehe leisen Zweifel in ihren Augen. Ich weiß, dass sie findet, ich bin zu viel alleine. Und wahrscheinlich meint sie, dass mich das etwas wunderlich werden lässt.

»Ich habe mir gedacht, Sie hätten vielleicht eine Idee, wer das sein könnte«, sage ich. »Und warum er dort stehen und mich beobachten sollte.«

»Woher wollen Sie wissen, dass er Sie beobachtet? Vielleicht beobachtet er nur das Haus.«

»Ja, aber ...«

»Und in dem Haus wohnen noch etliche andere Parteien«, führt Isla aus.

Ich halte inne – da hat sie recht, wieso ist mir dieser Gedanke gar nicht gekommen? Es gibt sechs Wohnungen in dem Haus, drei gehen nach vorne zur Straße, die anderen drei – die schöner sind und für mich etwas zu teuer – gehen nach hinten zum Garten. Hat der Typ tatsächlich mein Küchenfenster im Blick oder einfach das ganze Haus? So genau habe ich das eigentlich auf die Entfernung gar nicht erkennen können. Ich habe ganz selbstverständlich angenommen, ich sei gemeint. Bin ich wirklich schon etwas neurotisch?

»Vielleicht ist es ein stiller Verehrer der hübschen jungen Frau, die unter Ihnen wohnt«, meint Isla.

Es stimmt, hier wohnt eine ausgesprochen attraktive, noch vergleichsweise junge Frau, die immer etwas traurig wirkt, weil sie frisch geschieden ist und die Trennung von ihrem Mann offensichtlich noch nicht wirklich verarbeitet hat. Oder ist es sogar der Exmann selbst, der draußen steht? Kann er die Geschichte nicht verarbeiten? Bin ich einfach Zeuge der Aktivitäten eines Stalkers, erlebe ich ein Beziehungsdrama live mit?

»Ja, das ist möglich«, räume ich ein.

»Sehen Sie«, meint Isla begütigend.

Ich mag es nicht, wenn sie wie eine Krankenschwester oder eine Altenpflegerin mit mir spricht. Freundlich und ein bisschen so, als sei ich nicht ganz dicht.

Ich überlasse sie ihrer Putzarbeit, mit der sie in der Küche beginnt, nachdem sie ja dort aus dem Fenster hat schauen müssen, und gehe ins Wohnzimmer hinüber, lasse mich schwer in einen Sessel fallen. Aus der Küche klingt das Geräusch fließenden Wassers und das Rücken der Stühle um den Esstisch. Es tut so gut, einen Menschen in der Nähe zu wissen, zu hören, wie sich jemand zu schaffen macht, geschäftig hin und her geht ... so alltäglich, so normal, vertraut, heimelig. So war es früher, als Alice noch da war. Gar nicht mehr vorstellbar, dass wir mal zu viert lebten, zu fünft sogar, wenn man Xenia mit einrechnet. So viel Lebendigkeit um mich herum. So viel Glück. Hatten wir es mutwillig zerstört, wir alle zusammen? Nein, es war Schicksal gewesen, ein Unglück, ein schreckliches Unglück.

Ich habe furchtbare Angst, dass der Fremde da draußen etwas mit diesem Unglück zu tun hat.

1

»Ich möchte wirklich mal wissen, wie du dir und uns eine solche Geschichte einbrocken konntest!«, sagte Jacob Paget missmutig. Er hatte gerade ein Gespräch beendet und das Telefon wütend auf den Tisch geknallt. »Das war dieser Jenkins von der North Yorkshire Police. Er will nachher noch mal kommen und mit uns sprechen.«

Xenia stand in der Küche und schälte Kartoffeln. Sie sah ihren Mann unglücklich an. »Ich weiß es doch nicht. Ich weiß nicht, warum das alles passiert ist.«

»Wenn auf einen geschossen wird, dann hat man doch eine Vorstellung, weshalb das so ist«, sagte Jacob, so, als sei das etwas, was jedem immer mal wieder passierte, was aber andere Menschen einordnen konnten, anstatt wie Xenia in Schrecken und Ahnungslosigkeit zu verharren.

»Ich weiß es nicht, Jacob.«

»Du bist sicher, dass du mit dem Typ kein Verhältnis hattest?«, fragte Jacob und schaute sie aus zusammengekniffenen Augen an. »Und weil du Schluss gemacht hast, will der dich jetzt abknallen?«

Xenia hätte fast gelacht. Wann und wie hätte sie ein Verhältnis haben sollen, so scharf wie sie bewacht wurde? Zum Glück gelang es ihr rechtzeitig, das Lachen in ein Räuspern zu verwandeln. Jacob mochte es gar nicht, wenn man ihm das Gefühl gab, ihn nicht ernst zu nehmen.

»Auf jeden Fall war das das letzte Mal, dass du zu Maya nach Southend gefahren bist«, sagte er. »Ich war ja von Anfang an dagegen. Von denen kommt nichts Gutes!«

»Also, Maya war es jedenfalls nicht. Und ihr Mann auch nicht. Die können nichts dafür.«

»Trotzdem«, knurrte Jacob. Unvermittelt setzte er hinzu: »Und diese andere Frau, nach der die immer fragen – Sophia Lewis. Die kennst du wirklich nicht?«

»Nein. Ich schwöre es, Jacob. Ich habe den Namen noch nie gehört. Ich habe keine Ahnung.«

»Hm«, machte Jacob. Es klang so, als glaube er ihr kein Wort, allerdings klang er meistens so.

»Also, jedenfalls kommt dieser Jenkins gegen halb drei und kaut noch einmal alles mit uns durch. Ich weiß nicht, was der sich davon verspricht, wir haben doch alles gesagt. Ich meine, das kann ja wohl nur bedeuten, dass die Polizei glaubt, du hältst noch irgendetwas zurück.«

»Was soll ich denn zurückhalten?«

»Das weißt du«, sagte Jacob. »Das weißt du genau.«

»Du meinst …?«

»Tu nicht so. Tu nicht so, als hättest du nicht *genau daran* auch schon gedacht!«

»Aber nach all der Zeit … Und ich schwöre, ich kannte diesen Mann nicht. Ich habe ihn noch nie gesehen.«

»Er könnte sich verändert haben. Gerade nach all der Zeit.«

Sie schüttelte den Kopf. »Die Augen. Das waren einfach nicht seine Augen.«

Jacob zuckte die Schultern. »Auf jeden Fall bist du schuld, dass wir jetzt den ganzen Ärger am Hals haben.«

Sie wusste, dass es keinen Sinn hatte, an sein Mitgefühl zu appellieren – er besaß einfach keine Warmherzigkeit, er wusste wohl nicht einmal, was das sein könnte –, aber dennoch sagte sie leise: »Du könntest ja auch einfach mal froh sein. Dass ich noch am Leben bin. Ich hätte sterben können!«

»Froh sein? Froh über diesen ganzen Mist? Polizei und das alles?«

»Froh, dass ich noch da bin.«

Er schnaubte verächtlich. »Du bist nicht unersetzlich, Xenia, wirklich nicht.«

Sie merkte, dass Tränen in ihr aufstiegen, und drängte sie mühsam zurück. Wieso schaffte er es eigentlich noch, sie zu verletzen? Nach all den Jahren hätte ihr, was ihn betraf, längst eine meterdicke Hornhaut auf der Seele gewachsen sein müssen. Aber wahrscheinlich lag es daran, dass er einfach ihre einzige Bezugsperson war. Sie hatte nur ihn. Egal, wie oft er sie trat, sie hing an ihm wie ein Hund an dem Menschen, zu dem er gehört und zu dem es keine Alternative gibt.

»Schau dich bloß einmal an«, fuhr Jacob fort. »Als ich dich kennenlernte, warst du ja noch ganz ansehnlich, aber inzwischen bist du nur noch fett, trägst unmögliche Klamotten, und man schämt sich, mit dir auf die Straße zu gehen.«

Jetzt konnte sie die Tränen doch nicht mehr zurückhalten.

»Ich mache gerade eine Diät.«

»Die wievielte? Nummer eintausend? Es hat doch nie Erfolg. Du wirst immer dicker. Du hast einfach nicht die geringste Willenskraft!«

»Ich habe nicht genug Abwechslung. Jacob, ich bin so oft alleine. Ich sitze hier herum. Wenn ich arbeiten könnte, dann ...«

»Dann würdest du genauso viel fressen. Das sind doch bloß dumme Ausreden.«

»Aber ich ...«

Er machte eine drohende Bewegung auf sie zu, und sie verstummte. »Ich habe dich aus dem Dreck geholt, Xenia, vergiss das nicht«, sagte er leise. »Und wenn ich dich fallen lasse, bist du ganz schnell wieder ganz unten.«

Sie schluckte.

Er starrte sie an. »Ich weiß, was damals passiert ist. Und du weißt, dass du ins Gefängnis gehst, wenn ich damit rausrücke. Bei diesem Sergeant Jenkins heute Nachmittag zum Beispiel?«

Sie gab einen leisen Schreckenslaut von sich. Jacob grinste. »Keine Lust auf den Knast, wie? Dann lege dich nicht mit mir an, okay? Ich bin fast sicher, dass der Typ im Zug mit der Geschichte damals zu tun hat. Du kannst froh sein, wenn jetzt nicht alles auffliegt. Denn die Polizei wird stochern und stochern. Provoziere mich nicht, Xenia. Sonst mache ich vielleicht einen Fehler im Gespräch heute. Sage etwas, das nicht gesagt werden darf. Das passiert so schnell. Ein einziger Moment der Unachtsamkeit reicht aus.«

»Jacob ...«

»Sei vorsichtig«, sagte er lächelnd. »Sei einfach verdammt vorsichtig. Tu nichts, was mich ärgert. Hast du das verstanden?«

»Ja.« Sie hauchte es.

»Ich hoffe für dich, du vergisst es nicht«, sagte Jacob.

Sophia Lewis, das hatte DI Stewart in gestrigen wie heutigen Gesprächen mit ihren Kollegen festgestellt, war ein äußerst beliebter Mensch, durchaus gesellig, aber dabei offenkundig nicht freigiebig mit Informationen über sich selbst. Robert hatte die Liste, die Helen ihm gegeben hatte, gewissenhaft abgeklappert: Lehrerinnen und Lehrer der Graham School in Scarborough, soweit sie die großen Ferien zu Hause verbrachten und daher greifbar waren. Allzu viele waren das leider nicht.

Ausnahmslos stieß Robert Stewart auf Fassungslosigkeit und Entsetzen bei Sophias Kollegen. Eine junge Lehrerin war während des Gesprächs immer wieder in Tränen ausgebrochen. »Entschuldigen Sie bitte«, hatte sie geschluchzt, »aber ich kann nur noch an Sophia denken, seitdem ich es erfahren habe. Es ist so furchtbar. Wissen Sie, sie war so lebenslustig. Sport und Bewegung gingen ihr über alles. Sich vorzustellen, dass sie vielleicht für den Rest ihres Lebens im Rollstuhl sitzen muss ...«

Wer kann sich das schon vorstellen, dachte Robert, bis es knallharte Realität für einen Menschen wird, ist niemand fähig, sich dieses Schicksal wirklich auszumalen.

Er wartete, bis die junge Frau sich beruhigt hatte, und stellte dann die Frage, die er auch an alle anderen richtete: »Hat Sophia Lewis Feinde? Unter den Schülern vielleicht? Sie unterrichtet Mathematik und Physik. Nicht gerade Fächer, die jedem liegen. Sehr anspruchsvoll. Mit Sicherheit gibt es Schüler, die ihr persönliches Versagen der Lehrerin zugeschoben haben?«

Alle dachten gründlich über diese Frage nach.

»Natürlich gibt es die«, sagte ein Kollege, der dieselben Fächer wie Sophia unterrichtete, »aber ich kenne niemanden, dem ich zutrauen würde, dass er oder sie deswegen einen Mordanschlag verüben würde.«

Das war der Punkt. Der Schuss aus der Pistole. Bei dem Draht räumten die meisten der Befragten ein, dass es Schüler geben mochte, die eine solche Aktion entweder witzig fanden oder sogar meinten, ein schmerzhafter Sturz geschähe einer Lehrerin recht, die einem das Zeugnis vermasselt hatte.

»Sie war ja erst seit einem Jahr bei uns. Aber natürlich gibt es Schüler, die größte Schwierigkeiten in ihren Fächern haben. Aber ...«

Dass jemand auf sie geschossen hatte, blieb für alle unerklärlich. Es war eine Sache, einen Draht über den Weg zu spannen. Eine Schusswaffe zu benutzen war etwas anderes.

Zumal sie zwei Tage zuvor bereits in dem Zug von London nach York eingesetzt wurde, dachte Robert düster. Nach den Aussagen von DS Linville und Xenia Paget sowie der etlichen inzwischen vernommenen Reisenden hatte es sich bei dem Täter um einen zwar jungen Mann, aber keinesfalls mehr um einen Schüler gehandelt. Wobei er natürlich ein ehemaliger Schüler sein konnte. Weshalb sollte er dann auf Xenia Paget geschossen haben, einer aus Russland eingewanderten Hausfrau aus Leeds?

Auch die Frage stellte Robert jedem. »Sagt Ihnen der Namen Xenia Paget etwas? Oder hat Sophia Lewis je erwähnt, dass sie jemanden mit diesem Namen kennt?«

Alle dachten angestrengt nach, alle schüttelten nach einer Weile den Kopf. »Nie gehört. Wer soll das sein?«

Auch auf die Frage nach einem Mann in Sophias Leben

bekam Robert keine Antwort, die ihn hätte weiterbringen können.

»Im Moment gibt es keinen«, sagte die junge Kollegin, die ständig mit den Tränen kämpfte. »Das wüsste ich. Sie war Single.«

Robert hatte Fotos von Sophia gesehen. Eine sehr hübsche Frau. »Aber es muss doch Männer in ihrem Leben gegeben haben, oder?«

»Seit sie hierhergezogen ist, war sie alleine. Und das ist ja noch nicht lange her. Wahrscheinlich gab es früher den einen oder anderen. Sie sprach manchmal von *Freunden,* die sie früher hatte, aber es wurde nie ganz klar, ob das Liebesbeziehungen oder einfach nur Freundschaften waren. Ich glaube, sie lebt sehr eigenständig.«

Es war zum Verzweifeln. Eine Frau, die jeder kannte und mochte, die viele Kontakte hatte, deren Leben dennoch irgendwie undurchsichtig blieb. Anhand von Unterlagen, die Beamte in Sophias Haus gefunden hatten, wussten sie, dass sie an der Chorlton Highschool in Manchester unterrichtet hatte, ehe sie nach Scarborough gekommen war. Manchester war ein problematisches Pflaster. Militante Gangs beherrschten ganze Stadtteile, trieben auch in Schulen ihr Unwesen. Sie würden Befragungen dort vornehmen müssen. Und prüfen, ob es eine Verbindung von Xenia Paget in diese Stadt gab.

Am Mittag dieses Tages begab Robert sich in die Klinik, in der Sophia Lewis noch immer auf der Intensivstation lag, und bat um ein kurzes Gespräch mit dem behandelnden Arzt. Dr. Dane wirkte übernächtigt, gehetzt und gestresst, aber er führte Robert in sein Zimmer, ein winzig kleines Büro, und ließ ihn jenseits des Schreibtisches Platz nehmen. Er selbst blieb ans Fenster gelehnt stehen.

»Zehn Minuten«, sagte er, »höchstens, Inspector, so leid es mir tut. Hier reicht die Zeit nie.«

Robert nickte. »Ich weiß, ich bin lästig. Aber wir haben ein wirklich scheußliches Verbrechen aufzuklären …«

Dr. Dane nickte. »Selbstverständlich. Unfassbar, was dieser Frau angetan wurde. Ihr Leben wird nie wieder dasselbe sein. Nicht einmal annähernd.«

»Das Problem ist«, sagte Robert, »dass wir im Moment einfach nicht weiterkommen. Wir durchforsten Sophia Lewis' Leben, aber es findet sich einfach kein Anhaltspunkt. Aber das Schlimmste ist, dass uns gleichzeitig die Zeit wegrennt. Die ersten Tage nach einem Verbrechen sind die wichtigsten, und sie verstreichen, weil wir mit der einzigen Person, die uns weiterhelfen könnte, nicht sprechen können. Mit Sophia Lewis.«

»Verstehe«, sagte Dane. »Aber Sophia Lewis ist nicht vernehmungsfähig. Sie hat bei dem Sturz einen Schlaganfall und dadurch eine Aphasie erlitten.«

»Ja, meine Kollegin hat mir das bereits berichtet, aber wieso löst ein Sturz denn einen Schlaganfall aus?«

»Das ist durchaus nicht ungewöhnlich. Durch den harten Aufprall ist es zu einer Dissektion der Arteria carotis gekommen. Das bedeutet, die innere Schicht der Gefäßwand ist eingerissen. Durch so etwas gelangt Blut in die Gefäßwand, und daraus kann sich ein Blutgerinnsel bilden. Das ist bei Sophia Lewis geschehen und hat zu einer Embolie im Gehirn geführt. Dabei wurde das Sprachzentrum in Mitleidenschaft gezogen.«

»Das klingt entsetzlich.«

»Ich bin sehr sicher, dass sie irgendwann wieder sprechen kann. Sehr viel problematischer ist die Fraktur des siebten Halswirbels.«

»Die Querschnittslähmung? Sind Sie sicher, dass keinerlei Hoffnung besteht?«

»Aller Wahrscheinlichkeit nach ja. Sie wird weder Arme und Beine je wieder bewegen können, davon ist leider auszugehen.«

»Du liebe Güte«, murmelte Robert. Er spürte das dringende Bedürfnis, den Knoten seiner Krawatte zu lockern, versagte es sich jedoch. Er wollte vor diesem Arzt, der mit all diesen unangenehmen Dingen, von denen er gerade sprach, jeden Tag zu tun hatte, nicht wie ein Weichei dastehen.

»Aber wie geht es weiter? Gibt es derzeit überhaupt keine Möglichkeit für mich, mit ihr zu kommunizieren?«

»So sehr ich es bedaure: nein. Sie kann weder sprechen noch schreiben noch sonstige Signale senden. Ihre Vitalparameter sind schlecht. Ich könnte zum gegenwärtigen Zeitpunkt eine Vernehmung, wie auch immer sie aussieht, nicht verantworten.«

Das sah Robert ein. Er stand auf. »Vielen Dank, Doktor. Es tut mir leid, dass ich mich so aufdränge. Ich würde nur so gerne denjenigen schnappen, der ihr das angetan hat.«

»Das verstehe ich absolut«, sagte Dr. Dane. »Auch ich wäre froh, wenn Ihnen das gelänge. Wer immer das getan hat – er hätte das Leben eines anderen Menschen nicht konsequenter zerstören können.«

Höchstens dadurch, dass er den Schuss besser platziert hätte, dachte Robert, während er das Krankenhaus verließ, was sehr einfach gewesen wäre, völlig hilflos, wie sie dagelegen haben muss. Dann wäre sie jetzt tot. Weshalb ging dieser Schuss daneben?

Er stand in der Hitze auf dem Parkplatz und überlegte.

Weil der Täter wusste, dass er sie härter trifft, wenn er sie zu einem Leben im Rollstuhl verurteilt, als wenn er sie einfach tötet?

Warum schießt er oder sie dann überhaupt?
Schwierigkeiten, jemanden einfach in den Kopf zu schießen?
Wenn es sich um den Täter aus dem Zug handelt, ist es ein
Mann. Er zeigte im Zug keine Hemmungen.
Allerdings macht es einen Unterschied, aus ein paar Schritt
Entfernung zu schießen oder jemandem die Waffe direkt an die
Schläfe zu halten und dann abzudrücken.

Robert musste an die tote Frau und ihre Kinder in der Wohnung über der Nordbucht denken. Jayden White jedenfalls hatte kein Problem mit Kopfschüssen gehabt.

Trotz der Hitze fröstelte er. Plötzlich vermisste er den Chef. So nannte er ihn insgeheim immer noch. DCI Caleb Hale. Der Chef. Obwohl er selbst jetzt der Chef in dieser Ermittlung war. Aber so fühlte er sich nicht. Aus irgendeinem Grund hatte er geglaubt, allein die Tatsache, in der ersten Reihe zu stehen und den Ton anzugeben, würde ihn mit der gelassenen Souveränität ausstatten, die man in dieser Position brauchte. Aber das funktionierte nicht, er fühlte sich stattdessen unsicher und ratlos, und er hätte etwas darum gegeben, Caleb jetzt neben sich zu haben und sich mit ihm zu beraten, so wie früher. Eigentlich waren sie ein sehr gutes und eingespieltes Team gewesen.

Er wischte sich den Schweiß von der Stirn. Er sehnte sich plötzlich sogar nach dieser Kate Linville, die am ersten August anfangen würde, obwohl er sie kaum kannte und als so unscheinbar empfand, dass er sich ihr Gesicht nicht merken konnte. Er hätte sie nicht eingestellt, aber der Chef hatte in den höchsten Tönen von ihr geschwärmt. Okay, sie hatte zwei Fälle hier in Scarborough gelöst, allerdings ohne ermächtigt gewesen zu sein und mit ausgesprochen eigenwilligen Methoden. Egal, sie würde seine Mitarbeiterin sein, und in jedem Fall war selbst eine in seinen Augen zweifelhafte Mitstreiterin besser als gar keine. Auf Helen Bennett konnte er nicht richtig zählen, sie hatte sich inzwischen so sehr auf die Psychologie verlegt, dass sie den Bezug zur alltäglichen Ermittlungsarbeit ein Stück weit verloren hatte. Er atmete tief ein. Es half nichts, er musste jetzt einfach erst mal alleine klarkommen. Er zückte sein Handy. Er würde DS Jenkins in York anrufen. Er wusste, dass er heute noch einmal zu Xenia Paget ging. Er sollte überprüfen, ob es eine Verbindung zu Manchester gab.

3

»Kann ich Ihnen helfen?«, fragte Constable Mia Cavendish freundlich. Sie war fast glücklich, dass jemand in die Polizeiwache in Camborne kam. Es war absolut nichts los an diesem Tag. In London erklärte die Premierministerin ihren Rücktritt, aber was immer das an Auswirkungen haben würde: Bei Mia Cavendish kam nichts davon an. Cornwall lag unter einer Hitzeglocke, so wie der größte Teil des Landes, und es waren jede Menge Touristen unterwegs, aber eigentlich brütete alles nur vor sich hin. Vielleicht war es einfach zu heiß.

Die etwa fünfzigjährige Frau trat zögernd näher. »Ja ... vielleicht ...«

»Was führt Sie denn zu mir?«

»Vielleicht ist es lächerlich, aber meine Lebensgefährtin ist verschwunden. Seit Sonntag.«

»Seit Sonntag? Und was heißt genau verschwunden?«

»Sie hat am Sonntagmittag unser Haus verlassen. In Redruth.«

Redruth war die nächste Kleinstadt. PC Cavendish nickte.

»Wohin wollte sie?«

»Sie wollte nach Barnstaple. Sie hatte dort einen dreitätigen Workshop gebucht. Familienaufstellung, Selbsterfahrung ... solches Zeugs.«

Aus der Art, wie ihr Gegenüber *solches Zeugs* sagte, schloss Cavendish, dass die Lebensgefährtinnen unterschiedliche Auffassungen bezüglich der Sinnhaftigkeit von Selbsterfahrungsgruppen hatten.

Sie nahm einen Stift zur Hand. »Sagen Sie mir doch bitte erst einmal Ihren Namen.«

»Munroe. Constance Munroe.«

»Sie leben in Redruth?«

Constance Munroe nannte ihre genaue Anschrift.

»Und Ihre Lebensgefährtin?«

»Alice Coleman. 57 Jahre alt. Sie wohnt unter derselben Adresse wie ich.«

PC Cavendish notierte alles sorgfältig. »Und Mrs. Coleman fuhr also am Sonntag los in Richtung Barnstaple?«

»Ja. Nach einem heftigen Streit.«

»Verstehe. Sie halten nichts von solchen Seminaren?«

Constance Munroe biss sich auf die Lippen. »Ehrlich gesagt ... nicht so viel. Vor allem macht Alice ständig so etwas. Sie ist ganz selten zu Hause, weil sie immerzu auf solchen Seminaren herumhängt. Wenn ich Glück habe, dann ist es eines, das halbwegs in der Nähe stattfindet, so wie diesmal in Barnstaple. Aber sie ist auch schon bis nach Schottland hinaufgefahren, dann kommt auch noch die lange Reise dazu. Eigentlich haben wir kaum noch ein gemeinsames Leben.«

»Was macht Mrs. Coleman denn beruflich? Offenbar ist sie zeitlich flexibel?«

»Sie hat in einem medizinischen Labor gearbeitet. Aber sie ist vor zwei Jahren in Frührente gegangen, weil sie körperlich nicht mehr in der Lage war, ihren Beruf auszuüben. Sie hat diese zitternden Hände ...«

»Parkinson?«, fragte Mia anteilnehmend.

»Nein. Es ist eher psychosomatisch bei ihr. Wissen Sie, Alice leidet unter Depressionen, zeit ihres Lebens schon, aber es wurde mit den Jahren immer schlimmer. Sie nimmt regelmäßig Medikamente deswegen, aber es wird nicht wirklich besser.«

»Daher auch die vielen Selbstfindungsseminare«, schlussfolgerte Mia. Sie hoffte, dass Alice Coleman einfach nur nach einem Streit abgetaucht war und sich nichts angetan hatte. Bei Depressiven war das leider nicht auszuschließen.

»Was machen Sie denn beruflich, Mrs. Munroe?«, fragte sie.

»Ich bin Lehrerin an einer Gehörlosenschule in Truro. Ich verdiene wirklich nicht viel, aber inzwischen finanziere ich alles bei uns. Alices winzige Rente geht für ihre Seminare und die Reisen drauf. Ich kann mir persönlich überhaupt nichts mehr leisten, weil ich die Miete bestreite und überhaupt unseren Lebensunterhalt.« Constance Munroe schien den Tränen nahe. »Aber das Schlimmste ist, dass sie immer weg ist und ich immer alleine bin. Und diesmal ...«

»Ja?«

»Also wir hatten Streit und sie brach nach Barnstaple auf. Mit meinem Auto.«

»Großzügig von Ihnen. Unter diesen Umständen.«

»Na ja, Alice leidet in öffentlichen Verkehrsmitteln unter Klaustrophobie, und ich will nicht kleinkariert sein, obwohl es bedeutet, dass ich dann zur Arbeit den Bus nehmen muss. Jedenfalls hörte ich dann nichts mehr von ihr. Normalerweise gibt sie Bescheid, wenn sie angekommen ist. Ich dachte aber, das liegt an dem Streit. Ich schrieb ihr am Montag eine WhatsApp und fragte, ob alles okay ist, aber sie hat sie nicht mal gelesen. Ich war dann auch sauer und habe mich nicht mehr gemeldet. Aber heute hätte sie zurückkommen müssen. Nach dem Frühstück wollte sie aufbrechen. Von Barnstaple aus ist sie zwei Stunden unterwegs, höchstens drei bei sehr schlimmem Verkehr. Deshalb war ich sicher, dass sie da ist, wenn ich um ein Uhr aus der Schule komme. Aber sie war nicht da. Auch das Auto nicht.«

»Ich verstehe, dass Sie sich Sorgen machen, aber das ist doch kein Grund, eine Vermisstenmeldung aufzugeben«, meinte Mia. »Vielleicht hat sich Mrs. Coleman in Barnstaple mit einer anderen Teilnehmerin verquatscht. Vielleicht hat sie noch einen Ausflug an die Küste unternommen. Ehrlich gesagt – *ich* täte das bei der Hitze, wenn ich die Zeit dazu hätte!«

Constance schüttelte den Kopf. »Nein. Ich habe nämlich vorhin bei der Leiterin des Seminars angerufen. Die Handynummer habe ich auf Alices Schreibtisch in ihren Unterlagen gefunden. Und da habe ich erfahren, dass Alice überhaupt nicht in Barnstaple aufgetaucht ist. Am Sonntag. Sie ist nicht erschienen und hat an dem Seminar nicht teilgenommen.«

»Ohne sich abzumelden?«

Constance nickte. »Ohne sich abzumelden. Die Dame hat mehrfach versucht, Alice auf ihrem Handy zu erreichen, aber sie ist immer nur auf der Mailbox gelandet. Unsere Festnetznummer hatte sie nicht.«

»Hm«. Das verkomplizierte alles. Alice Coleman schien

sehr an dem Seminar gelegen gewesen zu sein – so sehr, dass sie einen Riesenkrach mit ihrer Lebensgefährtin deswegen in Kauf genommen hatte. Und dann sprang sie plötzlich ab? Fuhr irgendwohin, sagte niemandem ein Wort und tauchte einfach unter? Andererseits – manchmal taten Menschen genau *das* nach einem heftigen Streit.

»Mrs. Munroe«, begann sie, aber Constance unterbrach sie: »Ich habe solche Angst, dass sie einen Unfall hatte. Schon am Sonntag. Aber das wüsste ich, oder? Sie hatte jede Menge Unterlagen dabei, auf denen auch unsere gemeinsame Adresse vermerkt ist. Ihr Handy, mit vielen eingespeicherten Nummern, vor allem auch meiner. Man hätte mich verständigt, oder?«

»Mit Sicherheit.« Davon war Mia überzeugt. »Dennoch, ich notiere mir jetzt das Kennzeichen. Ich prüfe, ob es möglicherweise einen Unfall gegeben hat. Ich halte das allerdings auch für ziemlich unwahrscheinlich.«

Constance diktierte ihr das Kennzeichen. Sie sah noch immer sorgenvoll und bekümmert aus. »Wenn ihr an einer einsamen Stelle etwas zugestoßen ist? Mit dem Auto? Und es hat sie einfach niemand gefunden?«

Mia schüttelte den Kopf. »Wären wir hier in den Weiten der kanadischen Wildnis ... Aber in Cornwall und Devon gibt es so einsame Stellen praktisch gar nicht mehr. Leider. Schon überhaupt nicht in der Hauptreisezeit des Jahres.«

»Ja, aber dann bleibt nur ein Verbrechen?«

Mia setzte ein beruhigendes Lächeln auf. »Daran würde ich nun gar nicht denken. Wirklich. Sie hatten Streit, Ihre Lebensgefährtin war wütend. Fing aber vielleicht auch an, die Seminare in Frage zu stellen, nachdem es ja darum in der Auseinandersetzung ging. Sie hat sich irgendwohin zurückgezogen und überdenkt manches. Das halte ich für die allerwahrscheinlichste Erklärung. Natürlich ist das nicht gerade fair Ihnen gegenüber, aber das macht sie sich vielleicht einfach nicht klar.«

Constance seufzte tief. »Nein, Constable«, sagte sie, »das halte ich ganz und gar nicht für eine wahrscheinliche Erklärung. Alice hat große psychische Probleme und Schwierigkeiten, mit dem Leben klarzukommen, und ja, ihre Depressionen lassen sie manchmal rücksichtslos gegenüber anderen agieren, weil sie dann nur noch sich selbst sieht. Aber sie würde mich nicht tagelang größten Sorgen aussetzen, egal, wie sauer sie auf mich ist. Sie würde mir auch nicht über die geplante Absprache hinaus mein Auto vorenthalten, weil sie weiß, dass alles, auch Einkäufe und so weiter, für mich ohne Auto sehr schwierig werden. Ich denke einfach, so weit würde sie nicht gehen.«

»Ich gehe der Frage nach einem Unfall nach«, versprach Mia.

Constance kramte in ihrer Handtasche und reichte Mia ein Foto über den Tisch. »Das ist Alice.«

Mia betrachtete die Aufnahme. Ein Schnappschuss am Meer. Der Wind spielte in Alice Colemans schulterlangen Haaren. Die Sonne schien, das Wasser glitzerte. Alice lächelte. Es wirkte angestrengt und nicht echt.

»Ich behalte das Bild erst einmal«, versprach Mia. Eine Großfahndung konnte sie nicht veranlassen. Bislang gab es keinen Anhaltspunkt für ein Verbrechen.

Constance starrte sie aus großen, angstvollen Augen an. »Es ist etwas passiert. Ganz sicher. Es gibt keine andere Erklärung. Alice ist nicht in der Lage, sich mit mir in Verbindung zu setzen, und das bedeutet, dass ihr etwas zugestoßen ist. Ich bin hundertprozentig sicher, Constable. Und ich habe furchtbare Angst!«

FREITAG, 26. JULI

Es sah noch alles andere als wohnlich aus in ihrem Haus, aber Kate hatte zumindest ihr Bett bezogen und die Handtücher im Bad aufgehängt; sie würde schlafen und am nächsten Morgen duschen können. Die meisten Dinge, die sie besaß, steckten noch in den Kisten, die sich überall im Haus verteilt stapelten. Im Wohnzimmer standen zwei kleine Sofas einander gegenüber, dazwischen ein Tisch, und auch der Fernseher war angeschlossen, funktionierte aber nicht. Kate gab es nach einigem Herumprobieren mit der Fernbedienung genervt auf.

Die Küchentür, die zur Terrasse und zum Garten hinausführte, stand offen, die Hitze, die selbst jetzt am Abend noch anhielt, strömte ins Haus. Sie vertrieb den etwas modrigen Geruch in den Räumen, die monatelang geschlossen gewesen waren. Kate, der der Stress des Umzugstages noch in allen Knochen steckte, begann sich langsam zu entspannen. Dazu mochte auch der Sekt beigetragen haben, den die Nachbarin mit ihr über den Gartenzaun hinweg zur Begrüßung getrunken hatte. Die Nachbarin war eine einsame, manchmal etwas aufdringliche Frau, von deren neugieriger Wachsamkeit Kate jedoch immer wieder einen Nutzen gehabt hatte: Die Nachbarin hatte damals entdeckt, dass die Mieter Kates Haus verlassen und zuvor völlig verwüstet hatten. Und die

Nachbarin war es auch gewesen, die fünf Jahre zuvor Kates Vater gefunden hatte. Er war mitten in der Nacht in seinem eigenen Haus ermordet worden.

»Noch ein paar Tage, und es wird hier ganz gemütlich aussehen«, sagte Kate laut. Es war ein Trost für sich selbst. Denn das wirklich Traurige an diesem Umzug und an diesem Neuanfang war: Sie war immer noch alleine. Es würde wie gehabt nur ein Zahnputzbecher im Bad stehen, und sie würde nach wie vor nur ihre eigene Wäsche waschen. Sie hätte gerne darüber gestritten, wer den Müll rausbrachte, wenn nur jemand zum Streiten da gewesen wäre. Sie war vierundvierzig Jahre alt und hatte noch nie eine längere Beziehung gehabt. Sie vermutete, dass der Zug endgültig abgefahren war.

Sie warf einen Blick in den Garten: Messy saß mitten auf dem Rasen in der Abendsonne und schien äußerst zufrieden. Immerhin. Kate begann den ersten Küchenkarton auszupacken. Der Kaffeeautomat stand schon auf der Anrichte, aber sie brauchte für den nächsten Morgen einen Becher, einen Löffel und die Zuckerdose.

Es klingelte an der Haustür.

Wahrscheinlich wieder die Nachbarin, dachte sie etwas genervt. Die Frau war nett und fürsorglich, aber Kate ahnte schon, dass sie deutliche Grenzen würde setzen müssen, wollte sie von ihr nicht ständig vereinnahmt werden.

Sie öffnete die Haustür. Vor ihr stand Caleb Hale. Er hielt zwei Pizzakartons in den Händen.

»Ich dachte mir, Sie haben vielleicht Hunger nach diesem Tag«, sagte er.

Sie lächelte und öffnete weit die Tür. »Das kommt wie gerufen«, antwortete sie.

Sie saßen auf der Terrasse, aßen die Pizza direkt aus den Kartons und hatten eine Flasche Rotwein zwischen sich stehen, die Kate aus London mitgebracht hatte. Früher hatte sie Caleb nie Alkohol angeboten, da sie sein Problem kannte, aber ohne dass sie beide es ausgesprochen hatten, waren sie sich stillschweigend einig: In diesem Punkt musste niemand mehr eine Show abziehen.

»Sie fangen nächste Woche Donnerstag bei uns an?«, fragte Caleb, nachdem sie beide eine Weile einfach nur gegessen hatten – Kate hungriger, als es ihr bewusst gewesen war.

Sie schüttelte den Kopf. »Regulär wäre es so gewesen, aber ich habe beschlossen, am Montag zu beginnen. Ich hänge in dem aktuellen Fall sowieso schon drin, und ich vermute, DI Stewart kann jede Unterstützung brauchen.«

Caleb nickte. »Das stimmt. Er wird Ihnen die Füße küssen, Kate. Sergeant Helen Bennett hält mich treu auf dem Laufenden – was bitte unter uns bleibt –, und sie sagte, dass Stewart ziemlich schwimmt. Zu wenig Personal.«

»Caleb, ich wünschte …«, begann Kate, aber er winkte ab. »Ich weiß. Ich bin ein Trottel. Ich hätte mir das auch anders gedacht. Ganz anders.«

»Wer hat Sie dem Superintendenten gemeldet?«

»Stewart. Angeblich war die Situation nicht mehr tragbar für ihn.«

»Nicht ganz von der Hand zu weisen.«

»Nein. Aber ich hätte es fairer gefunden, wenn er zuerst mit mir gesprochen hätte.«

Sie schwieg. Sie verstand seine Verbitterung. Sein Gefühl, verraten worden zu sein von einem Menschen, dem er vertraute.

Sehr heftig sagte er plötzlich: »Ich habe keinen benennbaren Fehler gemacht, Kate. Bei der Sache mit dem Typen, der seine Familie erschossen hat. Ich bin die Situation wieder und wieder durchgegangen, jeden einzelnen Moment – in nüchternem Zustand. Ich sehe keine Stelle, an der ich anders gehandelt hätte. Ich sehe keine Stelle, an der ich anders hätte handeln *können*.«

Kate nickte. »Nach allem, was ich darüber gelesen habe, sehe ich die auch nicht.«

Er starrte sie verzweifelt an und fügte dann leise hinzu: »Und doch gibt es Augenblicke … Wissen Sie, ich habe nicht gelallt und geschwankt oder alles doppelt gesehen. Ich habe unter der Hitze gelitten und darunter, dass es keinen Schatten gab, und das hing in dieser Heftigkeit sicher mit dem Alkohol in meinem Körper zusammen. Aber ich war klar im Kopf. Doch ich frage mich …«

»Was?«

»Als ich mit ihm sprach. Mit Jayden White. Als ich ihn am Handy hatte. Habe ich eben doch den entscheidenden Fehler gemacht, als ich ihn auf sein Problem ansprach? Diese Geldgeschichte. Ich habe versucht, ihm Mut zu machen, aber es war der Moment, in dem er ausgestiegen ist. Als ich das Geld erwähnte.«

»Das hätte ich auch gemacht, Caleb. Auch Helen Bennett hätte es angesprochen, und sie ist ausgebildet für so etwas. Die einzige Chance, ihn zur Umkehr zu bewegen, war die, ihm die Panik zu nehmen und das Gefühl der Ausweglosigkeit. Man musste versuchen, ihm klarzumachen, dass es Möglichkeiten für ihn gibt, aus der Misere rauszukommen, und zwar andere als die, seine Familie und sich selbst zu erschießen. Dazu mussten Sie es ansprechen, Caleb. Es ging nicht anders.«

»Ich weiß. Aber wäre ich nüchtern gewesen, hätte ich feinere Schwingungen aufnehmen können? Ein guter Verhandler weiß in einer solchen Situation, wann er das Thema anspricht und wann er es wieder verlässt, um die Spannung rauszunehmen. Er muss empfänglich sein für nahezu unmerkliche Veränderungen in der Atmosphäre. Ich weiß einfach nicht, Kate, ob ich, nicht alkoholisiert, gespürt hätte, dass Jayden zunehmend in Stress geriet. Ob ich gespürt hätte, dass er mich jeden Moment aus der Leitung werfen und dann durchdrehen würde. Vielleicht gab es Hinweise. Vielleicht hätte ich reagieren können, wenn ich sie wahrgenommen hätte.«

Es war schwierig, etwas darauf zu sagen. Kate wusste, dass er recht hatte: Es konnte sein, dass er nicht klar genug gewesen war, die kurz bevorstehende Katastrophe zu erkennen, um sie möglicherweise noch abzuwenden. Es konnte genauso gut sein, dass es keinerlei Anzeichen gegeben hatte, dass die Geschichte denselben dramatischen Verlauf genommen hätte, ganz gleich, wer Whites Verhandlungspartner gewesen wäre. Es war unmöglich, die Situation im Nachhinein objektiv zu beurteilen, jeder Gedanke dazu war reine Spekulation. Das Schlimme für Caleb war: Durch seinen Promillegehalt war er schuldig. Einfach nur dadurch. Es musste sich niemand mehr die Mühe machen, weitere Faktoren ins Feld zu führen oder komplexe Überlegungen anzustellen. Detective Chief Inspector Caleb Hale hatte versagt. Das war alles.

»Caleb, ich …«, begann sie, aber erneut ließ er sie nicht zu Ende sprechen.

»Nein, Kate. Ich weiß, Sie wollen mich trösten, aber Sie wissen genauso gut wie ich, dass mir nicht mehr zu helfen ist. Sie müssen sich nicht das Hirn zerbrechen, um irgendetwas zu finden, was mich freispricht, denn das gibt es nicht.

Das wissen wir beide. Entschuldigen Sie. Ich musste es nur einmal loswerden. Lassen Sie uns über den aktuellen Fall sprechen. Ich weiß, in welche Gefahr Sie in dem Zug geraten sind. Ich bin wirklich froh, dass Sie noch am Leben sind.«

Sie war dankbar, dass er das Thema wechselte. »Und ich erst. Auf einer Zugtoilette meine letzten Atemzüge zu tun war nicht das, was mir je vorgeschwebt hat. Aber der Fall ist bizarr, nicht wahr? Vor allem durch dieses Attentat auf die Lehrerin aus Stainton Dale.«

Er musterte sie interessiert. »Was ist Ihre Einschätzung?« »Sind Sie auf dem Laufenden?«

Er nickte. »Wie ich sagte, bin ich ziemlich gut informiert dank Helen. Ich weiß natürlich nicht, ob Sie überhaupt mit mir über das alles reden wollen.«

Sie musste plötzlich lachen. »Warum nicht? Wir haben eine Umkehrung der Situation, nicht wahr? Ich ermittle offiziell, und Sie assistieren vom Rand aus.«

Sie spielte auf die beiden anderen Fälle an, die sie in Scarborough gelöst hatte. Caleb war der leitende Ermittler gewesen, sie hatte sich ohne Legitimation eingemischt.

Auch er musste lachen. »Aber Sie scheinen entgegenkommender zu sein, als ich es war. Sie sprechen mit mir darüber. Ich war ziemlich abweisend.«

»Nicht nur. Manchmal haben Sie auch mit mir gesprochen.« Sie überlegte. »Ich tappe, ehrlich gesagt, mit meiner Einschätzung noch sehr im Dunkeln«, sagte sie dann. »Ich habe mit Xenias Freundin gesprochen, bei der Xenia zu Besuch war, ehe im Zug auf sie geschossen wurde. Die Freundin hat weder eine Idee, was der Grund dafür sein könnte, noch ist ihr ansonsten etwas aufgefallen während des Besuches. Sie ist aufrichtig ahnungslos. Allerdings hat sie mir bestätigt, dass Xenia in einer ziemlich unglücklichen Ehe mit einem übellaunigen Despoten lebt. Jedoch zögerte, sich zu trennen. Ihre Freundin meint, sie habe vor irgendetwas Angst. Ob das die nachvollziehbare Furcht vor einem schwierigen Schritt ist oder ob mehr dahintersteckt, konnte sie mir nicht sagen.«

»Vielleicht hat sie Angst, als gebürtige Russin in einem fremden Land alleine zu leben?«

»Xenia spricht perfekt Englisch, sie gibt sogar Sprachkurse für Ausländer. Sie käme mit Sicherheit gut zurecht – wahrscheinlich besser als mit diesem Mann, der sie tyrannisiert und einengt.«

»Gerade wenn sie bisher unterdrückt wurde, kann es sein, dass sie Angst vor der Freiheit hat. Das ist ein Phänomen, das einem immer wieder bei eingeschüchterten Menschen begegnet. Das Selbstbewusstsein ist auf dem Nullpunkt.«

»Kann sein. Ich glaube aber, dass mehr dahintersteckt. Xenia hält mit irgendetwas hinter dem Berg, das wichtig sein könnte. Ob es mit ihrem Mann zu tun hat, ist allerdings fraglich.«

»Mit Sophia Lewis?«

»Sowohl sie als auch ihr Mann erklären, sie nicht zu kennen, nie den Namen gehört zu haben. Jenkins sagt, sie klingen dabei überzeugend. Ich habe gestern noch mit ihm telefoniert. Er hat versucht herauszufinden, ob es eine Verbindung Xenias oder ihres Mannes nach Manchester gibt, weil Sophia Lewis dort längere Zeit gelebt und unterrichtet hat. Fehlanzeige. Beide waren nie in Manchester, kennen dort auch niemanden.«

»Zumindest behaupten sie das.«

»Unter diesem Vorbehalt ist das natürlich alles zu sehen: Wir wissen nicht, ob sie die Wahrheit sagen.«

»Xenia Paget anscheinend nicht in jedem Punkt, wenn Ihr Gefühl stimmt.«

»Ja.«

»Sie haben den Mann im Zug gesehen. Würden Sie ihn wiedererkennen?«

Kate zuckte die Schultern. »Ich weiß es nicht. Es ging alles so schnell. Ich habe ihn auch nur ganz kurz gesehen. Ich fürchte, ich würde ihn nicht erkennen. Aber es gibt ein Phantombild. Xenia konnte ihn gut beschreiben, weil er ihr ja lange Zeit gegenübersaß. Das Bild war in mehreren Zeitungen der Region. Es gab wie immer etliche Meldungen, aber es scheint nichts Brauchbares dabei zu sein.«

»Wie werden Sie jetzt vorgehen, Kate?«

»Ich möchte mir selbst einen Eindruck von Jacob Paget verschaffen und werde deshalb ihn und Xenia noch einmal aufsuchen. Aber vor allem werde ich im Leben von Sophia Lewis graben. Es ist sehr schwierig, weil sie nicht vernehmungsfähig ist, aber es muss einen Schnittpunkt in ihrem Leben mit Xenia Paget geben, und vermutlich habe ich den Täter, wenn ich diesen Schnittpunkt finde.«

»Irgendeine Vermutung?«

Sie schüttelte den Kopf. »Keine. Nichts. Es gibt da auch etwas, was ich überhaupt nicht verstehe: Warum hat der Täter Sophia Lewis nicht erschossen? Es wäre so einfach gewesen. Er schießt ein großes Stück daneben. Weshalb? Im Zug schoss er sehr gezielt und mehrfach auf Xenia, er schien keine Hemmschwelle zu haben. Weshalb war das bei Sophia Lewis anders?«

»Weil es zu nah gewesen wäre? Blut, Gehirnmasse … Das muss man aushalten können.«

»Vielleicht. Tatsache ist …« Sie zögerte.

»Ich mache mir Sorgen«, sagte sie dann. »Es hat zwei

Mordanschläge auf zwei Frauen gegeben. In beiden Fällen ist der Täter nicht zum Ziel gekommen. Beide Frauen sind am Leben. Sie könnten eine Gefahr für den Täter darstellen. Xenia Paget dann, wenn sie sich entschließt zu sagen, was sie bislang zurückhält. Und Sophia Lewis, wenn sie wieder kommunizieren kann.«

»Sie meinen, er wird es wieder versuchen?«

»Ich meine, er *muss* es womöglich wieder versuchen. Zu seiner eigenen Sicherheit.«

»Sophia Lewis braucht Polizeischutz im Krankenhaus«, sagte Caleb. »Sie ist ja vollständig wehrlos.«

Kate nickte. »Ich habe schon mit Stewart gesprochen. Sie postieren einen Beamten vor ihrer Tür. Sie können sich denken, wie er jammert, bei dem Personalmangel. Es ist unmöglich, auch für Xenia jemanden rund um die Uhr abzustellen, aber Jenkins lässt stündlich eine Streife an ihrem Haus vorbeifahren. Er hat ihr eingeschärft, vorsichtig zu sein. Aber wir beide wissen …«

»… dass ein entschlossener Täter an sein Ziel kommt«, ergänzte Caleb. »Die einzige Hoffnung ist, dass Sie ihn schnell fassen, Kate.«

Sie seufzte. Der Abend war warm und golden, es war schön, zu Hause zu sein, es war schön, dass Caleb da war. Dieser Abend hätte einer der seltenen Momente sein können, in denen sich in ihrem Leben alles gut anfühlte, selbst wenn ihr auch dann bewusst gewesen wäre, dass es sich um einen *Moment* und keinesfalls um einen länger andauernden Zustand handelte. Aber sie war nicht entspannt, trotz des schönen Abends. Sie hatte Angst.

»Hätte ich nur irgendeinen Anhaltspunkt«, sagte sie.

Februar 2001

Mit dem kleinen Jungen stimmte etwas nicht. Den Eindruck hatten wir beide sofort, Alice und ich. Er war drei Jahre alt, aber zu klein für sein Alter. Sein Kopf schien besonders klein zu sein, selbst in Relation zu diesem schmächtigen Körper. Der Ausdruck seiner Augen war ... vorsichtig gesagt: fremd. Irgendwie war etwas Unklares in seinem Blick.

»Das ist vielleicht nur, weil die Augen ein ganz kleines bisschen schräg sind«, sagte Alice leise, »ein asiatischer Einschlag.«

»Ja, aber es ist, glaube ich, nicht die Form«, flüsterte ich. »Er hat einen verschwommenen Blick.«

Wir mussten vorsichtig sein, auch wenn wir uns mitten in Russland befanden und die Menschen, die sich mit uns in dem überheizten kleinen Raum aufhielten, kein Englisch sprachen – soweit wir wussten. Aber unsere Dolmetscherin stand hinter uns. Sie sprach sehr gut Englisch und verstand uns immer sogar dann, wenn wir sehr schnell redeten.

»Aber wie die Kinder hier leben ...« Alice ließ den Blick entlang der niedrigen Decke, in deren Ecken Schimmel wuchs, schweifen. »Er ist einfach verstört. Außerdem sind wir völlig unbekannt für ihn.«

Später bekannten wir wechselseitig, dass wir ein ganz ungutes Gefühl gehabt hatten, aber dass wir entschlossen gewesen waren, es durch Schönrederei möglichst noch im Keim zu ersticken.

»Der kleine Sascha ist einfach entzückend«, sagte Tatjana, die Dolmetscherin. »Ein besonders hübsches Kind, finde ich.«

Hübsch war er. Dunkle Haare, dunkle Augen, ein leicht oliv-farbener Teint. Er hätte ein Südeuropäer sein können, Italiener oder Spanier, wären nicht die schrägen Augen gewesen. Vermutlich hatte er Mongolen unter seinen Vorfahren. Wir befanden uns in Slobodskoj, fast achthundert Meilen nordöstlich von Moskau, nicht mehr allzu weit entfernt vom Ural. Der europäische Kontinent ging dort in den asiatischen über. Wir hatten in den letzten Tagen oft Menschen auf der Straße gesehen, die dieselben schrägen Augen hatten wie unser zukünftiger Sohn.

Der er sein würde, wenn wir ja zu ihm sagten.

Wir hatten alles versucht während der vergangenen fünf Jahre. Wir hatten versucht, auf natürlichem Weg ein Kind zu bekommen. Wir hatten In-vitro versucht. Wir hatten es mit Spendersamen versucht. Mit Spendereizellen. Mit Spenderembryonen. Wir wohnten damals in einem Dorf bei Nottingham, in einem alten Landhaus, das Alice von ihren Eltern geerbt hatte, und es war nicht allzu weit nach Cambridge und nach Bourn Hall, der Kinderwunschklinik, die der Universitätsklinik Cambridge angeschlossen war. Sie war fast zu einer Art zweitem Zuhause geworden. Wir kannten die meisten Schwestern und Ärzte sehr gut. Man mochte uns. Man trauerte mit uns, wenn wieder ein Versuch fehlgeschlagen war.

Zwei Jahre zuvor, an einem eisigen Januarmorgen, an dem Schneeflocken vor unserem Schlafzimmerfenster wirbelten, hatte Alice plötzlich gesagt:»Ich kann nicht mehr, Oliver. Ich kann einfach nicht mehr.«

Sie spritzte zu dieser Zeit wieder einmal Hormone, um sich bereit für die nächste anstehende Eizellentnahme zu machen, die elfte oder zwölfte mittlerweile. Sie hatte Wasser im Körper, geschwollene Beine und einen aufgequollenen Bauch, der paradoxerweise so aussah, als sei sie bereits schwanger. Ihr Blut wurde zähflüssig durch die Hormone, sie musste sechs Liter Wasser am Tag trinken, um das Risiko einer Thrombose zu senken. Wenn sie sich vom Bett erhob, stöhnte sie vor Schmerzen. Ich hatte mich schon lange gefragt, wie sie das durchhielt. Wieder und wieder von Neuem. Und immer am Ende die Enttäuschung.

»Okay, mein Liebes«, sagte ich. Ich lag neben ihr im Bett, wir hatten beide eine ganze Weile schweigend den Schneeflocken zugeschaut. »Das ist eine gute Entscheidung. Dein Körper hat genug mitgemacht. Es muss ein Ende haben.«

Sie begann zu weinen. »Aber ich möchte ein Kind.«

Ich seufzte. »Es funktioniert doch aber einfach nicht. Vielleicht muss man einfach irgendwann das Schicksal annehmen.«

»Wir könnten ein Kind adoptieren.«

Sie hatte schon öfter davon gesprochen. Ich hatte sehr verhalten darauf reagiert. Eine endlose, teure Prozedur – und wir hatten schon Schulden gemacht, um die vielen Versuche künstlicher Befruchtung zu bezahlen –, und wer wusste, wen und was man am Ende eines Adoptionsverfahrens in den Armen hielt? Wir reden von Kindern, ich weiß, nicht von Autos, die man kauft, oder Immobilien. Aber, du lieber Gott, gerade deshalb hatte ich Angst. Woher würde das Kind kommen, was hatte es durchgemacht? Wie sah die Vorgeschichte aus, und was hatte sie vielleicht psychisch angerichtet? Ich war zu diesem Zeitpunkt gerade fünfundvierzig geworden, ich war acht Jahre älter als Alice. Wir waren beide nicht mehr ausgesprochen jung, ich schon gar nicht. Wir würden kein Baby bekommen, sondern ein Kleinkind. Wahrscheinlich nicht einmal in England, sondern im Ausland. Ein Kind, zu dem man uns Informationen liefern würde, natürlich. Die stimmen konnten oder auch nicht.

Es war ein Risiko.

Das Ende vom Lied war, dass wir im Februar 2001 in Slobodskoj standen, in diesem gruseligen Waisenhaus, das mich an einen Roman von Charles Dickens erinnerte, und vor uns stand dieser kleine, spindeldürre Junge mit dem seltsamen Kopf und blickte uns

aus verschleierten Augen an. Man hatte seinen Namen in der Da-
tenbank in Moskau aus dem Berg von 700 000 jährlich zur Adop-
tion stehenden Kinderschicksalen gefischt und uns als Vorschlag
unterbreitet – nachdem wir nach schier endlos anmutenden Pro-
zeduren vom Jugendamt für geeignet erklärt worden waren und
in das Adoptionsverfahren einsteigen konnten. Wie erwartet,
hatte man uns erklärt, dass vergleichsweise wenige englische Kin-
der zur Adoption standen und jüngere Eltern dann bevorzugt be-
rücksichtigt würden, dass wir also eine Ewigkeit warten müssten
und der Ausgang ungewiss sei.

Deshalb Russland. Slobodskoj. Sascha.

Wir sollten sofort den Antrag auf Adoption unterschreiben,
noch in diesem Zimmer und ohne die Möglichkeit, unter vier Au-
gen miteinander zu sprechen. Wir könnten den Antrag allerdings
auch wieder zurückziehen, versicherte man uns.

Abends im Bett, im Hotelzimmer, konnten wir endlich offen
reden.

»Der Junge ist nicht in Ordnung«, sagte ich. »Irgendetwas
stimmt nicht.«

»Er kommt mir entwicklungsverzögert vor«, sagte Alice. »Viel-
leicht ernähren sie die Kinder schlecht. So etwas ist aber aufzu-
holen.«

»Ich glaube nicht, dass die Kinder schlecht ernährt werden. Die
meisten sehen ganz normal aus«, gab ich zu bedenken.

»Aber er wurde als Baby vernachlässigt. Das wirkt noch nach«,
sagte Alice beharrlich.

Was wir von Sascha wussten: Er war das Kind einer siebzehn-
jährigen Prostituierten, die nicht aufgepasst hatte und von einem
Freier schwanger geworden war. Ein Jahr lang hatte sie mehr
schlecht als recht versucht, den Kleinen bei sich zu behalten und
für ihn zu sorgen, aber irgendwann war das Jugendamt aufmerk-
sam geworden und eingeschritten. Sascha sei unterernährt und

entwicklungsverzögert gewesen, hieß es in dem Bericht, den wir in Übersetzung vorliegen hatten. Er konnte nichts von dem, was einjährige Kinder normalerweise konnten, was darauf hinwies, dass sich niemand mit ihm beschäftigt hatte. Letztlich kam es zu einem gerichtlichen Sorgerechtsentzug. Die Mutter hatte sich mit der Freigabe zur Adoption einverstanden erklärt, sehr erleichtert, wie uns die Dolmetscherin gesagt hatte. Wenn uns Sascha zugesprochen würde, stand nicht zu erwarten, dass sie das Urteil anfechten würde, ehe es rechtskräftig wurde. Eigentlich war die Sache ziemlich sicher: Wir standen kurz vor dem Ziel unserer Wünsche. Wir würden ein Kind haben.

Wir wussten auch, dass wir uns gegen Sascha entscheiden konnten, dann würden wir einen anderen Kindervorschlag bekommen. Man würde uns das nicht negativ auslegen, jedem war klar, dass es besser war, man sagte gleich, wenn man Probleme sah, als man quälte sich für die nächsten Jahre innerhalb einer völlig dysfunktionalen Familie herum. Aber wer konnte das schon mit einiger Sicherheit vorhersehen? Zudem konnte es mit dem nächsten Kindervorschlag dann dauern. Und es gab häufig Adoptionsstopps. Russland verhängte sie gnadenlos, wann immer es Probleme in einem der Zielländer gab. Die konnten schon darin bestehen, dass Eltern die vertraglich vereinbarten regelmäßigen Kontrollberichte der ersten drei Jahre nicht ablieferten. Niemand konnte sie deswegen ernstlich mehr zur Rechenschaft ziehen, aber man konnte denjenigen, die noch in der Warteschlange standen, das Leben schwermachen. Das war das Druckmittel. Vielleicht verständlich. Tatsächlich aber führte es auch dazu, dass man nahm, was man bekam, und zusah, dass man das Verfahren schnell durchlief – auch wenn es warnende Stimmen in einem selbst gab.

Ich hörte einen ganzen Chor warnender Stimmen, und Alice hörte ihn auch. Aber wir waren ausgelaugt und erschöpft. Um an *diesen Ort in Russland zu kommen, waren wir sehr weit gegangen, über unsere Kräfte hinaus und noch weiter. Wir hatten beide keine Energie mehr. Wir wollten endlich den Kampf hinter uns lassen und das Leben beginnen, das Leben als Familie.*

Im Juli 2001 wurde uns Sascha von einem russischen Gericht zugesprochen. Zwei Wochen später wurde das Urteil rechtskräftig. Wir reisten mit unserem Sohn nach England zurück und hofften auf das Glück.

MONTAG, 29. JULI

I

Das Haus, in dem Sophia Lewis lebte, lag still und friedlich im Licht des sonnigen Vormittages, und durch nichts dort hätte man geahnt, dass auf die Bewohnerin eine Woche zuvor ein lebensbedrohender Anschlag verübt worden war. Wer dieses kleine Backsteinhaus mit dem tief gezogenen Dach inmitten des blühenden Gartens sah, hätte glückliche Menschen darin vermutet, in deren Leben es nichts Böses oder Bedrohliches gab.

Aber es muss etwas gegeben haben, dachte Kate, während sie unter den dicht belaubten Zweigen alter Apfelbäume auf die Haustür zuging. »Was Sophia passiert ist, geschieht keinem Menschen, dessen Leben frei ist von Untiefen. Irgendetwas in ihrer Biografie hat zu diesem schrecklichen Schicksal geführt, das von nun an ihr weiteres Dasein bestimmen wird.«

DI Stewart hatte ihr den Schlüssel ausgehändigt, erleichtert, dass sie drei Tage früher als geplant ihren Schreibtisch im Büro des CID einnahm.

»Danke, Sergeant«, hatte er gesagt, »ich weiß das sehr zu schätzen. Wir können jeden brauchen im Moment.«

»Schon in Ordnung«, hatte Kate erwidert. Sie sagte nichts zu ihm über ihr Problem: das Alleinleben, das ständige Gefühl von Einsamkeit, die Tatsache, dass sie sich niemandem zugehörig fühlte. In all den Jahren war ihr Beruf zu der sichersten Möglichkeit geworden, sich zu betäuben. Die Umzugskisten konnte sie nach und nach auspacken. Nichts drängte sie.

Robert hatte nicht recht verstanden, weshalb sich Kate noch einmal im Haus von Sophia Lewis umsehen wollte – »Unsere Leute haben dort wirklich alles auseinandergenommen« –, und sie hatte das Gefühl, dass er ihr normalerweise eine andere Aufgabe zugewiesen und ihr Vorhaben kurzerhand als Unsinn bezeichnet hätte. Aber sie war freiwillig früher gekommen, sie tat mehr, als sie tun musste, er brauchte sie. Mit einem ziemlich deutlich hörbaren Zähneknirschen stimmte er zu.

Kate erwartete selbst nicht, etwas Bahnbrechendes zu entdecken. Sie wollte ein Gefühl für Sophia bekommen. Aber diesen Gedanken behielt sie für sich, da sie ahnte, dass dies bei Robert nur noch mehr Kopfschütteln hervorrufen würde.

Sie schloss die Haustür auf und trat in den gefliesten Eingangsbereich, an dessen rechter Seite sich ein Garderobenschrank befand. Darunter aufgereiht standen zahlreiche Schuhe, vor allem Turnschuhe. Ging man weiter, gelangte man direkt in den großen Wohnbereich mit offener Küche. Ein gemütlicher Raum, wie Kate sogleich feststellte, helle Sofas mit bunten Kissen darauf, ein naturfarbener Läufer auf dem Boden, ein alter hölzerner Esstisch mit einer Vielzahl an Stühlen drumherum, auch diese mit bunten Kissen ausgestattet. Die Küche war modern und sauber, ausgestattet mit vielen Geräten, die darauf hinwiesen, dass Sophia gerne und vermutlich auch gut kochte. Auf der Theke, die den Bereich zum Wohnzimmer hin abgrenzte, stand ein Kaffee-vollautomat höchsten Standards, der ein kleines Vermögen gekostet haben musste. Kate verspürte plötzlich eine heftige Sehnsucht nach einem Becher starken, duftenden Kaffees, aber sie beherrschte sich. Ausgeschlossen, dass sie sich hier selbst bediente.

Es gab noch zwei weitere Räume: Sophias Schlafzimmer und ein Bad. Das Bad war mit pfirsichfarbenen Kacheln gefliest und eher spartanisch ausgestattet, was kosmetische Artikel anging: Auf dem Rand der Badewanne standen eine Flasche Haarshampoo und ein Duschgel. Auf der Ablage unter dem Spiegel steckten ein stumpfer Kajalstift und eine Wimperntusche in einem grünen Becher, auf dessen Vorder-seite eine Popgruppe abgebildet war, die Kate nichts sagte. Der Griff des Bechers war abgebrochen. Direkt daneben lag eine Tube Gesichtscreme. Das war alles. In einem hölzernen Schrank unter dem Fenster, gleich neben der Badewanne, fand Kate nur einen Stapel Hand- und Badetücher. Keine sonstigen Pflegeutensilien. Eindeutig, Sophia war eine sportliche Frau, der körperliche Fitness über alles ging. Schminken gehörte definitiv nicht zu ihren Hobbys. Ebenso wenig schien sie eine Vorliebe für Parfüms, Anti-Aging-Produkte oder für sonstige Hilfsmittel zur Optimierung ihres Erscheinungsbildes zu haben. Sie setzte auf Bewegung und frische Luft.

Das Bild verfestigte sich im Schlafzimmer. Ein Bett, ein Schrank, ein Schreibtisch. Im Schrank hauptsächlich Sport-klamotten, Jogginganzüge, Radlerhosen, eng anliegende Oberteile, Sweatshirts. Natürlich auch Jeans, ein paar Röcke, Shirts, Pullover. Sachen, die Sophia in der Schule getragen hatte. Unten im Schrank mehrere Paar Sandalen und Stiefe-letten in verschiedenen Farben.

Der Schreibtisch. Den Computer hatten Beamte mitgenommen, um ihn auswerten zu können. Es lagen mehrere Stapel Papier, etliche Hefte, verschiedene Bücher auf dem Tisch und auch auf dem Fußboden darunter. Kate blätterte in den Stapeln herum. Sie entdeckte nichts, was relevant für den Fall sein könnte. Es handelte sich um Physik- und Mathematikbücher oder Skripte. Aufzeichnungen zur Unterrichtsvorbereitung. Testauswertungen. Arbeitshefte mit korrigierten Aufgaben, die jedoch älteren Datums waren. Kate betrachtete die Hefte genauer, weil sie wissen wollte, ob es irgendwo auffallend schlechte Noten oder vernichtende Bewertungen gab. Es schien sich jedoch um Übungen zu handeln, die ohne Benotung geblieben waren. Die Kommentare, die Sophia an den Rand geschrieben hatte, waren aufbauend, freundlich und lobend. Kate dachte plötzlich, dass sie eine sehr nette Frau sein musste, engagiert und herzlich. Und dass sie selbst gerne eine solche Lehrerin in Mathematik gehabt hätte. Das Fach hatte nicht zu ihren Stärken gehört.

Sie öffnete ein paar Schubladen, stöberte ein wenig darin herum, fand aber nichts, was ihr weitere Erkenntnisse gebracht hätte. Sophia gehörte offenkundig nicht zu den Menschen, die ihre Vergangenheit in Form von Dokumenten, Urkunden, alten Fotos, Briefen ablegte. Sie war ein Jahr zuvor von Manchester nach Stainton Dale gezogen und hatte den Umzug, wie viele das taten, für ein gründliches Ausmisten genutzt. Das Haus wirkte so, als habe ihr Leben erst hier an diesem Ort begonnen, als gäbe es nichts davor. Kate fragte sich, ob Sophia Gründe gehabt hatte, so rigoros mit ihrer Vergangenheit abzuschließen. Oder ob sie einfach nur ein Mensch war, dem es um Ordnung und einen gewissen Minimalismus im Alltag ging.

Sie schrak zusammen, als plötzlich jemand an das Fenster neben dem Schreibtisch klopfte. Ein Mann starrte ins Zimmer hinein. Mit dem Mund formte er etwas, das nach »Wer sind Sie, und was machen Sie hier?« aussah. Kate zückte ihren Dienstausweis und hielt ihn gegen die Scheibe. Der Mann schien noch verwirrter als zuvor. Er machte ein Zeichen, dass er zur Haustür kommen würde, und Kate nickte. Sie ging nach vorne und öffnete.

»Polizei?«, fragte der Mann, der vor ihr stand. Er musste um die vierzig Jahre alt sein. Er trug Jeans, dazu ein schwarzes T-Shirt und ziemlich verdreckte Turnschuhe. Er wirkte verstört. »Ist etwas passiert? Wo ist Sophia?«

»Sie sind …?«

»Nicolas. Nick.« Dann fiel ihm ein, dass er auch noch einen Nachnamen hatte, und er fügte hinzu: »Gelbero.«

»Kate Linville, Detective Sergeant, North Yorkshire Police. Sie sind ein Bekannter von Sophia Lewis?«

»Ich bin ein sehr enger Freund. Wir sind heute verabredet. Ich habe an der Haustür geklopft, aber niemand hat reagiert. Was ist denn los?«

Das Schlafzimmer lag nach hinten hinaus, daher hatte Kate nichts gehört. »Kommen Sie erst einmal rein«, sagte sie.

Ein paar Minuten später saßen sie einander an Sophias Esstisch gegenüber, und Kate hatte eine Zusammenfassung der Ereignisse abgegeben. Nick war immer blasser geworden, er sah entsetzt und fassungslos aus. Falls er nicht ein großartiger Schauspieler war, konnte man ihn aus der Reihe möglicher Verdächtiger getrost entfernen: Erschütterter konnte ein Mensch kaum sein.

»Oh Gott«, sagte er immer wieder. »Oh Gott!« Dann sprang er plötzlich auf. »Ich muss sofort zu ihr!«

»Warten Sie«, bremste Kate. »Ich hätte noch ein paar Fragen an Sie. Zu Sophia würde man Sie im Moment wahrscheinlich sowieso noch nicht vorlassen.«

Er war aschfahl im Gesicht. »Das ist alles so entsetzlich. Ganz furchtbar. Sie wird gelähmt bleiben? Für immer?«

»Im Moment ist es das, was die Ärzte befürchten. Aber nach allem, was ich weiß, können sich Dinge in diesem Bereich auch anders entwickeln. Man darf jetzt noch nicht jede Hoffnung aufgeben.«

Nick stöhnte. Er hatte Schweißperlen auf der Stirn.

Sophia liegt ihm sehr am Herzen, dachte Kate.

»Sie wäre lieber tot. Das weiß ich. Wenn sie sich nicht mehr bewegen kann, würde sie lieber sterben.«

»Mr. Gelbero, wir müssen denjenigen finden, der ihr das angetan hat. Das Problem ist, dass wir so wenig über Sophia Lewis wissen. Sie ist überall beliebt und wird sehr geschätzt, aber niemand weiß etwas über ihr Leben, bevor sie nach Stainton Dale kam.«

»Ich kenne sie aus Manchester«, sagte Nick. »Sie hat an der Chorlton Highschool unterrichtet. Sie war auch dort sehr beliebt. Bei ihren Schülern und den Kollegen.«

»Waren Sie auch ein Kollege von ihr?«

»Nein. Ich bin Produzent. Ich produziere Dokumentarfilme. Meist Umweltthemen.«

»Wie haben Sie Sophia kennengelernt?«

»Wir waren im selben Fitnessstudio. Ich fand sie toll, und irgendwann wusste ich, zu welchen Zeiten sie immer kommt. Also habe ich meine Termine so gelegt, dass ich dann auch da sein konnte. Und, na ja«, er lachte, »es hat funktioniert. Wir wurden ein Paar.«

Endlich! Kates Herz ging schneller. Endlich ein *wirklicher* Mensch aus Sophias Privatleben.

»Haben Sie zusammengewohnt?«

»Leider nicht. Ich wollte das gerne, aber Sophia konnte sich das nicht vorstellen. Sie ist sehr eigenständig.«

»Mr. Gelbero, wir haben natürlich in Erwägung gezogen, dass der gespannte Draht ein Schülerstreich sein könnte, der ungewollt in eine furchtbare Katastrophe gemündet ist. Aber der Schuss, der zusätzlich abgegeben wurde, passt nicht in dieses Bild. Zudem wurde zwei Tage zuvor aus derselben Waffe auf eine Frau in einem Zug zwischen London und York geschossen. Der Täter war ein erwachsener Mann.«

Nick schaute verwirrt drein. »Die Geschichte im Zug? Ich habe davon in der Zeitung gelesen. Derselbe Täter hat den Anschlag auf Sophia verübt?«

»Das wissen wir nicht. Wir wissen nur, dass es dieselbe Waffe war, was es zumindest wahrscheinlich macht, dass es sich um denselben Täter handelt.« Kate holte ihr iPhone hervor, scrollte zu dem nach Xenias Angaben angefertigten Phantombild und hielt es Nick vor das Gesicht. »Kennen Sie diesen Mann?«

»Das ist der aus dem Zug?«

Kate nickte. Nick studierte das Bild mit einem Eifer, der schon fast rührend war. »Nein. Leider. Das Gesicht sagt mir gar nichts. Ich habe den noch nie gesehen.«

Kate verbarg ihre Enttäuschung. »Sagt Ihnen der Name Xenia Paget etwas?«

»Xenia Paget?«

»Früher Xenia Sidorowa. Sie stammt aus Russland.«

Wieder sah man Nick an, dass er sich alle Mühe gab, aber schließlich schüttelte er doch wieder den Kopf. »Ich habe diesen Namen nie zuvor gehört.«

»Gibt es irgendeine Verbindung von Sophia nach Russland? Eine Reise? Hat sie Bekannte oder Freunde von dort? Vielleicht ein russischer Sprachkurs, den sie einmal gemacht hat? Irgendetwas?«

»Nein. Soweit ich weiß, kennt sie niemanden aus Russland. Sie hat überhaupt keine Beziehung zu diesem Land. Sie hatte nie eine Ambition, Russisch zu lernen oder dorthin zu reisen. Sie träumt von Australien. Dort einmal ein Jahr lang kreuz und quer das Land zu erkunden.« Er schluckte. »Sie *träumte*, muss man jetzt sagen. Sie wird zu so etwas nicht mehr in der Lage sein.«

»Sie haben sie als beliebt beschrieben. Trotzdem, es muss jemanden geben, der einen ziemlichen Hass auf sie hat. Können Sie sich irgendetwas vorstellen? Irgendeine Geschichte aus der Vergangenheit? Vielleicht hat sie einmal etwas angedeutet, etwas, dem Sie womöglich keine große Beachtung schenkten. Irgendeine Gelegenheit, bei der sie sich einen Feind gemacht haben könnte.«

Es fiel Nick sichtlich schwer, Kate wieder und wieder zu enttäuschen. »Nein. Ich meine, es gab manchmal irgendwelche Sachen in der Schule. Schüler, denen sie schlechte Noten gab und die sich dann heftig beschwerten. Ich weiß, dass einmal die Eltern eines Schülers mit einem Rechtsanwalt in der Schule aufkreuzten, weil sie meinten, ihr Sohn sei von Sophia ungerecht bewertet worden. Die Geschichte hat Sophia ziemlich mitgenommen, aber natürlich nicht in dem Sinne, dass sie glaubte, die Eltern würden ihr von da an nach dem Leben trachten. Es war ihr einfach sehr unangenehm.«

»Wissen Sie noch den Namen dieser Leute? Und wann das war?«

»In unserem ersten gemeinsamen Jahr. Also 2016. Aber den Namen weiß ich nicht mehr.«

»Kein Problem. Das finde ich über die Schule heraus. Sonst fällt Ihnen nichts ein?«

»Nein. Sie hat allerdings sowieso nie viel von ihrer Vergangenheit erzählt.«

»Von ihren Eltern lebt nur noch der Vater«, sagte Kate. »Geschwister hat sie keine. Ansonsten scheint sie jeder zu mögen, hier im Dorf und unter ihren Kollegen, aber trotzdem scheint sie keine wirklich engen Freunde zu haben.«

»Stimmt«, sagte Nick. »Genauso habe ich das auch immer empfunden. In Manchester. Sie kannte viele Leute – Kollegen, Leute aus dem Fitnessclub, Nachbarn. Mit allen war sie ein bisschen befreundet, aber irgendwie auch nicht. Sie ließ niemanden wirklich nah an sich heran. Sie war herzlich und freundlich, sehr hilfsbereit. Ein wirklich guter Kumpel für jeden. Aber ich glaube nicht, dass sie die Menschen an ihrem Innenleben teilhaben ließ. Oder ihnen viel von sich erzählte. Ich war zwei Jahre lang ihr Lebensgefährte, aber ich weiß so gut wie gar nichts aus ihrer Vergangenheit.«

»Was hat zu Ihrer Trennung geführt?«

»Sie hatte sich an der Graham School hier in Scarborough beworben. Ohne mir irgendetwas davon zu sagen. Sie teilte mir eines Tages bei einem gemeinsamen Abendessen lapidar mit, ihre Bewerbung sei angenommen worden und sie suche gerade ein Haus in Scarborough oder Umgebung. Ich war wie vor den Kopf geschlagen.« Nick hielt inne, schien noch immer in der Erinnerung an jenen Abend völlig perplex zu sein. »Ich weiß noch genau, bei welchem Italiener wir saßen, an welchem Tisch … Ich hatte eigentlich mit ihr darüber sprechen wollen, ob wir im Sommer gemeinsam verreisen. Und da kam sie mit dieser Neuigkeit.«

»Das ist ein sehr eigenartiges Verhalten«, meinte Kate.

»Ja, das fand ich auch. Ich meine, wir wohnten nicht zusammen, aber wir gehörten zusammen. Wir verbrachten die Wochenenden gemeinsam und erzählten uns voneinander. Oder zumindest ich erzählte von mir. Sie gab ja, wie gesagt, kaum etwas preis.«

»Das kann einfach Teil ihres Wesens sein. Vielleicht gibt es aber auch irgendein größeres Problem in ihrem Leben.«

»Sie fand dann jedenfalls dieses Haus hier, unterschrieb den Mietvertrag und verließ Manchester.«

»Wie hat sie Ihnen das denn erklärt? Sie muss doch einen Grund genannt haben, weshalb sie an eine andere Schule wollte?«

»Sie meinte, es sei einfach gut, hin und wieder zu wechseln. Sich neuen Herausforderungen zu stellen. Neue Menschen kennenzulernen. Lauter Gründe, gegen die sich schwer etwas sagen lässt. Ich war sehr verletzt. Denn im Kern verriet ihr Verhalten vor allem, dass sie einfach nicht so sehr an unserer Beziehung interessiert war wie ich.«

»Sie sind aber Freunde geblieben?«

»Ja, aber auch da bin ich die treibende Kraft. Ich habe den Kontakt gehalten, hauptsächlich über WhatsApp. Und da ich diese Woche beruflich in der Gegend zu tun habe, hatte ich ein Treffen vorgeschlagen. Sie hat zugestimmt. Sie hat ja Ferien im Moment.«

»Und das Treffen sollte hier sein?«

»Ich wollte sie hier abholen, und wir wollten irgendwohin zum Mittagessen fahren. Ich habe mich in den letzten Tagen schon gewundert, dass sie nicht mehr reagiert hat, als ich die Verabredung noch einmal bestätigte, aber ich dachte dann, ich gehe ihr wahrscheinlich auf die Nerven, weil es ja klar abgesprochen war. Also habe ich mich dann auch nicht mehr gemeldet und bin einfach hierhergekommen.«

»Das Handy von Sophia Lewis ist völlig kaputt durch den Sturz«, sagte Kate, »wir sind gerade dabei, die Daten wiederherzustellen und außerdem ihren Computer auszuwerten.«

»Ich verstehe das alles nicht«, sagte Nick. »Ich verstehe es einfach nicht.«

Kate überlegte. »Als sie so plötzlich von Manchester wegging, gab es da irgendetwas, das in Ihnen ein ungutes Gefühl auslöste? Ich meine, jenseits der Tatsache, dass Sie natürlich verletzt und verstört waren. Aber gab es irgendeine vage Ahnung, irgendein Gefühl. Für die wahren Gründe?«

Er nickte. »Ich habe sofort an einen anderen Mann gedacht. Dass sie jemanden kennengelernt hat und nun zu ihm will. Aber irgendwie hätte es nicht zu ihr gepasst, das dann nicht zu sagen. So verschwiegen sie war, was ihr Innenleben anging, war sie im Alltag dann auch sehr geradlinig. Nicht der Typ Frau, der sich monatelang heimlich mit einem anderen Mann trifft und sich dann unter irgendwelchen vorgeschobenen Gründen vom Acker macht. Sie hätte mir das gesagt.«

»Kam Ihnen noch anderes in den Sinn? Sie haben sicher viel über das alles nachgedacht.«

»Ich lag nächtelang wach und habe gegrübelt. Vor allem darüber, was ich möglicherweise falsch gemacht habe. Obwohl sie mir auf meine Frage immer wieder versicherte, dass es nichts mit mir zu tun habe.«

Kate wartete. Sie spürte, dass Nick versuchte, so wahrhaftig wie möglich zu antworten.

»Es klingt vielleicht seltsam«, sagte er schließlich, »nach allem, was jetzt passiert ist. Aber tatsächlich gab es Momente, da hatte ich den Eindruck, dass sie Angst hat. Vor irgendetwas oder irgendjemandem. Obwohl sie nichts dergleichen erwähnte.«

»Woher kam dieser Gedanke bei Ihnen?«

»Sie schien mir schreckhafter als sonst. Irgendwie nervös. Unruhig. Ich kann das nicht an bestimmten Vorkommnissen festmachen, es war einfach ihre Ausstrahlung. Sie wirkte verändert. Nicht die ganze Zeit über, aber zwischendurch. Ja, ich kann es nur so beschreiben: nervös. Sie schien nervös zu sein.«

»Wegen des bevorstehenden beruflichen Wechsels?« Kate hätte das nachvollziehen können. Sie dachte an die vielen nervösen Augenblicke, die ihr der Weggang von Scotland Yard und die Entscheidung für den Neuanfang in Scarborough bereitet hatten.

Nick schüttelte den Kopf. »Ich kann es nicht genau sagen. Ich hatte nicht den Eindruck, dass es um den Schulwechsel ging. Aber ich kann das nicht begründen. Es war ein Gefühl. Schwer zu beschreiben. Sie war einfach nicht mehr die Sophia, die ich kannte. Als sei ein Schatten über ihr. Ja, das trifft es vielleicht am besten. Ein Schatten lag über ihr und ihrem Leben. Aber ich habe keine Ahnung, wodurch er verursacht wurde.«

2

»Ein Schatten«, knurrte Inspector Robert Stewart. »Das ist keine Information, die uns wirklich weiterbringt. Schatten. Geht es noch etwas ungenauer?«

Sie saßen in seinem Büro. Kate, Sergeant Helen Bennett und Robert. Kate hatte von ihrem Treffen mit Nick Gelbero

135

berichtet. Robert, in völliger Ermangelung auch nur des kleinsten Anhaltspunktes, hatte sich auf Nick gestürzt. »Könnte da nicht etwas sein? Er liebte sie, und sie hat ihn verlassen. Abrupt, auf eine ziemlich verletzende Art und Weise. Nun will er es ihr heimzahlen.«

Kate schüttelte den Kopf. »Warum erst ein Jahr später? Außerdem war er wirklich völlig geschockt, als er von dem Attentat erfuhr. So gut kann ein Mensch nicht schauspielern.«

»Er macht Filme.«

»Dokumentarfilme. Er produziert sie. Er ist kein Schauspieler.«

»Ich würde ihn auf die Liste der Verdächtigen nehmen«, sagte Robert.

»Auf welche Liste?«, rutschte es Helen heraus. Schnell fügte sie hinzu: »Entschuldigung. Aber haben wir eine *Liste mit Verdächtigen?*«

Das war in der Tat eine gute Frage.

»Jacob Paget gefällt mir nicht«, sagte Robert. »Und dieser Nick Gelbero auch nicht. Die meisten Verbrechen werden innerhalb von Familien und Partnerschaften begangen.«

»Das stimmt«, sagte Kate. »Nur haben wir zwei Frauen, die jeweils mit anderen Männern zusammen sind oder waren. Die beiden Frauen wie auch die beiden Männer haben nichts miteinander zu tun. Nimmt man diese vier Personen, so hat keiner je die Namen der beiden anderen gehört.«

»So weit es Xenia Paget, ihren Mann und diesen Gelbero angeht«, sagte Robert. »Sophia Lewis konnte sich noch nicht äußern. Irgendwie habe ich das Gefühl, dass sie der Schlüssel ist.«

»Leider müssen wir vorläufig andere Wege gehen«, sagte Kate.

»Was sind die nächsten Schritte?«, fragte Robert. Er klang nicht wie ein Mensch, der vor Tatendrang brannte, allerdings hatte er auch so wenige Anhaltspunkte, dass jeglicher Tatendrang zwangsläufig ins Leere laufen musste.

In die Rolle des Chefs muss er sich noch hineinfinden, dachte Kate. Bislang ist von Führung bei ihm wenig zu merken.

Fast bedauerte sie ihn ein wenig. Gleich als Erstes einen Fall wie diesen auf den Tisch zu bekommen ... Andererseits hielt sich ihr Mitleid in Grenzen. Es war nicht ausgesprochen fair, wie er mit Caleb umgegangen war, um sich dessen Posten unter den Nagel zu reißen. Nun sollte er sehen, wie er klarkam.

»Ich werde nach Manchester fahren«, sagte Kate. »Ich will mit dem Leiter der Schule sprechen, an der Sophia unterrichtet hat. Ich will der Spur mit den aufgebrachten Eltern nachgehen, deren Sohn angeblich ungerecht bewertet wurde. Ich bin ziemlich sicher, dass diese Leute mit alldem nichts zu tun haben, aber wir müssen es zumindest sicher ausschließen können.«

»Gut«, sagte Robert, »sehr gut.«

Helens Handy brummte leise. Sie entschuldigte sich und verließ den Raum.

Robert blickte in seine Unterlagen. »Sophia Lewis ist in Birmingham geboren. Gibt es dort noch Familie? Freunde?«

»Der Vater lebt noch«, sagte Kate. »Ich werde ihn aufsuchen. Es hilft jetzt nur, in Sophias Vergangenheit so viele Steine umzudrehen und darunter zu schauen, wie wir können.«

»Und in der Vergangenheit von Xenia Paget.«

»Schwieriger. Den größten Teil ihres Lebens hat sie in Russland verbracht, noch dazu in einer ziemlich entlegenen

Gegend. Dorthin zu reisen und Befragungen anzustellen könnte …«

»… extrem teuer sein«, vollendete Robert den Satz. »Das wäre der letzte Strohhalm. Verdammt, es muss doch möglich sein, diese Frau zum Reden zu bringen, oder? Xenia Paget meine ich. Jemand will sie in einem voll besetzten Zug einfach abknallen, und sie hat angeblich keine Ahnung, worum es geht?«

Kate wiederholte, was sie schon Caleb gegenüber geäußert hatte. »Ich glaube, dass sie durchaus einen Verdacht hat. Sie will ihn nicht preisgeben. Sie hat Angst.«

»Seltsam. Sie steht buchstäblich auf der Abschussliste irgendeines völlig verrückten Typen und hat Angst, sich der Polizei anzuvertrauen? Was hat sie zu verlieren?«

»Offenbar sieht sie uns als die größere Gefahr«, meinte Kate nachdenklich. »Was bedeuten könnte, dass es in ihrer Vergangenheit irgendetwas gibt, das eine Strafverfolgung nach sich ziehen könnte. Oder wovon sie zumindest glaubt, dass es so ist. Ich werde herausfinden, über welche Agentur Jacob Paget Xenias Bekanntschaft gemacht hat. Vielleicht bringt uns das weiter.«

»In jedem Fall sollten Sie noch einmal sehr eindringlich mit Xenia sprechen«, sagte Robert. »Ihr klarmachen, wie wichtig es ist, dass sie mit offenen Karten spielt. Nur dann können wir sie beschützen.«

»Ich werde mit ihr reden. Noch bevor ich nach Manchester fahre.«

»Eine Nadel in einem Heuhaufen zu finden ist einfacher, als einen Anfang in diesem Knäuel zu entdecken«, seufzte Robert.

Sie sah ihn an. Er wirkte äußerst gestresst und überfordert.

Das muss ich Caleb erzählen, dachte sie mit leiser Genugtuung und kam sich gleich darauf kindisch vor.

»Hat sich im Fall White etwas ergeben?«, fragte sie, um für einen Moment abzulenken.

Robert wirkte sofort wie befreit. »Da ist alles klar. Die Sachlage ist ja eindeutig. Jayden White sitzt in Untersuchungshaft. Er wird für lange Zeit ins Gefängnis gehen, für sehr lange Zeit. Leider rettet das niemanden mehr.«

»Caleb wird aussagen müssen?«

»Ja. Er hat ja das entscheidende Gespräch geführt.«

»Sind für Caleb noch Probleme zu erwarten?« Sie musste es einfach wissen. »Eben wegen dieses Gesprächs?«

»Kann sein, dass es noch eine Untersuchung gibt«, murmelte Robert ausweichend.

Sie sahen einander an. Caleb schien plötzlich zwischen ihnen zu stehen, eine feindselige Spannung baute sich für einen Moment auf. Dann war der Augenblick vorbei. Beide, Kate wie Robert, waren professionell genug, das Problem sogleich im Keim zu ersticken.

»Also …«, setzte Robert an, aber er wurde unterbrochen. Die Tür ging auf, Helen kehrte zurück.

»Das Krankenhaus hat angerufen. Sophia Lewis konnte die Intensivstation verlassen. Das ist immerhin eine gute Nachricht.«

»Gott sei Dank«, sagte Kate.

»Kann sie sprechen?«, fragte Robert.

Helen schüttelte den Kopf. »Habe ich auch gleich gefragt. Nein, leider nicht.«

»Mist«, sagte Robert inbrünstig.

»Weiter warten«, sagte Kate.

3

Wenn ich diesen Sprachkurs nicht hätte, dachte Xenia, würde ich wohl durchdrehen.

Sie mochte ihre Schüler. Und die Schüler mochten sie. Sie kamen aus Syrien, aus dem Irak, aus Afghanistan. Zwei sogar aus Somalia. Xenia liebte den Job. Sie wusste, dass sie die wandelnde Motivation für ihre Schüler war.

»Ich habe mein drei viertel Leben lang nur Russisch gesprochen«, erklärte sie gerne. »Und hört mich heute an! Wenn ich das geschafft habe, schafft ihr es auch.«

Es machte ihr Freude, mit Menschen zu tun zu haben, mit denen sie eine ähnliche Geschichte verband. Man war aus einem fremden, fernen Land gekommen, man hatte das Land verlassen, weil Krieg, Not oder, wie in Xenias Fall, erdrückende Perspektivlosigkeit einen zwangen, diesen Schritt in die völlige Ungewissheit hinein zu tun. Westeuropa, Großbritannien. Man fand sich unter fremden Menschen, in einer fremden Kultur mit fremden Sitten und Gebräuchen und vor allem mit einer völlig fremden Sprache wieder. Xenia wusste, wie verwirrend und verunsichernd das alles war, wie entwurzelt und verloren man sich fühlte. Am eigenen Leib jedoch hatte sie erlebt, dass die Fähigkeit zur Kommunikation mit den Einheimischen der Schlüssel war: Er öffnete die Türen, schuf Nähe und Verständnis. Er war Wegbereiter einer neuen Zukunft.

Als sie an diesem Abend zu ihrem Auto zurückging, das einsam auf dem großen Parkplatz vor dem Bürgerhaus in Headingley stand, fühlte sie wie immer die Zufriedenheit, die ihr das Zusammensein mit den Schülern vermittelt hatte. Aber darüber hinaus erkannte sie auch wieder deutlich, was sie außerdem den Montagabenden jede Woche entgegenfiebern ließ: Diese Abende stellten ihre einzige Möglichkeit dar, ihrem Zuhause zu entkommen. Der erdrückend schlechten Laune von Jacob, seiner Herrschsucht, seiner Ungeduld, seiner zynischen Bösartigkeit. Zwei Stunden in der Woche, in denen sie sich frei von ihm fühlte. In denen sie bei sich selbst war. Es war, als würde sie in diesen zwei Stunden ganz tief Luft holen, um die nächsten sieben Tage durchzustehen, bis sie ihm wieder entkommen konnte.

Es war schon kurz nach zehn Uhr. Der Kurs endete um neun, aber an diesem Tag hatte eine der Frauen, Aabidah aus Syrien, Geburtstag, und sie hatte einen Kuchen mitgebracht und die anderen zu einer kleinen Feier eingeladen. Einträchtig hatten sie in dem tristen Raum um einen Tisch herumgesessen und den Kuchen gegessen, Limonade aus Pappbechern getrunken und sogar ein paar Kerzen angezündet. Xenia hatte sich wie in einem warmen Bad gefühlt, bis ihr einfiel, dass sie daheim größten Ärger bekommen würde, wenn sie zu spät kam. Sie schickte Jacob eine WhatsApp, in der sie von dem Geburtstag berichtete und erklärte, dass sie eingeladen worden sei und nicht habe ablehnen können. Jetzt, als sie in der bereits einsetzenden Dunkelheit an ihrem Auto stand, stellte sie fest, dass Jacob die Nachricht noch immer nicht gelesen hatte. Das war nicht gut. Er würde richtig wütend sein, und dann war es die Hölle mit ihm. Jacob wurde nicht handgreiflich, aber er verletzte mit Worten, und Xenia hatte manchmal den Eindruck, dass das noch schlimmer war. Die Tatsache, dass Xenias Figur in den letzten Jahren so auseinandergegangen war, nutzte er besonders gerne. Er wusste, wie weh er ihr tat, wenn er sie wegen ihrer breiten Hüften, ihrer dicken Oberschenkel, ihrer voluminösen Oberarme verspottete oder sogar beschimpfte.

»Wie kann man sich so gehen lassen«, hatte er erst wenige Tage zuvor voller Verachtung zu ihr gesagt. »Ekelhaft. Einfach nur ekelhaft.«

Sie tippte eine zweite Nachricht: *Ich fahre jetzt los. Bin gleich zu Hause.*

Vielleicht hörte er das Eingangssignal und schaute endlich auf sein Handy. Xenia hätte auch anrufen können, aber das wagte sie nicht. Es würde dann sofort mit dem Terror losgehen. So hatte sie noch einen Aufschub.

Seufzend fuhr sie vom Parkplatz. Ihr Heimweg nach Bramhope hinaus dauerte knappe zwanzig Minuten. Es wurde schnell immer dunkler. Sie schaltete die Scheinwerfer ein. Sie wünschte so sehr, nach Hause zu kommen, und dort wäre niemand. Vielleicht ein Hund oder eine Katze. Sie könnte sich einfach noch einen Tee machen, ein bisschen im Fernsehen herumzappen, sich ins Bett legen, lesen. Alles Dinge, die nicht funktionierten, wenn man mit einem Mann wie Jacob verheiratet war.

Die Straße führte schnell aus Headingley, einem der Außenbezirke von Leeds, hinaus und schlängelte sich dann durch Felder und Wälder, zwischen denen vereinzelt Gehöfte lagen, hier und da auch ein paar Lagerhallen, die zu Firmen in der Stadt gehörten. Es herrschte kaum Verkehr. Zwischen Headingley und Bramhope gab es auch eine Schnellstraße, die von den meisten Leuten genutzt wurde, aber Xenia fuhr lieber diese alte Landstraße entlang. Außerdem dauerte es etwas länger. Selbst in einer Situation wie heute, in der Jacob wegen ihrer Verspätung toben würde, versuchte sie nicht, Zeit einzuholen. Es würde sowieso nichts mehr nützen.

Sie fuhr sehr langsam, weil sie Angst vor kreuzenden Rehen hatte. Hinter ihr war niemand, der sie hätte drängen können. Es kam ihr auch kein anderes Auto entgegen.

Frieden. So ein herrlicher Frieden. Die Ruhe vor dem Sturm zu Hause.

Sie war so in eigene Gedanken versunken, dass sie das quer über der Fahrbahn stehende Auto erst bemerkte, als sie schon dicht davor war. Erschrocken trat sie mit aller Kraft in die Bremsen. Ihr Wagen schlingerte etwas, kam aber noch rechtzeitig zum Stehen. Xenia starrte das Auto vor sich an. Es stand tatsächlich so, dass man an keiner Seite vorbeikommen konnte.

Das gibt es doch nicht, dachte sie. Wer stellt denn sein Auto auf diese Weise ab?

Sie blickte sich um, aber nirgends konnte sie einen Menschen sehen. Es war allerdings inzwischen auch richtig dunkel. Das Auto schien leer zu sein, aber sie hätte es nicht beschwören können.

Ein Unfall? Und der Fahrer hatte sich nach draußen in die Wiesen geschleppt?

Aber warum?

Ein leerer Benzintank? Dann war der Fahrer vielleicht auf dem Weg zur nächsten Tankstelle. Doch dazu hätte er sein Auto am Straßenrand parken können. Nur ein Betrunkener würde sein Auto mitten auf der Straße abstellen.

Oder jemand, der die Straße blockieren wollte.

Xenia beschlich ein ungutes Gefühl. Es war dunkel und einsam, und sie war völlig alleine. Sie konnte nicht weiterfahren, und sie wusste auch nicht, ob es ihr gelingen würde, an dieser schmalen Stelle zu wenden. Was, wenn jemand *genau sie* in *genau diese Lage* hatte bringen wollen?

Vor etwas über einer Woche hatte jemand versucht, sie zu erschießen.

Woher sollte jemand wissen, dass sie gerade jetzt an dieser Stelle sein würde und dass niemand sonst kam?

Jemand wusste auch, dass ich in dem Zug von London nach York saß, dachte sie panisch.

Sie löste ihren Sicherheitsgurt und kam in ihrer Hast an die Hupe. Das Geräusch gellte kreischend durch die Stille der Nacht und führte dazu, dass Xenia einen fast noch lauteren Entsetzensschrei ausstieß. Wild fingerte sie an allen möglichen Hebeln und Tasten herum, um die Zentralverriegelung auszulösen, bis ihr einfiel, dass die in dem alten Auto, das Jacob ihr gebraucht gekauft hatte und das eher einer Rostlaube auf vier Rädern glich, nicht mehr funktionierte. Sie saß hier auf dieser einsamen Landstraße, konnte nicht weiter, und wenn ihr jemand Böses wollte, brauchte er nur die Autotür zu öffnen und sie abzupflücken wie eine Blume auf der Wiese.

Sie fing an zu zittern, und ihr wurde plötzlich schrecklich kalt.

»Entspann dich«, sagte sie zu sich selbst. Es kann auch alles ganz harmlos sein.

Was sollte harmlos sein an einem querstehenden Auto in der Dunkelheit auf einer einsamen Landstraße?

Auf jeden Fall konnte sie nicht die ganze Nacht hier stehen. Kurz erwog sie, Jacob anzurufen und ihn zu bitten, zu ihr zu kommen, aber letzten Endes konnte er nicht viel ausrichten, denn er würde das Auto auch nicht bewegen können. Oder doch? Konnten sie es zusammen an den Straßenrand schieben? Aber er würde schimpfen und fluchen und ihr erklären, was für eine riesige Idiotin sie sei, wobei nicht ganz klar werden würde, worin ihre Hirnlosigkeit bestand, aber Jacob hatte sich noch nie damit aufgehalten, Gründe für seine Anschuldigungen anzuführen.

Ich muss versuchen zu wenden, dachte sie.

Die Straße war schmal an dieser Stelle. An der einen Seite

wurde sie von einer Mauer begrenzt, auf der anderen führte ein sanft ansteigender Wiesenhang hinauf zu einer Anhöhe. Es musste ihr gelingen, mit dem Auto bei dem Wendemanöver nicht an die Mauer anzustoßen. Jacob kontrollierte fortwährend, ob sie Kratzer oder Dellen in den Wagen fuhr. Sie setzte das Auto ein Stück zurück und schlug das Steuer ein, so weit es ging. Es würde ein Manöver werden, bei dem sie sich millimeterweise von der Stelle bewegte und nur ganz langsam die Nase des Autos drehte, bis sie in die entgegengesetzte Richtung zeigte. Obwohl sie eben noch gefröstelt hatte, brach Xenia jetzt der Schweiß aus. Sie konnte so wenig sehen in der inzwischen völligen Dunkelheit, eigentlich sah sie gar nichts. Und sie war nicht besonders gut in diesen Dingen.

Sie war inzwischen durchaus ein Stück vorangekommen und hegte allmählich die Hoffnung, dass sie es schaffen würde. Langsam merkte sie, dass sie ruhiger wurde. Da tauchten plötzlich Scheinwerfer auf. Aus derselben Richtung, aus der sie gekommen war, näherte sich ein anderes Auto. Es wurde langsamer, blieb in einiger Entfernung stehen.

Xenia starrte hinüber, konnte aber nichts erkennen als die gleißenden Scheinwerfer, die auf sie gerichtet waren. Der andere löschte weder das Licht, noch blendete er ab. Xenia kam sich vor wie auf einem Präsentierteller. Beleuchtet von jemandem, den sie ihrerseits nicht sehen konnte. Hastig versuchte sie, ihr Wendemanöver weiterzuführen, als ihr ein kräftiger Ruck, der durch den ganzen Wagen ging, und ein hässliches, kreischendes Geräusch verrieten, dass sie mit dem Heck gegen die Mauer gescheppert war. Wie großartig, das klang nicht nach einem Kratzer, das klang nach einem richtig hässlichen Blechschaden. Sie hatte viel zu kräftig auf das Gaspedal getreten.

Sie schaute in Richtung des anderen Fahrzeugs. Sie sah eine Gestalt. Vor den Scheinwerfern. Ein Mann. Er kam langsam auf sie zu.

Wahrscheinlich hatte er eine Waffe.

Sie würgte den Motor ab und stieß die Tür auf. Sie ließ alles liegen, ihre Tasche, ihr Handy, den Schal, den sie mitgenommen hatte, falls der Abend kühl werden würde. Es war ihr egal. Sie wollte nicht sterben. Nicht eingekeilt zwischen zwei Autos einfach abgeknallt werden. Sie wollte weg. Einfach nur weg.

Sie versuchte, den Wiesenhang zu erklimmen, aber er war steiler, als es den Anschein gehabt hatte, und sie rutschte mehrmals ab. Sie war keine Gazelle, und sie war keinerlei sportliche Betätigung gewöhnt. Auf allen vieren kroch sie hinauf, hielt mit den Händen Grasbüschel umklammert und stieß sich mit den Füßen an Wurzeln ab, die aus dem Boden schauten. Einmal glaubte sie zu hören, dass jemand rief, aber sie konnte die Worte nicht verstehen. In ihren Ohren rauschte das Blut. Das Ganze war eine Falle, im Grunde hatte sie das von Anfang an gespürt, und es war gleichgültig, wie ihre Gegner das hinbekommen hatten, irgendwie hatten sie es geschafft, und offenbar waren sie wild entschlossen. Sie? Mehrere? Oder nur einer? Er? Wegen der Geschichte damals. Bei der sie nie hätte mitmachen dürfen, es war schlimm und skrupellos und absolut unmoralisch gewesen, aber was hätte sie tun sollen? Was hätte sie in ihrer damaligen Situation tun *können*?

Sie war oben angekommen, vor ihr erstreckte sich ein Feld, das glücklicherweise schon abgeerntet war. Sie rannte los. Der Boden war völlig uneben, ständig stolperte sie, kräftige Halme piksten in ihre nackten Waden, schließlich verlor sie sogar einen Schuh und rannte trotzdem weiter, obwohl das so wehtat, dass sie hätte schreien können. Aber es war ihr gleichgültig. Es war auch egal, dass sie kaum noch Luft bekam, dass ihre Seiten stachen, dass ihr Herz hämmerte. Sie würde bis ans andere Ende der Welt rennen, wenn es sein musste, aber sie würde sich nicht einfach erschießen lassen.

Irgendwann konnte sie nicht mehr. Sie blieb stehen und krümmte sich zusammen. Sie spürte, dass sie schweißüberströmt war, und begann in der kühler gewordenen Nachtluft zu frösteln. Der Fuß, dessen Schuh sie verloren hatte, blutete, jedenfalls fühlte es sich so an.

Sie richtete sich langsam auf, bemühte sich, langsamer zu atmen. Erstmals wagte sie, sich umzudrehen. Sie hatte keine Ahnung, wie weit entfernt von der Straße sie sich befand. Hinter ihr lagen Dunkelheit und Stille. Der Wind strich raschelnd durch das Laub der Bäume, irgendwo schrie ein Käuzchen, ein anderes antwortete. Sonst blieb alles ruhig. Es schien nicht so, als habe sie jemand verfolgt.

Sie lauschte noch eine Weile, hörte aber nichts als ihren eigenen Herzschlag und das Rauschen des Blutes in ihren Ohren. Dann begann sie, über ihre Lage nachzudenken. Sie stand mitten in der Nacht auf irgendeinem Acker am Rande von Leeds, bekleidet mit einem Trägerkleid aus dünnem Baumwollstoff und einer Sandale, sie hatte weder ihre Handtasche noch ihr Handy noch den Autoschlüssel. Sie hatte einfach gar nichts. Sie hatte alles zurückgelassen, weil ein Mann aus einem Auto gestiegen und auf sie zugekommen war. Ein Mann, der genau wie sie nicht hatte weiterfahren können. War es verwunderlich, dass er ausstieg, um die Szenerie näher in Augenschein zu nehmen? Ihm hatte sich der Anblick eines quer stehenden Autos geboten sowie der eines ziemlich hilflos davor herumrangierenden zweiten Wagens.

Was hätte er tun sollen? Er hatte vielleicht gedacht, dass es sich um einen Unfall handelte. Also war er ausgestiegen. Wieso hatte sie geglaubt, er wolle sie erschießen?

»Ich bin völlig am Ende mit meinen Nerven«, murmelte sie.

Die Frage war, was sie jetzt tun sollte. Obwohl sie eigentlich glaubte, panisch und völlig übertrieben agiert zu haben, wagte sie es nicht, zum Auto zurückzukehren. Sie war auch nicht sicher, ob sie es finden würde. Schon jetzt hatte sie keine Ahnung mehr, aus welcher Richtung sie gekommen war.

Vor ihr, leider in ziemlicher Entfernung, sah sie die Lichter von Leeds. Straßenlaternen, beleuchtete Schaufenster, Kinos, die noch offen waren ... Die meisten Menschen würden allerdings um diese Zeit bereits schlafen. Vielleicht fand sie eine Polizeiwache. Irgendjemand musste ihr helfen. Die Lichter. Die Lichter waren ihre Richtung. Wo Lichter waren, waren Menschen.

Ihr nackter Fuß tat schrecklich weh.

Sie biss die Zähne zusammen und stolperte vorwärts.

Eigentlich war Sascha ein liebes Kind. Meist still und in sich gekehrt. Er betrachtete die Welt aus großen Augen und schien ständig damit beschäftigt, das, was er sah, zu verarbeiten. Zu verstehen. Einzuordnen in ein Raster in seinem Kopf, das wir nicht kannten und das nicht dem anderer Kinder seines Alters entsprach. »Was hat er denn?«, fragten uns die Leute, nachdem sie ihn eine Weile gemustert und überlegt hatten, wo und wie sie ihn einordnen sollten. Es war klar, dass er kein »normales« Kind war, nicht nur, weil er so ruhig war. Er sah einfach seltsam aus mit seinem zu kleinen Kopf, dem dünnen, unterentwickelten Körper, der auch mit der besten Ernährung nicht dicker wurde, dem abwesenden Blick seiner dunklen Augen.

»Das wird schon«, sagten wir dann immer munter, obwohl wir damit die Frage nicht beantworteten.

»Fetales Alkoholsyndrom?«, meinte Alice, wenn wir unter uns waren.

Wir gingen zu zwei Spezialisten und ließen ihn durchchecken, aber beide meinten, das FAS ausschließen zu können. Leider konnten sie nicht sagen, was es stattdessen war. Es gab so wenige Informationen über seine Vergangenheit.

»Ich vermute einen Geburtsfehler«, sagte ein Arzt der Universitätsklinik Cambridge, den wir ebenfalls aufsuchten. »Sauerstoffmangel während der Geburt. Das kommt heutzutage nicht mehr oft vor, aber es passiert natürlich noch immer.«

»Dann hätte er einen Hirnschaden?«, fragte ich vorsichtig.

»Das ist durchaus möglich«, meinte der Arzt.

»Und was bedeutet das?«, wollte Alice wissen.

»Das ist schwer zu sagen. Hirnschaden ist ein Begriff mit einer großen Spannbreite. Es kann sein, dass er sich später mit dem Lernen schwerer tut als andere, durchaus aber irgendwann einen guten Abschluss hinlegt. Es kann auch sein, dass eine Förderschule für ihn besser wäre. Er wird vielleicht Probleme haben, Freundschaften zu schließen oder Beziehungen einzugehen. Das ist noch nicht abzuschätzen.«

Ich blieb hartnäckig. »Aber eine etwas genauere Prognose müssten Sie doch abgeben können?«

»Auf jeden Fall ist er erheblich entwicklungsverzögert. Wie weit das aufholbar ist, wird erst die Zukunft zeigen.«

Mehr war nicht herauszufinden. Mehr wusste wahrscheinlich auch einfach niemand.

Sascha hatte deutlich Schwierigkeiten, Dinge zu begreifen. Natürlich machte ihm auch die Sprache zu schaffen. Aber hatten wir nicht überall gehört, Kinder in diesem Alter lernten eine neue Sprache geradezu spielend? Irgendwann kam Alice auf die Idee, den russischen Sprachschatz des Kindes testen zu lassen, und trieb tatsächlich eine gebürtige Russin auf, die sich mit Sascha unterhielt. Oder zumindest versuchte, sich mit ihm zu unterhalten. Ihre Bilanz fiel ziemlich niederschmetternd aus.

»Sein Wortschatz ist weit unter dem eines gesunden Kindes seines Alters. Er drückt sich unbeholfen und bruchstückhaft aus. Seine Aussprache ist schwer zu verstehen. Er wird jede Menge Unterstützung brauchen.«

Anstatt ein ganz normales Familienleben zu führen mit Ausflügen zum Spielplatz, in die Eisdiele und zu Kindergeburtstagsfeiern, bestand unser Alltag mit Sascha aus Besuchen beim Logopäden, beim Physiotherapeuten, beim Chiropraktiker und beim Osteopathen. Die Förderung unseres Sohnes war bald ein Fulltimejob. Im Wesentlichen übernahm Alice diese Aufgaben. Wir hatten darüber gesprochen, wer von uns seinen Beruf aufgeben und sich um Sascha kümmern würde, denn es war ziemlich schnell klar, dass man ihn nicht einfach in einem Kindergarten anmelden und der dortigen Betreuung überlassen konnte. Ich hatte mir gerade mühsam eine Klientel als Steuerberater aufgebaut und verdiente etwas mehr als Alice, die in einem pharmazeutischen Labor angestellt war.

»Was unser Einkommen betrifft, wäre es vernünftiger, wenn ich weiterarbeite«, hatte ich vorsichtig gesagt. Ich wusste, dass ich Alice damit einen verdammt harten und undankbaren Part zuschob. Sie hatte resigniert geseufzt.

»Ich weiß. Es ist wirklich vernünftiger.«

Also entschwand ich morgens erleichtert in mein Büro, während sie sämtliche Ärzte und Heilpraktiker in den ganzen East Midlands abklapperte. Abends kam ich nach Hause und lobte Saschas Fortschritte. In Wahrheit gab es die zwar kaum, aber Alice, zunehmend erschöpft und frustriert, brauchte sichtlich jede Aufmunterung, die sie bekommen konnte, und ich wollte ihr helfen, so gut es ging. Und manchmal gab es tatsächlich kleine Lichtblicke. Sascha bekam irgendwann ein paar Brocken Englisch hin, und man hatte zudem den Eindruck, dass er uns etwas besser verstand als am Anfang. Er wirkte etwas weniger unbeholfen, wenn man ihm beim Klettern auf dem kleinen Schaukelgerüst zuschaute, das ich im Garten aufgestellt hatte. Die Menschen des Dorfes, in dem wir wohnten, einige Autominuten von Nottingham entfernt, begegneten Sascha, dem Waisenkind aus Russland, mit großer Herzlichkeit. Aber mir entgingen nicht die skeptischen Blicke, mit denen sie ihn ansahen.

Und nicht die mitleidigen, die uns galten.

Nach ungefähr einem Jahr wagte Alice den Versuch und meldete Sascha in einem Kindergarten an. Sie meinte, es sei einfach nicht gut für ihn, wenn er seine Zeit ausschließlich mit ihr verbrachte und praktisch keinen Kontakt zu Gleichaltrigen hatte. Tatsache war aber vor allem, dass sie selbst am Ende ihrer Kräfte war. Sie hatte keine berufliche Herausforderung mehr, verbrachte ihre Zeit ausschließlich in der Gesellschaft eines retardierten Kindes und mit Therapeuten, die langwierige Übungen mit dem Kind veranstalteten, denen sie müde und frustriert zuschauen musste. Es ging ihr psychisch sehr schlecht, das spürte ich. Wir hatten endlich ein Kind, aber das Leben war so anders als gedacht, dass es uns beide zermürbte. Ich hoffte dauernd auf ein Wunder. Der Durchbruch, ein plötzlicher großer Entwicklungssprung bei Sascha, irgendetwas. Etwas, das uns schlagartig in die Normalität einer kleinen, glücklichen Familie katapultiert hätte.

»Was ist schon normal?«, fragte ein Kollege, dem ich bei einem gemeinsamen Bier nach Feierabend von unseren Problemen berichtete, eher: vorjammerte. Diese Antwort ist der Klassiker bei Gesprächspartnern, die nicht wissen, was sie erwidern sollen, und sich dann in den plattesten und blödesten Allgemeinplatz flüchten, den sie finden können: »Was ist schon normal?«

Entsprechend gereizt antwortete ich: »Normal wäre, dass unser inzwischen vierjähriger Sohn entweder in einen Kindergarten, besser noch, in die Vorschule geht. Dass meine Frau in ihren Beruf zurückkehren kann. Dass Sascha Freunde hat, mit denen er spielt, anstatt rund um die Uhr an seiner Mutter zu hängen und diese langsam an Frustration eingehen zu lassen. Ich würde gerne am Wochenende mit ihm Fußball spielen, ihm das Fahrradfahren und Schwimmen beibringen. Wir würden uns gerne mit ihm unterhalten, ohne bei jedem zweiten Wort herumrätseln zu müssen, was er eigentlich meint. Das alles wäre normal.«

Der Kollege sagte nichts mehr.

Sascha besuchte nun also einen Kindergarten. Zunächst für zwei Stunden am Vormittag. Etliche Kinder dort waren jünger als er und trotzdem viel weiter in ihrer Entwicklung. Manchmal, wenn *ich ihn abholte, weil Alice inzwischen eine* »*depressive Verstim-mung*« *– so der Arzt – entwickelt hatte und es Tage gab, an denen sie ihr Bett nicht verließ, sprang mir die Diskrepanz zwischen unse-rem Sohn und den anderen Kindern fast qualvoll ins Auge. Er war so still. So ungelenk. So langsam. Manchmal, so berichteten die Betreuer, versuche er, an einem Spiel teilzunehmen, aber er halte dabei alle auf, und die anderen Kinder reagierten entweder un-gehalten oder ließen ihn so lange links liegen, bis er sich von selbst an den Rand stellte und nicht länger teilnahm.*

»In der Schule wird er nur mit sehr viel Unterstützung zurecht-kommen«, meinte eine der Kindergärtnerinnen. »*Meiner Ansicht nach werden bestimmte Dinge bei ihm leider nicht besser wer-den.«*

»Zumindest ist er nicht aggressiv«, sagte ich in dem schwachen Versuch, mir selbst ein wenig Mut zuzusprechen.

»Meistens nicht«, sagte die Frau in ihrer aufbauenden Art.

»Wieso meistens?«

Sie erzählte, dass es zweimal Vorfälle gegeben habe, da sei Sa-scha von Kindern sehr heftig zur Seite gedrängt oder angerempelt worden, und da habe er plötzlich geknurrt wie ein wildes Tier und mit den Fäusten um sich geschlagen, mit aller Kraft, und es sei nur Zufall gewesen, dass niemand verletzt worden sei.

»Aber es ist ja in Ordnung, dass er sich wehrt, wenn er angegrif-fen wird!«, sagte ich.

»Er wurde nicht direkt angegriffen. Die Kinder tobten herum und ...«

»... haben ignoriert, dass da zufällig jemand stand«, unter-brach ich verärgert. »*Und da wehrt er sich. Das ist normal.«*

»Seine Reaktion war übertrieben. Nicht angemessen.«

Knurren wie ein Tier ... übertrieben ... unangemessen ...

Sie versuchte, ein Monster aus ihm zu machen. Ich würde mir nichts einreden lassen. Es war lächerlich, wie sie ihn stigmatisierte.

Knappe vier Wochen nach diesem Gespräch, an einem heißen Julitag, bekam Alice einen Anruf. Sie war gerade in Nottingham und wollte sich etwas Neues zum Anziehen kaufen, zum ersten Mal, seit Sascha bei uns war. Ich hatte sie sehr in diesem Vorhaben unterstützt, ich fand, das war endlich ein Lichtblick. Alice schien ganz langsam ins Leben zurückzufinden. Der Anruf erreichte sie in einer Umkleidekabine. Es war der Kindergarten.

Sascha habe versucht, ein kleines Mädchen im Planschbecken zu ertränken. Es sei ernst. Sie solle sofort kommen.

DIENSTAG, 30. JULI

1

Der Anruf hatte Kate nachts um ein Uhr aus dem Schlaf gerissen. Sie hatte auf der anderen Seite jemanden wirr und unzusammenhängend reden und schluchzen hören, und sie hatte zunächst keine Ahnung gehabt, um wen es sich handelte. Die im Display angezeigte Nummer war ihr unbekannt. Erst nach einer Weile gelang es ihr, den Namen des nächtlichen Anrufers herauszubekommen.

»Xenia?«, fragte sie erstaunt. »Xenia Paget?«

»Kann ich zu Ihnen kommen? Bitte. Bitte lassen Sie mich zu Ihnen kommen!«

»Wo sind Sie denn?« Kate richtete sich im Bett auf. »Und was ist passiert?«

»Ich bin in einem Polizeiauto. In Leeds.«

»Was machen Sie denn in einem Polizeiauto? Um diese Zeit?« Kate war jetzt hellwach und alarmiert.

Mist. Sie hatte es befürchtet. Xenia war erneut in das Visier des Unbekannten geraten.

Immerhin lebte sie ganz offensichtlich. Und die Kollegen aus Leeds waren auch bereits eingeschaltet.

Xenia begann in abgehackten und ziemlich zusammenhanglosen Sätzen zu berichten, aber am Ende verstand Kate, was an jenem Abend passiert war und dass Xenia schließlich bei dem erstbesten Haus einer Siedlung am Stadtrand von Leeds geklingelt und die Bewohner gebeten hatte, die Polizei zu verständigen. Sie war von einer Streife abgeholt worden und hatte auf dem Revier alles berichtet. Ihr Fall war bekannt, daher hatte man sie sehr ernst genommen. Zwei Beamte waren mit ihr zusammen zu der Stelle gefahren, an der ihr Auto stand. Auch das quer stehende Fahrzeug befand sich noch immer dort, das dritte Auto und der ominöse Mann hingegen waren verschwunden. Handtasche, Schlüssel, Geldbeutel und Handy von Xenia lagen unangetastet auf dem Beifahrersitz von Xenias Auto.

»Als ich neulich in York von Ihrem Handy aus telefonieren durfte, habe ich schnell noch mein eigenes Handy angerufen, dadurch hatte ich Ihre Nummer«, sagte Xenia. »Und Sie sind der einzige Mensch, mit dem ich reden will. Zu dem ich hinwill.«

Dumm gelaufen, dachte Kate, aber was hätte ich tun sollen? Sie musste ja damals irgendwie telefonieren.

»Kann ich mit einem der Beamten sprechen?«, fragte sie.

Xenia reichte ihr Handy weiter, und Kate hatte Constable Wilson am Ohr, der ziemlich genervt wirkte. »Wir lassen das quer stehende Fahrzeug abschleppen, Sergeant. Und wir durchkämmen die Gegend. Klären, wem es gehört. Mrs. Paget würden wir jetzt gerne nach Hause fahren, aber dort will sie nicht hin. Sie will zu Ihnen.«

»Was ist mit ihrem Auto?«

»Das hat ein Kollege erst einmal zurück bis zu einer Parkbucht gefahren und dort korrekt abgestellt. Es blockiert nicht mehr die Straße. Wir werden es spurentechnisch untersuchen lassen, obwohl ich mir nicht viel davon verspreche.

Wäre jemand am Auto gewesen, hätte er alles mitnehmen können, was Mrs. Paget liegen gelassen hatte. Portemonnaie, Handy. Schlüssel. Es fehlt aber gar nichts. Ich würde vermuten, dass sich niemand dort zu schaffen gemacht hat, aber wir überprüfen das.«

»In Ordnung. Ich werde mich morgen mit Sergeant Jenkins in Verbindung setzen. Bitte geben Sie mir noch einmal Mrs. Paget.«

Sie versuchte Xenia zu überzeugen, sich nach Hause fahren zu lassen, aber diese wurde geradezu hysterisch. »Nein. Nein, auf keinen Fall! Bitte! Ich habe eine riesige Delle in mein Auto gefahren beim Wenden. Vielleicht ist auch das Fahrgestell kaputt. Und ich bin viel zu spät. Jacob wird toben. Ich kann auf keinen Fall nach Hause. Bitte lassen Sie mich zu Ihnen kommen!«

Kate willigte schließlich ein, alles andere als begeistert, aber sie hatte den Eindruck, dass Xenia jeden Moment vollkommen durchdrehen würde. Sie ermittelte in dem Fall und würde jetzt eine der beteiligten Personen bei sich zu Hause haben. Das war nicht gut, konnte alles verkomplizieren. Sie nahm sich vor, dass es eine Stippvisite bleiben würde. Xenia musste möglichst schnell wieder nach Hause.

Es sei denn, dachte sie unbehaglich, es war wirklich gerade erneut ein Anschlag auf sie versucht worden. Wenn das quer stehende Auto kein Zufall gewesen war. Und der plötzlich auftauchende Mann auch nicht. Dann reichte es unter Umständen nicht, dass jede Stunde eine Streife bei ihr zu Hause vorbeifuhr.

Die Beamten, in deren Auto Xenia saß, hatten ziemlich genervt und verärgert auf die Aufforderung reagiert, Xenia mitten in der Nacht bis nach Scarborough zu fahren, anstatt sie einfach in einem Vorort von Leeds abzusetzen, aber sie hatten sich Kates Anordnung zähneknirschend gefügt. Gegen drei Uhr waren sie angekommen. Xenia wirkte verfroren, hungrig, völlig erschöpft und zugleich überschwemmt von Adrenalin. Sie wollte auf keinen Fall schlafen. Also kochte Kate einen heißen Tee, verarztete Xenias blutigen, aufgerissenen Fuß, wickelte sie in eine Wolldecke und setzte sie auf das Sofa im Wohnzimmer. Messy kam herbei, sprang auf Xenias Schoß und begann laut zu schnurren. Xenia streichelte die Katze und brach dabei in Tränen aus.

»Es ist alles so schrecklich«, schluchzte sie, »so entsetzlich.«

Es war nicht klar, was sie genau meinte, den vermeintlichen Anschlag, das kaputte Auto, ihren Ehemann. Kate vermutete, dass es alles auf einmal war. Sie hatte sich ihre Joggingsachen angezogen, den Gedanken an Schlaf für diese Nacht abgehakt und sich Xenia gegenübergesetzt.

»Wir wissen nicht, was los war«, sagte sie beruhigend. »Die Geschichte mit dem Auto – das muss überhaupt nichts mit Ihnen zu tun haben.«

»Aber warum sollte jemand sein Auto so seltsam parken?«

»Keine Ahnung, aber überlegen Sie doch mal, wenn das Ihnen galt: Dann müsste jemand von Ihrem Sprachkurs gewusst haben. Er müsste auch gewusst haben, dass Sie später nach Hause gefahren sind, weil eine Schülerin Geburtstag feierte. Niemand konnte davon ausgehen, dass Sie als Erste die Straßensperre erreichen, da hätten genauso gut bereits eine ganze Reihe von Autos stehen können. Das alles erscheint mir wenig planbar.«

Xenia schien ein wenig ruhiger zu werden. Sie trocknete sich mit einem Taschentuch, das ihr Kate gegeben hatte, die Tränen ab.

»Ich will trotzdem nicht nach Hause«, wiederholte sie.

»Solange wir nicht geklärt haben, was genau da gestern Nacht passiert ist, sollten Sie auch nicht nach Hause«, sagte Kate beruhigend.

»Kann ich bei Ihnen bleiben?«

»Xenia …«

»Bitte. Ich kann nicht zurück. Es geht einfach nicht.«

»Sie können sich doch nicht Ihr Leben lang verstecken.«

Xenia starrte zum Fenster hinaus. Es war die dunkelste Zeit der Nacht. Nur die Straßenlaternen spendeten ein wenig Licht.

Kate schenkte Tee nach. »Xenia, sind Sie sicher, dass Sie absolut keine Ahnung haben, was es mit dem Mann in dem Zug auf sich haben könnte? Dass es nichts gibt in Ihrer Vergangenheit, was möglicherweise mit dieser Geschichte zu tun hat?«

Wieder war da einen Moment lang diese Unruhe in Xenias Augen, die Kate schon im Bahnhof von York aufgefallen war. Sie war sicher, dass sie etwas vor ihr verbarg.

»Xenia?«, hakte sie nach.

»Da ist nichts«, sagte Xenia. »Jedenfalls nicht, dass ich es wüsste.«

Was immer geschehen war, es musste etwas Schlimmes sein. So schlimm, dass Xenia nicht einmal in einer Situation größter Angst bereit war, davon zu erzählen.

Ich muss unbedingt noch einmal mit Jacob Paget sprechen, notierte sich Kate im Kopf.

Apropos Jacob.

»Welche Probleme gibt es nun also mit Ihrem Ehemann? Weshalb wollen Sie auf keinen Fall nach Hause?«

Xenia betupfte erneut ihre Augen. »Er verhält sich einfach nur schrecklich mir gegenüber. Beleidigend und verletzend. Er findet mich fett und unattraktiv, und er sagt mir das bei jeder Gelegenheit. Und jetzt habe ich noch eine riesige Delle in das Auto gefahren. Das entspricht genau dem, was er immer sagt, dass ich völlig unfähig bin und nichts richtig hinbekomme. Wissen Sie, ich schlucke ständig Antidepressiva, um das Leben mit ihm auszuhalten.« Sie begann wieder zu weinen.

Kate neigte sich vor. »Es steht mir nicht zu, mich in Ihre Ehe einzumischen«, sagte sie vorsichtig. »Aber wenn es so schlimm ist, wie Sie sagen – warum trennen Sie sich nicht von ihm? Sie haben die britische Staatsbürgerschaft. Niemand kann Sie mehr des Landes verweisen. Sie sind eine ungeheuer sprachbegabte Frau. Ich bin sicher, dass Sie daraus einen Beruf machen können. Sie sind in der Lage, für sich selbst zu sorgen.«

»Ja, vermutlich«, murmelte Xenia.

»Aber Sie haben Angst vor diesem Schritt?«

»Ja.«

»Angst vor dem Alleinsein?« Das hätte Kate nachvollziehen können. Wenn sie etwas entsetzlich fand in ihrem Leben, dann war es die Tatsache, dass es niemanden gab, der zu ihr gehörte. Der auf sie wartete, wenn sie nach Hause kam, und dem sie hätte erzählen können, wie der Tag gewesen war. Der mit ihr am Sonntagmorgen im Bett einen Cappuccino trank, am späten Abend noch einen Spaziergang zum Meer machte. Der ihr ab und zu Blumen schenkte und endlich das Problem, was, um Himmels willen, sie an Weihnachten machen sollte, ein für alle Mal auflöste. Ganz zu schweigen von sonstigen Feiertagen, verlängerten Wochenenden oder Urlauben. Alle diese Dinge stellten Furcht einflößende Hürden in Kates Leben dar. Noch dazu solche, deren Vorhandensein sie niemandem gegenüber zugeben konnte. Man hatte als Frau, insbesondere als Single, stark und selbstbewusst und unabhängig zu sein. Nach Kates Auffassung konnte man das sein und sich dennoch nach einem Partner sehnen, das eine schloss das andere nicht aus, aber man geriet allseits gerne in den Verdacht, nicht richtig auf eigenen Füßen zu stehen, wenn man den Wunsch nach einer festen Beziehung zu oft äußerte. Vor allem Frauen in stabilen Ehen betonten gerne, wie wichtig es sei, jederzeit auch alleine klarkommen zu können. Kate hatte immer wieder Weisheiten der Art »Wenn du dich nicht selbst lieben kannst, wird dich auch niemand sonst lieben« oder »Du musst lernen, alleine klarzukommen, erst dann kann das etwas werden mit einem Partner« zu hören bekommen. Kate hasste Plattheiten und diese besonders. Natürlich hatte sie gelernt, in ihrem Leben alleine klarzukommen. Hunderttausende Frauen und Männer lernten das zwangsläufig. Was viele jedoch nicht schafften, war: dabei glücklich zu sein. Und wollte man sich für diese Unfähigkeit nicht auch noch schämen müssen, redete man am besten einfach nicht darüber.

Xenia schüttelte den Kopf. »Nein. Ich habe keine Angst vor dem Alleinsein. Ich meine, ich stelle es mir nicht immer angenehm vor, aber es wäre besser, als mit Jacob zu leben.«

»Wovor haben Sie dann Angst?«

Xenia drehte den Kopf weg. »Ich weiß es nicht.«

»Dass er Sie verfolgt? Stalkt?«

»Das ist es nicht.«

»Was ist es dann?«

»Ich weiß es nicht. Es ist einfach Angst.«

Kate war überzeugt, dass Xenia ihr auswich, aber offenbar konnte sie im Moment nichts weiter aus ihr herauslocken. Sie stand auf. »Kommen Sie. Legen Sie sich noch ein bisschen hin. Ich werde als Erstes morgen früh nachforschen, was es mit diesem Vorfall heute Nacht auf sich hatte. Vielleicht kann ich Sie wenigstens in diesem Punkt beruhigen.« Xenia schien nicht überzeugt, dass überhaupt irgendetwas sie würde beruhigen können, aber sie erhob sich. »Darf ich Messy mitnehmen?«

»Natürlich«, sagte Kate.

Xenia und die Katze verschwanden im Gästezimmer.

Kate machte sich einen starken Kaffee und setzte sich in ihre Küche, zwischen lauter Kisten, die noch immer nicht ausgepackt waren. Draußen wurde die schwarze Nacht langsam grau. Kate wünschte, auch bei ihren Ermittlungen würde eine erste Dämmerung die Finsternis ablösen. Und wäre es nur ein Hauch. Wenn Xenia doch endlich reden würde …

Vielleicht läge hier eine Chance, wenn sie sie ein paar Tage bei sich wohnen ließe. Sie selbst war tagsüber im Büro, aber es gab die Abende. Gemeinsames Essen, Zusammensitzen. Nach Kates Erfahrung wollten alle Menschen irgendwann über das reden, was sie bedrückte. Xenia brauchte einen Menschen, dem sie sich anvertrauen konnte, das war zu spüren.

Sie hatte dabei sicher nicht an eine Ermittlerin der Polizei gedacht.

Aber wenn sie niemanden sonst hatte?

»Betrunkene Jugendliche«, sagte Inspector Robert Stewart. »Ich habe gerade mit dem Police Constable drüben in Leeds telefoniert. Ein paar junge Leute, die sich bei einer Geburtstagsfeier in einem Pub komplett haben zulaufen lassen. Dann wollten sie mit dem Auto nach Hause, obwohl keiner von ihnen mehr fahrtauglich war. Irgendwo auf halber Strecke haben sie das begriffen und den Wagen geparkt – nach ihrer vernebelten Vorstellung. Tatsächlich stand das Auto ja quer auf der Fahrbahn, aber das checkte keiner von denen mehr. Sie sind ausgestiegen, weil ihnen schlecht war, haben sich ein Stück weit auf eine Wiese geschleppt, sich dort – Entschuldigung – ausgekotzt und sind liegen geblieben. Ohne irgendetwas von der Aufregung auf der Straße mitzubekommen. Xenia Paget hätte über sie stolpern können, ist aber an ihnen vorbeigelaufen. Die Kollegen aus Leeds haben sie schnell gefunden und zum Ausnüchtern erst einmal mitgenommen.«

»Da wird Xenia ein Stein vom Herzen fallen«, sagte Kate. Sie saß in Roberts Büro, ziemlich übernächtigt. Sie war nicht sicher, ob sie diese Erkenntnisse auch positiv bewerten sollte. Natürlich war es gut, dass in der vergangenen Nacht niemand erneut einen Anschlag auf Xenia verübt hatte, aber immerhin hätte sich daraus ein neuer Ermittlungsansatz ergeben können. So wie die Dinge lagen, tappten sie nach wie vor im Dunkeln.

»Dieser andere Mann«, fuhr Robert fort, »der aus dem Auto stieg, das hinter Xenia angehalten hatte, konnte nicht ermittelt werden. Aber der Gedanke, dass es sich um den Schützen aus dem Zug handeln könnte, erscheint mir extrem weit hergeholt, um nicht zu sagen: höchst unwahrscheinlich. Es war bestimmt irgendjemand, der zufällig vorbeikam, nicht weiterkonnte und nachsehen wollte, was los ist. Vermutlich hat er schließlich gewendet und ist zurückgefahren.«

»Ja, das glaube ich auch«, stimmte Kate zu. Sie erhob sich, nahm ihre Tasche. Sie war so müde, dass sich ihr ganzer Körper wie Blei anfühlte. »Ich werde jetzt zu Jacob Paget fahren. Ich will ihm noch einmal auf den Zahn fühlen. Er weiß irgendetwas über Xenia, womit er sie unter Druck setzt, und zwar so sehr, dass sie es nicht wagt, sich von ihm zu trennen, obwohl sie das Leben mit ihm bis obenhin satthat. Keine Ahnung, ob das mit unserem Fall zu tun hat, aber vielleicht kann ich das herausfinden.«

Robert sah sie interessiert an. »Sie meinen, Xenia Paget und ihr Mann teilen irgendein schmutziges Geheimnis?«

»Ich meine, dass es da etwas geben muss in Xenias Vergangenheit. Irgendetwas, wovor sie riesige Angst hat, dass es ans Tageslicht kommen könnte. Da sie es sogar jetzt, in größter Bedrohung, nicht der Polizei anvertrauen will, nehme ich an, dass sie irgendwann mit dem Gesetz in Konflikt geraten ist. Vielleicht weiß Jacob davon.«

»Das ist zumindest ein Ansatzpunkt«, meinte Robert. Er fuhr sich mit der Hand über die Stirn. »Ganz schön heiß, finden Sie nicht? Normalerweise hätte gestern mein Urlaub begonnen, aber unter den Umständen kann ich nicht weg. Wenn ich mir vorstelle, ich würde jetzt auf Mallorca am Pool sitzen ...«

Du hättest ja Caleb nicht anschwärzen müssen, dachte Kate. Sie sagte nichts, sah ihn nur an. Als ahnte er, was sie dachte, fragte er unvermittelt: »Haben Sie Kontakt zu Caleb Hale?«

»Ich habe ihn letzte Woche gesehen.«

»Sprechen Sie mit ihm über den Fall?«

Sie blieb auf der Hut. »Eigentlich nicht. Nein, gar nicht.«
Das entsprach nicht wirklich der Wahrheit, aber Caleb gehörte ja jetzt in den Bereich ihres Privatlebens, und das ging
Stewart nichts an. »Wir haben über die andere Geschichte
gesprochen. Den Fall White.«

»Ja, verstehe. Inspector Hales Einschätzung unseres aktuellen Falls hätte mich interessiert, aber natürlich konnten Sie
mit ihm nicht darüber reden.«

Du schwimmst ganz schön, dachte Kate. Sie wusste, dass
jeder Mensch eine gewisse Eingewöhnungszeit in eine neue
Position brauchte, aber sie hatte schon jetzt das Gefühl, dass
Robert Stewart überfordert war und es bleiben würde. Er
war für Caleb ein guter und verlässlicher Mitarbeiter gewesen, aber einer, dem man sagen musste, was als Nächstes
zu tun war. Anweisungen führte er zuverlässig und durchaus
auch mit dem Mut zur Eigeninitiative, wenn es erforder-
lich wurde, durch, aber verantwortlich zu führen war eine
ganz andere Sache. Vermutlich hätte er eine Menge dafür
gegeben, sich jetzt mit seinem einstigen Chef beraten zu
können.

»Ja, stimmt, ich kenne seine Einschätzung nicht«, sagte
Kate mitleidslos.

»Ja, hm, natürlich. War auch nur so ein Gedanke.« Robert
räusperte sich. »Und Xenia Paget ist im Moment bei Ihnen
zu Hause?«

»Sie war nicht zu überzeugen, zu ihrem Mann zurückzukehren.«

»Aber es ist im Grunde sehr fragwürdig, dass eine der
Hauptpersonen in einem Fall bei einer ermittelnden Beamtin im Haus wohnt«, sagte Robert.

Kate nickte. »Das kann nicht so bleiben. Wenn sie absolut nicht zu ihrem Mann zurückwill, muss ich mir etwas überlegen. Andererseits könnte uns die Situation in die Hände spielen. Wenn sich die Krise bei den Pagets zuspitzt, rückt Jacob vielleicht mit den Informationen heraus, die Xenia uns verschweigen will.« Sie nickte Robert zu. »Ich bin dann weg. Bei Jacob Paget.«

Knappe zwei Stunden später kam Kate vor dem Reihenhaus der Pagets in Bramhope an. Sie hatte Jacob von ihrem Kommen nicht unterrichtet, weil sie ihn möglichst ohne Vorwarnung erwischen wollte. Sie hoffte, dass er zu Hause war, nahm es jedoch stark an. Er war wahrscheinlich außer sich wegen Xenias Verschwinden und rührte sich schon deshalb nicht vom Fleck, um bloß ihre Rückkehr nicht zu verpassen.

Tatsächlich riss er die Haustür auf, kaum dass sie geklingelt hatte. Wie Kate vermutet hatte, lag er ständig auf der Lauer. Er sah schrecklich aus: ungewaschen, die Kleidung zerknittert und zerdrückt, so, als habe er darin geschlafen. Er roch unangenehm. Seine Haare standen in alle Richtungen zu Berge. Seine Augen wirkten verquollen und übernächtigt.

»Ja?«, bellte er.

Kate zückte ihren Ausweis. »Detective Sergeant Kate Linville. North Yorkshire Police. CID Scarborough. Darf ich reinkommen?«

Jacob starrte sie an. »Linville? Kate? Sie waren das im Zug. Meine Frau spricht ständig von Ihnen. Sie hatten sich mit ihr in der Zugtoilette verschanzt!«

»Das ist richtig.«

»Wo ist sie? Wo ist meine Frau?«

»Darf ich reinkommen?«, wiederholte Kate.

Jacob trat einen Schritt zurück. »Wo, verdammt noch mal, ist sie? Ich habe einen Anruf von Ihren Kollegen bekommen. Danach hatte sie vergangene Nacht eine Art Unfall. Und wurde an einen unbekannten Ort gebracht. Das Auto wird spurentechnisch untersucht. Verflucht noch mal, ich habe keine Ahnung, was eigentlich los ist!«

»Ich bin hier, um mit Ihnen darüber zu sprechen«, sagte Kate.

Widerwillig führte Jacob sie ins Wohnzimmer, eine Symphonie aus Braun und Gelb, Usambaraveilchen am Fenster und nirgendwo ein Staubkorn oder irgendein Gegenstand, der nicht an dem für ihn vorgesehenen Platz stand. Kate ahnte, dass es Xenia war, die diese akribische Ordnung und Sauberkeit aufrechterhielt. Ebenso ahnte sie, dass sie das auf Befehl ihres Mannes tat.

»Und?«, blaffte Jacob. Er blieb am Fenster stehen, während sich Kate auf einen der Sessel setzte, ohne dazu aufgefordert worden zu sein. Den Gedanken an ein Glas Wasser oder gar an einen Kaffee hakte sie innerlich seufzend ab. Es war deutlich, dass es Jacob nicht im Traum einfallen würde, sie zu bewirten.

In kurzen Worten umriss Kate die Ereignisse der vergangenen Nacht. Es war Jacob anzusehen, dass er über dem Zuhören immer wütender wurde.

»Was ist denn das für eine hysterische Reaktion? Ich fasse es nicht! Da steht ein Auto quer, weil ein paar junge Leute zu tief ins Glas geschaut haben, und meine Frau wittert ein Mordkomplott! Typisch Xenia. Überspannt und abgehoben.«

»Nun, der Mann im Zug, der auf sie geschossen hat, ist sicher nicht mit Hysterie oder Überspanntheit zu erklären«, sagte Kate. »Der war leider höchst real. Ich kann die Ängste Ihrer Frau nach diesem Vorkommnis durchaus verstehen, Mr. Paget.«

Jacob knurrte irgendetwas. Dann fragte er: »Und das Auto ist also kaputt?«

»Eingedellt. Weil sie beim Rangieren an eine Mauer gekommen ist. Wie groß der Schaden ist, wird sich erst in der Werkstatt zeigen.«

»Großartig. Das alles bringt mir jetzt noch Reparaturkosten ein. Ich fasse es einfach nicht, wie jemand so blöd sein kann!«

»Ihre Frau war in Panik. Und, wie gesagt, für mich ist das durchaus nachvollziehbar.«

»Für mich nicht. Aber das spielt auch keine Rolle. Wo ist sie?«

»Xenia?«

»Wer denn sonst? Wo ist sie? Ich warte schließlich schon seit Stunden.«

»Xenia möchte im Augenblick nicht nach Hause.«

Jacob sah perplex drein. »Was heißt das?«

»Sie hat Angst, Mr. Paget. Vor Ihnen.«

»Vor mir? Wieso hat sie Angst vor mir? Das gibt's doch gar nicht. Ist die verrückt geworden?«

»Sie fürchtet genau die Reaktion, die Sie an den Tag legen, seitdem ich Ihnen die ganze Geschichte erzählt habe. Völliges Unverständnis, Vorwürfe, wie *hysterisch* und *übersteigert* sie angeblich reagiert. Dann Ihre Wut wegen der Autoreparatur. Das alles bedrückt sie sehr.«

Jacobs Gesicht verfärbte sich. »Das kann ja wohl nicht wahr sein! Was erwartet die denn? Dass ich in Jubelstürme ausbreche, weil ich eine Nacht lang hier sitze und mir Sorgen mache? Ich habe ihr ungefähr hundertmal auf die Mailbox gesprochen. Sie hatte mir eine WhatsApp geschrieben, als sie losfuhr in der Schule, und dann kommt sie über Stunden nicht an! Verdammt, ich habe gedacht, ihr ist etwas Ernstes passiert!«

»Ich verstehe das«, sagte Kate beruhigend.

Er begann auf und ab zu laufen. »Nichts verstehen Sie, gar nichts! Xenia ist *meine Frau!* Und sie wird das auch bleiben!«

»Geben Sie ihr Zeit«, sagte Kate. »Sie braucht jetzt etwas Abstand. Und vielleicht tut der Ihnen auch gut.«

Er blieb stehen. »Ich brauche Sie nicht, um zu wissen, was mir guttut!«

»Mr. Paget …«

»Wo ist sie? Wo ist Xenia?«

»Darüber kann ich Ihnen momentan keine Auskunft geben.«

»Das müssen Sie!«

»Nein, das muss ich nicht.« Kate erhob sich. Offenbar hatte Jacob nicht vor, sich zu setzen, und sie mochte nicht ständig zu ihm hochschauen. Viel brachte ihr das Aufstehen allerdings nicht. Er war sehr groß. Sie musste trotzdem zu ihm aufblicken.

»Mr. Paget, ich will offen sein, ich glaube, dass es im Leben Ihrer Frau etwas gibt, worüber sie aus irgendwelchen Gründen beharrlich Stillschweigen wahrt. Sie behauptet, absolut keine Ahnung zu haben, wer der Schütze aus dem Zug sein könnte und weshalb er es auf sie abgesehen hat, und ich glaube ihr das nicht recht. Da ist etwas. Sie hat große Angst, darüber zu sprechen, offenbar hat sie mehr Angst davor, sich zu offenbaren, als ermordet zu werden.«

Jacob bekam schmale Augen. »Ja, und?«

»Vielleicht wissen Sie etwas darüber?«

»Woher sollte ich etwas wissen?«

»Sie sind seit dreizehn Jahren mit Xenia verheiratet. Könnte doch sein, dass sie Ihnen aus ihrem Leben erzählt hat.«

»Wo ist Xenia?«

»Das erfahren Sie von mir nicht. Und ich möchte Sie bitten, meine Frage zu beantworten.«

»Keine Ahnung, wovon Sie sprechen«, behauptete Jacob. Kate hätte nicht sicher sagen können, ob er log oder die Wahrheit sagte. Xenias Miene offenbarte immer alle Gefühle deutlich: Angst, Verunsicherung, Bedrängnis. Jacob hatte ein böses und starres Gesicht. Es blieb böse und starr, zumindest in diesem Moment. Keine Veränderung.

»Wo ist Xenia?«, wiederholte er die Frage nach seiner Frau.

Kate ignorierte ihn. »Über welche Agentur haben Sie Xenia kennengelernt?«

»Muss ich das sagen?«

»Ich kann Sie auch vorladen lassen.«

Jacob überlegte. »*HappyEnd*«, sagte er schließlich widerstrebend.

Namen gibt es, dachte Kate.

»Wo sitzt diese Agentur?«

»In Liverpool.«

Kate notierte sich den Namen. »In Ordnung.«

»Was wollen Sie denn da herausfinden?«

»Ich versuche, an Informationen über Ihre Frau zu kommen. Ich muss wissen, was in ihrem Leben geschehen ist, dass sie heute von jemandem verfolgt wird. Wir können das ja nicht einfach auf sich beruhen lassen.«

»Ich denke, der Vorfall in der letzten Nacht hatte gar nichts mit ihr zu tun?«

»Der Vorfall im Zug aber schon.«

»Vielleicht hatte der Typ sie sich ausgeguckt«, meinte Jacob. »Ein Irrer, der sich willkürlich Opfer sucht. Könnte doch sein.«

»Könnte sein. Aber es könnte auch ganz anders sein, und deshalb muss ich Nachforschungen anstellen.«

»Ich glaube nicht, dass man Ihnen bei der Agentur etwas über meine Frau sagen kann. Die wissen selbst nichts über ihre Kunden. Nach so vielen Jahren haben die Xenia wahrscheinlich nicht mal mehr im System.«

»Ich werde das herausfinden.« Bildete sie es sich ein, oder wirkte er nun doch etwas nervös? Es war wirklich schwer, aus ihm schlau zu werden.

Sie reichte ihm ihre Karte. »Sie können mich jederzeit anrufen. Wenn Ihnen etwas einfällt, das ich wissen sollte. Bedenken Sie bitte, es geht uns darum, Ihre Frau zu beschützen. Das ist jetzt das Wichtigste – und nicht die Frage, ob sie vielleicht irgendwann einmal in ihrem Leben mit dem Gesetz in Konflikt gekommen ist.«

Er nahm die Karte. »Ich könnte mir vorstellen, dass sie bei Ihnen ist«, sagte er. In seinen Augen stand Hass. »Sie sieht in Ihnen ihre große Retterin, weil Sie offenbar in dem Zug beeindruckend reagiert haben. Warum sollte sie dann jetzt nicht zu Ihnen flüchten?«

»Sie werden von mir nicht erfahren, wo Ihre Frau ist«, sagte Kate. »Und sie kommt dann zu Ihnen zurück, wenn sie sich dazu entscheidet. Sie ist ein freier Mensch, Mr. Paget.«

»Sie ist meine Frau. Und ich werde sie zurückholen.«

Sie unterließ es, darauf etwas zu erwidern, und ging zur Haustür. Jacob begleitete sie nicht, sondern blieb im Wohnzimmer. Sie fühlte sich bloß von seinem bohrenden Blick verfolgt. Sie atmete auf, als sie draußen stand.

»Wie hält Xenia das nur aus?«, murmelte sie. Mehr denn je war sie überzeugt, dass da etwas in ihrer Vergangenheit war, irgendetwas. Freiwillig würde keine Frau bei einem solchen Tyrannen bleiben. Kate hatte den Eindruck, dass man kaum atmen konnte in seiner Gegenwart.

Sie schaute auf ihr Handy und entdeckte eine Whatsapp-Nachricht von Colin.

Habe frei diese Woche, schrieb er. *Wie ist es, soll ich heute nach Scarborough kommen, und wir verbringen den morgigen Tag zusammen? Du fängst ja erst am Donnerstag an zu arbeiten!*

Sie lächelte. Er ging ihr oft auf die Nerven, aber er war irgendwie auch sehr treu. Seitdem er es aufgegeben hatte, ihr unbedingt imponieren zu wollen, war er zu einem umgänglichen Menschen geworden. Kate wäre nicht so weit gegangen, ihn als *Freund* zu bezeichnen, aber sie hatte sich an ihn gewöhnt und ihn in ihrem Leben akzeptiert. Er half ihr gegen ihre Einsamkeit – und sie ihm gegen seine. Es gab weniger gewichtige Gründe, weshalb Menschen Zeit miteinander verbrachten.

Tut mir leid, das wird nichts, schrieb sie zurück. *Es geht gerade drunter und drüber, daher habe ich schon angefangen zu arbeiten. Ein anderes Mal!*

Sie drückte auf *Senden*, schaute dann auf ihre Uhr. Sie war bereits auf halber Strecke nach Manchester. Sie könnte weiterfahren. Vielleicht ließe sich ein Treffen mit der Direktorin von Sophias alter Schule organisieren. Sie wählte die Nummer von Sergeant Helen Bennett. Helen sollte versuchen, einen Termin zu machen. Und bei *HappyEnd* anrufen und sich die Vermittlung Xenias an Jacob Paget bestätigen lassen. Würde man dort eine telefonische Auskunft verweigern, konnte Kate auch noch zu der Agentur fahren, es war von Manchester dann nicht mehr allzu weit bis Liverpool.

Jetzt musste sie sich erst einmal von der Begegnung mit Jacob erholen. Sie bekam Gänsehaut, wenn sie nur an ihn dachte.

Single zu sein ist keineswegs die schlechteste aller Lösungen, dachte sie.

3

Die Kinder schlichen sich vorsichtig an das Auto heran. Tommy, mit seinen acht Jahren der Jüngste, hielt sich im Hintergrund. Rebecca und Neil, seine älteren Geschwister, wagten sich etwas entschlossener vorwärts, aber sie waren auch schon zwölf und vierzehn Jahre alt. Sie waren mit ihren Fahrrädern unterwegs, hatten West Monkton an der südlichen Ausfahrt verlassen, vorbei an der Bäckerei, in der sie sich noch mit Tüten voller Muffins und Bagels eingedeckt hatten. Sie wollten irgendwo picknicken und den Tag vertrödeln. Ferien, Hitze, und fast alle ihre Freunde waren verreist. Sie selbst konnten nicht wegfahren, weil wie üblich das Geld fehlte. Es war ungerecht, und es war langweilig. Verzweifelt hatten sie die ganze Zeit über Ausschau nach irgendetwas gehalten, das ein wenig Abwechslung versprach. Ausgerechnet der kleine Tommy hatte das Auto entdeckt.

»Schaut mal! Das steht da schon seit Tagen!«

Ein weißer Peugeot. Er parkte in einer kleinen Haltebucht an der Landstraße, direkt vor dem Gatter zu einer Kuhweide. Wegen der hohen, wild wuchernden Büsche ringsum sprang er nicht sofort ins Auge.

»Wird einem Bauern gehören«, meinte Rebecca.

»Er stand da schon letzte Woche«, sagte Tommy, »und vorgestern habe ich ihn auch gesehen. Er steht immer ganz genauso da wie jetzt.«

»Du meinst, er wird gar nicht bewegt?«, fragte Neil stirnrunzelnd.

Tommy nickte eifrig. »Genau!«

Tommy sauste viel öfter in der Gegend herum als seine Geschwister, er war mit seinem Rad förmlich verwachsen. Er konnte nicht still sitzen und war ständig unterwegs. Er bekam viel von dem mit, was ringsum passierte.

»Seltsam«, sagte Rebecca. Sie hatten angehalten und waren abgestiegen, in sicherer Entfernung zu dem Fahrzeug.

»Sitzt da jemand drin?«, fragte Neil.

»Ich glaube nicht«, meinte Rebecca. »Obwohl …« Sie kniff die Augen zusammen. »Könnte sein, oder?«

»Eine Leiche?«, fragte Tommy aufgeregt.

»Quatsch«, sagte Neil. »Wenn überhaupt jemand da drin ist, dann macht er wahrscheinlich einen Mittagsschlaf.«

»Seit über einer Woche?«

»Vielleicht arbeitet er hier irgendwo«, sagte Neil. »Und fährt mittags hierher, um sich auszuruhen.«

»Wir können ja mal hingehen und nachschauen«, schlug Rebecca vor.

Irgendetwas Brisantes zu entdecken war genau das, was sie sich alle für diesen langweiligen Tag erhofft hatten, aber trotzdem war ihnen jetzt mulmig zumute. Sie waren völlig alleine zwischen Wiesen und Feldern. Kein anderer Mensch, kein anderes Fahrzeug weit und breit in Sicht. Nur dieser seltsame Peugeot, von dem Tommy behauptete, dass er sich seit Tagen nicht bewegte … Die Sonne spiegelte sich in den Scheiben seiner Fenster. Sie erzeugten verwirrende Schatten. Eben gerade hatte es kurz so ausgesehen, als sei wirklich jemand in dem Wagen. Nun wieder schien er leer zu sein.

»Los, kommt!«, bestimmte Neil.

Sie ließen ihre Fahrräder im Gras am Straßenrand liegen und bewegten sich langsam zu Fuß auf das Auto zu. Warum sie das taten, hätten sie nicht zu sagen vermocht, es geschah wie auf eine unausgesprochene Verabredung hin: Irgendwie kamen sie sich ohne die Räder kleiner, leiser, unauffälliger vor.

Neil erreichte den Wagen als Erster, dicht gefolgt von Rebecca. Die Schwester war es dann auch, die einen Schritt an ihm vorbei tat, als er zögernd stehen blieb, und mit einiger Selbstüberwindung ins Innere des Fahrzeugs spähte.

»Da ist niemand!«, sagte sie enttäuscht.

Jetzt drängelte sich auch Neil mutig nach vorne. »Echt nicht?«

»Nein.«

Insgeheim waren die Kinder erleichtert, aber natürlich wäre es schon toll gewesen, wenn sie etwas wirklich Schreckliches entdeckt hätten. Etwas, womit sie nach den Ferien in der Schule so richtig hätten angeben können.

Probeweise bewegte Rebecca den Griff an der Fahrertür. Die Tür ging auf.

»Es ist nicht abgeschlossen«, sagte sie erstaunt.

»Und da steckt sogar noch der Zündschlüssel!«, rief Neil.

»Wir können damit fahren!«, sagte Tommy begeistert.

Neil bremste ihn sofort. »Unsinn. Keiner von uns kann schließlich Auto fahren. Wir dürfen das nicht.«

»Irgendwie ist das schon seltsam«, meinte Rebecca. »Ein offenes Auto, das seit Tagen hier herumsteht, der Schlüssel steckt … Da ist nicht einfach nur jemand kurz zum Pinkeln gegangen.«

»Glaubst du, der Fahrer ist ermordet worden?«, fragte Tommy mit weit aufgerissenen Augen.

Alle schwiegen.

»Wir sollten die Polizei anrufen«, sagte Rebecca schließlich.

4

Xenia zuckte zusammen, als ihr Handy klingelte. Ihr war das iPhone erst am späten Nachmittag gebracht worden, zusammen mit ihrer Handtasche, ihren Schlüsseln und den Schulbüchern. Die Spurensicherung hatte die Sachen freigegeben, und ein ziemlich missmutiger Beamter aus Leeds hatte alles nach Scarborough fahren und ihr aushändigen müssen – ähnlich begeistert wie die Polizisten in der Nacht, die den weiten Weg zurückgelegt hatten. Jedem, so schien es, wäre es lieber gewesen, sie wäre in Leeds geblieben, einfach nach Hause zurückgegangen, wie es sich für eine anständige Frau gehörte. Vermutlich wäre es auch Kate lieber gewesen, die nicht besonders glücklich über den unerwarteten Logiergast schien.

Definitiv wäre es Jacob lieber.

Sie hatte massenhaft verpasste Anrufe von ihm auf ihrem Handy gefunden und unzählige Sprachnachrichten auf der Mailbox. Irgendwann gestern am späten Abend hatte er offenbar ihre WhatsApp mit der Ankündigung, nun loszufahren, gelesen und sich dann gewundert, dass sie nicht eintraf. Von aufrichtiger Sorge war jedoch wenig zu spüren, er klang zunehmend gereizt, wütend, zornig. Schließlich wurde er so ausfallend, dass Xenia es nicht länger aushielt und die weiteren Nachrichten kurzerhand löschte, anstatt sie abzuhören. Warum sollte sie sich sein Fluchen und seine wilden Drohungen weiter antun?

Ich kann nicht zurück, dachte sie verzweifelt, ich kann einfach nicht zu ihm zurück. Ich ertrage es nicht.

Um sich die Zeit in Kates Haus zu vertreiben, hatte sie begonnen, die vielen Umzugskisten, die noch immer entlang der Wände gestapelt standen, auszupacken. Sie hoffte, dass Kate erfreut und nicht verärgert reagieren würde. Sie hatte mit den Küchensachen angefangen und räumte nun Teller, Tassen, Schüsseln und Besteck in die Einbauschränke. Kate konnte sich ja später ein anderes System überlegen, aber wenigstens wären erst einmal die Kisten aus dem Weg. Sie faltete sie zusammen, wenn sie leer waren, und stapelte sie auf der Terrasse vor der Küchentür. Es war wunderbar warm und sonnig draußen, der Garten lag friedlich und blühend vor ihr. Messy hatte einen Apfelbaum erklommen und thronte stolz, gleichzeitig etwas ängstlich, auf einem der krummen Äste. Xenia empfand den Frieden des Tages, den Frieden des kleinen Stückchens Erde geradezu körperlich. Als würde sich etwas entspannen in ihrem Inneren, das schon allzu lange nur verkrampft gewesen war. Sie hatte gar nicht mehr gewusst, wie es sich anfühlte, keinen Druck zu spüren. Wie es sich anfühlte, frei zu atmen. Die Angst und der Druck lauerten natürlich noch gleich hinter der nächsten Ecke. Aber sie hatte für den Moment eine Insel gefunden. Den Frieden von Kates Haus.

Etliche Anrufe, die Jacob auf dem Display anzeigten, ignorierte sie. Bei diesem Anruf nun, der sie unwillkürlich schon wieder zusammenschrecken ließ, las sie jedoch Kates Namen. Sie meldete sich sofort.

»Sergeant Linville? Kate?«

»Hallo, Xenia. Alles in Ordnung bei Ihnen?«

»Ja. Alles gut. Es ist so wunderschön hier in Ihrem Haus.«

»Das freut mich«, sagte Kate, aber es klang ein wenig angestrengt.

Sie will nicht, dass ich mich *zu* wohl fühle, dachte Xenia.

»Wo sind Sie?«, fragte sie. »Wann kommen Sie nach Hause? Ich könnte etwas für uns kochen.«

»Das klingt verlockend«, sagte Kate, »aber leider wird daraus nichts. Ich bin in Manchester. Ich werde hier übernachten und morgen früh weiterfahren nach Birmingham. Es wäre umständlich, erst nach Hause zu kommen.«

»Ach«, sagte Xenia enttäuscht. Sie fand es schwierig, alleine zu sein. Kates Gegenwart hätte ihr Ruhe vermittelt.

»Aber nehmen Sie sich aus dem Kühlschrank, was Sie mögen, und kochen Sie sich etwas«, sagte Kate. »Und könnten Sie bitte Messy füttern? Die Dosen stehen in einem der Küchenregale. Und etwas frische Milch in ihre Schüssel. Das wäre sehr nett.«

»Natürlich, gar kein Problem«, versicherte Xenia. Sie merkte, dass sich das Inselgefühl aufzulösen begann. Noch war es früher Abend, es war hell draußen. Aber irgendwann würde es dunkel werden, und dann wäre sie alleine. Nur mit einer Katze.

Aber niemand weiß, dass ich hier bin, dachte sie.

»Morgen Abend bin ich zurück«, versicherte Kate.

Eine Nacht schaffe ich, dachte Xenia.

Sie verabschiedeten sich, Xenia setzte sich auf die Terrasse, versuchte, den Frieden wiederzufinden, den sie gerade noch gespürt hatte. Er war nicht mehr da. Der Zauber war verflogen. Die Furcht hatte sie wieder gepackt. Mit harten, kalten Fingern.

Wann würde das je vorbei sein?

Nie, dachte sie, nie.

Und wenn ich alles sage? Wenn ich Kate anvertraue, was geschehen ist?

Sie würde im Gefängnis landen. Das hatte Jacob ihr wieder und wieder prophezeit. Und sie war ziemlich sicher, dass er recht hatte.

Manchmal dachte sie über die Möglichkeit nach, England zu verlassen. Zurückzugehen nach Russland. Sie hatte noch ihre Familie dort, Freundinnen von früher. Sie hatte Kirov in seiner Kälte und Trostlosigkeit und Armut immer gehasst, aber sie war zumindest frei gewesen. Niemand hatte sie eingeschüchtert, bedrängt und bedroht. Sie hatte Angst gehabt, irgendwann verheiratet zu sein, in einer der winzigen Plattenbauwohnungen mit einem Mann und drei Kindern zu leben und ihre Ehe über der Enge und der Perspektivlosigkeit scheitern zu sehen. Aber was hatte sie stattdessen erreicht? Sie saß in einem düsteren Reihenhaus in einem Vorort von Leeds, zusammen mit einem Mann, den sie hasste und der nur deshalb mit ihr zusammen war, weil sie die erste Frau in seinem Leben war, die ihm nicht davonlaufen konnte – so wie es alle ihre Vorgängerinnen getan hatten. In dem Haus durfte kein Staubkorn herumliegen und im Garten kein Grashalm zu hoch wachsen. Sie erfüllte den Kontrollzwang eines Mannes und putzte, wischte und vernichtete Unkraut von morgens bis abends. Sie lebte damit völlig gegen ihre eigene Natur. Sie fragte sich, wann sie darüber körperlich krank werden würde.

Sie stieß einen leisen Schrei aus, als es plötzlich an der Haustür klingelte. Sie sprang so schnell von ihrem Stuhl hoch, dass ihr einen Moment lang schwindelig wurde. Dann riss sie sich zusammen. Vielleicht war es die Nachbarin. Oder ein Paketbote. Kein Grund, in Panik zu geraten.

Sie ging durch die Küche und den Flur nach vorne und versuchte, durch das kleine Fenster neben der Tür zu spähen, aber der Besucher musste zu weit rechts stehen, sie konnte ihn nicht sehen.

»Hallo?«, fragte sie.

Keine Antwort.

»Hallo?«, wiederholte sie etwas lauter.

Wieder blieb alles still.

Vielleicht hatte es nicht geklingelt. Vielleicht hatte sie sich getäuscht.

Dennoch beschlich sie ein ungutes Gefühl. Sie wandte sich um, lief zurück, weil ihr plötzlich einfiel, dass die Terrassentür offen stand und es sicher besser war, sie zu schließen.

Sie betrat die Küche und prallte gegen Jacob, der gerade von draußen hereinkam.

»Ach, sieh an«, sagte er. »Ich dachte mir doch, dass du hier bist.«

Sie starrte ihn entsetzt an. »Was machst du hier?«, fragte sie schließlich mit zittriger Stimme.

Er schwenkte seinen Autoschlüssel. »Ich bin gekommen, um dich abzuholen.«

Woher wusste er, wo sie war? Sie konnte sich nicht vorstellen, dass Kate sie verraten hatte.

Als ahne er, was sie dachte, sagte er: »Diese Linville war heute Nachmittag bei mir. Hat mich mit Fragen gelöchert wegen deiner Vergangenheit. Die ist nicht blöd. Die wittert, dass da etwas ist. Und ich fürchte, sie wird nicht so schnell Ruhe geben.«

»Aber …«

»Und als sie weg war, dachte ich nach. Darüber, wie du von ihr gesprochen hast nach der Geschichte in dem Zug. Sie war ja fast eine Heilige für dich. Deine Retterin, deine Beschützerin. Und ich überlegte, dass es doch sein könnte, dass du zu ihr geflüchtet bist. Nach dem schrecklichen Drama in der letzten Nacht.«

»In der letzten Nacht, das war ...«

»Ich weiß. Das war gar nichts. Deine übliche hysterische Art, auf Dinge zu reagieren. Du hast alle wahnsinnig gemacht, und dein Auto ist auch noch kaputt.«

»Es tut mir leid.«

»Ja. Dir tut es hinterher immer leid.« Er musterte sie mit kalter Verächtlichkeit. »Dir tut es leid, wenn du Sachen kaputtmachst. Dir tut es leid, dass du so fett bist, dass ich dich nicht mehr anfassen mag. Dir tut es leid, dass du mir jeden Tag einen Fraß servierst, den kein normaler Mensch herunterbekommt. Alles tut dir immer leid. Aber weißt du, was mich an dir so ärgert? Dass es immer bei den Beteuerungen bleibt. *Es tut mir leid, es tut mir leid.* Aber du änderst nichts. Du bist einfach nicht bereit, dich zu ändern.«

»Ich versuche ...«

»Du versuchst gar nichts. Aber das können wir später besprechen. Ich will jetzt nach Hause.«

»Woher wusstest du, wo Kate wohnt?«, fragte sie. Ihre Stimme zitterte heftiger. Bei der Vorstellung, mit ihm fortgehen zu müssen, wurde ihr fast übel.

Er grinste. Er kam sich schlau und sehr cool vor. »Wie gesagt, sie war heute bei mir. Hat sich als Beamtin vom CID Scarborough vorgestellt. Also dachte ich mir, die wohnt bestimmt da irgendwo in der Nähe. In Scarborough oder zumindest in der Gegend. Ich habe das Telefonverzeichnis im Internet angeschaut. Es gab zweimal den Namen Linville, einmal in der Stadtmitte von Scarborough und dann *Linville, R.* hier unter dieser Adresse in Scalby. In der Innenstadt war ich zuerst, da machte mir eine Frau auf, die mindestens achtzig Jahre alt war und niemanden mit Vornamen *Kate* kannte. Dann bin ich hierhergefahren, obwohl ich das *R.* nicht richtig einordnen konnte. Ist diese Polizistin verheiratet? Es soll ja Männer mit komischem Geschmack geben.«

»Ist sie nicht«, sagte Xenia. »R. ist ihr Vater, der hier gewohnt hat.« Kate hatte ihr erzählt, dass sie von ihm das Haus geerbt hatte.

Ihre Gedanken flatterten in ihrem Kopf wie verzweifelte, eingesperrte Vögel. Sie konnte nicht mitgehen. Sie würde sterben, wenn sie zu ihm zurückkehrte. Sie würde sterben, weil es sie innerlich zerbrechen würde.

»Ist auch egal«, sagte Jacob, »ich habe dich jedenfalls gefunden. Beeil dich. Ich will nach Hause, und ich habe Hunger.«

»Ich kann nicht mitkommen«, hörte sie sich sagen.

Er starrte sie an. »Wie bitte?«

»Ich kann nicht.«

»Du kannst nicht?«

»Nein. Ich kann nicht mehr.«

Er kniff die Augen zusammen. »Du bist völlig verrückt geworden.«

»Mag sein. Aber ich kann nicht mehr.«

Seine Miene gefror zu Eis. »Du weißt, was ich dann tun muss? Ich habe es dir immer gesagt.«

Sie blieb stumm.

»Ich muss dann zur Polizei gehen«, sagte er.

Sie sagte immer noch nichts. In ihrem Inneren fühlte sie sich gespannt wie eine überdrehte Feder.

»Tja«, sagte er. »Wenn du unbedingt ins Gefängnis willst ... Und auch die Presse wird dich zerlegen. Das war eine unfassbare Geschichte damals. Du bist erledigt, wenn das rauskommt.«

Zum zweiten Mal an diesem Abend klingelte es an der Haustür.

»Verdammt«, sagte Jacob, »wer, zum Teufel, ist das?«

Xenia rannte aus der Küche zur Haustür, noch ehe Jacob reagieren konnte.

Sie riss die Tür auf. Ein fremder Mann stand vor ihr.

Er starrte sie ebenso erstaunt an wie sie ihn.

»Wer sind Sie denn?«, fragte er nach ein paar Sekunden.

»Xenia Paget.«

»Aha. Ich bin Colin Blair.« Er spähte an ihr vorbei ins Haus hinein. »Wo ist Kate?«

5

Kate saß in einem kleinen Pub in der Innenstadt von Manchester, gleich neben dem Hotel, in dem sie ein Zimmer ergattert hatte. Hotel und Zimmer waren an Schäbigkeit kaum zu überbieten, dafür jedoch unerhört billig, und Kate wollte nicht gleich zu Beginn ihrer Laufbahn beim CID Scarborough mit überzogenen Übernachtungskosten aufwarten. Gegen diese Absteige konnte Inspector Stewart jedoch kaum etwas haben. Es war von Manchester nach Birmingham, Sophia Lewis' Heimatort, so viel näher als von Scarborough aus, dass es Unsinn gewesen wäre, am Abend noch nach Hause zu fahren und am nächsten Tag von dort wieder aufzubrechen. Immerhin hatte sie gerade Besuch, der sich um Messy kümmern konnte. Insofern trafen sich die Dinge recht gut.

Helen Bennett war es am Mittag tatsächlich gelungen, die Schulleiterin der Chorlton Highschool in Manchester zu ermitteln, zu kontaktieren und einen Termin für Kate mit ihr auszumachen. Mitten in den Ferien war dies kein leichtes Unterfangen gewesen, aber die Dame, Lydia Myers, war glücklicherweise nicht verreist und hatte sich bereit erklärt, Kate in ihrer Wohnung zu empfangen. Allerdings hatte die Spur eher ins Leere geführt. Lydia Myers erinnerte sich zwar an den Fall jenes Schülers mit den erbosten Eltern, hielt es aber für ausgeschlossen, dass irgendjemand aus dieser Familie zu kriminellen Methoden greifen würde, um seinem Ärger Luft zu machen.

»Außerdem«, hatte sie hinzugefügt, »wohnt die Familie schon lange nicht mehr in England.«

»Nein?«

»Die sind schon bald darauf nach Dubai ausgewandert. Der Vater macht da irgendetwas in der Gastronomie.«

»Und sie sind bis heute dort? Der Sohn auch?«

»Soviel ich weiß, ja. Aber ich kann das auch noch einmal überprüfen. Eine unserer Kolleginnen hatte immer Kontakt.«

»Ja, das wäre nett.« Es war vertrackt. Es schien einfach nichts zu geben, wonach Kate hätte greifen können. »Gibt es noch irgendeinen anderen Fall, an den Sie sich erinnern? Dass Sophia jemandem den Abschluss vermasselt hat. Dass sie jemanden schlecht bewertet hat und dann von ihm bedroht wurde? Sophia soll Angst gehabt haben. Sie hat wohl nicht darüber gesprochen, aber ihr Exfreund meint, da sei etwas gewesen. Etwas, weshalb sie dann Hals über Kopf nach Scarborough gegangen ist und dort an einer anderen Schule angefangen hat.«

Lydia Myers hatte gegrübelt und überlegt und sich sichtlich angestrengt, aber ihr war kein Fall eingefallen, der prägnant genug gewesen wäre, um ihn mit den Geschehnissen in Stainton Dale in Verbindung zu bringen. Sie hatte versprochen, deswegen auch noch einmal mit Kollegen zu reden, hatte aber bereits angedeutet, dass dies erst nach den Ferien möglich sei.

Kate hatte dann nur noch die Frage gestellt, die sie immer stellte: »Sagt Ihnen der Name Xenia Paget etwas? Oder hat Sophia ihn je erwähnt?«

»Nein. Nie gehört. Wer ist das?«

»Eine mögliche Verbindung. Aber offenbar führt sie ins Nichts.« Kate hatte sich dankend von der hilfsbereiten Frau verabschiedet, sich das Hotel gesucht und sich in das Pub begeben, um zum ersten Mal seit dem Frühstück eine Mahlzeit zu sich zu nehmen. Sie bestellte Chips und dunkles Bier.

Wahnsinnig gesund, dachte sie belustigt.

Der Kellner hatte kaum das Essen gebracht, da klingelte ihr Handy. Es war Helen Bennett. Sie schien aufgeregt zu sein.

»Sergeant, ich habe eben mit der Geschäftsführerin von *HappyEnd* telefoniert. Dieser Partnervermittlungsagentur.«

»Ich weiß«, sagte Kate. »Und?«

»Tja«, sagte Helen, »wie es scheint, sagen Jacob und Xenia Paget nicht die Wahrheit. Sie haben sich nicht über diese Agentur kennengelernt.«

»Nicht?«, fragte Kate perplex.

»Nein. Jacob ist schon ziemlich lange dort im System. Ihm wurden seinerzeit etliche Frauen vorgestellt. Er ist zweimal nach Russland gereist und hat Frauen getroffen, aber es wurde nichts daraus, weil er so mäkelig war. Diese Geschäftsführerin erinnert sich an ihn. Sie seufzte tief, als ich den Namen nannte. ›Ein äußerst schwieriger Klient‹, so waren ihre Worte.«

»Und?«

»Also, eine Frau ist wohl dann nach England gekommen, aber nicht namens Xenia Paget. Ich habe ihr vorsichtshalber noch ein Foto von Xenia gemailt, aber sie sagte, sie war es definitiv nicht. Die andere Frau ist auch nur zwei Wochen geblieben, dann ist sie wieder abgereist. Sie hat es mit ihm nicht ausgehalten.«

»Kein Wunder«, sagte Kate.

»Ja, und dann folgten wohl etliche weitere Angebote seitens der Agentur, aber Jacob lehnte immer gleich ab. Er reiste auch nicht mehr nach Russland. Irgendwann reagierte er gar nicht mehr. Die Agentur hörte dann auf, ihm noch Bilder und Lebensläufe von heiratswilligen Russinnen zu schicken. Es kam nie zu einer Vermittlung.«

»Das ist ja ein Ding«, sagte Kate. Sie überlegte. »Er achtet sehr auf sein Geld, glaube ich. Jacob Paget. Könnte es sein, dass er eine Frau in Russland getroffen und abgelehnt, sie aber später auf eigene Faust kontaktiert hat? Um die Vermittlungsgebühr zu sparen? So etwas kann eine Agentur vermutlich nicht verhindern.«

»Das wäre denkbar«, meinte Helen. »Ich habe es nicht gefragt, aber ich könnte mir vorstellen, dass das ginge.«

»Wenn er Xenia auf diese Weise kontaktiert hätte …«

»… müsste sie aber vorher im System der Agentur gewesen sein. Xenia Sidorowa aus Kirov. Die Dame hat das überprüft. Xenia war nie dort registriert.«

»Vielleicht unter anderem Namen?«

»Nein. Sie lassen sich die Papiere zeigen, beziehungsweise beglaubigte Kopien schicken. Die Agentur scheint recht seriös zu sein. Xenia hätte sich unter falschem Namen auf der Internetplattform präsentieren können, falls sie vermeiden wollte, dass Leute aus ihrem Umfeld darauf aufmerksam werden, was sie vorhat – wobei das natürlich schon wegen des Fotos schwierig gewesen wäre. Aber die Agentur hätte in jedem Fall den richtigen Namen gewusst. Und der taucht nirgends auf.«

»Warum lügen die Pagets an dieser Stelle?«, fragte Kate.

»Weil sie sich auf eine Art und unter Umständen kennengelernt haben, über die sie keinesfalls sprechen möchten«, sagte Helen. »Das könnte der entscheidende Punkt sein.«

»Die Angst«, sagte Kate. »Xenia Pagets Angst. Das könnte der Punkt sein, an dem sie ihren Ursprung hat.«

Die Affäre mit dem Planschbecken, in dem unser Sohn angeblich ein kleines Mädchen zu ertränken versucht hatte, wurde sowohl von den Mitarbeitern des Kindergartens als auch von den Eltern unglaublich hochgespielt. Meiner Ansicht nach sah man vor allem von Seiten der Leitung des Kindergartens aus endlich eine Chance, den unbeliebten Sascha loszuwerden. Es wurde eine Sondersitzung einberufen, an der auch Alice und ich teilnehmen sollten, dazu die Eltern des kleinen Mädchens, der Elternbeirat und die Leiterin der Tagesstätte. Alice weigerte sich jedoch mitzukommen.

»Das ist ein Tribunal. Von denen lasse ich mich nicht fertigmachen.«

Das wäre ohnehin schwer möglich gewesen, denn sie war schon völlig fertig. Mehr ging eigentlich nicht. Gerade war sie psychisch ein klein wenig auf dem aufsteigenden Ast gewesen, in Ansätzen zumindest, aber diese Geschichte nun hatte sie wieder völlig auf den Boden geworfen.

Was war eigentlich passiert?

Wegen der Hitze hatten die Betreuerinnen im Garten der Tagesstätte ein paar Planschbecken aufgestellt. Sehr klein, sehr flach. Es war eigentlich unmöglich, dass ein Kind darin ertrinken konnte, den meisten reichte das Wasser gerade über die Fußknöchel. Man konnte einfach ein wenig herumplanschen, sich abkühlen, kleine Plastiktiere schwimmen lassen. Andere Kinder nass spritzen. Solche Dinge. Zudem, so wurde von der Leitung des Kindergartens betont, waren natürlich ständig Erzieherinnen anwesend, die alles sorgfältig im Auge behielten.

Sascha war, den Schilderungen zufolge, völlig begeistert von den Wasserbecken gewesen, hatte sich in eines hineingesetzt und es überhaupt nicht mehr verlassen. Er hatte seinen Trinkbecher bei sich, in den er Wasser füllte, das er dann wieder ausgoss, wobei er lachte und strahlte und unverständliche Dinge rief. (Der Bericht deprimierte mich natürlich wieder einmal. Er war vier Jahre alt in jenem Juli, würde im September fünf werden. Seine geistige Verzögerung war einfach nicht mehr zu leugnen.) Irgendwann hatte sich ein knapp dreijähriges Mädchen, die kleine Careen, zu ihm gesetzt. Alles schien friedlich.

Dann stürzte einer der Jungs beim Klettern von einem Gerüst und brach in ohrenbetäubendes Geschrei aus, und sämtliche Erzieher eilten zu ihm, um zu sehen, ob etwas Ernsthaftes passiert war. Tatsächlich handelte es sich wohl nur um ein aufgeschlagenes Knie, das allerdings heftig blutete, und so holte man eilig Pflaster und Desinfektionsspray, und es herrschte einige Aufregung. Deshalb, so betonten alle, habe man für einige Minuten die anderen Kinder nicht richtig im Blick gehabt. Während sich noch alle um den gestürzten Jungen scharten, war plötzlich ein Mädchen aufgeregt angelaufen gekommen.

»Sascha ertränkt Careen!«, hatte es geschrien und wild mit den Armen gefuchtelt.

Sofort ließen alle von dem Jungen mit dem blutigen Knie ab und liefen hinüber zu dem Planschbecken, in dem Sascha seit dem frühen Morgen saß. Careen hatte sich offensichtlich schon wieder befreit, denn sie stand neben dem Becken, hatte allerdings nasse Haare, ein feuerrotes Gesicht und brüllte, als sei der Teufel hinter ihr her. Sascha saß noch immer im Wasser und hielt seinen Becher umklammert. Auch er weinte, allerdings nur leise und still vor sich hin. Als sie ihn nach draußen zogen, wehrte er sich nicht.

Er sagte auch nichts zu der ganzen Sache. Nicht ein einziges Wort.

Es gab nur den Bericht des Mädchens, das Hilfe geholt hatte, und den von Careen selbst. *Ansonsten hatte niemand etwas bemerkt, was natürlich nichts bedeutete, denn alle hatten gespielt und sich wie üblich nicht um den »blöden Sascha« gekümmert.*

Offenbar hatte Careen, fasziniert von Saschas Tätigkeit des Wasserausschüttens, nach Saschas Trinkbecher gegriffen, um auch einmal dasselbe zu tun wie er, aber Sascha hatte ihn nicht hergeben wollen. Im Gerangel war der Becher ins Wasser gefallen, und Careen hatte ihn sich geschnappt. Daraufhin hatte Sascha einen Sprung auf sie zugemacht und war auf ihr gelandet, hatte sie dabei unter die Wasseroberfläche gedrückt.

»Das klingt aber nicht nach einem vorsätzlichen Angriff«, protestierte ich auf der Sonderversammlung, an der ich ohne Alice teilnahm. »Er wollte seinen Becher wiederhaben und ist unglücklich gestolpert. Das ist schlimm genug, aber es war sicher keine böse Absicht von Sascha. Niemals wollte er ein kleines Mädchen ertränken.«

Careens Mutter sah das völlig anders. »Meine Tochter lag mit dem Gesicht unter Wasser. Sie hat sich heftig gewehrt. Ihr Sohn blieb auf ihr liegen, drückte sie mit seinem Gewicht nach unten. Entschuldigen Sie bitte, aber wie würden Sie das denn nennen, wenn nicht ertränken?« Das letzte Wort schrie sie fast. Sie platzte nahezu vor Aggression, schon die ganze Zeit über. Ihr Mann legte ihr seine Hand auf den Arm, aber sie schüttelte ihn ab. »Wenn dieser kleine gefährliche Idiot hierbleibt, melde ich meine Tochter ab. Und ich gehe mit der Geschichte an die Presse. Es wird einen riesigen Ärger geben, das kann ich Ihnen allen versprechen!«

Die Leiterin des Kindergartens blickte entsetzt drein.

»Mr. Walsh ...«, wandte sie sich an mich.

Ich wusste, dass ich längst verloren hatte. Wahrscheinlich hatten die nicht das Recht, Sascha rauszuwerfen. Ich hätte sein Verbleiben in dem Kindergarten notfalls gerichtlich erstreiten können.

Die Leiterin hatte eindeutig Angst, dass das alles an die große Glocke gehängt wurde. Tatsache war: Careen hätte ertrinken können. Keine der Betreuerinnen hatte etwas bemerkt. War es zu riskant gewesen, Wasserbecken aufzustellen? Gerade weil auch bei harmlosen Rangeleien – und das war es, so meine Überzeugung, bei Sascha gewesen – schlimme Dinge passieren konnten. Hätte nicht zumindest eine Aufpasserin eisern die übrigen Kinder im Auge behalten müssen, während sich alle anderen um den gestürzten Jungen bemühten? Fragen, mit denen ich dem Kindergarten durchaus hätte Probleme bereiten können. Aber wozu? Sascha würde hier seines Lebens nicht mehr froh, er war von Anfang an unwillkommen gewesen, und jetzt umso mehr. Sie wollten ihn nicht. Die Betreuer nicht, die anderen Eltern auch nicht. Niemand machte sich die Mühe, genau hinzusehen. Sascha war von nun an der gestörte Junge, der versucht hatte, ein kleines Mädchen zu ertränken. Wie sollte er an diesem Ort noch zu einer Normalität finden?

Also ging Sascha nicht mehr in den Kindergarten, sondern blieb zu Hause bei Alice. Die wirkte inzwischen so depressiv, dass ich mir immer größere Sorgen um sie machte. Sie schlich wie ein Schatten durch den Tag. In einer völlig mechanisch wirkenden, freudlosen Form der Pflichterfüllung suchte sie mit Sascha weiterhin Logopäden, Osteopathen, Heilpraktiker aller Art auf, aber sie wirkte dabei wie jemand, der nichts Gutes vom Leben mehr erwartet.

Das alles nur, weil wir ein Kind wollten, dachte ich manchmal. Weil wir diesen ganz normalen Wunsch nach einer Familie hatten.

Und dann, an einem regnerischen Abend im Oktober, kam ich nach Hause und erwartete, Alice wie immer apathisch auf dem Sofa liegend und Sascha vor dem Fernseher anzutreffen. Er saß praktisch nur noch dort, weil Alice keine Energie fand, sich mit ihm zu beschäftigen. Er schaute sich völlig schwachsinnigen Schrott an, und oft dachte ich, wäre er nicht schon entwicklungsverzögert, er würde es spätestens durch diese Art der Sendungen werden.

Ich hatte auf dem Heimweg noch eingekauft. Ich würde jetzt erst einmal für alle kochen. Alice schaffte auch das schon längst nicht mehr.

Zu meiner Verwunderung lag sie nicht auf dem Sofa. Sie kam aus dem Bad. Sie trug einen fleckigen Jogginganzug und hatte ungewaschene Haare, aber sie war nicht so grau im Gesicht wie sonst. Sie hatte rote Wangen, fast wirkte sie fiebrig.

»Alice«, fragte ich erschrocken, »was ist los?«

Sie starrte mich an. »Das kann nicht sein«, murmelte sie.

»Was denn?«

Jetzt erst bemerkte ich das weiße Stäbchen, das sie in der Hand hielt. Ein Teststäbchen. Wie gut ich die Dinger kannte. Wie oft hatten wir beide darauf gestarrt, immer vergeblich.

Sie hielt es mir hin. Ich sah deutlich den Streifen im Sichtfeld.

Ich schnappte nach Luft. »Alice ...«

»Ich glaube, ich bin schwanger«, sagte sie.

Sie wirkte überwältigt. Und eher ungläubig als glücklich.

Der Besuch beim Arzt am nächsten Tag brachte die Bestätigung. Alice war im zweiten Monat schwanger. Wir würden im Mai des nächsten Jahres ein Kind bekommen.

MITTWOCH, 31. JULI

1

Xenia schreckte aus einem oberflächlichen und unruhigen Schlaf auf und wusste zunächst nicht, was sie geweckt hatte. Sie tastete nach ihrem Handy, das neben der Matratze, auf der sie schlief, auf dem Boden lag und schaute nach der Uhrzeit: Es war fast ein Uhr in der Nacht.

Sie seufzte. Sie sehnte sich nach der Helligkeit des Tages. Vielleicht würden ihre Ängste dann weniger werden. Obwohl die Probleme bestehen blieben. Am Ende traten sie sogar noch greller hervor.

Im Licht des Displays sah sie nach der Katze, die an ihrem Fußende geschlafen hatte. Messy war verschwunden.

Xenia richtete sich auf, ließ den Schein im Zimmer herumwandern. Messy saß an der Tür. Sehr aufrecht, mit gerecktem Kopf und gesträubtem Fell. Die Ohren nach vorne gerichtet. Sie schien in Hochspannung zu sein und auf irgendetwas zu lauschen.

Xenia stand auf, kauerte sich neben die Katze.

»Was ist los?«, fragte sie leise. Sie konnte das Vibrieren des kleinen Körpers unter ihrer Hand spüren. Messy brummte.

Irgendetwas stimmte nicht.

Am Ende kam Jacob zurück. Womöglich versuchte er, in das Haus einzudringen.

Das Auftauchen von Colin Blair hatte sie am Abend gerettet. Ein Freund von Kate, der sie hatte besuchen wollen, weil er gedacht hatte, sie würde noch nicht arbeiten. Offenbar hatte sie erst am ersten August beim CID Scarborough beginnen wollen. Jacob war durch das Auftauchen des Fremden aus der Fassung gebracht worden. Xenia hielt es nicht für ausgeschlossen, dass er sie notfalls auch mit Gewalt zu seinem Auto geschleift hätte, aber in Gegenwart des Fremden schreckte er davor zurück.

»Kommst du nun mit oder nicht?«, hatte er gefragt, nachdem Colin Blair seinen Rucksack in den Eingangsflur gestellt hatte und keine Anstalten machte, wieder abzureisen, nur weil Kate nicht daheim war.

Sie wusste, dass das in seinen Augen einer Kriegserklärung gleichkam, dennoch sagte sie: »Nein.«

»Du wirst es bereuen«, hatte Jacob gezischt. »Das wirst du bitter bereuen!«

Er war in sein Auto gestiegen und mit aufheulendem Motor und quietschenden Reifen weggefahren.

Colin hatte perplex hinterhergeschaut. »Was hat er denn? Bin ich irgendwie im falschen Moment aufgekreuzt?«

Xenia schüttelte den Kopf. »Sie sind genau im richtigen Moment aufgekreuzt.«

Das Eis zwischen ihnen war endgültig gebrochen, als sich herausstellte, dass Colin wusste, wer Xenia war, und dass er mit Kate zusammen in dem Zug gesessen hatte, in dem die Schießerei stattgefunden hatte. Er war begeistert, Xenia kennenzulernen. Sie merkte schnell, dass sie es mit einem Hobbydetektiv zu tun hatte, den seine Arbeit als IT-Experte in einer Londoner Firma fast zu Tode langweilte und der Kate und ihren Beruf glühend bewunderte.

»Leider«, bedauerte er, »erfahre ich immer so wenig. Sie darf mir ja eigentlich gar nichts sagen.«

Er und Kate hatten einander zwei Jahre zuvor über *Parship* kennengelernt, aber der zündende Funke war nicht übergesprungen. Trotzdem verband sie seitdem eine Art Freundschaft. Sie schien von Colin stärker forciert zu werden als von Kate. Xenia fand es erstaunlich, dass Kate offenbar versucht hatte – oder es vielleicht immer noch versuchte –, über das Internet einen Partner zu finden. Aus irgendeinem Grund hatte sie geglaubt, Kate sei überzeugter Single und in ihrem Leben mit einem abwechslungsreichen Beruf, einem hübschen Haus und einer Katze vollauf zufrieden. Nun dachte sie: Wie dumm von mir. Sie ist ein ganz normaler Mensch. Natürlich sehnt sie sich nach einer Beziehung.

Der Abend war schön gewesen. Colin hatte aus den spärlichen Vorräten in Kates Küche ein wirklich gutes Essen gekocht, und Xenia hatte am Tisch gesessen und ihm dabei zugeschaut. Sie hatte die Geschichte aus dem Zug noch einmal erzählt und dann das Drama des Vorabends geschildert, als das Auto ihr die Straße versperrt hatte und sie in Panik geraten war. Sie hatte von ihrer Ehe berichtet, die sie zunehmend als Hölle empfand, und Colin hatte zugehört und irgendwie die richtigen Fragen gestellt. Sie fand ihn nett. Viel netter, als sie Jacob je gefunden hatte.

Irgendwann war sie in das Gästezimmer gegangen, das vorläufig tatsächlich nur aus einer Matratze auf dem Fußboden und einem Stuhl in der Ecke bestand. Und aus etlichen nicht ausgepackten Kisten.

Colin schlief im Wohnzimmer auf einem der kleinen

Sofas. Xenia war froh, dass er im Haus war. Alleine wäre es ihr jetzt noch unheimlicher zumute gewesen.

Messy gab nun ein deutliches Brummen von sich.

Xenia meinte, erneut ein Geräusch von unten zu hören. War es möglicherweise die Tür, die von der Küche aus auf die Terrasse hinausführte?

Jacob? Sie würde ihm zutrauen, dass er versuchte, sich Zutritt in das Haus zu verschaffen. Er war nicht der Mensch, der eine Niederlage hinnehmen konnte, und dass er am Abend ohne sie hatte abziehen müssen, war eine Kränkung seines Egos, die er nie im Leben so stehen lassen konnte.

Aber es gab eine weitere Möglichkeit. Der Typ aus dem Zug. Er hatte sein Werk noch nicht vollendet.

Sie richtete sich auf, öffnete vorsichtig ihre Zimmertür. Messy sauste wie ein Blitz hinaus und verschwand irgendwo in der Dunkelheit des Hauses. Xenia lauschte erneut. Sie vernahm jetzt nichts. Sie hätte vielleicht geglaubt, sich getäuscht zu haben, aber das Verhalten der Katze war merkwürdig. Messy nahm eindeutig etwas wahr.

Möglicherweise eine Maus in der Küche, dachte Xenia und versuchte zu lachen.

Es gelang ihr nicht.

Sie tappte die Treppe hinunter. Ihre Augen hatten sich an die Finsternis gewöhnt, die durch einen blassen, von Wolkenschleiern verdeckten Mond und die Straßenlaternen draußen gar nicht so finster war. Das strahlende Sommerwetter der letzten Tage schien umzuschlagen.

Auch unten war alles still, bis auf gedämpfte Schnarchlaute, die aus dem Wohnzimmer drangen. Colin schlief trotz seiner eher unbequemen Lage offenbar friedlich.

»Messy?«, rief Xenia leise.

Keine Reaktion. Sie schlich ins Wohnzimmer.

»Colin?«, flüsterte sie.

Colin schreckte hoch, knipste sofort die Stehlampe neben sich an und saß aufrecht auf dem Sofa. Seine Haare standen nach allen Seiten vom Kopf ab.

»Was ist los?«, fragte er erschrocken.

»Da ist jemand«, wisperte Xenia. »An der Küchentür.«

»An der Küchentür? Bist du sicher?«

»Messy ist auch ganz verstört.«

Colin schwang sich vom Sofa und ging in T-Shirt und Boxershorts hinüber in die Küche, schaltete auch dort das Licht ein. Messy saß an der Tür und maunzte.

»Ich glaube, sie will draußen auf Mäusejagd gehen«, meinte Colin. Er schickte sich an, die Tür zu öffnen, aber sofort fauchte Xenia: »Nicht! Mach nicht auf!«

»Warum denn nicht?«

»Da könnte jemand sein.«

»Wer denn?«

»Mein Mann. Oder der Typ aus dem Zug.«

Colin zögerte. Er hatte die Bekanntschaft des zweifelhaften Jacob Paget gemacht, und er war im Zug dabei gewesen. Für ihn klang Xenia weder überspannt noch hysterisch. Er konnte ihre Angst nachvollziehen.

»Sollen wir die Polizei anrufen?«

»Nein!«, sagte Xenia entsetzt.

»Warum nicht?«

»Wir sind doch hier bei der Polizei«, sagte Xenia und wandte sich ab, damit er nicht sah, dass ihr Tränen in die Augen stiegen.

»Ja, aber Kate ist doch nicht da.« Er griff nach ihrem Arm. »Wovor hast du solche Angst, Xenia?«

»Auf mich ist geschossen worden. Da hättest du auch Angst.«

»Ja, aber ich hätte *keine* Angst vor der Polizei«, sagte Colin.
Sie grub ihre Fingernägel in die Innenseiten ihrer Hand-
flächen. Der Schmerz schien etwas von ihrer Seelenpein in
sich aufzusaugen, wirkte ein wenig neutralisierend. »Ich
muss hier weg, Colin. Entweder der Typ aus dem Zug weiß,
wo ich bin, dann bin ich in Gefahr. Oder Jacob wird mir die
Polizei auf den Hals hetzen.«

»Wie könnte er denn dir die Polizei auf den Hals hetzen?«, rief Colin. »*Du* wirst doch von einem Irren verfolgt!
Du verfolgst doch niemanden!«

»Es ist alles viel komplizierter«, flüsterte sie. »Kannst du
mich hier wegbringen?«

»Jetzt?«

»Ja.«

Colin überlegte. Im Grunde war das eine Situation nach
seinem Geschmack. Das Hauptproblem in seinem Leben
bestand darin, dass nie irgendetwas passierte, und nun war er
unversehens in einen Kriminalfall hineingeraten. Eigentlich
bereits vor eineinhalb Wochen im Zug nach York. Es hatte
ihn schwer gefuchst, dann wieder in London zu sitzen, von
Kate keine Nachrichten zu erhalten und nicht zu wissen, wie
sich alles weiterentwickelte. Deshalb war er nach Scarborough gereist und hatte sich auch von Kates Nachricht, eigentlich keine Zeit zu haben, nicht abhalten lassen. Gut, sie
arbeitete also schon. Eigentlich kein Problem. Er konnte
sich tagsüber in ihrem Haus nützlich machen, Kisten auspacken, Regale an die Wand dübeln und Ähnliches, und
abends, wenn sie zurückkam, würde sie hoffentlich ein bisschen was erzählen.

Unverhofft war die Situation jetzt jedoch noch um einiges
spannender geworden. Er hatte Xenia getroffen, die Frau aus
dem Zug. Und sie flehte ihn um Hilfe an. Colin kam sich

sehr wichtig vor, und das war ein Gefühl, das er mehr als genoss.

»Aber wohin sollen wir gehen?«, überlegte er. Natürlich gab es seine Londoner Wohnung. Allerdings wäre er dann wieder sehr weit weg. Zudem fragte er sich, was das für seine Freundschaft mit Kate bedeuten würde. Zweifellos wäre sie überhaupt nicht einverstanden mit dem, was er gerade überlegte. Sie würde erwarten, dass er sie in einer Situation wie dieser sofort kontaktierte und keinesfalls auf eigene Faust tätig wurde. Allerdings schien es ihm aussichtslos, in Xenias Gegenwart mit ihr telefonieren zu wollen. Er hätte sich im Bad einschließen können, aber irgendwie widerstrebte ihm das. Xenia vertraute ihm. Er wollte ihr Vertrauen nicht enttäuschen.

»Okay«, sagte er. »Du hast Angst. Das verstehe ich. Aber wollen wir nicht bis morgen früh warten?«

Sie war jetzt völlig beherrscht von ihrer Panik. »Nein. Jacob kann jeden Moment die Polizei verständigen.«

»Wir fahren los. Aber wir bleiben in der Gegend. Ich bekomme sonst riesigen Ärger mit Kate. Wir suchen ein Bed & Breakfast. Allerdings können wir da jetzt nicht einchecken. Wir werden die Nacht im Auto verbringen.«

»Ja. In Ordnung.« Sie wollte nur weg. Am Abend war sie ihm ruhiger erschienen. Das Geräusch an der Tür, wenn es überhaupt eines gegeben hatte, schien alle nur denkbaren Ängste freigesetzt zu haben. Nach Colins Ansicht agierte sie im Moment völlig irrational, aber er hatte nicht den Eindruck, dem jetzt etwas entgegensetzen zu können. Vielleicht kam sie zur Besinnung, wenn sie Jacobs Einflussbereich entzogen war. Vor ihm und einem möglichen Anruf bei der Polizei schien sie mehr Angst zu haben als vor dem Irren, der sie im Zug hatte abknallen wollen.

Messy hatte es inzwischen aufgegeben, zur Tür hinauszuwollen. Sie ging ins Wohnzimmer und rollte sich auf dem freien Sofa zusammen.

»Wir stellen ihr ausreichend Trockenfutter und Wasser hin«, sagte Colin. »Wann wollte Kate wiederkommen?«

»Morgen«, sagte Xenia und verbesserte sich gleich darauf: »Heute. Es ist ja schon heute.«

»Gut. Dann geht das mit Messy in Ordnung.« Er blickte Xenia an und sagte mit Nachdruck: »Aber ich will wissen, was los ist. Wo immer wir jetzt landen, du musst mir reinen Wein einschenken. Deine Angst vor der Polizei … Ich meine, du siehst nicht aus wie eine Serienkillerin, aber irgendetwas stimmt ja nicht, und am Ende gerate ich auch in Schwierigkeiten. Du sagst mir, was los ist?«

Sie nickte. »Hoffentlich kommen wir bis zum Auto«, flüsterte sie.

Colin fühlte sich bei dem Gedanken auch nicht wohl, aber er versuchte, ruhig aufzutreten. »Da ist niemand mehr. Falls da jemand war. Hier brennen inzwischen viel zu viele Lichter. Ich glaube, wir können es riskieren.«

»Ja«, hauchte Xenia.

2

DI Robert Stewart hatte an diesem Morgen kaum sein Büro betreten und wollte eigentlich gleich wieder nach draußen, um sich einen Kaffee zu holen, da klingelte schon das Telefon auf seinem Schreibtisch. Er fluchte leise. Er hatte sich

die ganze Nacht schlaflos herumgewälzt und war hunde-
müde. Er hatte gehofft, sich zuerst etwas stärken zu können,
ehe irgendjemand etwas von ihm wollte.

»Dr. Dane«, sagte die Frau von der Zentrale.

Robert war schlagartig hellwach. »Ja, stellen Sie durch!«
Die beste Botschaft des Tages, der Woche, wäre es, wenn
er erführe, dass Sophia Lewis vernehmungsfähig wäre. Ein
Geschenk des Himmels. Sophia Lewis war wahrscheinlich
nicht der einzige Schlüssel zu diesem ganz und gar verwir-
renden Fall, aber an dem anderen Schlüssel, Xenia Paget,
bissen sie sich die Zähne aus und traten hoffnungslos auf der
Stelle. Nichts bewegte sich. Das machte ihn wahnsinnig,
deshalb schlief er nachts nicht. Das war ihm früher bei anderen vertrackten Fällen nicht so gegangen. Weil er nicht die
letzte Verantwortung getragen hatte. Die hatte bei Caleb gelegen.

Ich wachse da rein, sagte er sich, ich brauche nur etwas
Zeit.

Dr. Dane zerstörte leider sofort seine Hoffnung, umgehend zu einem Gespräch mit Sophia in die Klinik eilen zu
können.

»Sie kann noch nicht sprechen«, sagte er, »aber stabilisiert
sich zunehmend. Das ist ein großartiger Fortschritt.«

Robert dachte, dass man Arzt sein musste, um über die
Tatsache, dass jemand, der weder sprechen noch sich bewegen konnte, immerhin aber stabiler wirkte, so glücklich zu
sein. Er stellte sich das als einen einzigen grauenhaften Alptraum vor: bewegungsunfähig in einem Bett zu liegen, nicht
sprechen zu können. Atmen. Im Grunde konnte sie nur
atmen. Ihr Leben reduzierte sich auf das Atmen. Ein- und
ausatmen.

Für immer vielleicht nicht mehr als das.

Robert hätte sich an ihrer Stelle gewünscht, auch seine Atmung möge versagen und ihn einfach sterben lassen.

»Schreiben kann sie auch nicht?«, vergewisserte er sich, mehr um sich von seinen düsteren Gedanken zu befreien, als dass er mit einer positiven Antwort rechnete.

»Nein. Sie kann die Arme nicht bewegen. Es gibt jedoch Anzeichen von Reflexen. Es ist durchaus möglich, dass sich ihre Situation verbessern wird.«

»Aber sie wird nicht …«

»Nein. Ihr altes Leben bekommt sie nicht zurück. Sie bleibt gelähmt. Aber mit viel Physiotherapie und Training werden vielleicht ein paar Dinge mehr möglich sein, als das jetzt der Fall ist. Ich will jedoch nicht zu viel versprechen. Letztlich kann man es einfach nicht wissen.«

»Gibt es irgendeine Prognose, egal wie vage, wann ich sie befragen kann?«

»Leider nein. Aber weshalb ich Sie anrufe: Wir werden sie verlegen. Morgen.«

»Verlegen? Wohin?«

»Wir können ihr jetzt nicht mehr die beste Versorgung bieten. Sie ist stabil, aber nun muss mit ihr gearbeitet werden. Und dabei sollte man nicht zu viel Zeit vergeuden.«

»Eine Rehaklinik?«

»Ja, in Hull. Es gibt dort eine wirklich gute Einrichtung. Beste medizinische Betreuung und hervorragend ausgebildete Physiotherapeuten. Erstklassige Geräte. Das haben wir hier alles nicht. Wir sind ein ganz normales Krankenhaus.«

»Hull.« Das war etwas über eine Stunde Fahrzeit. Aber egal. Er wäre überall hingefahren, wenn sie nur endlich reden könnte.

»Inspector, Sie werden mit ihr sprechen können«, sagte Dane. »Bald. Das glaube ich wirklich.«

»Das klingt gut«, sagte Robert. Es klang auch gut. Allerdings rechnete man als ermittelnder Kriminalbeamter in anderen Zeitdimensionen, als es ein Arzt tat. Ein Arzt wusste, dass er jedem Heilungsprozess seine Zeit geben musste, dass die Zeit in den allermeisten Fällen für den Patienten arbeitete. Das war bei polizeilichen Ermittlungen, von Ausnahmen abgesehen, genau andersherum. Die Zeit, die ohne nennenswerte Erkenntnisse verstrich, arbeitete zumeist für den Täter. Die Spuren wurden mit jedem Tag kälter.

»In Ordnung«, sagte er dennoch. Es half ja nichts. Dr. Dane konnte nichts beschleunigen, selbst wenn er ihm jetzt einen Vortrag über Polizeiarbeit hielt. »Danke, Doktor, dass Sie mich verständigt haben. Ich setze mich dann mit den Ärzten in Hull in Verbindung, um auf dem Laufenden gehalten zu werden.«

»Alles klar«, sagte Dane. »Ach, eines noch: Bleibt der Polizeischutz bestehen? Reist der Beamte, der jetzt vor ihrem Zimmer sitzt, morgen mit?«

Robert überlegte. Einen Beamten, der rund um die Uhr auf einem Krankenhausflur herumsaß, war etwas, was sie sich eigentlich angesichts von Personalknappheit und Geldmangel kaum leisten konnten. Dennoch war es ihm hier im Krankenhaus von Scarborough gerechtfertigt erschienen. Die Presse hatte über Sophias schwere Verletzung berichtet, und der Täter hatte sich daher ihren Aufenthaltsort ausrechnen können. Damit war eine Gefahrensituation begründet gewesen. Doch das änderte sich. Der Täter wusste nicht, dass Sophia verlegt werden sollte. Zudem gab es überall Rehakliniken.

Einen Moment lang fragte er sich, wie Caleb entscheiden würde, aber dann schob er diesen Gedanken zur Seite. Er war jetzt der Chef. Er musste sich an sich selbst orientieren – nicht an seinem Vorgänger.

Seinem *alkoholkranken* Vorgänger, präzisierte er in Gedanken. Es war ja schon lange fraglich gewesen, ob Caleb noch in der Lage war, kluge Entscheidungen zu fällen. Insofern diente er ohnehin nicht als Maßstab.

»Der Beamte bleibt bis morgen«, sagte er, »dann ziehen wir ihn ab. Er begleitet auch den Transport nicht mehr. Aber die Adresse der Rehaklinik muss absolut vertraulich behandelt werden.«

»In Ordnung«, sagte Dane.

Die beiden verabschiedeten sich. Kaum hatte Stewart aufgelegt, klingelte sein Handy. Es sah nicht so aus, als würde es ihm gelingen, in absehbarer Zeit einen Kaffee zu bekommen.

»Ja?«, fragte er ungeduldig.

Es war Kate, die aus Manchester anrief. Sie unterrichtete ihn darüber, was Helen herausgefunden hatte: Dass sich Jacob und Xenia Paget nicht über eine Partnervermittlung kennengelernt hatten, zumindest nicht über die, die von Jacob benannt worden war.

»Ja, und?«, fragte Robert. Er hielt es für unerheblich, wie und wo sich die beiden getroffen hatten. Seiner Ansicht nach maß Kate hier einer Sache Gewicht bei, der nachzugehen reine Zeitverschwendung war.

»Wir sollten überprüfen, weshalb beide hier eine falsche Angabe gemacht haben«, sagte Kate.

»Ja, okay. Hält sie sich noch immer in Ihrem Haus auf?«

»Ja. Ich habe sie allerdings heute früh nicht erreicht, weder auf dem Festnetz noch auf ihrem Handy, aber vielleicht ist sie im Garten und hört es einfach nicht. Könnten Sie eventuell kurz hinfahren?«

»Ich fahre rüber.« Überflüssig. Aber besser, als hier herumzusitzen.

Reiner Aktionismus, dachte er.

»Danke. Ich breche jetzt nach Birmingham auf und versuche, mit Sophia Lewis' Vater zu sprechen. Auf dem Rückweg mache ich in Leeds Halt und suche noch einmal Jacob Paget auf. Er soll mir erklären, weshalb er mich belogen hat.«

»In Ordnung. Ach, übrigens: Sophia Lewis wird morgen in eine Rehaklinik nach Hull verlegt. Sie ist noch nicht vernehmungsfähig, aber auf einem hoffnungsvollen Weg, meint ihr Arzt.«

»Das ist doch eine gute Nachricht«, sagte Kate.

3

Constance Munroe hatte rot verquollene Augen und ein graues, übernächtigtes Gesicht, als sie Police Constable Mia Cavendish die Wohnungstür öffnete. Es war offensichtlich, dass sie keine Minute in der Nacht geschlafen und stattdessen nur geweint hatte. Mia war am Vorabend bei ihr gewesen und hatte ihr schonend beigebracht, dass ihr Auto leer, offen und mit nicht abgezogenem Zündschlüssel unweit der Stadt Taunton in der Grafschaft Somerset aufgefunden worden war. Constance hatte schockiert und entsetzt reagiert. Mia, obwohl sie gerne in den Feierabend gegangen wäre, hatte zwei Stunden bei ihr verbracht und war erst gegangen, nachdem Constance ein Beruhigungsmittel genommen und sich etwas entspannt hatte. An diesem Morgen hatte Mia beschlossen, noch einmal mit Constance zu sprechen. Es ging dieser Frau wirklich schlecht. Es war ihr eine Beruhigung, noch einmal nach ihr zu sehen.

Constance führte sie in das Wohnzimmer, bot ihr einen Platz auf dem Sofa und eine Tasse Tee an. Ihre Stimme klang zittrig. »Ich kann mir nicht vorstellen, dass diese Sache noch gut ausgeht, Constable. Ich meine ... wer lässt denn sein Auto am Rande einer Landstraße einfach stehen? Offen. Den Schlüssel im Zündschloss! Da stimmt doch etwas nicht. Wohin ist sie denn von dort gegangen?«

»Sie hatte doch sicherlich Gepäck dabei, als sie zu diesem Seminar aufbrach?«

»Ja. Eine Reisetasche mit ein paar Sachen zum Wechseln.«

»Es ist keine Tasche im Auto. Auch keine Handtasche.«

Constance starrte Mia an. »Ja, und?«

»Jemand, der sie ausrauben wollte ... der nimmt vielleicht die Handtasche mit, weil er Geld darin zu finden hofft. Aber warum ihr ganzes Gepäck?«

»Wenn jemand sie entführt hat?«

»Warum sollte jemand Alice Coleman entführen?«

»Ich weiß nicht.«

Mia legte ihr vorsichtig die Hand auf den Arm. »Constance, Alice ist doch offensichtlich in eine ganz andere Gegend gefahren, als sie es Ihnen gesagt hat. Das deutet darauf hin, dass sie nie vorhatte, dieses Seminar zu besuchen.«

»Meinen Sie?«

»Es sieht so aus, oder? Vielleicht wurde sie von jemandem mitgenommen. Von jemandem, mit dem sie sich verabredet hatte.«

»Warum sollte sie ...?« Constance stockte, bekam große

Augen. »Sie meinen, sie hat mich verlassen? Wegen jemand anderem?«

»Wäre das so undenkbar?«

Constance senkte den Kopf. Die Tränen strömten ihr aus den Augen. »Nein«, schluchzte sie, »wir hatten ja nur noch Streit. Wissen Sie, Constable, ich mache mir solche Vorwürfe. Ich habe Alice' Seelenlage überhaupt nicht erfasst. Ich wusste, dass sie an depressiven Verstimmungen litt, dass sie oft melancholisch war, sie lief ja wohl auch zu all diesen Psychoseminaren und Familienaufstellungen und Selbstfindungsgeschichten, weil sie große Probleme mit sich herumschleppte. Aber was mache ich? Ich mache ihr Vorwürfe, weil sie ständig weg ist und mich alleine lässt. Anstatt den Hilfeschrei hinter alldem zu begreifen!«

»Quälen Sie sich jetzt nicht mit solchen Gedanken. Wir sind alle normale Menschen in einem hektischen Alltag. Im Rückblick sehen wir immer ganz genau, wann wir an welcher Stelle wie hätten agieren müssen. Während man mittendrin steht, ist das viel schwieriger.«

»Mir hätte klar sein müssen … Ach, ich hätte nicht dauernd streiten dürfen …« Constance weinte heftiger.

Mia stellte ihre Teetasse ab und legte der anderen Frau mitfühlend den Arm um die Schultern. So saßen sie ein paar Minuten, bis Constance sich etwas beruhigt hatte. Sie kramte ein Taschentuch hervor, putzte sich die Nase und trocknete ihre Augen.

»Für die Polizei ist damit alles erledigt, oder?«, fragte sie.

»Nicht ganz«, sagte Mia. »Ihr Wagen wird noch spurentechnisch untersucht. Allerdings vermute ich nicht, dass wir irgendetwas finden, was uns einen Hinweis gibt.«

»Kann ich die Vermisstenmeldung weiterhin bestehen lassen?«

»Selbstverständlich können Sie das. Aber ich fürchte, man wird nicht nach ihr suchen. Es gibt keinerlei Hinweise auf ein Verbrechen. Eine erwachsene Frau, die höchstwahrscheinlich beschlossen hat, ein anderes Leben zu führen. Das ist für Sie schrecklich, aber es ist nichts, was eine großangelegte Suche rechtfertigen würde.«

»Dass sie einfach so weggeht. Ich verstehe es nicht. Ich verstehe es einfach nicht!«

»Seit wann sind Sie und Alice ein Paar?«, fragte Mia sanft.

»Seit knapp sieben Jahren.«

»Und davor? Mit wem war Alice davor zusammen?«

»Sie war mit einem Mann verheiratet. Ich weiß gar nicht, wie lange. 2007 wurde die Ehe geschieden. Ich habe Alice oft nach den Gründen gefragt, aber sie hat nie konkret darauf geantwortet. Sie seien einfach nicht glücklich miteinander gewesen. Ich dachte, es lag wahrscheinlich daran, dass Alice langsam herausfand, dass sie sich eher zu Frauen hingezogen fühlt. Vielleicht konnte sie deshalb mit Oliver nicht länger zusammenleben.«

»Oliver war ihr Mann?«

»Oliver Walsh. Ja. Sie hat nicht viel über ihn erzählt, aber das wenige klang nicht hasserfüllt. Sie haben sich wohl in beidseitigem Einvernehmen getrennt, danach aber keinen Kontakt mehr gehabt.«

»Wo lebt er?«

Constance zuckte mit den Schultern. »Sie haben in der Nähe von Nottingham gelebt. In einem Dorf.«

»Und Alice ging nach der Scheidung nach Cornwall?«

»Ja. Nach Truro zunächst. Dann bekam sie eine Stelle in Redruth. Dort haben wir uns dann kennengelernt.«

»Auf welche Weise?«

Constance lächelte schmerzlich. »Wir hatten beide ein

Theaterabonnement. Und saßen dabei immer nebeneinander. Schierer Zufall. In den Pausen tranken wir Sekt zusammen und redeten über Gott und die Welt. Und, na ja, irgendwann wurde mehr daraus.«

»Ich verstehe«, sagte Mia. »Alice hat keine Kinder?«

»Nein.«

Mia überlegte. »Wenn sie zu Depressionen neigt ... Sie haben doch bestimmt nachgehakt? Versucht zu ergründen, was dahintersteckt?«

»Ja. Aber da kam nicht viel. Sie wusste es vielleicht selbst nicht.«

»Vielleicht ist sie ungewollt kinderlos«, meinte Mia. »Dann das Scheitern ihrer Ehe. Das kann schon reichen.«

»Ja«, sagte Constance, »ich dachte nur, sie sei glücklich mit mir. Trotz allem.«

»Hat Alice noch lebende Verwandte? Eltern? Geschwister?«

»Nein. Geschwister hatte sie nie. Und ihre Eltern leben nicht mehr.«

»Verstehe.« Mia dachte, dass dies tatsächlich kein Fall für die Polizei war. Alice war in ihrer Beziehung nicht mehr glücklich gewesen, hatte sich unverstanden gefühlt. Sie hatte einen Schlussstrich gezogen. Radikal und ohne Rücksicht auf ihre Lebensgefährtin. Auf einer einsamen Landstraße in Somerset. In einer heißen Woche im Juli.

Es wäre interessant zu wissen, was in Alice Colemans Leben so schiefgelaufen war.

Aber wie sie schon zu Constance gesagt hatte: Es war nicht ihre Aufgabe, das herauszufinden.

4

An einem Rastplatz der M6, kurz hinter Stoke-on-Trent und somit ziemlich genau in der Mitte zwischen Manchester und Birmingham, begann sich Kate Sorgen zu machen. Sie hatte angehalten, um auf die Toilette zu gehen und sich einen Kaffee zu holen, und sie hatte, während sie an der Kühlerhaube ihres Autos lehnte und darauf wartete, sich an dem heißen Getränk nicht mehr die Lippen zu verbrennen, mehrfach versucht, Xenia zu erreichen. Auf dem Festnetztelefon ihres eigenen Hauses und auf Xenias Handy. Wie schon am frühen Morgen und dann noch einmal direkt vor ihrem Aufbruch. Aber – nichts. Es sprangen immer nur die Anrufbeantworter an.

Vielleicht ist sie schon in aller Frühe zu einem Spaziergang ans Meer aufgebrochen, dachte sie. Dann könnte sie den Vormittag unterwegs sein.

Von Scalby aus lief man eine gute Dreiviertelstunde zu Fuß, um den Strand der Nordbucht von Scarborough zu erreichen, die ziemlich untrainiert wirkende Xenia braucht vielleicht noch länger. Trotzdem, irgendwie hatte Kate ein dummes Gefühl. Xenia schien so verängstigt zu sein. Sie hätte geschworen, dass sie im Haus blieb und sich nicht für Stunden nach draußen wagte.

Ob sie einkaufte? Aber dann müsste sie eigentlich inzwischen zurück sein.

Kate trank in winzigen Schlucken ihren Kaffee und blickte hinauf in den wolkenverhangenen Himmel. Die Hitze war vorläufig vorbei, aber es war nicht kalt.

Das Handy klingelte, und sie hoffte, es sei Xenia, die zurückrief, aber es war Inspector Stewart. Er klang genervt.

»Ich bin hier vor Ihrem Haus, Sergeant«, sagte er ohne Begrüßung. »Um mit Xenia Paget zu sprechen. Es ist niemand da. Zumindest macht niemand auf.«

»Das ist seltsam. Ich versuche seit Stunden, Xenia anzurufen, aber es ist aussichtslos. Auf meinem Festnetzapparat erreiche ich sie nicht. Aber selbst wenn sie unterwegs wäre – sie hätte doch ihr Handy dabei?«

»Vielleicht ist der Akku leer.«

»Könnten Sie in den Garten gehen?«, bat Kate. »Und einfach schauen, ob alles in Ordnung ist? Auch an der Tür, die von der Terrasse in die Küche führt.«

Robert seufzte. Sie konnte durch das Telefon den Kies unter seinen Schuhen knirschen hören, als er um das Haus herumging. Dann vernahm sie wieder seine Stimme. »Sergeant? Hier scheint alles in Ordnung zu sein. Die Tür ist zu, im Garten ist niemand. In der Küche sitzt eine Katze.«

»Ja, das ist Messy.« Kate überlegte fieberhaft hin und her. Sie hatte den Eindruck, dass Robert wartete, dass sie sagte, was am besten als Nächstes zu tun wäre.

Toller Chef, dachte sie.

Dann fiel ihr etwas ein. »Klingeln Sie doch bitte bei meiner Nachbarin. Sie ist besser als jeder Wachhund, sie weiß mehr von dem, was bei mir vorgeht als ich selbst. Vielleicht hat sie irgendetwas beobachtet.«

Robert wirkte alles andere als begeistert, versprach aber, diesem Vorschlag zu folgen und sich dann wieder zu melden.

Sie beendeten das Gespräch. Kate trank ihren Kaffee zu Ende und stieg dann in ihr Auto. Mehr denn je wünschte sie, Caleb wäre noch da. Nicht, dass er immer recht gehabt hätte mit seinen Theorien und seinen Ansätzen, und manchmal waren sie einander wegen ihrer verschiedenen Sichtweisen ziemlich in die Haare geraten. Aber er hatte immer eine Idee gehabt, einen Plan, er war vorwärtsgegangen, war aktiv und engagiert gewesen. Robert hingegen kam ihr vor wie eine Schlaftablette. Früher, zusammen mit Caleb, hatte er durchaus Initiative gezeigt, aber nun, in seiner neuen Rolle, schien er wie erstarrt zu sein. Vor lauter Sorge, einen Fehler zu machen, bewegte er sich so gut wie gar nicht mehr.

Sie war zehn Minuten gefahren, da meldete sich Robert erneut. Kate sprach über die Freisprechanlage mit ihm.

»Ja?«

»Ihre Nachbarin ist tatsächlich sehr aufmerksam«, sagte Robert, was eine nette Umschreibung für *manchmal ziemlich distanzlos und neugierig* war, wie Kate fand. »Gestern waren nacheinander zwei Männer bei Xenia.«

»Zwei Männer?«

»Ja. Von dem ersten konnte sie wenig berichten, aber er sei ihr wütend und entschlossen vorgekommen. Ein unangenehmer Mensch, sagte sie. Ob es sich um Xenias Mann handeln könnte? Jacob Paget?«

»Leider wäre es durchaus möglich, dass Jacob sie aufgespürt und dann versucht hat, sie zurückzuholen. So ein Mist. Ich hätte da sein müssen.«

»Sie können jetzt nicht rund um die Uhr daheim sitzen und Xenia Paget bewachen. Von Anfang an war es keine glückliche Lösung, sie bei Ihnen im Haus unterzubringen.«

Hatten Sie einen besseren Vorschlag?, lag es Kate auf der Zunge zu sagen, aber sie verschluckte diese Bemerkung. Inspector Stewart war ihr Chef.

»Was hat sie über den anderen Mann gesagt?«, fragte sie stattdessen.

»Sie sagte, er war schon manchmal da. Früher, als Sie noch nicht in Scalby wohnten, aber sich dann und wann dort aufhielten. Er kommt aus London, fährt einen blauen Mini und ...«

»Colin«, sagte Kate, »das ist Colin. Typisch. Ich hatte ihm geschrieben, dass ich keine Zeit habe, aber er rückt trotzdem an.«

»Ein Freund von Ihnen?«

»Ein Bekannter. Aus London. Er war mit mir in dem Zug nach York, in dem es zu der Schießerei kam.«

»Verstehe. Nun ja, jedenfalls scheint er nicht mehr da zu sein. Sein Auto ist auch nirgends zu sehen.«

»Hat die Nachbarin ihn wegfahren sehen? Alleine oder zusammen mit Xenia?«

»Sie sagt, nein. Der Wagen war gestern noch am späten Abend da, sie hatte den Eindruck, dass der Fahrer in Ihrem Haus übernachtete. Als sie heute früh aufwachte, war das Auto verschwunden. Ihr Bekannter muss sehr spät am Abend oder in aller Frühe aufgebrochen sein.«

Zusammen mit Xenia? Kate überlegte. Im Grunde wäre das eine beruhigende Variante. Colin war eine Nervensäge, aber ein harmloser Mensch. Falls er sich längere Zeit in Kates Haus aufgehalten hatte, hieß das, dass Xenia ihn reingelassen haben musste, denn er besaß selbst keinen Schlüssel. Das wiederum bedeutete, dass es Jacob – wenn es sich bei ihm um den anderen Mann handelte – nicht gelungen war, sie mitzunehmen. Vielleicht hatte sogar Colins Auftauchen dies verhindert. Die Frage war: Wo waren er und Xenia jetzt? Wieso hatten sie Kates Haus verlassen?

»Okay, gut, ich werde versuchen, Colin zu erreichen«, sagte sie. »In einer halben Stunde bin ich in Birmingham. Ich melde mich, wenn das Gespräch mit Sophia Lewis' Vater etwas ergibt.«

»In Ordnung«, sagte Robert in bemüht geschäftsmäßigem Ton. So, als stünde er am Beginn einer großen To-do-Liste für den heutigen Tag, die er nun schleunigst abarbeiten musste.

Jede Wette, dachte Kate, dass er *nicht* weiß, was er als Nächstes tun soll?

Sie rief Colin auf dem Handy an. Nach mehrmaligem Klingeln sprang die Mailbox an. Es war nicht zu fassen, auch er war nicht erreichbar.

Sie fragte nach Xenia und bat dringend um Rückruf, mehr konnte sie im Augenblick nicht tun. Sie hoffte, dass er sich melden würde. Im Allgemeinen war er sehr zuverlässig, und zudem wollte er keinen Ärger mit ihr.

Und jetzt blieb ihr nichts übrig, als sich auf das bevorstehende Gespräch mit Sophias Vater zu konzentrieren. Helen hatte seine Adresse ausfindig gemacht, ihn jedoch telefonisch nicht erreicht. Es war zu hoffen, dass er zu Hause war und dass er irgendetwas zu berichten wusste, was zumindest einen Schimmer von Licht in die Aufklärung bringen würde.

Geoffrey Lewis war zu Hause, er freute sich sogar über den unerwarteten Besuch, bat Kate sofort in sein Wohnzimmer und verschwand in der Küche, um einen Kaffee zu machen. Kate war sehr froh über das Navi in ihrem Auto gewesen. Birmingham, nach London die zweitgrößte Stadt Englands, war eine verkehrstechnische und logistische Herausforderung für jeden Autofahrer. Mitten im *Black Country* gelegen, jenem von Bergwerken durchsetzten Kohleabbaugebiet in den West Midlands, das einst von qualmenden Fabrikschornsteinen geprägt und verunreinigt worden war, hatte sich Birmingham inzwischen zu einer extrem multikulturell geprägten Metropole entwickelt, die immer wieder mit großen sozialen Unruhen zu kämpfen hatte. Geoffrey Lewis lebte im Stadtteil Winson Green, einem eher ärmlichen Viertel, das vor allem als Standort des HM Prison Birmingham, auch *Horrorknast* genannt, eine landesweite Bekanntheit erlangt hatte. Dem privaten Betreiber des Gefängnisses war im Vorjahr die Lizenz zur Weiterführung entzogen, die Leitung vorläufig vom Staat übernommen worden, nachdem die katastrophalen Bedingungen, unter denen die Insassen dort in überbelegten Zellen und unter unvorstellbaren hygienischen Zuständen hausten, bekannt geworden waren und für Entsetzen gesorgt hatten.

Geoffrey Lewis' Haus lag in der Green Lane, im ziemlich heruntergekommenen Teil dieser endlos langen Straße. Wenig Grün. Kleine aneinandergereihte Häuser mit niedrigen Decken und engen Fluren, asphaltierte Vorplätze, auf denen Mülltonnen und manchmal eine ausrangierte Spülmaschine oder ein alter Hundekorb herumstanden. Die Bewohner schienen die Lust, wenigstens ihr eigenes Häuschen noch irgendwie zu verschönern, schon vor langer Zeit verloren zu haben.

Das Wohnzimmer von Geoffrey Lewis war so klein, dass man sich kaum rühren konnte, aber Kate fand es nett, dass der alte Mann trotzdem bemüht war, seinen Gast zuvorkommend zu behandeln. Er bot ihr einen Platz in einem Sessel unter dem Fenster an, als er mit dem Kaffee zurückkehrte. Der Sessel hatte kaputte Sprungfedern und sank fast auf den Boden, als Kate sich darin niederließ. Geoffrey schenkte Kaffee in kleine Porzellantassen ein. Kate nahm einen Schluck und musste husten: Sie hatte noch nie so starken Kaffee getrunken. Hätte sie einen Löffel gehabt, er hätte aufrecht in der Tasse stehen können.

»Mr. Geoffrey, ich komme wegen Ihrer Tochter Sophia«, sagte sie.

Er wirkte nicht erschrocken, obwohl sie sich zuvor an der Haustür als Polizistin ausgewiesen hatte.

»Sophia«, sagte er, »wie schön.«

»Sie hatte einen Unfall.«

»Ach …«

Kate begann zu realisieren, dass Geoffrey Lewis auf den ersten Blick wie ein netter älterer Mann wirkte, ein wenig zerstreut und in seiner Einsamkeit nicht an den Umgang mit anderen Menschen gewöhnt. Tatsächlich war er aber geistig bereits ein wenig abgedriftet. Er saß da, lächelte und freute sich, dass er jemanden zum Plaudern hatte, aber er verstand nicht ganz, worum es ging, oder zumindest begriff er Zusammenhänge nur teilweise. Ihre Hoffnung sank. Es würde schwierig werden, aussagekräftige Informationen von ihm zu bekommen.

»Sie liegt noch im Krankenhaus. Es war nicht direkt ein Unfall. Jemand hat absichtlich einen schweren Sturz herbeigeführt.«

Geoffreys Miene spiegelte Verwirrung. »Absichtlich? Das ist nicht freundlich.«

Kate dachte an Sophias lebenslange Querschnittslähmung. »Nein. Das ist wirklich nicht freundlich.«

»Die Welt ist kein schöner Ort«, sagte Geoffrey und trank seinen überstarken Kaffee, als wäre es Wasser.

»Wann haben Sie Sophia zuletzt gesehen?«

Er überlegte. »Ich weiß nicht genau. Es war noch im Winter. Es lag Schnee. Im Februar?«

»Dieses Jahr?«

»Ja. Sie hat mich immer mal besucht. Ich bin sehr alleine, wissen Sie. Meine Frau ist vor neun Jahren gestorben.« Seine Einsamkeit war in diesem Moment so greifbar, als wäre sie ein großer Gegenstand, der sich mitten im Raum befand.

Außer seiner Tochter gab es vermutlich keinen Menschen mehr, der sich wenigstens ab und zu um ihn kümmerte. Und diese Tochter würde das von nun an auch nicht mehr tun können. Kate empfand plötzliche eine tiefe, schmerzhafte Traurigkeit. Wer immer Sophia attackiert hatte: Er hatte diesen alten Mann genauso damit getroffen.

»Worüber haben Sie denn gesprochen?« Es half nichts, in Mitgefühl zu versinken. Sie musste professionell bleiben.

Er dachte angestrengt nach. »Über das Wetter, ja. Weil es gerade so kalt war. Richtig eisig.«

»Und sonst? Hat Sophia etwas von sich erzählt? Zum Beispiel, dass sie vor irgendetwas oder irgendjemandem Angst hat?«

»Angst?«

»Ja. Oder ob sie Feinde hat?«

»Sophia hat keine Feinde«, sagte Geoffrey mit Überzeugung. »Jeder mag sie.«

Das war das Bild, das Kate überall gespiegelt bekam: die beliebte Sophia. Gern gesehen, überall. Und doch musste jemand sie hassen. Abgrundtief.

»Jemand hat einen Draht über den Weg gespannt, auf dem sie jeden Morgen mit dem Fahrrad entlangfuhr«, sagte Kate. »Jemand, der sie bestimmt nicht leiden kann.«

»Vielleicht hat der gar nicht Sophia gemeint«, sagte Geoffrey und bewies, dass er durchaus sehr lichte Momente hatte. »Sondern wollte irgendjemanden erwischen. So zum Spaß.«

»Die Möglichkeit besteht, aber sie erscheint uns sehr unwahrscheinlich. Um diese Uhrzeit fuhr dort immer nur Sophia entlang. Viele Leute wussten das. Zudem hat man anschließend noch auf sie geschossen.«

»Ach …«, sagte Geoffrey wieder.

»Man hat sie aber verfehlt.«

»Gut.«

Es war schwierig mit ihm.

»Ist Sophia hier in diesem Haus aufgewachsen?«, fragte Kate. Geoffrey schüttelte den Kopf. »Nein. In West Bromwich. Das ist ein Stück außerhalb von Birmingham.«

»Aha. Und wie war es dort? Ich meine, wie war ihre Jugendzeit? War sie da auch schon so beliebt? Als Teenager?«

»Ja. Sie hatte viele Freunde. Jeder mochte sie. Sie war auch sehr gut im Sport, wissen Sie. Sie hat Handball gespielt und ist viel gelaufen. Sie war in einem Handballverein. Da hat sie auch jeder gemocht.«

Es war zum Verzweifeln. Wann, wie und wo hatte es sich die allseits beliebte Sophia denn so sehr mit jemandem verscherzt, dass sie jetzt bewegungsunfähig im Krankenhaus lag?

»Keine Feinde? Auch früher nicht?«

»In unserer Straße«, sagte Geoffrey. »Da gab es einen, der hat sie immer geärgert. Schon seit er fünf Jahre alt war. Und später war da einer …«

»Ja?«

»Im Handballclub. Er ist ihr ziemlich nachgestiegen. Sie wollte ihn aber nicht.«

»Wurde er unangenehm?«

»Eine Zeit lang hing er ständig vor unserer Haustür herum. Sophia war sehr genervt. Aber irgendwann hat er aufgegeben.«

»Wissen Sie noch, wie er hieß?«

Geoffrey überlegte. »Sam?«, fragte er zögernd.

»Sam? Und weiter?«

Geoffrey schüttelte den Kopf. »Ich weiß nicht. Ich weiß

nicht einmal, ob er Sam hieß. Aber er zog dann weg, glaube ich.«

Ein Sam, der Handball gespielt und sich in Sophia Lewis verknallt hatte. Der sie gestalkt hatte? Das Problem war, dass selbst behutsames Nachhaken bei Geoffrey sofort dazu führte, dass er völlig verkrampfte. Unwahrscheinlich, dass er sich an den Namen erinnern würde, es sei denn, man ließ ihm viel Zeit und Ruhe. Wobei er dabei vermutlich die Frage wieder aus dem Fokus verlieren würde.

»Der Name des Handballclubs?«, forschte Kate vorsichtig.

Geoffrey legte die Stirn in Falten. »Ich weiß nicht. In West Bromwich jedenfalls.«

So viele Handballvereine würde es dort nicht geben. Immerhin, der ominöse Sam stellte einen Anhaltspunkt dar. Wenngleich er vermutlich ins Leere führte. Ein Junge, der mit einer Zurückweisung nicht klarkam, musste nicht mehr als ein Jahrzehnt später auf eine perfide Rache sinnen.

Andererseits hatte Kate in dieser Hinsicht schon viel erlebt.

»Und sonst?«, fragte sie. »Sie hat nichts erwähnt? Bei ihrem letzten Besuch oder bei einem Besuch davor? Irgendetwas, das sie bedrückt oder wovor sie Angst hat? Hat sie irgendeinen Namen genannt?«

Er grübelte. Er war ernsthaft bemüht, ihr zu helfen, aber Kate vermutete, dass sich das Innere seines Kopfes teilweise wie ein undurchdringliches Dickicht anfühlte. Es gab Erinnerungen darin, Bilder, Gedanken, aber es fiel ihm schwer, sie einander richtig zuzuordnen. Er war sicher auch zu viel alleine. Kate ahnte, dass er manchmal über Wochen mit niemandem sprach, vielleicht drei Worte hin und wieder mit der Kassiererin im Supermarkt. Auch das führte dazu, dass das Gehirn einrostete.

Dann hellte sich seine Miene auf. »Ja! Sie hat einen Namen genannt! Von einem Mann. Sie hat viel von ihm gesprochen.«

»Wie war der Name?«

»Nick.«

»Nicolas Gelbero?«

»Ja. Genau. Den Namen hat sie oft genannt.«

»Ihr Exfreund. Gab es Probleme mit ihm?« Nick hatte sowohl ahnungslos als auch entsetzt reagiert, als er von Sophias Unfall erfahren hatte, aber Kate wusste, dass sie ihn nicht völlig ausschließen durfte. Tatsächlich geschahen die meisten Gewaltverbrechen im Umfeld der Familie, besonders in der Partnerschaft. Enttäuschte Liebe, verletzte Gefühle. Nick war von Sophia ziemlich rigoros abserviert worden und das auch noch, ohne dass sie ihm wirkliche Gründe genannt hatte. Dennoch, Kate hatte sich immer recht gut auf ihr Bauchgefühl verlassen können, und das sagte ihr, dass Nick eines Verbrechens nicht fähig war. Er mochte traurig sein und auch immer noch auf eine Rückkehr zu Sophia hoffen, aber er war in der Lage, eine Kränkung zu verarbeiten, ohne ausfallend oder gar kriminell zu werden.

Aber er blieb, wie alle, die in irgendeiner Weise näher mit Sophia Lewis zu tun gehabt hatten, in ihrem Fokus.

Geoffrey sah sie erstaunt an. »Probleme? Warum Probleme?«

Es war nicht viel zu wollen mit ihm. Er begriff eindeutig nicht wirklich, was geschehen war.

Noch eine letzte Frage. »Haben Sie je den Namen Xenia Paget gehört?«

Er schüttelte den Kopf. »Nein. Nie.«

5

Sie waren nach Whitby hinaufgefahren, befanden sich somit kaum mehr als eine halbe Stunde von Scarborough entfernt, aber Xenia schien trotzdem ruhiger zu werden. Den Rest der Nacht hatten sie im Auto auf einem Parkplatz über dem Meer verbracht. Während Colin in dem unbequemen Sitz kein Auge zugemacht hatte, war Xenia schließlich in einen tiefen, erschöpften Schlaf gefallen. Trotz ihrer nicht unerheblichen Körperfülle war es ihr gelungen, sich zusammenzurollen; sie lag wie ein großer, teigiger Kloß neben Colin und atmete tief. Die Nacht ging in den Tag über, es war wolkig und verhangen, nur gelegentlich brach die Sonne durch. Das Meer schwappte wie eine träge Masse vor sich hin. Colin hatte irgendwann das Auto verlassen, hatte, Schmerzenslaute unterdrückend, seine Glieder gestreckt und war dann ein gutes Stück die Landstraße entlanggelaufen, bis er zu einem Coffeeshop kam, wo er zwei große Becher Kaffee und zwei Käsesandwiches kaufte und damit zum Auto zurückkehrte. Xenia war inzwischen erwacht und ausgestiegen, sie stand am Rande des Parkplatzes und blickte über das Meer. Von Weitem dachte Colin, dass sie wirklich unförmig aussah, und das weite, bodenlange Folklorekleid, mit dem sie ihre Pfunde zu verhüllen suchte, machte es auch nicht besser. Erst im Näherkommen sah man ihr hübsches Gesicht, die schönen großen Augen und ihre glänzenden dunklen Haare.

Fünfzehn Kilo weniger, dachte Colin, und sie wäre eine Schönheit.

Auf einer Bank über dem Meer sitzend, hatten sie einträchtig ihren Kaffee getrunken und ihre Brote gegessen, dann waren sie ein Stück langsam spazieren gegangen. Ihre

Handys klingelten immer wieder, aber sie ignorierten es. Sie wussten, dass es Kate war, die anrief, und sie wussten auch, dass sie sich irgendwann würden melden müssen, aber für den Moment hätten sie nicht gewusst, was sie sagen sollten, und so entzogen sie sich ihren Vorwürfen. Colin konnte sich lebhaft vorstellen, wie Kate sein Verhalten beurteilen und welch deutliche Worte sie dafür finden würde, und fast zog er schon im Vorfeld unwillkürlich seinen Kopf ein. Aber er hing jetzt drin in dieser Geschichte. Er konnte Xenia nicht einfach im Stich lassen.

Später waren sie nach Whitby hineingefahren, hatten ein billiges Bed & Breakfast gefunden, das am Rande einer vielbefahrenen Straße lag und von erschlagender Trostlosigkeit war. Sie hatten zwei Zimmer gemietet, aber außer zum Schlafen konnte man sich dort keinesfalls aufhalten, deshalb flohen sie gleich wieder und saßen nun schon seit einer knappen Stunde in einem Pub am Hafen. Es war Mittagszeit, und nach und nach trudelten ein paar Leute ein, die in den Büros ringsum arbeiteten und hier ihren Lunch einnahmen. Xenia und Colin hatten einen Tisch am Fenster gewählt und sich Kaffee bringen lassen, jedoch nichts zum Essen. Beide hatten sie keinen Hunger.

Colin checkte mehrfach sein Handy. Inzwischen waren fünf Anrufe von Kate eingegangen, zweimal hatte sie auf die Mailbox gesprochen, zunehmend gereizt um einen Rückruf gebeten. Außerdem hatte sie inzwischen eine WhatsApp geschickt.

»*Falls du mit Xenia unterwegs bist, melde dich bitte umgehend. Das ist kein Spaß. Und kein Abenteuerspiel. Ich muss wissen, wo sie sich aufhält!!*«

Abenteuerspiel! Sie behandelte ihn leider oft wie ein Kind. Allerdings wurde es Colin zunehmend mulmig zumute. Er hatte sich da auf etwas eingelassen, was vielleicht eine Nummer zu groß für ihn war.

»Kate?«, fragte Xenia mit Blick auf sein Handy.

Er nickte. »Sie ist, glaube ich, ganz schön sauer. Sie will unbedingt wissen, wo du bist.«

»Woher weiß sie, dass du mit mir zusammen bist?«

Das hatte er sich auch schon gefragt, aber eigentlich war es keine Zauberei. »Ich hatte mein Kommen angekündigt. Und die Nachbarin hat mich wahrscheinlich gesehen, die sieht absolut alles. Kate kann eins und eins zusammenzählen. Sie weiß nicht sicher, dass ich mit dir zusammen bin, aber sie vermutet es, und die Tatsache, dass ich auf ihre Anrufe nicht reagiere, bestärkt sie wahrscheinlich.«

»Mich versucht sie auch zu erreichen.«

Er nickte. »Wir können das so nicht ewig durchziehen, Xenia. Das ist wirklich unfair gegenüber Kate. Und es könnte auch sein, dass wir uns strafbar machen.«

»Strafbar? Wir sind doch freie Menschen. Wir können überall zusammen hinfahren.«

»Ja, aber du bist Teil einer polizeilichen Ermittlung. Außerdem hat Kate dich aufgenommen und dir vertraut. Ich finde es einfach nicht besonders anständig, was wir hier gerade machen.«

»Nein«, gab Xenia zu.

Er lehnte sich vor. »Du hast versprochen, mir zu erklären, was los ist. Warum hast du Angst vor der Polizei? Was hat dein Mann gegen dich in der Hand?«

Sie blickte ausweichend zur Seite. »Das willst du gar nicht wissen.«

»Doch. Deshalb frage ich.«

»Warum sollte ich dir das erzählen? Ich kenne dich kaum.«

»Du bist mit mir zusammen aus Kates Haus geflohen. Du hast mich um Hilfe gebeten. Deinetwegen werde ich ganz schönen Ärger mit dem einzigen Menschen bekommen, den ich als Freund oder in diesem Fall als Freundin bezeichnen kann. Ich möchte zumindest wissen, warum ich das alles mache.«

Sie seufzte. Er konnte an ihrem Gesicht sehen, wie heftig sie mit sich rang.

Schließlich sagte sie leise. »In Ordnung. Aber es ist ... es ist eine schreckliche Geschichte. Wahrscheinlich hasst du mich danach.«

»Das glaube ich nicht«, sagte Colin.

Xenia blickte sich um. Niemand saß nah genug, um zuhören zu können. Dann holte sie tief Luft.

»Also ...«, begann sie.

6

Kate wusste nicht genau, weshalb sie nach West Bromwich gefahren war, um sich das Haus anzusehen, in dem Sophia aufgewachsen war. Der Ort lag auf ihrem Weg nach Leeds, wo sie Jacob erneut aufsuchen und wegen der falschen Angaben, was die Agentur betraf, ansprechen wollte, und, einer Eingebung folgend, war sie abgebogen. Geoffrey hatte ihr die Adresse aus dem Gedächtnis genannt. Sein Gehirn arbeitete partiell sehr zuverlässig.

Kate hatte schon in der Zeit bei Scotland Yard die Angewohnheit gehabt, auch Orte, die bei einer Ermittlung auf den ersten Blick keine Relevanz hatten, aufzusuchen und atmosphärisch auf sich wirken zu lassen. Manchmal brachte das überhaupt nichts, aber ab und zu hatte es ihr ermöglicht, eine größere Nähe zu bestimmten Personen zu entwickeln, Menschen besser zu verstehen, ein Gefühl für ihr Leben zu bekommen. Ihr Chef damals hatte sie deswegen verspottet, zumal sie selten mit einer konkreten Erkenntnis zurückgekehrt war. Aber es veränderte etwas an ihrer Intuition, und Kate war in schwierigen Fällen häufig über intuitive Eingebungen weitergekommen oder hatte sogar den Durchbruch erzielt. Das hatte in ihrem Umfeld eher für Kopfschütteln und eine nur ziemlich widerstrebend bezeugte Anerkennung gesorgt.

Diesmal jedoch, als sie vor Sophias einstigem Elternhaus stand, musste sie zugeben, dass solche Besuche tatsächlich nicht immer etwas brachten. Genau wie der heutige Wohnsitz ihres Vaters lag auch dieses Haus, ein niedriges, sehr schmales Reihenhaus, in einer ärmlichen Gegend. Der Putz an der Fassade blätterte stellenweise ab, und die Dachrinne war durchgerostet und in der Mitte zerbrochen. Bei Regen musste das Wasser direkt vor den Fenstern hinunterlaufen, bei starkem Regen vermutlich fast wie ein Wasserfall.

Eines allerdings verriet das Haus Kate: Sophia hatte sich aus sehr kleinen Verhältnissen erstaunlich weit nach oben gearbeitet. Sie war alles andere als mit einem goldenen Löffel im Mund geboren. Sie musste in der Schule Ehrgeiz und Fleiß bewiesen haben, und sie hatte mit ihren Erfolgen im Sport gezeigt, zu wie viel Disziplin sie fähig war. Kate dachte an das hübsche Haus in Stainton Dale, in dem sie zuletzt gewohnt hatte, an ihre Beliebtheit bei Kollegen und Schülern. Sophia hatte eine Menge aus ihrem Leben gemacht, sie war, was in dieser Gegend auch leicht hätte passieren können, nicht in die Drogenszene abgerutscht oder in schlechte Gesellschaft geraten.

Schlechte Gesellschaft.

Ein Junge aus der Nachbarschaft, der sie geärgert hatte, ein anderer, der später in sie verliebt gewesen und womöglich etwas lästig geworden war. Ließ sich daraus etwas machen?

Das hilflose Greifen nach allem, dachte sie, auch nach noch so weit hergeholten Möglichkeiten, nach jeder Faser, wie absurd es auch sein mag ... Das klassische Zeichen dafür, dass eine Ermittlung komplett im Dunklen tappt. Dass man sich durch den Nebel tastet. Ohne große Hoffnung.

Sie ging zum Auto zurück. Sie humpelte inzwischen leicht. Bei jeder etwas längeren Strecke fing das Bein mit der Schussverletzung an zu schmerzen. Wie eine Mahnung: Sie hatten es mit einem gefährlichen Täter zu tun. Sie würde jetzt erneut dem unsympathischen Jacob Paget auf die Pelle rücken. Er musste, verdammt noch mal, endlich erklären, wo er Xenia Paget wirklich kennengelernt hatte. Und weshalb er in diesem Punkt gelogen hatte.

Unterwegs versuchte sie noch mehrere Male, entweder Xenia oder Colin zu erreichen.

Mailbox. Immer nur die Mailbox.

Jacob Paget gab sich nicht mehr ganz so arrogant und überheblich wie am Vortag. Er war zu Hause, als Kate in Leeds ankam, er führte sie mürrisch in sein Wohnzimmer und knurrte: »Was denn jetzt noch?«

Als er erfuhr, worum es ging, knickte er etwas ein und wurde verlegen.

»Xenia Sidorowa war nie bei *HappyEnd* registriert«, sagte Kate. »Und die sind dort sehr gründlich und seriös.«

»Natürlich sind die seriös«, plusterte sich Jacob auf, »sonst hätte ich mich ja dort nicht angemeldet.«

Sie sah ihn mit unbewegter Miene an. »Wo haben Sie Ihre Frau kennengelernt, Mr. Paget?«

»Ist das wichtig?«

»Ja.«

Er fuchtelte mit beiden Armen. »Ich habe sie eben kennengelernt.«

»Wo, Mr. Paget? Offensichtlich nicht über die Agentur *HappyEnd*. Bei der Sie eifriger Kunde waren und etliche Kontaktversuche unternommen haben. Xenia Sidorowa jedoch gehörte definitiv nicht zu der Klientel.«

Er funkelte sie an. »Das habe ich kapiert!«

»Also?«

»Wir sind uns zufällig begegnet«, erklärte er schließlich widerwillig. »Ich mache ja die Hausverwaltung für eine Immobiliengesellschaft in Leeds, Bradford und York. In einem der Häuser ...«

Er stockte.

»Ja?«, hakte Kate nach.

»Ein Neubau. Ich war dort für die Abnahme verschiedener Einbauten zuständig. Wir haben sie in einer Souterrainwohnung entdeckt. Sie kampierte auf einer Decke, hatte einen Gaskocher aufgebaut, hauste unter unsäglichen Umständen. Sie sah ziemlich verwahrlost aus. Die Leute von der Baufirma wollten gleich die Polizei rufen, aber ich sagte, das sollten sie mal bleiben lassen, ich würde mich um alles kümmern.«

Das konnte sich Kate nur zu gut vorstellen. Jacob, seit Langem auf der Suche nach einer Frau, hatte seine Chance vermutlich sofort erkannt. Eine Frau, die er buchstäblich aus der Gosse zog, die in ihm einen Retter sehen und ihm zu

Dankbarkeit verpflichtet sein würde – was konnte er sich Besseres vorstellen? Freiwillig blieb keine Frau bei ihm, aber wenn eine nichts und niemand anderen als ihn hatte, sah die Lage gleich anders aus.

»Warum versteckte sie sich in dieser leeren Neubauwohnung?«, fragte Kate. »Und wann genau war das?«

»2006. Im Februar. Und sie versteckte sich nicht. Sie brauchte ein Dach über dem Kopf.«

»Was war geschehen? Wie war sie nach England gekommen? Offensichtlich hatte sie keine Arbeit?«

»Sie war mit einem Touristenvisum gekommen und dann geblieben. Sie wollte nicht zurück. Sie sah keine Perspektive in Russland.«

»Und was genau hat sie in England gemacht? Die Wohnsituation, die Sie geschildert haben, klingt nicht gerade nach einer wirklich gelungenen Alternative zu Russland.«

»Sie wusste nicht recht, was sie wollte. Außer, dass eine Rückkehr nach Russland nicht in Frage kam.«

»Sprach sie bereits Englisch?«

»Nicht so gut wie heute. Aber ganz okay.«

»Wovon lebte sie?«

Er zuckte mit den Schultern.

Gelegenheitsjobs, dachte Kate. Oder hatte sie gebettelt? Geklaut? Hat sie deshalb derart panische Angst vor der Polizei? Weil sie vielleicht vor über zehn Jahren ein paar Lebensmittel in Supermärkten hatte mitgehen lassen? Oder weil sie vorübergehend in einem unbewohnten Neubau illegal campiert hatte?

Das schien ihr ziemlich weit hergeholt. Xenia war nicht dumm. Sie würde sich von einem Mann wie Jacob nicht drangsalieren lassen, weil dieser derartige Lappalien über sie wusste.

»Weshalb«, fragte sie, »haben Sie mich und andere Beamte der Polizei über die Umstände Ihres Kennenlernens belogen?«

Er sah noch mürrischer drein als sonst. »Weil es besser klang. Weil ich nicht sagen wollte, dass ich meine Frau als eine Art Streunerin aus einer Rohbauwohnung gefischt habe.«

»Das glaube ich Ihnen nicht«, sagte Kate. »Ich glaube vielmehr, dass *vorher* etwas in Xenias Leben passiert ist, irgendetwas, das im Zusammenhang damit steht, dass sie derart den Boden unter den Füßen verloren hatte und mehr oder weniger auf der Straße lebte. Sie wissen davon. Sie haben deshalb versucht, die Umstände des Kennenlernens zu verschleiern. Ich bin sicher, Sie sagen auch jetzt keineswegs die ganze Wahrheit. Und Sie üben wegen dieser Geschichte damals, was immer das auch war, Druck auf Ihre Frau aus.«

Er verzog den Mund zu einem höhnischen Grinsen. »Das behaupten Sie einfach so!«

»Auf Ihre Frau wurde ein Mordanschlag verübt. Ich habe das hautnah miterlebt. Der Täter läuft noch immer frei herum. Wir wissen nichts über seine Identität. Wenn sich herausstellt, dass Sie von Dingen wussten, die damit in einem Zusammenhang stehen könnten, dann wird Ihr Schweigen als eine Behinderung der Polizeiarbeit gewertet. Damit machen Sie sich strafbar.«

»Was ich weiß, habe ich gesagt. Keine Ahnung, warum jemand auf Xenia geschossen hat. Vielleicht war es ein Russe, und es hat etwas mit ihrer Vorgeschichte zu tun.«

»Sie sind seit dreizehn Jahren mit Xenia zusammen. Sie hat Ihnen doch bestimmt einiges über ihre Vorgeschichte erzählt.«

»Nichts, weshalb ich denken würde, dass jemand sie ermorden will.«

Er würde nichts sagen. Kate war absolut sicher, dass er etwas wusste, aber Jacob Paget würde nichts preisgeben. Konnte sein, dass er Xenia wirklich in einer leeren Wohnung vorgefunden hatte, es konnte aber auch ganz anders sein. Die Frage war, wie weit Jacob selbst an irgendetwas Illegalem beteiligt war. Oder hatte er sich durch die lange Zeit der Mitwisserschaft zu sehr in etwas verstrickt, um jetzt noch offen sprechen zu können?

»Gut«, sagte sie, »Sie wollen nicht kooperieren. Vielleicht überlegen Sie es sich noch anders, es wäre von Vorteil für Sie. Sie können mich jederzeit anrufen.«

Sie hatte ihm ihre Karte schon beim letzten Besuch gegeben, reichte ihm jetzt jedoch eine zweite. Er nahm sie, legte sie wortlos auf den Tisch neben sich.

»Wann kommt meine Frau nach Hause?«

»Das müssen Sie Ihre Frau fragen«, sagte Kate und ging zur Haustür. Wie immer in der Nähe dieses Mannes fühlte sie nichts als den Wunsch, so schnell wie möglich zu verschwinden.

Wie hat Xenia das so lange ausgehalten?, fragte sie sich.

Irgendwann würde sie die Antwort bekommen.

Unsere Tochter Lena wurde im Mai 2003 geboren. Nach all dem, was Alice hinter sich hatte, verlief die Schwangerschaft erstaunlich problemlos. Es gab keinerlei Komplikationen, wie ich insgeheim gefürchtet hatte. Alice aber blieb all die Monate hindurch in einer schwermütigen Stimmung. Sie war endlich schwanger, aber es schien, als könne sie mittlerweile nicht wirklich an ein gutes Ende glauben.

»Wahrscheinlich geht es schief«, sagte sie ziemlich oft, und dabei starrte sie vor sich hin, in den Augen diesen Ausdruck von Verzweiflung, von dem ich so sehr gehofft hatte, dass er endlich verschwand. Sie ging zu ihren Untersuchungen, trank keinen Alkohol, ernährte sich vernünftig, ging viel spazieren. Sie kümmerte sich um Sascha, der im Herbst eingeschult werden sollte, ein Vorhaben, dem ich mit einiger Spannung entgegensah. Saschas geistige Retardierung wurde spürbarer, je älter er wurde. Ich konnte mir nicht vorstellen, dass er in einer ganz normalen Schule würde mithalten können. Sein kleiner Kopf fiel verstärkt auf, außerdem der unstete Blick seiner Augen und ein ungewöhnlicher Zustand des In-sich-gekehrt-Seins. Er schien einerseits alles verstehen zu wollen, was um ihn herum geschah, denn seine Blicke flatterten hin und her, als wollten sie einfangen, was passierte, um dann in Ruhe darüber nachdenken zu können. Gleichzeitig aber schien er in sich hineinzuhören, so als suche er dort etwas, was er brauchte, um die Außenwelt zu begreifen. Manchmal sprach er stundenlang kein Wort. Dann sagte er plötzlich etwas, was im ersten Moment keinen Sinn machte, aber meist stellte sich heraus, dass es sich um einen

durchaus klugen Kommentar zu einer Situation handelte, die einige Stunden zuvor bestanden hatte. Sein Wortschatz entsprach nicht ganz dem Durchschnitt, war aber auch nicht besorgniserregend gering. Sascha balancierte irgendwie auf einer seltsamen Linie zwischen Behinderung, Verzögerung und dann wieder einer überraschend ausgeprägten Intelligenz. Ich kam nicht hinter das Geheimnis seines Daseins. Neurologen und Psychologen auch nicht.

»Nehmen Sie ihn, wie er ist«, sagte einer der Ärzte. »Üben Sie keinen Druck auf ihn aus. Er entwickelt sich. Irgendwie. Lassen Sie ihm die Zeit, die er braucht.«

Lena kam zur Welt, und die ersten Untersuchungen gleich nach der Geburt ergaben, dass alles bei ihr in Ordnung war. Ich war tief erleichtert, obwohl es eigentlich auch gar keinen Grund zu der Befürchtung gegeben hatte, irgendetwas könne nicht stimmen. Auch während der ersten Wochen und Monate zeichnete sich ab, dass wir ein gesundes Kind hatten. Sie schrie nur sehr viel.

»Ein Schreikind«, sagte der Kinderarzt mitleidig, als wir ihn auf das Problem ansprachen. Er betrachtete unsere müden Gesichter, die tiefen Ringe unter unseren Augen. »Sie schlafen kaum, oder?«

Wir nickten beide. Lena brüllte halbe Nächte durch, und wir verbrachten Stunden damit, sie im Haus herumzutragen und beruhigend auf sie einzureden. Ohne den geringsten Erfolg. Irgendwann schlief sie dann ganz von selbst ein, wachte aber oft nach einer Stunde wieder auf und plärrte erneut. Wir waren so müde, dass wir zunehmend wie Gespenster aussahen. Ich wurde zweimal von meiner Sekretärin schlafend am Schreibtisch ertappt. Wenn ich abends nach Hause kam, taumelte Alice mir mehr entgegen, als dass sie lief.

Andererseits gab es auch entspannte Stunden. Ich kuschelte ganze Abende lang mit Lena auf dem Sofa. Sie strahlte mich an, und unwillkürlich musste ich auch lächeln. Sah man von ihren

Schreiattacken ab, war sie ein fröhliches Baby. Und sie sah so hübsch aus. Eigentlich hatten sich unsere Träume erfüllt. Wir waren eine richtige vierköpfige Familie. Mit einem entwicklungsverzögerteñ Adoptivkind und einer gesunden Tochter, die ein bisschen viel schrie. Was absolut nicht ungewöhnlich war, wie der Kinderarzt beteuerte.

»Manche Kinder sind einfach so. Irgendwann ist das überstanden. Machen Sie sich keine Sorgen.«

Im Januar des darauffolgenden Jahres, Lena war acht Monate alt, war die Kondition von uns allen an einem kritischen Punkt angelangt. Alice wirkte vollkommen überfordert. Der Schlafmangel, das Rotieren um das Baby, dazu Sascha, der zwar endlich in die Schule ging, aber natürlich mit den Schulaufgaben nicht zurechtkam. Alice versuchte, ihm beim Lesen und Schreiben zu helfen und gleichzeitig Lena irgendwie ruhig zu halten, und sie hatte zunehmend in ihrem Ausdruck und in ihren Bewegungen etwas von einem Roboter, der funktioniert, jedoch langsam den Bezug zu sich selbst verliert.

»Wir brauchen ein Kindermädchen«, sagte ich zu einem Kollegen, mit dem ich mich an einem verschneiten Januarabend auf ein Bier getroffen hatte, um den Zeitpunkt hinauszuzögern, da ich nach Hause gehen musste. Ich hatte natürlich ein schlechtes Gewissen deswegen. »Eine Nanny. Sie müsste bei uns wohnen und Alice rund um die Uhr entlasten.«

»Habt ihr denn genug Platz?«, fragte der Kollege.

»Wir haben noch das kleine Gästezimmer«, sagte ich zögernd. Eigentlich handelte es sich eher um eine Art Abstellkammer, gleich neben der Küche gelegen, aber immerhin mit einem Fenster. Bislang räumten wir alles dort hinein, wovon wir nicht wussten, wohin wir es tun sollten. »Vielleicht neun Quadratmeter.«

»Das ist nicht viel«, sagte der Kollege. »Und eine Nanny rund um die Uhr ... Das ist teuer. Sehr teuer.«

Ich seufzte. Ich fragte mich, ob überhaupt irgendein englisches Mädchen in diese Kammer in unserem abseits gelegenen Haus einziehen würde. Es gab nicht einmal eine Heizung darin, der Raum wurde allerdings einigermaßen von der Küche aus mitgeheizt und war, weil er so klein war, erträglich warm. Dennoch schien das alles absolut nicht optimal.

»Du müsstest jemanden aus dem Ausland einstellen«, sagte mein Kollege. »Aus dem Osten. Die sind viel anspruchsloser.«

Ich überlegte. Der Gedanke war nicht dumm. Ich hatte nicht viel Geld zur Verfügung. Ich ernährte ganz alleine eine vierköpfige Familie, und der Stress machte auch vor mir nicht halt. Ich fand keine Kraft, neue Klienten aktiv zu akquirieren, wie ich das früher immer wieder getan hatte. Dazu gehörte auch die Teilnahme an einem gesellschaftlichen Leben, und dazu fehlte mir inzwischen jegliche Energie. Es stand nicht besorgniserregend schlecht um unsere Finanzen, noch nicht, aber zu verschenken hatten wir, weiß Gott, auch nichts.

»Ihr habt euren Sohn doch aus Russland«, meinte der Kollege. »Gibt es da noch Kontakte?«

»Zu der Dolmetscherin. Sie hat uns ja während des Adoptionsverfahrens und auch in der Verhandlung begleitet. Wir schreiben uns E-Mails zu Weihnachten. Mehr ist da nicht.«

»Frag sie doch mal. Vielleicht kennt sie jemanden, der Lust auf einen solchen Job bei euch hat. Für sie wie für euch könnte das funktionieren. Eine klare Win-win-Situation.«

Ich war noch nicht überzeugt – wollte ich wirklich eine Fremde bei uns wohnen haben?

Aber dann kam ich spät am Abend nach Hause und fand Alice mit Lena im Arm auf dem Sofa im Wohnzimmer vor. Beide schliefen, erfreulicherweise auch Lena. Ich betrachtete Alice. Ihr Kopf war an die Sofalehne gesunken. Sie atmete tief und gleichmäßig. Ich konnte die bläulichen Schatten unter ihren Augen sehen, die

Wangenknochen, die spitz emporstachen. Alice hatte ungesund viel Gewicht verloren seit der Geburt unserer Tochter. Dass sie zu schnell zu viel abnahm, war mir zwar schon die ganze Zeit über aufgefallen, aber erstmals erkannte ich jetzt, wie abgemagert sie tatsächlich war. Sie sah erbärmlich aus. Die vielen Versuche einer künstlichen Befruchtung, das Adoptionsverfahren, die Probleme mit Sascha, die Sorgen, die sie sich seinetwegen machte ... Alice lief seit Langem schon nur noch auf Reserve. Sollte sie nicht in einen dramatischen Burn-out stürzen, musste ich die Notbremse ziehen.

Gleich am nächsten Morgen im Büro schrieb ich eine E-Mail an Tatjana, unsere Dolmetscherin im fernen Kirov. Ich schilderte unsere Situation und fragte, ob sie vielleicht jemanden kannte, der jemanden kannte, der ...

Sie antwortete am Abend desselben Tages. Sie habe eine Freundin, schrieb sie. Schon lange spiele diese mit dem Gedanken, Russland zu verlassen und in den Westen zu gehen, aber bisher habe sie noch keinen rechten Weg für sich gesehen. Mit ihr wolle sie sprechen.

Es vergingen drei Tage. Dann hatte ich eines Morgens erneut eine Mail von Tatjana im Postfach.

Die Freundin sei begeistert. Lieber heute als morgen. Sie liebe Kinder und sei sich auch sonst für keine Arbeit zu schade. Wir müssten nun nur noch das genaue Procedere abstimmen.

Und so trat Xenia Sidorowa in unser Leben.

TEIL 2

DONNERSTAG, 1. AUGUST

1

Sie fragte sich oft, ob die Menschen um sie herum eigentlich wussten, dass sie alles mitbekam. Alles verstand. Akustisch, aber auch intellektuell. Oder hielten sie ihr Gehirn für ebenso tot, wie es der Rest ihres Körpers war? Diese nutzlose Ansammlung von Knochen, Muskeln, Gewebe. Unbeweglich, völlig ohne jeden Sinn. Ihr Körper war kein Körper mehr. Er war die Hülle von etwas, das einmal stark, kraftvoll und voller Bewegungshunger gewesen war. Auf ihren Körper war immer Verlass gewesen. So sehr, dass sie diese Tatsache nie wirklich wertgeschätzt hatte. Jedenfalls nicht genug. Sie war nie inbrünstig dankbar gewesen. Dafür, dass ihr Körper so selten krank war. Dass er ihr nie Schmerzen bereitete. Dass er jeden Morgen nach dem Aufstehen einfach funktionierte, ohne dass es das geringste Problem gab. Dass er den ganzen Tag über durchhielt, egal, was sie tat, ob sie joggte, auf dem Fahrrad fuhr, vor einer Schulklasse stand, ihr Haus renovierte, den Garten umgrub oder mit ein paar Bekannten zusammensaß und zu viel Alkohol trank: Immer schlug das Herz gleichmäßig und stark, arbeiteten die Muskeln, lief alles wie am Schnürchen, ohne dass sie je

gezwungen gewesen wäre, innezuhalten und sich um irgendein Problem an irgendeiner Stelle zu kümmern.

Wäre das alles nicht passiert, wenn sie weniger selbstverständlich mit dem Glück umgegangen wäre?

Denn es war das Glück gewesen. Sophia wusste das jetzt.
Es war das Glück gewesen, einfach gesund zu sein. Einfach
zu leben. Sich zu bewegen. Zu atmen. Die Sonne auf der
Haut zu spüren und den Wind im Gesicht. Mehr brauchte
man nicht. Mehr würde sie sich für den Rest ihres Lebens
nicht wünschen, bekäme sie nur dies zurück: ihren gesunden
Körper.

Es gab fast nichts mehr, was sie bewegen konnte. Keinen
Fuß, kein Bein, keinen Arm, keine Hand. Keinen Finger.

Sie konnte den Kopf drehen. Sie konnte atmen. Das
wurde von den Ärzten und den Pflegern ringsum als riesige
Errungenschaft gesehen, als ein Geschenk des Himmels.

Darüber hinaus wurde sie gedreht und gewendet und gewaschen. Man bürstete ihr die Haare und schnitt ihre Fingernägel. Sie trug Windeln, weil sie ihren Darm nicht kontrollieren konnte. Ihre Blase wurde dauerkatheterisiert.

Sie konnte zudem nicht sprechen. Ein Blutgerinnsel in-
folge des Sturzes hatte zu einer Embolie im Gehirn geführt.
Aber der Arzt hatte gesagt, die Fähigkeit des Sprechens
würde zurückkehren, es würde nur etwas dauern. Sie hoffte,
dass er recht hatte.

Dennoch, obwohl sie über ihren Körper nachdachte, über
alles, was er gekonnt hatte und nun nicht mehr konnte, obwohl sie sich Gedanken machte, dass sie zu undankbar gewesen war, zu unbedacht, obwohl tausend Dinge durch ihren
Kopf gingen – trotz alldem war das eigentliche Gefühl, das
Sophia von morgens bis abends in diesem Krankenhauszim-
mer begleitete, das eines einzigen bösen Traumes, der nicht

wahr sein konnte. Sie realisierte das ganze Ausmaß des Grauens, das über ihren Körper und ihr Leben hereingebrochen war, und zugleich hielt sie es für völlig irreal. Es konnte einfach nicht sein. Jeden Moment musste sie aufwachen. Sich behaglich in ihrem Bett strecken und dehnen, dann aufspringen, in ihre Sportklamotten schlüpfen und hinaustreten in einen herrlichen Sommermorgen, sich in den Sattel des Fahrrads schwingen, die vertrauten Straßen und Wege entlangfahren, nur sie und der Morgen ...

Regelmäßig an dieser Stelle war es, als verkrampfe sich etwas in ihrem Gehirn. Es gab eine Störung, so, als reiße ein Faden. Sie sah sich an dem Gehöft vorbeiradeln, der Bauer grüßte, die Hühner pickten zu seinen Füßen, sie strampelte den Hügel hinauf, es war anstrengend, schweißtreibend, dann war sie oben und sauste den Berg hinunter. Der Draht, der Sturz. Und dann war ... nichts. Eine Leere. Etwas Dunkles. Alles hörte auf. Sie wusste nicht mehr, wie es danach weitergegangen war.

Der nette Arzt hatte sich an ihr Bett gesetzt, drei Tage zuvor. Oder waren es zwei Tage gewesen? Sie wusste es nicht, die Zeit verschwamm hier zwischen Tag und Nacht und Unendlichkeit. Auf jeden Fall hieß er Dr. Dane. So hatte er sich ihr vorgestellt.

»Ich bin Dr. Dane. Ich hoffe, Sie können mich verstehen?«

Ja, schrie es in ihr, *ja!*

»Vielleicht, wenn Sie mich verstehen, können Sie mit einem Auge blinzeln? Oder mit beiden gleichzeitig. Egal. Wenn ich nur eine Bewegung an Ihren Augen sehe?«

Sie wusste, dass sie selbstständig die Augen schließen und öffnen konnte, aber in diesem Moment, da sie es tun sollte, funktionierte es nicht. Sie nahm alle Kraft zusammen, ihr

Gehirn sendete verzweifelte Aufforderungen an die Augen – *blinzelt, verdammt noch mal!* –, aber es wollte ihr nicht gelingen. Wieso klappte es sonst? Sie war wütend und verzweifelt und hatte den Eindruck, völlig zu verkrampfen.

Dr. Dane seufzte. »Nun, ich hoffe, Sie verstehen mich. Ich erzähle Ihnen mal, was passiert ist, ja?«

Ja!

Dann hatte er von dem Draht erzählt, der über den Weg gespannt gewesen war und in den sie hineingerast war.

»Sie sind ein ganzes Stück durch die Luft geflogen. Und kopfüber auf dem Weg aufgekommen. Der war hart wie Stein, weil es so lange nicht geregnet hat, also nicht viel besser als Asphalt. Und Sie trugen leider keinen Helm.« Ein sanfter, trauriger Vorwurf schwang in der Stimme des Arztes.

Manchmal hatte sie einen Helm getragen. Manchmal nicht. Die Wahrheit war, sie trug ihn nicht gerne. Fühlte sich irgendwie beengt, eingesperrt. Trotzdem hatte dann und wann die Vernunft gesiegt. Häufig abhängig von den Jahreszeiten. Im Herbst und im Winter hatte sie der Helm weniger gestört, war sogar ein Schutz gewesen bei Kälte und Wind. Im Sommer hingegen …

Ach, was soll's, hatte sie oft gedacht. Wird schon nichts passieren.

»Sie haben sich den siebten Halswirbel gebrochen. Es soll nicht zynisch klingen, aber das ist Glück im Unglück. Sie können selbstständig atmen.«

Ja, und warum kann ich mich nicht bewegen? Wann kann ich das wieder? Sagen Sie bitte, dass das ein vorübergehender Zustand ist. Alles andere wäre ja völlig absurd.

»Man hat außerdem auf Sie geschossen. Sagt die Polizei. Aber weit vorbei.«

Geschossen?

»Die Polizei will unbedingt mit Ihnen sprechen. Der er-
mittelnde Beamte ruft mich ständig an. Aber wann das geht,
ist im Moment schwer vorherzusagen.«

Ich habe Angst.

»Es sitzt ein Polizist vor Ihrer Tür. Die ganze Zeit über.
Ihnen kann also hier nichts geschehen.«

Er hatte nichts davon gesagt, wann sie wieder laufen
konnte, wann überhaupt irgendetwas wieder funktionieren
würde in ihrem Körper. Vielleicht wollte er später nicht auf
Prognosen festgenagelt werden. Sicher ging es bei dem einen
schneller, bei dem anderen dauerte es länger. Bei ihr würde
es schnell gehen. Weil sie im Grunde ein gesunder Mensch
war.

Eine bösartige Stimme in ihrem Kopf flüsterte ihr ebenso
bösartige Begriffe zu, wie *Querschnittslähmung* und *Hoffnungslosigkeit*, aber sie schob das weg. Der Arzt hatte diese
Worte nicht benutzt. Das hätte er getan, wenn diese Möglichkeiten bestünden, ganz sicher.

Am gestrigen Tag hatte er sich wieder an ihr Bett gesetzt
und ihr erklärt, dass sie verlegt werden würde.

»Wir können hier nicht mehr genug für Sie tun. Sie brauchen jetzt Physiotherapeuten, die auf Fälle wie Sie speziali-
siert sind.«

*Und die sorgen dann dafür, dass ich bald wieder mein altes
Leben führen kann?*

»Ich kann Ihnen nichts versprechen, Sophia. Aber ich
nehme ziemlich sicher an, dass einige Verbesserungen noch
zu erzielen sind.«

Wie meinen Sie das denn? Verbesserungen?

»Auf jeden Fall geben Sie bitte die Hoffnung nicht auf«,
hatte er gesagt und in einer unbeholfenen Geste kurz ihren
Arm gestreichelt. »Sie sind am Leben. Das zählt.«

Wie bitte?

Wenn sie nicht darüber nachdachte, was mit ihrem Körper passiert war und wann es in Ordnung käme, dann grübelte sie über den Anschlag selbst nach, und ihr wurde fast schlecht vor Angst. Ein Draht, der über den Weg gespannt war – sie hätte sich noch einreden können, dass Kinder oder dumme Jugendliche etwas so Unüberlegtes taten. Aber dann hatte auch noch jemand auf sie geschossen? Dafür gab es keine harmlose Erklärung mehr. Sie kannte nur einen einzigen Menschen auf der Welt, der Grund hatte, sie zu hassen, und da sie ihn für einen gefährlichen Psychopathen hielt, traute sie ihm alles zu. Absolut alles.

Ich bin in Gefahr, hätte sie schreien mögen. *Ihr müsst auf mich aufpassen. Der wird es wieder versuchen.*

Ein Polizist saß vor ihrem Zimmer, hatte Dr. Dane gesagt. Würde er auch mitkommen in die neue Klinik, in die man sie jetzt verlegte? Und konnte er sie ausreichend beschützen? Er wusste ja gar nicht, wer der Feind war. Und sie konnte es nicht sagen. Sie konnte es nicht!

Sie hätte gerne geschrien. Sie hätte gerne die Fäuste geballt.

Nichts ging. Sie lag da wie eine schlaffe Hülle. Kein Muskel, kein Gelenk, nichts in ihrem verdammten Körper war auch nur um einen Millimeter zu bewegen.

Sie spürte etwas Nasses auf ihren Wangen. Tränen. Ihr liefen Tränen aus den Augen.

Eine Schwester, die gerade ins Zimmer gekommen war, griff nach einem Taschentuch und tupfte ihr das Gesicht ab.

»Wer wird denn weinen? Sagen Sie nicht, es macht Sie traurig, uns zu verlassen? Sie kommen in eine tolle Rehaklinik. Lauter nette Leute, und die werden einiges für Sie tun können.«

Die Tränen hörten nicht auf zu fließen.

Die Schwester tupfte unbeirrt. »Ich mache Sie jetzt fertig für den Transport. Alles wird gut werden. Sie dürfen nicht aufgeben.«

Sie weinte weiter.

Immerhin das konnte sie offenbar noch.

Sie konnte weinen ohne Ende.

2

»Und Sie haben keine Ahnung, wo sich Xenia Paget aufhält?«, fragte Robert. »Unglaublich!«

Er trommelte mit den Fingern auf seiner Schreibtischplatte herum.

Kate meinte einen untergründigen Vorwurf in seiner Stimme zu hören und merkte, wie sich innerlich ihre Stacheln aufstellten. Was dachte er denn, was sie hätte tun sollen? Xenia fesseln und einsperren, ehe sie nach Manchester und Birmingham fuhr? Die Frau hatte das Recht, sich frei zu bewegen, zu gehen, wohin sie wollte.

»Auf sie wurde ein Anschlag verübt«, fuhr Robert fort. »Es ist nicht gut, dass wir nicht wissen, wo sie ist.«

Kate fragte sich, ob er glaubte, ihr damit eine Erkenntnis mitzuteilen, die ihr selbst bislang noch nicht durch den Kopf gegangen war.

Ach, ja?, hätte sie am liebsten gesagt, aber sie bremste sich.

»Sie will um nichts in der Welt zu ihrem Mann zurück«, sagte sie stattdessen.

»Dazu müsste sie aber nicht untertauchen.«

»Doch. So wie der drauf ist, schon.«

»Wirklich weitergekommen sind Sie bei ihm aber auch nicht«, meinte Robert.

»Er hat immerhin eingeräumt, dass er Xenia nicht über die Agentur kennengelernt, sondern sie in dieser leeren Neubauwohnung aufgegriffen hat.«

»Und was bringt uns dieses Wissen? Vorausgesetzt, die Geschichte stimmt?«

»Vorausgesetzt, die Geschichte stimmt, bedeutet das, dass Xenia wahrscheinlich schon vor dem Jahr 2006 nach England gekommen ist. Und dass irgendetwas geschehen sein muss, was sie zu einer Art Obdachlosen hat werden lassen, die Zuflucht in leer stehenden Wohnungen suchte und sich mit einem Kotzbrocken wie Jacob Paget einließ – sie muss verdammt verzweifelt gewesen sein!«

»Und Jacob Paget weiß Ihrer Ansicht nach, was geschehen ist?«

»Ich bin ziemlich sicher, ja.«

Robert trommelte weiter auf der Schreibtischplatte herum. »Wir könnten ihn vorladen.«

»Wir können es versuchen. Aber warum sollte er dann reden? Und nachweisen können wir ihm gar nichts.«

»Würden wir Xenia finden … vielleicht würde sie reden«, überlegte Stewart.

»Bislang haben wir das bei ihr nicht geschafft.«

»Sie meinen ja, sie ist mit diesem Freund von Ihnen zusammen?«

»Dafür spricht vieles.«

»Und ihn erreichen Sie auch nicht?« Das *auch nicht* war in einer Art betont, als sei es Kates vordringliche Aufgabe, Menschen zu erreichen, und als scheitere sie dabei ständig.

»Ich versuche es immer wieder. Ich bin sicher, er meldet sich bald.«

»Hoffentlich«, sagte Robert.

»Gibt es etwas Neues bei Sophia Lewis?«, fragte Kate.

»*Sie* waren doch in Birmingham.«

»Das hat leider nicht viel ergeben. Der Vater ist keine Hilfe. Er begreift nicht, was geschehen ist, und konnte mir nichts sagen, was mich weitergebracht hätte. Ich meinte, gibt es medizinisch etwas Neues?« Immerhin diesen Part hatte eindeutig Robert übernommen. Die Gespräche mit den Ärzten.

»Sie wird heute verlegt, mehr hat sich nicht ergeben. Ich werde so schnell wie möglich ihren behandelnden Arzt in der Rehaklinik aufsuchen. Da Sie ja bei Xenia nicht weiterkommen, ruht jetzt alle Hoffnung auf Sophia.« *Und auf mir*, klang unausgesprochen hinterher. Meinte Kate zu vernehmen. Aber vielleicht war sie an diesem Morgen auch nur extrem empfindlich.

Robert musste anschließend noch zum Staatsanwalt im Fall Jayden White, und Kate beschloss, kurz nach Hause zu fahren, um nachzusehen, ob Colin und Xenia möglicherweise zurückgekommen waren, wobei sie wenig Hoffnung hegte. Außerdem wollte sie noch einmal mit ihrer Nachbarin sprechen, denn vielleicht hatte sie mehr beobachtet, als Robert hatte wissen wollen.

Als sie draußen in ihr Auto stieg, überlegte sie es sich jedoch anders. Bis zur Mittagsbesprechung blieb ihr genug Zeit, und Robert war hoffentlich ausreichend mit dem Staatsanwalt beschäftigt. Sie würde bei Caleb vorbeifahren. Vielleicht war er zu Hause. Er hatte sich immer um sie gekümmert, wenn ihr Leben in einer Krise gesteckt hatte. Es wurde Zeit, dass sie nach ihm schaute.

Er öffnete die Tür seines Hauses, als sie nach dreimaligem Läuten schon resignieren und wieder fortgehen wollte. Auf den ersten Blick erkannte sie, wie schlecht es ihm ging. Er war unrasiert, und seine Augen blickten trübe und waren gerötet, verrieten eine ganze Reihe schlafloser Nächte. Er trug khakifarbene Shorts, deren letzte Begegnung mit einer Waschmaschine weit zurückliegen musste, und ein weißes T-Shirt, auf dem sich undefinierbare Flecken zeigten. Er roch nach Schweiß, nach ungewaschenem Körper. Seine Haare standen struppig vom Kopf ab. Immerhin nahm Kate keinen Alkoholgeruch wahr. Entweder er wurde von dem intensiven Schweißgestank überlagert, oder Caleb hatte tatsächlich nichts getrunken. Allerdings war es auch noch vergleichsweise früh am Morgen.

Er fuhr sich mit den Fingern durch die Haare, was den Anblick nicht besser machte.

»Ach, Sie sind es, Kate. Ich hatte schon gefürchtet, es ist meine Exfrau. Sie macht sich Sorgen um mich und erscheint hier jeden Tag, um nach mir zu sehen, aber ich lasse sie nicht rein.« Er verzog gereizt das Gesicht. »Ich hasse es, bemitleidet zu werden.«

»Ich bemitleide Sie nicht«, sagte Kate rasch. »Ich wollte nur vorbeischauen. Aber wenn es gerade nicht passt …«

»Doch, doch. Ich habe noch geschlafen, aber es ist Zeit aufzustehen, oder? Wie spät ist es?«

»Halb zehn.«

»Gute Zeit für einen Rentner.«

»Sie sind doch kein Rentner, Caleb.«

Er trat einen Schritt zurück. »Kommen Sie rein. Ich hoffe, mein Aufzug stört Sie nicht.« Er blickte an sich hinunter. »Ich fürchte, ich habe in den Klamotten geschlafen.«

Sie folgte ihm in das große Wohnzimmer mit der Glasfront zum Garten hin und mit der integrierten Küche, die sich sehr elegant und unaufdringlich dem Raum anpasste. Kate war erst einmal hier gewesen, aber sie erinnerte sich, wie schön sie dieses Zimmer empfunden hatte. Proportionen und die geschmackvolle Einrichtung hatten sich nicht verändert, aber alles sah ziemlich verwahrlost aus. Überall ungespülte Teller, Kaffeebecher und Gläser. Flaschen auf dem Esstisch. Ungeöffnete Post, achtlos in die Ecken geworfen. Zwei Pakete, die auf dem Tisch lagen und ebenfalls nicht geöffnet worden waren. Ein Pullover knäulte sich auf dem Edelstahltresen der Küche, und etwas, das verdächtig nach einer Unterhose aussah, lag auf einem Bücherregal. Es war deutlich, dass Caleb die Kontrolle über seinen Alltag verloren hatte. Kate mochte sich nicht vorstellen, in wie vielen dieser Briefe sich Rechnungen befanden, die dringend bezahlt werden mussten.

»Ich hoffe, Sie haben schon gefrühstückt«, sagte Caleb, »denn ich habe nichts da, was ich Ihnen anbieten könnte. Nur einen Kaffee.«

»Kaffee wäre schön«, sagte Kate, und Caleb schaltete den Automaten ein. Er öffnete den Kühlschrank, nahm eine Milchflasche heraus, schraubte den Deckel ab, roch am Inhalt und verzog angewidert das Gesicht. »Nicht mehr zu verwenden. Ich hoffe, Sie trinken Ihren Kaffee immer ohne Milch?«

Das tat sie zwar nicht, aber sie nickte. »Schon okay.«

Caleb angelte zwei Kaffeebecher aus einem Regal, die letzten beiden, die nicht benutzt waren. Geschirr zu spülen schien er völlig aufgegeben zu haben. Kate beobachtete ihn mit einiger Fassungslosigkeit. Caleb sah sehr gut aus, und er war sich dessen auch immer durchaus bewusst gewesen. Sie hatte ihn nie anders als sehr gepflegt und sehr gut angezogen erlebt, häufig auf eine lässige, aber durchaus gestylte Art.

Sein Alkoholproblem war er nie losgeworden, aber man hatte ihm nie angesehen, dass es Dinge in seinem Leben gab, die er nicht im Griff hatte. Im Gegenteil, er hatte immer souverän gewirkt, selbstsicher, charismatisch.

Von alldem war nichts geblieben. Er schien nicht nur die Kontrolle verloren zu haben, er war dabei, sich selbst zu verlieren. Es tat ihr weh, das zu sehen, es tat ihr mehr weh, als sie erwartet hatte. Sie war einmal sehr verliebt in ihn gewesen, hatte darauf gehofft, er werde ihre Gefühle erwidern. Das war natürlich nicht geschehen, er war ein viel zu attraktiver Mann, als dass er sich mit einer unscheinbaren Frau wie Kate eingelassen hätte. Irgendwann war sie sich dessen schmerzhaft bewusst geworden. Er mochte sie und schätzte sie, und auf irgendeine Weise war sie ihm auch wichtig geworden. Aber er fühlte keinerlei Begehren für sie. Das würde sich auch nie ändern. Es war einfach etwas, womit sie sich abfinden musste.

Er sah immer noch gut aus, aber zugleich krank und heruntergekommen. Ihm schien alles egal zu sein. Er brauchte Hilfe, aber sie bezweifelte, dass er sich helfen lassen würde.

Er stellte die zwei Becher mit schwarzem Kaffee auf den Tisch, fegte ein paar Briefe von einem Stuhl und ließ sich darauf fallen.

»Setzen Sie sich doch auch, Kate. Hier muss irgendwo Zucker sein.« Er griff nach einer Dose, die auf dem Tisch stand, schaute hinein. »Leer. Ich hoffe, Sie trinken Ihren Kaffee auch ohne Zucker?«

»Zucker ist ungesund«, sagte Kate. Sie liebte Zucker im Kaffee, aber in diesem Haushalt konnte sie froh sein, überhaupt etwas angeboten zu bekommen.

»Irgendetwas müssen Sie doch essen, Caleb. Wie ernähren Sie sich?«

»Kaffee. Alkohol.«

»Nicht gut.«

»Nein. Aber gar nichts ist gut im Moment. Wissen Sie, ich kann auch nicht schlafen. Ich schlafe ein, weil ich genug getrunken habe, aber dann wache ich ganz schnell wieder auf und liege wach. Stunde um Stunde. Erst am Morgen schlafe ich noch mal ein.«

»Und dann komme ich und klingele Sie wach.« Er machte eine lässige Handbewegung. »Das war gut. Man sollte nicht den halben Tag im Bett liegen.« Er strich sich über die Augen. Sie sahen danach noch stärker gerötet aus. »Ich freue mich, dass Sie da sind, Kate. Wirklich.«

Sie hätte am liebsten die Hand ausgestreckt und seinen Arm berührt, aber sie wagte es nicht. »Sie sollten nicht so viel grübeln. Das macht irgendwann krank.«

Er sah sie mit einem Blick an, in dem Hoffnungslosigkeit stand. »Ich gehe es immer wieder durch. Mein Telefongespräch mit Jayden White. Wieder und wieder. Ich versuche, mir den genauen Wortlaut ins Gedächtnis zu rufen. Jaydens Tonfall. Jede Veränderung in seiner Sprechweise. Jedes Zögern. Seine Atmung ... Kate, ich hätte es merken müssen. Ich hätte merken müssen, dass ich sein Problem besser *nicht* erwähne. Dass ich damit ein Fiasko auslöse. Mir hätte die Labilität dieses Mannes, aber auch der ganzen Situation klar sein müssen. Es war zu riskant. Es war einfach zu riskant.«

»Caleb ...«

»Hätte ich nicht getrunken, hätte ich feinere Sinne gehabt. Geschärfter. So war alles etwas vernebelt. Geglättet. Besänftigt. Wie das so ist mit dem Alkohol. Alles verwischt sich, Ecken und Kanten werden runder. Deshalb wird man ja so verrückt danach. Aber in einer solchen Situation ist es tödlich. Im vorliegenden Fall im wortwörtlichen Sinn. Ich hätte das Gespräch nicht führen dürfen. Ich hätte wissen müssen, dass ich dazu nicht in der Lage bin. Ich hätte Stewart bitten müssen, das zu übernehmen.«

»Na, ob Stewart besser geeignet gewesen wäre …«, murmelte Kate.

Caleb sah sie aufmerksam an. »Probleme?«

Sie zuckte mit den Schultern. »Muss nicht nur an ihm liegen. Wir sind wahrscheinlich als Team nicht die beste Kombination.«

Er seufzte. »Es war ja auch anders gedacht. Tut mir leid. Neben vielem anderen tut mir auch das sehr leid, Kate. Dass aus unserer Zusammenarbeit nun nichts wird.«

»Sie kehren ja vielleicht zurück.«

»Ich müsste mein Problem endgültig in den Griff bekommen. Und selbst dann ist unklar, ob ich noch eine Chance bekomme.«

Sie betrachtete ihn aufmerksam. Immerhin hatte sie ihn nicht sturzbetrunken auf dem Sofa oder, noch schlimmer, auf dem Küchenfußboden angetroffen. Er trank nach wie vor Alkohol, vermutlich nicht zu knapp – davon zeugten die Gläser und Flaschen, die sich malerisch im ganzen Raum verteilten –, aber er war an diesem Morgen in der Lage, ein vernünftiges Gespräch zu führen und sich klar zu artikulieren. Was dafür sprach, dass er am Vorabend nicht bis zur Besinnungslosigkeit getrunken haben konnte.

»Ich habe den Eindruck, dass Sie sich wirklich bemühen«, sagte sie vorsichtig.

Er seufzte erneut. »Ja. Ich kämpfe darum, Kate. Ich will raus aus diesem Teufelskreis, weil ich sonst mein Leben zerstöre. Aber ich mache mir nichts vor: Der einzige Weg wäre der totale Entzug. Ich versuche, die ganz harten Sachen wegzulassen, aber letztlich trinke ich nach wie vor viel zu viel, und wenn Sie mir das nicht in aller Schärfe anmerken, dann deshalb, weil mein Körper verdammt viel gewohnt ist. Es dauert, bis ich lallend in der Ecke liege. Ich konnte ja auch noch im Beruf funktionieren. Zumindest scheinbar.«

»Und wenn Sie in eine Klinik gehen? Sie haben das schon mal gemacht.«

»Der Erfolg hielt kein halbes Jahr an.«

»Sie sind damals auf Anweisung Ihrer Vorgesetzten gegangen. Diesmal wäre es freiwillig. Ich verstehe ja nicht viel davon, aber nach allem, was ich gehört habe, spielt das eine entscheidende Rolle bei Suchttherapien. Dass man selbst den Willen dazu hat.«

»Ja ... das ist sicher richtig ...«, meinte er vage.

Sie tranken ihren heißen, bitteren Kaffee, dann fragte Caleb: »Abgesehen davon, dass Sie mit Stewart nicht so richtig harmonieren – geht es voran mit dem aktuellen Fall?«

Sie schüttelte den Kopf. »So gut wie gar nicht.« Sie gab ihm einen schnellen Überblick der Lage, und er hörte aufmerksam zu.

»Sophia Lewis kann nicht sprechen, und Xenia Paget ist spurlos verschwunden«, schloss Kate. »Und ich komme an keiner Stelle weiter. An keiner! Vor allem finde ich keinen Zusammenhang zwischen Sophia und Xenia. Egal, wen ich frage, niemand aus Xenias Umfeld hat je Sophias Namen gehört. Und umgekehrt ist es dasselbe. Keinerlei Überschneidung.«

»Wahrscheinlich ist der Täter die einzige Überschneidung«, meinte Caleb. »Mit ihm hatte jede von ihnen an irgendeiner Stelle ihres Lebens zu tun. Aber darüber hinaus gibt es keine Verbindung.«

»Xenia weiß etwas«, sagte Kate. »Und Jacob, ihr Mann. Beide wollen nicht reden. Und Sophia kann nicht reden. Es ist wie verhext.«

»Ich würde Ihnen so gerne einen guten Rat geben, Kate, aber mir fällt auch nichts ein, was Sie weiterbringen könnte. Eine kleine Irritation ergibt sich bei mir, wenn ich über den Schuss nachdenke, der auf Sophia abgegeben wurde. Weit daneben. Während Sie den Schützen aus dem Zug als sehr treffsicher beschrieben haben.«

»Absolut, ja. Xenia ist ihm mit knapper Not entronnen, und hätte ich uns beide nicht in die Bordtoilette gezerrt und dort den toten Winkel nutzen können, wäre sie jetzt wahrscheinlich nicht mehr am Leben.«

»Eben. Und derselbe Typ schießt kurz darauf dermaßen vorbei? An einem statischen Ziel?«

»Vielleicht hat er vorher geschossen. Als sie noch in voller Fahrt war. Da war sie sicher sehr schwer zu treffen.«

»Warum sollte er das tun? Wenn er weiß, sie fliegt gleich über den Draht und bricht sich dann entweder sowieso das Genick oder liegt zumindest reglos auf der Erde und ist ein leichtes Ziel.«

»So wie sie dalag«, sagte Kate, »hätte es ein Kind geschafft, sie zu erschießen. Irgendwie hat man den Eindruck … er war unentschlossen?«

»Während er bei Xenia im Zug doch sehr entschlossen schien.«

»Vielleicht wollte er sie gerade abknallen, da ging ihm auf, dass Überleben womöglich die viel härtere Strafe für sie wäre. Wenn Rache das Motiv ist. Dann freut er sich an einer Frau im Rollstuhl mehr als an einer, die tot ist.«

»Er wird in dem Moment kaum in der Lage gewesen sein, das Ausmaß der Verletzungen einschätzen zu können.«

»Er konnte wohl ahnen, dass das nicht ganz glimpflich ausgehen wird.«

»Wissen Sie, das passt nicht zusammen«, sagte Caleb. »Eine Frau mit Querschnittslähmung am Leben zu lassen mag ja durchaus befriedigend sein für die Rachegelüste. Aber eine solche Frau kann reden. Oder sich irgendwann auf irgendeine Art verständlich machen. Musste er nicht sichergehen, dass sie tot ist? Und vermutlich hatte er deshalb die Waffe dabei. Der Plan war, sie zu Fall zu bringen und dann zu erschießen. Um selbst kein Risiko einzugehen. Da bin ich mir relativ sicher.«

»Aber warum dann …?«

»Es ist nicht einfach, einem Menschen in den Kopf zu schießen, der einem wehrlos zu Füßen liegt.«

»So wirkte der Typ im Zug nicht«, sagte Kate. »Als ob er derartige Bedenken hätte.«

»Haben Sie mal überlegt«, sagte Caleb, »ob es sich um zwei Täter handeln könnte?«

Sie starrte ihn an. »*Zwei* Täter? Wir haben definitiv *eine* Waffe!«

»Ja. Aber das heißt nicht zwangsläufig, dass sie jedes Mal von demselben Menschen benutzt wurde.«

»Zwei Täter … zwei völlig verschiedene Geschichten?«

»Nur eine Idee. Aber nicht ganz von der Hand zu weisen. In dem Fall wäre nicht einmal der Täter der Schnittpunkt zwischen Xenia Paget und Sophia Lewis. Sondern zwei Täter, die sich kennenlernen. Die jeweils eine Rechnung mit jemandem offen haben. Und die sich zusammentun.«

»Und wo …?«

Caleb wusste, was sie fragen wollte. »Wo lernen sich solche Typen kennen? Meist im Knast.«

»Sie kommen raus und …«

»Und beschließen, den Plan umzusetzen, den zu schmieden sie wahrscheinlich im Gefängnis mental über Wasser gehalten hat. Diejenigen umzubringen, die dafür gesorgt haben, dass sie genau dort gelandet sind: erst vor Gericht und dann in einer Zelle.«

»Das ist wirklich eine reine Hypothese, Caleb.«

»Klar. Sie setzt voraus, dass sowohl Xenia als auch Sophia irgendwann einmal daran beteiligt waren, dass jemand zu einer Gefängnisstrafe verurteilt wurde.«

»Aber das wüssten wir. Helen hat beide durch sämtliche Computersysteme gejagt. Sie hätten ja in diesem Fall Anzeigen erstattet. Vor Gericht ausgesagt. Irgendetwas. Ihre Namen wären uns untergekommen. Aber da war nichts. Absolut nichts.«

»Aber die Theorie würde manches erklären. Sophia Lewis wird von ihrem Exfreund als nervös und in mancher Hinsicht verschlossen beschrieben. Sie hat Manchester abrupt und ohne ersichtlichen Grund verlassen. Hat sie sich bedroht gefühlt? Und wusste genau von wem? Und bei Xenia gibt es ja mit einiger Sicherheit ein dunkles Geheimnis. Sie muss in etwas Kriminelles verstrickt gewesen sein, sonst würde sie mit der Polizei offen reden.«

»Eine gewagte These, das alles«, sagte Kate, aber in ihrem Kopf jagten sich die Gedanken. Es war tatsächlich nicht völlig abwegig, was Caleb sagte.

»Leider«, meinte sie, »bringt mich Ihre Überlegung im Moment auch nicht wirklich weiter.«

»Ist mir klar. Sie verstärkt aber ein Problem, das Sie ja die ganze Zeit über schon sehen: Wenn etwas dran ist an dem, was ich gerade gesagt habe, dann schweben sowohl Sophia Lewis als auch Xenia Paget in höchster Gefahr. Dann nämlich wissen beide ganz genau, wer sie da verfolgt, und das kann zur Katastrophe für die Täter werden. Sie sind beide davongekommen. Sie stellen ein hohes Risiko dar. Sie müssen zum Schweigen gebracht werden.«

»Verdammt«, sagte Kate und stand auf. Ihr war etwas schwindelig von dem starken Kaffee und wegen des Gesprächs. »Ich muss Xenia finden. Bevor ihr Mörder das tut.«

»Sophia Lewis hat Polizeischutz?«

»Ja. Aber …« Kate runzelte die Stirn. »Sie wird heute in eine Rehaklinik verlegt. Ich hoffe, Stewart hat den Personenschutz nicht zurückgezogen.« Sie nahm ihr Handy, rief Stewart an, wartete.

»Nichts. Das Handy ist ausgeschaltet. Er hat gerade ein Gespräch beim Staatsanwalt.« Sie rief Helens Nummer auf und erreichte sie glücklicherweise. Caleb hörte den Gesprächsfetzen zu.

»Sie wissen es nicht? Okay, Helen, rufen Sie gleich bei Dr. Dane an. Ich habe die Nummer nicht. Sophias Transport muss unbedingt von einem Polizeibeamten begleitet werden … Ja. Egal. Sollte er abgezogen worden sein, schicken Sie einen anderen … Ja, ich nehme das auf meine Kappe … Gut. Beeilen Sie sich.«

Sie beendete das Gespräch. Sah Caleb an.

»Ich habe irgendwie ein blödes Gefühl«, sagte sie.

3

Sophia wurde auf ein Rollbett gehoben. Sie war fertig. Gewaschen, gesäubert, neu katheterisiert. Eine der Schwestern hatte ihr besonders liebevoll die Haare gekämmt. Jemand breitete eine Decke aus leichter Wolle über sie. Irgendein Pfleger.

Sie hatte apathisch dem ganzen Ablauf beigewohnt und sich in Gedanken mit der Frage herumgeschlagen, weshalb bislang niemand ihr definitiv gesagt hatte, dass sie bald wieder gesund sein würde. Sagten Ärzte und Schwestern das nicht sonst? Um den Patienten Mut zu machen? Oder war es einfach nicht sicher, wie *weit* sie am Ende wiederhergestellt sein würde? Ärzte legten sich nicht gerne fest, um am Ende nicht mit Vorwürfen bombardiert zu werden. *Sie haben aber doch gesagt, an Weihnachten sei ich wieder ganz die alte …*

In vielen Bereichen konnten Menschen klare Prognosen und sichere Aussagen treffen, aber am wenigsten vermutlich, wenn es um die Frage ging, wie schnell und wie weit ein anderer genesen konnte. Selbst die erfahrensten Ärzte konnten nur Mutmaßungen anstellen, die sich an Statistiken orientierten, aber Statistiken, man wusste es, sagten nichts über den Einzelfall aus. Letztlich konnte Dr. Dane einfach keine präzise Aussage treffen. Deshalb hielt er sich so bedeckt. Ihm war klar, dass Sophia gesund werden würde, aber er wusste nicht, wie schnell es gehen würde. Und ob vielleicht eine *Kleinigkeit* zurückbliebe. Vielleicht würde sie sehr viel Physiotherapie brauchen, um die alte Beweglichkeit wiederzuerlangen, und er war nicht sicher, wie entschlossen und durchhaltewillig sie sein würde. Er kannte sie nicht. Er wusste nicht, wie zäh sie war und wie stark, wenn es darauf ankam. Er würde sich wundern. Sie würde zu den Fällen zählen, von denen er Kollegen und anderen Patienten berichten würde. Dass sie wirklich schwer verletzt gewesen war. Dass man sich große Sorgen um sie gemacht hatte. Aber dann hatte sie es allen gezeigt, hatte gekämpft, hatte ihr Bestes gegeben, war nicht aufzuhalten gewesen und hatte am Ende gesiegt.

Ja, so würde ihre Geschichte lauten.

Sie schaute den Pfleger an, der gerade die Decke über sie gebreitet hatte.

Und wäre erstarrt, hätte sie nicht ohnehin in völliger körperlicher Starre gelebt.

Sie erkannte ihn. Trotz der vielen Jahre, die vergangen waren. Er war es, kein Zweifel. Er war ein erwachsener Mann. Aber die Augen waren unverändert. Diese Dunkelheit. Zwei schwarze Löcher. Ohne jedes Leben darin. Augen, aus denen nichts sprach als völlige Gefühllosigkeit.

Sie hätte diese Augen immer und überall erkannt.

Er starrte auf sie hinunter, als sei sie ein seltenes Tier oder eine besondere Pflanze.

Sie hatte immer gewusst, dass sie ihm eines Tages wieder begegnen würde, und ihr hatte gegraut vor diesem Moment. Aber selbst in ihren schlimmsten Vorstellungen hätte sie sich nicht auszumalen vermocht, dass sie vor ihm liegen würde wie ein Käfer, der auf den Rücken gefallen ist. Absolut bewegungsunfähig. Ausgeliefert. Schutzlos. Ihrer wirkungsvollsten Waffe beraubt, ihrer schnellen, kräftigen Beine, mit denen sie jedem Menschen und jedem Schrecken hatte davonlaufen können. Nichts davon war geblieben. Jeder konnte alles mit ihr machen. Man konnte sie zerquetschen. Sie hätte nicht einmal zu schreien vermocht.

Er verzog das Gesicht zu einem leisen Lächeln. Er hatte es bemerkt, wahrscheinlich war es deutlich in ihren mit Entsetzen erfüllten Augen zu lesen: Dass sie ihn erkannt hatte. Dass sie wusste, wer er war. Und dass sie in Panik war, ohne irgendwelche Zeichen dafür geben zu können. Außer mit ihren Augen. Aber deren Ausdruck hätte man deuten und verstehen müssen, und niemand von all den geschäftig herumwuselnden Menschen im Raum hatte einen Blick dafür. Ganz sanft berührte er mit dem Zeigefinger seiner rechten Hand ihre Wange.

»Hallo, Sophia«, sagte er leise. So leise, dass ihn ganz sicher niemand gehört hatte.

Außer ihr.

Noch nie während der endlosen Stunden und Tage, die sie schon in diesem Krankenhaus lag, hatte sie so heftig versucht, *irgendetwas* an ihrem Körper zu bewegen. Sie hatte es oft probiert, immer: einen Zeh. Einen Finger. Eine Hand ... Aber sie war geduldig gewesen, beharrlich. Jetzt war sie getrieben von Grauen und Angst. Sie mühte sich um alles gleichzeitig, Beine, Arme, Kopf, egal, *irgendetwas*. Sie musste die Aufmerksamkeit der anderen erringen. Sie irgendwie auf sich ziehen. Ihnen klarmachen, dass etwas Schlimmes passieren würde, dass sich etwas Furchtbares anbahnte, dass sie Hilfe brauchte, dass sie sie nicht mit diesem Pfleger alleine lassen durften, keine Sekunde lang.

Aber es gelang ... nichts. Nicht die geringste Bewegung. Sie lag so starr, so stumm, wie all die Zeit über.

Er grinste. Sie wusste nicht, woran er es erkannt hatte, aber irgendwie schien ihm klar zu sein, dass sie kämpfte, und auch, dass sie nicht die geringste Chance hatte.

Sie rollte mit den Augen und brachte eine Art Krächzen hervor. Sein Grinsen vertiefte sich.

Eine Schwester trat an das Bett heran. »So, Mrs. Lewis, von unserer Seite ist dann alles vorbereitet«, sagte sie. »Jack Gregory hier vom Krankentransportdienst wird Sie nach Hull begleiten. Er hat Ihre Unterlagen dabei. Er weiß immer, was zu tun ist. Sie können sich völlig sicher fühlen.«

Sophia gab ein gurgelndes Geräusch von sich. Sie ließ ihre Augäpfel wild rollen, versuchte, mit den Augenlidern zu flattern, aber wie schon neulich, als sie Dr. Dane damit Signale zu geben versucht hatte, verkrampfte irgendetwas, Nerven, Muskeln, oder womit auch immer man diese Dinger steuerte, und sie konnte sie nur weit geöffnet halten.

Hilfe! Hilfe! Hilfe!

Offenbar bemerkte die Schwester immerhin ihre rollenden Augen. Sie lächelte. Warm und verständnisvoll.

»Sie wollen sich verabschieden? Ich verstehe. Auf Wiedersehen, Mrs. Lewis. Ich wünsche Ihnen alles Gute. Und Sie wissen ja: niemals aufgeben!«

Gott im Himmel! Ich bin in Gefahr! Helfen Sie mir. Um Himmels willen, helfen Sie mir!

Die Schwester strich ihr über den Arm. »Menschen wie Sie«, sagte sie, »wachsen an ihrem Schicksal. Sie zerbrechen nicht daran.«

Hör auf mit diesen verdammten Kalendersprüchen. Der Typ hier wird mich töten. Er hat es schon mal versucht, deshalb liege ich hier. Halten Sie ihn auf. Halten Sie ihn doch auf!

Sie schrie. So laut sie konnte. Kein einziger Schrei verließ ihren Brustraum und ihre Kehle.

Sie blieb stumm bis auf ein paar unartikulierte Laute.

»Dr. Dane ist leider im OP«, sagte die Schwester. »Aber ich bestelle ihm Ihre Grüße.«

Bestellen Sie ihm, dass mein Leben keinen Penny mehr wert ist!

Nun traten noch andere Schwestern an ihr Bett und verabschiedeten sich. Sophia starrte sie verzweifelt an. Sie mussten es doch sehen. Sie *mussten.*

Eine der Schwestern, die das Blutdruckmessgerät kontrollierte, sagte: »Die Patientin hat einen erhöhten Blutdruck. Und der Puls rast.«

»Der Stress«, sagte eine. »Wegen der Verlegung.«

Nein. Mein Mörder steht neben mir!

»Ich gebe ihr ein Beruhigungsmittel.«

Sie konnte es nicht fühlen, sah aber, dass eine Schwester mit einer Spritze in der Hand an sie herantrat. Offenbar machte sie sich an ihrem Arm zu schaffen.

»Das wird Sie beruhigen, Mrs. Lewis. So eine Verlegung ist eine aufregende Sache. Sie müssen sich aber vor nichts fürchten.«

Die Spritze wirkte schnell. Sophia merkte, dass ihre Gedanken schleppender wurden, dass sie verschwammen, ineinanderflossen. Leider schlief sie nicht ein, und im Inneren wurde sie auch keineswegs ruhiger. Es war nur so, als werde eine dicke Decke auf ihre jagenden Gedanken und Empfindungen gelegt, sodass sie halb erstickt in ihr wüteten – aber sie hörten nicht auf. Es war fast noch schlimmer jetzt. Als sei nicht schon ihr ganzer Körper gefesselt, fühlte sich nun auch noch ihr Gehirn an wie in einen Schraubstock gepresst. Es war unerträglich. *Unerträglich.*

Jemand setzte das Rollbett, auf dem sie lag, in Bewegung. Dieser … wie nannte er sich … *Jack?* Sie konnte ihn nicht sehen, also war er womöglich an ihrem Kopfende. Wer würde noch bei dem Transport dabei sein? Die verdammte Spritze bewirkte, dass Sophia Probleme hatte, ihre Überlegungen zu fassen zu kriegen und zu ordnen. Ein Fahrer würde da sein. Vielleicht ein zweiter Pfleger. Ihr war klar, dass sie nach *Jacks* Plan die Rehaklinik nicht erreichen würde. Irgendwo zwischen Scarborough und Hull würde er zuschlagen. Aber wie würde das aussehen? Würde er sie leise und heimlich hinten im Wagen ermorden, man würde in Hull eine tote Frau ausladen, und alle wären entsetzt? Würde er es nach einem Unfall aussehen lassen, oder besaß er genügend medizinische Fertigkeiten, um sie so zu töten, dass es nach einem natürlichen Tod aussehen würde?

Sie rollten über den Gang. Sophia sah Menschen vorbeigehen, sah Gesichter, die gleichgültig über sie hinwegblickten. Trotz der Spritze versuchte sie noch immer, mit ihren Augen Kontakt zu anderen Leuten herzustellen, versuchte, um Hilfe zu flehen, aber niemand achtete auf sie. Es war hoffnungslos. Sie war eine regungslose Gestalt, die einen Krankenhausflur entlanggeschoben wurde.

Sie standen vor den Aufzügen. Die Türen öffneten sich.

Für Sophia tat sich damit der Eingang zur Hölle auf.

4

Xenia richtete sich auf und stellte erschrocken fest, dass sie tatsächlich eingeschlafen war. Das hatte sie unbedingt vermeiden wollen, aber nachdem sie in der vergangenen Nacht so wenig Schlaf gefunden hatte, war sie nun von der Müdigkeit förmlich überwältigt worden. Obwohl sie eigentlich so aufgeregt gewesen war. Und so entschlossen, wachsam zu bleiben.

Colin war fix und fertig gewesen, nachdem sie ihm ihre Geschichte erzählt hatte, und in dem kleinen Pub in Whitby hatte man sie schief anzuschauen begonnen, weil sie schon viel zu lange dort saßen und nichts gegessen, irgendwann nicht einmal mehr etwas getrunken hatten.

»Das ist ein Ding«, hatte Colin schließlich gesagt und sie benommen angeschaut. »Das ist wirklich ein Ding!«

Dann hatte er endlich nach der Rechnung gefragt, sie hatten bezahlt und waren hinaus auf die Straße getreten, in einen warmen, wolkigen Tag. Sie hatten einander angesehen und wie aus einem Mund gesagt: »Bloß nicht in diese schreckliche Pension!«

Sie hatten beide das Gefühl gehabt, die engen, stickigen Zimmer, die senfgelben Teppichböden, die großblumigen Tapeten und die schlecht gelaunte Concierge ausgerechnet jetzt absolut nicht zu ertragen.

»Vielleicht können wir irgendwohin ins Landesinnere fahren«, hatte Xenia schließlich vorgeschlagen, und Colin hatte die Idee gerne aufgegriffen. Sie waren in die Hochmoore gefahren, über schmale Straßen, die sich durch unberührt scheinende Natur schlängelten, durch Täler, in denen an diesem Tag nichts zu atmen schien, und über Hochebenen, auf denen ihnen freier zumute wurde. Colin hatte kaum ein Wort gesprochen. Der Handyempfang war hier streckenweise entweder schlecht oder gar nicht vorhanden, sodass auch keine Nachrichten mehr von Kate kamen. Xenia fand das beruhigend: Wahrscheinlich waren sie in dieser Einsamkeit auch nicht zu orten.

Sie hatten in einem lieblichen Tal gehalten, am Rande eines Feldweges. Niedrige Steinmauern durchzogen die Wiesen, irgendwo blökten Schafe, und Glockenblumen wuchsen in dicken Büscheln entlang eines plätschernden Baches.

»Paradiesisch«, hatte Xenia gesagt und sich umgeblickt.

»Man glaubt nicht, dass die Welt so mies ist«, erwiderte Colin.

Er schien völlig erschöpft zu sein. Von der letzten Nacht. Von all dem, was er gehört hatte. Von der Gewissheit, dass er dabei war, sich gründlich und vermutlich lang anhaltend mit Kate zu überwerfen. Er hatte Xenia versprochen, niemandem ein Wort zu sagen, aber inzwischen ging ihm auf, dass er sich in eine schlimme Geschichte verstrickte. Oder bereits verstrickt hatte.

Er rollte sich auf einem Teppich aus Moos unter einer Eiche zusammen und war innerhalb einer einzigen Minute eingeschlafen.

Xenia blieb auf dem Beifahrersitz des Autos sitzen bei weit geöffneter Tür. Sie wollte sich nicht hinlegen, weil sie Angst hatte, ebenfalls einzuschlafen, aber irgendwann sank ihr Kopf zurück gegen die Kopfstütze. Sie schlief ein, ehe sie es sich versah, um nichts weniger körperlich und seelisch erschöpft als Colin.

Als sie aufwachte, wusste sie sofort, wo sie war und was passiert war, und entsetzt blickte sie zu Colin hin. Was, wenn er inzwischen Kate verständigt hatte? Fast erwartete sie bereits, die Sirenen sich nähernder Polizeiwagen zu vernehmen, aber tatsächlich war alles still. Bis auf das Plätschern des Baches und das Zwitschern der Vögel. Und die leisen Schnarchlaute, die Colin von sich gab.

Sie starrte ihn an. Er schlief tatsächlich immer noch, und es hatte nicht den Anschein, als sei er zwischendurch wach gewesen. Und wenn er mit Kate telefoniert hätte und somit wüsste, dass sie gleich hier sein würde, womöglich in Begleitung eines Einsatzkommandos, schliefe er nicht so tief, oder?

Mit angehaltenem Atem verließ Xenia das Auto, stand jetzt auf dem Feldweg und überlegte. Ihr rechter Arm und ihre Schulter schmerzten, sie hatte ungünstig darauf gelegen. Sie widerstand dem Wunsch, den Arm hin und her zu bewegen. Sie wollte nicht, dass Colin aufwachte. Sie musste erst genau überlegen.

Sie wusste, es war nur eine Frage der Zeit, bis er Kate kontaktierte. Er würde die Situation nicht mehr lange aushalten. Kate bedeutete ihm viel, das hatte Xenia an der Art erkannt, wie er über sie sprach. Colin war von Kate fasziniert, und sie war vielleicht überhaupt die einzige Freundin, die er hatte. Colin war ein einsamer Mensch, und Kate war es auch. Das fühlte Xenia deutlich. Deswegen hatten die beiden sich gefunden, und deswegen waren sie füreinander auch wichtig. Colin würde seine Freundschaft zu Kate nicht aufs Spiel setzen, selbst wenn er versprochen hatte, nichts zu sagen. Letzten Endes würde er reden, und dieser Zeitpunkt war nicht fern. Er war sogar in ziemlich greifbarer Nähe.

Sie war in Gefahr.

Es war so erlösend gewesen, über alles zu sprechen. Genauso wie es damals erlösend gewesen war, sich Jacob Paget anzuvertrauen. Die Last nicht mehr länger nur mit sich alleine herumzuschleppen. Jemanden zu haben, der zuhörte und Fragen stellte. Der ihren Kummer verstand, ihre Schuldgefühle, die ganze Verstrickung, in der sie sich befand. Aber jedes Mal hatte sie die Neigung, sich alles von der Seele zu reden, in die Bredouille gebracht. Jacob hatte sie seitdem fest im Griff, beherrschte ihr Leben und ließ ihr kaum noch die Luft zum Atmen. Und Colin würde Kate informieren.

Sie warf einen Blick ins Auto. Der Zündschlüssel steckte.

Sie schaute wieder zu Colin hin. Er hatte sich zusammengerollt und auf die Seite gedreht, sein Handy lag dicht an seinem Rücken.

Sie schlich sich näher an ihn heran, so lautlos sie nur konnte. Nicht ganz einfach bei ihrem Gewicht. Sie musste unbedingt aufhören, bei jeder Gelegenheit Süßigkeiten in sich hineinzustopfen. Sie bückte sich, griff das Handy. Verharrte, hielt den Atem an.

Nichts. Colin bewegte sich nicht. Er atmete tief und gleichmäßig.

Sie schlich zum Auto zurück. Natürlich war es gemein, was sie vorhatte. Ihn ohne Auto und ohne Handy in dieser völligen Einöde sitzen zu lassen ... Nach ihrer Einschätzung konnte er die nächste Straße, auf der zumindest dann und wann die Chance eines vorbeifahrenden Autos bestand, zu Fuß nicht vor dem Abend erreichen. Wenn dann kein Auto kam, würde seine Wanderung noch länger dauern. Sie versuchte, sich zu entsinnen, wann sie zuletzt an einer menschlichen Behausung vorbeigekommen waren. Ein Bauernhof, irgendwo in einer Talsenke ... Von hier aus ein ganz schön langer Fußmarsch.

Sie biss sich auf die Lippen. Er hatte ihr geholfen. Er war nur anständig zu ihr gewesen. Es war nicht in Ordnung, was sie nun tat. Aber sie musste sich retten.

Immerhin, es war Sommer. Er würde nicht frieren, auch nicht in der Nacht.

Sie spähte auf den Rücksitz des Autos, sah eine Flasche mit Mineralwasser dort liegen. Noch fast voll.

Ganz langsam, immer wieder zu Colin hinschauend, öffnete sie die Tür, nahm die Flasche, stellte sie auf den Weg. So, nun hatte er Wasser. Abgesehen davon gab es den Bach und sicher noch viel mehr Bäche in der Gegend. Er würde nicht verdursten.

Soweit das bei ihrer Leibesfülle möglich war, huschte sie um das Auto herum, stieg an der Fahrerseite ein. Colin hatte sich noch immer nicht gerührt.

Er würde aufwachen, wenn sie den Motor anließ. Aber bis er sich aufgerappelt hätte und reagieren konnte, würde sie weg sein.

Sie startete. Der Lärm erschien ihr ohrenbetäubend.

Sie blickte zur Seite. Colin richtete sich langsam auf, schaute verwirrt um sich.

Sie trat das Gaspedal durch. Der Wagen machte einen Satz nach vorne, die Reifen quietschten. Im Rückspiegel sah sie, dass Colin auf die Füße sprang. Er fuchtelte mit den Armen, rief etwas, das sie nicht verstand.

Sie gab noch mehr Gas und fuhr in überhöhtem Tempo davon.

Weg von ihm und von der Gefahr, die er für sie darstellte.

5

Kayla Byron steckte den Kopf durch die Tür zum Arbeitszimmer von Dr. Dane.

»Doktor?«

Dane war mit dem Diktieren von Arztbriefen beschäftigt. Er blickte zerstreut hoch. »Ja?«

»Die *Tremblay Clinic* in Hull hat angerufen. Der Transport, der Sophia Lewis bringen soll, ist immer noch nicht eingetroffen. Man ist dort verwundert, weil sie seit mehr als zwei Stunden hätte da sein müssen.«

»Wie spät ist es denn?« Dane trug nie eine Uhr und verlor über all den Terminen des Tages jegliches Zeitgefühl.

»Es ist gleich zwei Uhr.«

»Und wann sind sie losgefahren?«

»Um zehn. Sie hätten um halb zwölf da sein müssen. Bei stärkerer Verkehrslage vielleicht um zwölf. Es ist in der Tat ungewöhnlich, dass sie noch nicht aufgetaucht sind.«

»Ja, und jetzt?«, fragte Dane hilflos.

»Ich hatte die Fahrt wie immer über *Winslow Ambulance* gebucht.«

Ein privater Krankentransportdienst. Dr. Dane kannte den Betreiber recht gut, daher wickelten sie Transporte seit Jahren über ihn ab.

»Ich habe bei Mark Winslow angerufen. Er hatte noch nichts von der Verzögerung gehört. Er wollte jetzt versuchen, den Fahrer zu erreichen. Ich dachte nur, Sie müssten wissen, dass es ...«

Das Telefon im Vorzimmer klingelte. Kayla war mit zwei Schritten an ihrem Schreibtisch und nahm den Hörer ab.

»Ja«, sagte sie, »das ist seltsam. Und haben Sie den Pfleger erreicht?«

Sie lauschte.

»Aber da stimmt doch dann etwas nicht«, sagte sie. Sie lauschte wieder.

»In Ordnung. Ja, geben Sie uns Bescheid.« Sie legte auf.

»Mark Winslow. Er erreicht weder den Fahrer noch den begleitenden Pfleger über deren Handys, was sehr ungewöhnlich ist und was er nun auch ziemlich beunruhigend findet.«

»Das ist es wirklich. Auf der Strecke hat man überall Empfang.«

»Ich habe im Internet die Verkehrslage gecheckt. Es gibt

keine Staumeldung, keine Umleitungen, nichts. Die müssten einfach längst da sein.«

»Du liebe Güte«, sagte Dane. Er war hinter seinem Schreibtisch hervorgekommen, stand mitten im Zimmer. »Sophia Lewis ist nicht gerade in einem Zustand, in dem sie ewig in einem Transportfahrzeug liegen und durch die Gegend geschaukelt werden sollte. Das ist überhaupt nicht gut.«

»Ich frage mich ...«, sagte Kayla.

»Ja?«

»Dieser Anruf vorhin von der Polizistin, dass Sophia Lewis unter Polizeischutz nach Hull gebracht werden soll. Nachdem die Bewachung ja eigentlich aufgehoben worden war.«

»Davon weiß ich nichts«, sagte Dane verwirrt.

»Nein. Sie waren ja im OP. Ich habe mich darum gekümmert, das heißt, ich habe es versucht. Aber der Transporter war schon losgefahren. Ich habe die Polizistin zurückgerufen, und sie hat gesagt, sie würden dann einen Beamten direkt nach Hull schicken.«

Dr. Dane riss seine Augen weit auf. »Meinen Sie, Sophia Lewis ist etwas zugestoßen? Von der Seite ... von demjenigen, der ihr das alles angetan hat?«

Kayla zuckte mit den Schultern. »Vermutlich hatte die Polizei ja einen Grund, weshalb sie plötzlich den Personenschutz doch verlängern wollte.«

»Oh Gott, was für eine Geschichte«, sagte Dane.

»Mark Winslow wird jetzt die Polizei verständigen«, sagte Kayla. »Dann wissen wir auch, ob es Unfallmeldungen gibt. Vielleicht musste der Transporter abgeschleppt werden.«

»Aber dann hätte der Fahrer seinem Chef doch Bescheid gesagt. Und in der Rehaklinik.«

Sie blickten einander an.

»Ich rufe jetzt noch mal diese Polizistin an, mit der ich vorhin gesprochen hatte. Sergeant Helen Bennett«, sagte Kayla entschlossen. »Ich sage ihr, dass Sophia Lewis nicht angekommen ist und niemand im Moment weiß, wo der Transporter abgeblieben ist.«

»Das wird sie erfahren, wenn *Winslow Ambulance* wegen einer Unfallmeldung bei der Polizei anruft«, meinte Dane.

»Das ist vermutlich eine andere Abteilung. Ich rufe an«, sagte Kayla.

Kate hatte nach dem Gespräch mit Caleb kurz überlegt, ob sie direkt in ihr Büro zurückkehren sollte, aber da es bereits zwei Uhr war und sie noch kein Mittagessen gehabt hatte, beschloss sie, sich am Hafen etwas zu kaufen und dann nach Hause zu fahren, um wie geplant mit der Nachbarin zu sprechen und für den unwahrscheinlichen Fall, dass Colin und Xenia oder zumindest einer von beiden dort aufgetaucht war. Sie hatte Caleb überreden wollen, mit ihr etwas essen zu gehen, aber er hatte abgewinkt.

»Keinen Hunger.«

»Das geht nicht«, hatte sie protestiert. »Sie haben nichts zum Essen im Haus. Sie können nicht von *nichts* leben!«

»Ich rufe nachher den Pizzaservice an«, versprach er, aber es klang weniger nach einem echten Vorhaben als nach einem Versuch, das Thema loszuwerden.

Sie sollten auch mal duschen und sich richtig anziehen, hätte Kate fast gesagt, aber sie schluckte es hinunter. Auch wenn er gerade vom Dienst suspendiert war – er war doch in gewisser Weise noch immer ihr Vorgesetzter. Zumindest empfand sie ihn so.

Sie hatte sich kaum in ihr Auto gesetzt, als ihr Handy

klingelte. Es war Helen. Sie klang atemlos und sehr verunsichert.

»Sergeant, ein Problem …«, begann sie. Kate spürte sofort, wie sich die feinen Härchen auf ihren Unterarmen aufrichteten. Helens Stimme verhieß nichts Gutes.

»Ja?«

»Das Krankenhaus hat gerade angerufen. Der Krankentransport mit Sophia Lewis ist verspätet.«

»Was heißt das? Verspätet?«

»Er ist immer noch nicht in der Rehaklinik in Hull eingetroffen.«

»Und wann sind die losgefahren?«

»Um zehn.«

Obwohl Kate wusste, wie viel Uhr es war, schaute sie noch einmal nach. »Das kann nicht sein. Die müssten längst da sein.«

Helen klang ziemlich verzagt. »Ich weiß. Und es gibt keinen Stau auf der Strecke, keine Umleitung. Nichts. Und …«

»Ja?«

»Der Chef des Transportunternehmens erreicht den Fahrer nicht. Über sein Handy. Und den begleitenden Pfleger auch nicht.«

Kates Herzschlag verstärkte sich. Das klang nicht nur nach einem Problem. Das klang nach einer möglichen Katastrophe.

»Was ist mit dem Polizeischutz?«, fragte sie. »Ist der Beamte erreichbar?«

Man hörte förmlich, dass Helen tief Luft holte, ehe sie antwortete. »Es war keiner dabei.«

Kate brauchte eine Sekunde, diese Nachricht zu verdauen. »Wie bitte?«, fragte sie dann.

»Ich hatte im Krankenhaus angerufen, nachdem Sie mich

beauftragt hatten. Aber da war der Transport schon abgefahren. Ich habe daraufhin einen Beamten direkt in die Klinik nach Hull geschickt.«

»Das heißt, dort sitzt jetzt ein Polizist und wartet? Und der Transporter ist ohne Begleitschutz unterwegs und ist von jedermanns Radar verschwunden? Das darf doch nicht wahr sein!«, rief Kate.

Helen schwieg.

»Ich hatte deutlich gesagt ...«, setzte Kate an, unterbrach sich dann selbst und fügte hinzu: »Der Transport hätte gestoppt werden müssen. Er hätte umkehren oder auf den Beamten warten müssen. Wie auch immer. Sergeant Bennett, das war eine sehr klare Anordnung von mir!«

Kate und Helen bekleideten denselben Rang, aber da Helen eigentlich als Polizeipsychologin arbeitete, während Kate als Ermittlerin tätig war, hatten ihre Anweisungen während einer Ermittlung zu gelten.

»Ich dachte, auf der Fahrt kann eigentlich nichts passieren«, verteidigte sich Helen. »Und in Hull wäre der Schutz ja sofort wieder gewährleistet gewesen. Ich meine ... woher sollte der Täter denn wissen, dass sie heute von Scarborough nach Hull gebracht wird?«

»Keine Ahnung, aber womöglich wusste er es. Das alles klingt überhaupt nicht gut, aber das haben Sie vermutlich auch schon begriffen.« Kates Gedanken überschlugen sich. »Wir geben sofort eine Fahndung nach diesem Krankentransporter raus.«

»Okay«, sagte Helen.

»Und da wir schon dabei sind ... Colin Blair, London. Stellen Sie das amtliche Kennzeichen seines Wagens fest, ich weiß das nicht auswendig, und das kommt auch in die Fahndung.«

»Okay«, sagte Helen erneut, und es war zu hören, dass sie nicht verstand, was das sollte.

Egal ob du es kapierst, dachte Kate aggressiv, Hauptsache, du tust diesmal, was ich sage! Sie wollte schon ausschalten, aber ihr fiel noch etwas ein. »Der Name des Transportdienstes ... haben Sie den gerade parat?«

Sie hörte das leise Klicken von Tasten, offenbar suchte Helen in ihrem Computer.

»*Winslow Ambulance*. Brauchen Sie eine Adresse oder Telefonnummer?«

»Danke. Google ich mir selbst.« Sie beendete das Gespräch. Planänderung. Kein Abstecher nach Hause. Sie würde die Transportfirma aufsuchen.

6

Sienna Burton war wütend, so wütend, dass sie genau wusste, es wäre besser, sich nicht hinter das Steuer eines Autos zu setzen und loszufahren. Aber wäre sie in der Wohnung in Hull geblieben, sie wäre geplatzt. Es war ein Tag, an dem alles zusammenkam: Am Morgen, als sie das Haus verlassen hatte, war sie dem Hausbesitzer begegnet, der sie angemeckert hatte, weil sie angeblich ihren Balkon verwahrlosen ließ, sodass er *eine Schande sei für das ganze Haus,* und weil sie zweimal ihrem Putzdienst nicht nachgekommen war. In der Boutique, in der sie arbeitete, war sie mit einer Kundin zusammengerasselt, deren unverschämte Arroganz einfach nicht auszuhalten war, und die Chefin hatte ihr daraufhin bedeutet, dass sie nicht wiederzukommen brauchte. War das ein Rausschmiss? Ging das überhaupt so einfach? Hatte sie ihren Job verloren? Nach der Auseinandersetzung mit ihrer Chefin hatte sie jedenfalls die Boutique verlassen und war nach Hause gefahren, um sich bei ihrem Freund auszuheulen, der zurzeit arbeitslos war, den ganzen Tag in ihrer Wohnung vor dem Fernseher herumlungerte und sich keine Mühe machte, Bewerbungen zu schreiben. Liam hätte verständnisvoll reagieren müssen, stattdessen war er ausgeflippt und hatte sie angeschrien, dass sie völlig bescheuert sei, nun müssten sie beide von der Sozialhilfe leben und wie sie sich das denn vorstelle?

»Zum Beispiel könntest du es ja mal mit Arbeit versuchen«, hatte Sienna geschrien, und Liam hatte gebrüllt, das werde er auch tun, aber sie brauche sich nicht einzubilden, dass er sie dann mit durchziehen würde. Das fand Sienna die Dreistigkeit auf die Spitze getrieben, nachdem er sich seit Monaten von ihr aushalten ließ. Es kam zu einem hitzigen Wortwechsel, und schließlich verließ Sienna tränenüberströmt die Wohnung, warf sich ins Auto und brauste los. Sie heulte nicht vor Kummer, sondern aus Wut. Liam war eine miese Ratte. Ihre Chefin eine blöde alte Schlampe. Die fette arrogante Kundin gehörte vor den nächsten Zug gestoßen, und der Hausbesitzer sollte an seiner Besitzgier und seiner Selbstgerechtigkeit ersticken!

Sienna schluchzte und wütete vor sich hin, während sie mit gefährlich erhöhter Geschwindigkeit aus der Stadt hinaus und über die Landstraßen bretterte. Sie achtete nicht auf die Richtung, es war ihr auch egal, sie hatte kein Ziel. Nur weg. Von allem.

Als sie das Ortsschild *Market Weighton* passierte, realisierte sie zum ersten Mal, wo sie sich überhaupt befand. Sie kannte die kleine Stadt. Liam war hier aufgewachsen.

Von einem erneuten Schub an Wut durchdrungen, trat Sienna das Gaspedal durch und schoss die Hauptstraße entlang. Sie bog um etliche Kurven, wobei ihre Reifen quietschten. Sie musste das blöde Kaff möglichst schnell hinter sich lassen.

Erst als sie eine Sirene aufheulen hörte, schreckte sie aus ihren finsteren Gedanken und warf einen schnellen Blick in den Rückspiegel. Mist, die Bullen kamen hinter ihr her. Sie hatte das Polizeiauto nirgends gesehen, aber es musste in einer Nebenstraße gelauert haben, und sie war wie eine Furie vorbeigejagt. Klar, die hatten ja nichts Besseres zu tun, als sich jetzt an ihre Fersen zu heften. Anstatt dass sie mal die wirklichen Verbrecher des Landes jagten …

Sienna erwog kurz, ob es Sinn machte, sich nun mustergültig zu verhalten, was bedeutete, die vorgeschriebene Geschwindigkeitsbeschränkung einzuhalten und zu hoffen, dass man dann von ihr abließ. Aber das war vermutlich illusorisch. Die hatten es jetzt auf sie abgesehen. Die Sirene hatten sie wieder ausgeschaltet, aber sie folgten ihr in kurzem Abstand.

Sienna fiel ein, dass sie bei ihrem überstürzten Aufbruch ihre Handtasche zu Hause stehen gelassen hatte, sodass sie nun weder ihren Führerschein noch ihren Ausweis zeigen konnte. Sie würde verdammten Ärger bekommen.

Sie trat das Gaspedal bis zum Anschlag durch und schoss davon.

Sie agierte skrupelloser als die Polizisten, schnitt Kurven ohne Rücksicht auf die Möglichkeit, dass ihr ein anderes Fahrzeug entgegenkam oder Fußgänger die Straßen überquerten. Als sie aus der Stadt herausfuhr, auf irgendeine

Landstraße bog, von der sie nicht wusste, wohin sie führte, konnte sie das Polizeiauto im Rückspiegel nicht mehr sehen. Siennas Herz hüpfte. Das war ja wie im Film. Sie hatte sogar für den Moment ihre Wut auf Liam und all die anderen vergessen. Wahnsinn, sie hatte eine Streife abgehängt! Sie fühlte sich ziemlich euphorisch, bis ihr einfiel, dass es den Beamten vermutlich gelungen war, ihr Kennzeichen zu notieren. Sie musste damit rechnen, bei der allernächsten Gelegenheit gestoppt zu werden. Überdies ging ihr auf, mit welch halsbrecherischer Geschwindigkeit sie aus der Stadt hinausgerast war und wie gefährlich sie sich dabei verhalten hatte. Nun, da das Adrenalin in ihr langsam abklang, stieg heller Schrecken in ihr auf.

Verdammt. Sie steckte in ernsthaften Schwierigkeiten.

Als sie an einem Feldweg vorbeikam, an dessen Beginn zwar ein Schild stand, das es verbot, mit dem Auto hier entlangzufahren, bog sie kurz entschlossen ab und ratterte zwischen den Feldern über Kies und Schotter den Weg entlang, der sich im Nirgendwo zu verlieren schien. Sie musste einfach einen Moment lang nachdenken. Was sollte sie vernünftigerweise als Nächstes tun?

Wenn *Vernunft* überhaupt ein Begriff war, der mit ihr noch in einen Zusammenhang zu bringen war.

Sienna kannte Situationen wie diese. Sie war ein aufbrausender Charakter, sie sagte und tat furchtbare Dinge, und hinterher war sie voll heißer Reue und fragte sich, wie das alles hatte passieren können. Allerdings hatte sie sich noch nie in eine solche Bredouille wie jetzt katapultiert. Im zwischenmenschlichen Bereich vermasselte sie häufig Freundschaften und Beziehungen, aber sie war noch nie mit der Polizei aneinandergeraten. Bis jetzt. Das hatte sie nun auch geschafft.

Sie hielt schließlich, weil der Weg so schlecht war und sie Angst um ihre Reifen bekam. Auf der linken Seite erstreckten sich weiterhin die Felder. Rechts begann ein kleines Wäldchen, das aus Birken mit silberglänzenden Stämmen und niedrigen zerzausten Wacholderbüschen bestand. Dort könnte sie sich vielleicht irgendwo zum Pinkeln hinsetzen. Sie merkte plötzlich, dass sie ganz dringend musste. Wahrscheinlich kam das von der Aufregung.

Sienna stieg aus, ging um das Auto herum und schob sich zwischen den Bäumen und Büschen hindurch. Irgendetwas roch hier unangenehm, möglicherweise nutzten viele diese Stelle hier als Toilette. Andererseits – wer kam hier schon vorbei? Doch eigentlich nur die Bauern, die auf ihren Feldern arbeiteten.

Sie wollte sich gerade hinter ein Gebüsch mit einigermaßen dichtem Blätterwerk kauern, da sah sie es.

Ein Bein. Es ragte hinter einer stacheligen Hecke hervor. Das Bein steckte in einer weißen Hose und in einem beigefarbenen Turnschuh.

Sienna starrte es an und fragte sich, ob sie gerade einer Sinnestäuschung erlag. Beine lagen nicht irgendwo in der Gegend herum, schon gar nicht hinter irgendwelchen Büschen. Schlief dort jemand? Aber wieso sah das Bein so seltsam verdreht aus?

Siennas erster Impuls war, sofort in ihr Auto zu steigen und davonzurasen, so schnell sie konnte, aber irgendetwas hielt sie gefangen. Gebannt starrte sie das Bein an, trat dann einen Schritt näher. Nun fielen ihr auch zahlreiche abgebrochene Zweige und flach gedrückte Büsche auf. Fast wie eine kleine Schneise. Wie eine Spur. Hatte man das Bein – und was immer sich noch daran befand – hier entlanggeschleift?

Vom Grauen gleichermaßen gelähmt und vorwärtsgetrieben, schlich sich Sienna näher. Sie spähte um das Gebüsch herum und stieß einen leisen Schrei aus.

Ein Mann. Ein Mann lag hinter dem Busch auf der Erde. Er trug ein weißes T-Shirt, weiße Jeans. Beigefarbene Turnschuhe. Eines seiner Beine lag etwas verdreht, aber ausgestreckt auf dem Boden, das war das Bein, das Sienna gesehen hatte. Das andere stand abgespreizt zur Seite.

Der Kopf des Mannes war eine einzige klaffende Wunde. Das Gras ringsum glänzte in tiefem, fast schwarzem Dunkelrot. Blut. Massen von Blut.

»Oh Gott!«, schrie Sienna. »Oh Gott!«

Sie drehte sich um und stolperte aus dem kleinen Waldstück hinaus. Fiel einmal hin, weil ihr Fuß an einer Wurzel hängen blieb, fiel auf die Knie und schlug mit dem Kinn auf den Boden, rappelte sich aber ungeachtet der Schmerzen auf. Nur weg hier, weg.

Sie merkte nicht, dass ihre Hose zerrissen war, dass Blut an ihrem Bein hinunterlief und kleine Steine, Zweige und Erde in der Wunde klebten.

Sie erblickte ihr Auto. Zwei Polizisten standen davor und sahen ihr entgegen.

»Schön, dass Sie schließlich doch angehalten haben«, sagte der größere von beiden und grinste.

Das Polizeiauto parkte direkt hinter Siennas Wagen.

Unter normalen – oder halbwegs normalen – Umständen hätte sich Sienna gefragt, wie es sein konnte, dass ihre Verfolger sie entdeckt hatten, hier im Nirgendwo am Rande dieses Schotterweges, aber im Moment war ihr das völlig gleichgültig. Sie blieb stehen und sagte: »Da liegt ein Toter im Gebüsch.«

»Ach, ja?«, fragte der Grinser und zeigte schon wieder die Zähne.

Sie nickte. Sie regte sich nicht einmal auf, weil der Typ ihr nicht glaubte. Sie stand einfach nur da und wunderte sich, dass die Welt ringsum so unberührt wirkte.

»Da liegt ein Toter im Gebüsch«, wiederholte sie.

Der andere Polizist sagte: »Netter Versuch, von sich selbst abzulenken, junge Frau. Ist Ihnen klar, dass Sie mit fast siebzig Meilen die Stunde durch eine Ortschaft gejagt sind und dass Sie das den Führerschein kosten wird?«

Wovon sprach er? Sie war zu schnell gefahren, ja und? Spielte das unter diesen Umständen noch irgendeine Rolle?

»Da liegt ein Toter im Gebüsch«, sagte sie zum dritten Mal. Irgendwie hatte sie das Gefühl, keinen anderen Satz mehr sprechen zu können.

»Sie stecken in ernsthaften Schwierigkeiten«, sagte der Grinser.

In ernsthaften Schwierigkeiten steckte der arme Typ, der in dem Gebüsch lag, wenn man das so überhaupt noch formulieren konnte.

»Ihre Papiere«, sagte der andere Polizist und streckte fordernd die Hand aus.

Sie wollte nicht zum vierten Mal dasselbe sagen, wie eine blöde sprechende Aufziehpuppe. Sie bemühte sich, eine andere Formulierung zu finden.

»In dem Gebüsch hinter mir«, sagte sie und machte eine Handbewegung in die entsprechende Richtung, »da liegt ein Mann. Ich glaube, jemand hat ihm in den Kopf geschossen.«

Der Grinser seufzte. Sein Kollege musterte Sienna nun mit etwas erhöhter Aufmerksamkeit. »Entweder Sie sind nicht ganz dicht«, meinte er, »oder …« Er ließ die Variante, was Sienna außerdem sein konnte, offen.

»Wo soll das sein?«, fragte er.

Sie würde auf gar keinen Fall mehr dorthin gehen, aber sie

deutete mit fahrigen Bewegungen hinter sich. »Da! Da hinten!«

Der Polizist setzte sich zögernd in Bewegung. Es schien, als habe er weniger Angst vor dem, was er dort finden würde, als vielmehr davor, sich lächerlich zu machen, wenn er irgendetwas auf das Gerede dieser irren Raserin gab. Nach wenigen Metern jedoch rief er: »Riecht komisch hier!«

Sienna ließ sich einfach fallen, blieb mit angezogenen Beinen auf dem Boden sitzen und barg ihr Gesicht auf den Knien.

Der Grinser behielt sie im Auge.

Dann folgte ein Ruf aus dem Wäldchen. »Scheiße! Tatsache! Hier liegt einer. Ach, herrje!«

Der Grinser zückte sein Handy.

Sienna dachte: Was für ein Alptraum!

7

Mark Winslow, der Inhaber von *Winslow Ambulance*, wirkte zutiefst verstört. Er saß Kate gegenüber an seinem penibel aufgeräumten Schreibtisch und surfte hektisch in seinem Computer. Die Tastatur klapperte laut unter seinen nervösen Fingern.

»Es gab noch nie ein Problem«, murmelte er, »noch nie.«

Kate verkniff sich den Widerspruch, nämlich dass es mit Sicherheit immer wieder Probleme gegeben hatte, so wie überall, aber womöglich tatsächlich keines, das die Polizei ins Haus gebracht hatte.

»Jack Gregory«, sagte er und scrollte die Seite nach unten, die er offenbar endlich gefunden hatte. »Ja, hier habe ich ihn. Den Pfleger. Und dann Ken Burton. Das ist der Fahrer.«

»Beide sind nicht erreichbar?«, fragte Kate.

»Nein. Das ist seltsam. Wir halten immer Kontakt.«

»Mr. Winslow«, sagte Kate, »der Wagen mit Sophia Lewis hätte vor Stunden in Hull ankommen müssen. Es gab keinen Stau, keinen Unfall, nichts Außergewöhnliches auf der Strecke.«

»Ja, ich weiß. Das ist mir ein Rätsel.«

»Die beiden Männer ... Burton und Gregory. Wie lange arbeiten die schon für Sie?«

»Ken Burton schon ewig. Der arbeitet hier, seitdem ich *Winslow Ambulance* überhaupt gegründet habe. Wir kennen uns noch von der Schule. Wir sind Freunde seit ewigen Zeiten.«

»Und der andere? Jack Gregory?«

Marks Augenlider zuckten nervös. Kate bemerkte es sofort.

»Mr. Winslow?«

»Er ist noch nicht lange hier.«

»Seit wann?«

»Seit ... genau einer Woche.«

Sie schnappte nach Luft. »Dann kennen Sie ihn eigentlich gar nicht?«

»Nein«, räumte Mark Winslow ein, fügte jedoch sofort hinzu: »Niemand stellt nur Leute ein, die er bereits gut kennt.«

»Seine Referenzen?«

»Er ist sehr jung. *Winslow Ambulance* ist sein erster Arbeitsplatz.«

»Aber irgendetwas hat er Ihnen doch vorlegen müssen?«

»Ja, natürlich. Er hat sich mit seinem Pass ausgewiesen. Und er hatte ein Zertifikat über eine abgeschlossene Ausbildung zum Krankenpfleger.«

»Wo sind diese Papiere?«

Mark stand auf, trat an einen Aktenschrank, suchte darin herum und fischte endlich einen Ordner heraus. »Hier«, sagte er und reichte Kate ein Dokument, das Jack Gregory als erfolgreichen Absolventen einer privaten Krankenpflegeschule in Liverpool auswies.

»Hier die Kopie seines Passes«, sagte Mark und reichte ihr ein weiteres Papier.

Auf den ersten Blick war nichts zu beanstanden. Jack Gregory war demnach am 30. Juli 1995 in Manchester geboren und musste somit 24 Jahre alt sein. Das Passbild zeigte einen jungen Mann mit offenem Blick und dichten dunklen Haaren, die ihm tief in die Stirn fielen. Gut aussehend und sympathisch.

In gewisser Weise auch unauffällig.

»Und Ihr Pfleger entspricht auch dem Jack Gregory auf diesem Passbild?«, fragte Kate und hielt Mark die Kopie vor die Nase.

Mark betrachtete das Passfoto und errötete. »Ich habe mir das nicht so genau angeschaut ... Eigentlich, nun ja ... Er hat wildere Haare. Aber wir sehen alle nicht so aus wie auf unseren Passbildern, oder?« Er versuchte einen Scherz: »Zum Glück, würde ich sagen.«

Kate tat ihm nicht den Gefallen, den Mund zu einem Lächeln zu verziehen. »Mund, Nase, Augen ... Ist er es oder nicht?«

Mark studierte angelegentlich das Bild. »Ich kann es nicht sagen ...«, meinte er schließlich, was Kate dahingehend interpretierte, dass das Foto wenig Ähnlichkeit mit Gregory in natura aufwies.

Sie hätte darauf gewettet, dass der Pass jemand anderem gehörte. Und dass das Zertifikat der Pflegeschule entweder gefälscht oder ebenfalls gestohlen war. Als Erstes mussten sie herausfinden, ob das Ausweisdokument als gestohlen gemeldet war. Sie griff nach ihrem Handy, um Helen anzurufen, aber in diesem Moment klingelte es bereits. Es war Robert Stewart.

»Der Fahrer des Krankentransportes wurde gefunden«, sagte er ohne Umschweife. »Ken Burton, seinen Papieren nach. Er lag in einem Gebüsch unweit von Market Weighton. Eine junge Frau hat ihn entdeckt. Er wurde durch einen Kopfschuss getötet.«

Kate merkte, wie ihr sekundenlang schwindelig wurde.

»Verdammt«, stieß sie zwischen den Zähnen hervor.

»Keine Spur weiterhin von dem Fahrzeug«, sagte Robert. »Oder von dem Pfleger. Sie sind bei *Winslow Ambulance*?«

»Im Gespräch mit dem Geschäftsführer«, sagte Kate. Dessen Freund aus Schulzeiten war seit einigen Stunden tot, und sie würde ihm das gleich sagen müssen. »Inspector, ich bin mir sicher, dass der Pfleger das Problem ist. Möglicherweise hat er sich mit einem gestohlenen Pass ausgewiesen.«

Sie gab alle Daten durch, und Robert notierte sie sich.

»Wir prüfen das sofort«, versprach er und legte auf.

Mark hatte Kates Mienenspiel verfolgt.

»Neuigkeiten?«, fragte er.

»Ja«, sagte Kate. »Leider.« Nach einer kurzen Pause fügte sie behutsam hinzu: »Ken Burton wurde gefunden. Erschossen.«

»Was?«, fragte Mark fassungslos.

»In der Nähe von Market Weighton. Das Fahrzeug,

Sophia Lewis und Jack Gregory sind nach wie vor unauffindbar.«

»Aber …« Marks Gesicht hatte eine ungesunde Farbe angenommen. »Wie kann denn das sein … Ich meine … erschossen, sagen Sie?«

Er tat Kate leid. Er war völlig fertig.

»Mr. Winslow, ich befürchte, Jack Gregory ist nicht der, für den er sich ausgibt. Er heißt vermutlich gar nicht so. Der Pass ist wahrscheinlich gestohlen, das Zertifikat von der Krankenpflegeschule gefälscht.«

»Oh Gott«, sagte Mark. »Oh Gott!« Er sank auf dem Stuhl hinter seinem Schreibtisch in sich zusammen, fassungslos und geschockt.

Kate neigte sich vor. »Mr. Winslow, machen Sie sich bitte keine Vorwürfe. Sie konnten das nicht ahnen, und wie sollten Sie das genau nachprüfen? Sie haben sich darauf verlassen, dass der junge Mann ehrlich ist. Die meisten hätten das getan.«

»Ich kam gar nicht auf die Idee, dass er …«, stammelte Mark und fuhr dann wiederum fort: »Oh Gott, oh Gott! Ken! Ausgerechnet Ken!«

Kate hätte ihm gerne ein wenig Zeit gelassen, das alles zu verarbeiten und wieder zu sich zu kommen, aber diesen Luxus konnte sie sich nicht erlauben. Für Sophia Lewis, so sie überhaupt noch lebte, ging es um jede Sekunde.

»Mr. Winslow, es ist leider wichtig, dass wir einige Dinge jetzt sofort klären. Mr. Gregory hat sich also vor einer Woche bei Ihnen beworben. Hatten Sie die Stelle ausgeschrieben?«

»Nein. Er kam einfach so hierher in mein Büro. Sagte, er sei auf der Suche nach einem Job. Er hatte Glück. Ich konnte jemanden brauchen.«

»Sie konnten jemanden brauchen, waren aber nicht aktiv auf der Suche?«

»Ich habe mich schon länger gerade so durchlaviert, aber tatsächlich fehlte mir ein Mitarbeiter. Es ist nur so ...« Mark zögerte. »Die Auftragslage ist nicht immer wirklich glänzend«, sagte er dann. »Wir sind ein relativ kleines Unternehmen, es gibt viele, die größer sind als wir und günstigere Angebote machen können. Manchmal hätte ich tatsächlich einen weiteren Mitarbeiter brauchen können, streckenweise aber auch nicht, aber ich hätte ihn ja durchgehend bezahlen müssen. Insofern war ich irgendwie unschlüssig. Aber als Jack Gregory hier hereinschneite, dachte ich ... Na ja, ich griff einfach zu. Das war ein Fehler. Ein furchtbarer Fehler.« Er stützte den Kopf in die Hände.

Doch ein paar Probleme, dachte Kate. Was er sich aufgebaut hat, läuft nicht so richtig. Wahrscheinlich sieht er deshalb so müde aus. Er schläft nachts nicht richtig.

»Bekommen Sie häufig Aufträge über das Krankenhaus hier in Scarborough?«, fragte sie.

Er nickte. »Besonders über Dr. Dane. Ich kenne ihn ganz gut. Ich bin selbst ausgebildeter Krankenpfleger und habe längere Zeit auf seiner Station gearbeitet, bevor ich mich selbstständig gemacht habe. Er weiß, dass ich ein bisschen zu kämpfen habe. Wenn er einen Transport organisiert, geht das immer über mich. Ich bin ihm sehr dankbar deswegen.«

Jack Gregory, oder wie auch immer er in Wahrheit heißt, weiß aus der Presse, dass Sophia hier im Krankenhaus liegt und am Leben ist, dachte Kate. Und dann ...

Sie überlegte, wie der Ablauf gewesen sein mochte: Es hatten viele Leute auf der Station angerufen und sich nach Sophia erkundigt, nachdem von ihrem tragischen Unfall in der *Yorkshire Post* berichtet worden war. Kollegen, Schüler, die Eltern von Schülern. Der Täter konnte sich leicht daruntergemischt haben. Grundsätzlich wurden keine Auskünfte gegeben, aber Kate konnte sich vorstellen, dass man durch geschicktes Fragen durchaus einige Anhaltspunkte erfahren konnte. Dem Täter war offenbar zu Ohren gekommen, dass man Sophia irgendwann verlegen würde. Vielleicht hatte er es sich aber auch von alleine ausrechnen können. Das eine oder andere Palaver mit irgendjemandem im Krankenhaus, und schon wusste er, dass Dr. Dane solche Dinge immer über *Winslow Ambulance* abwickelte. Erstaunlich schnell war er an einen falschen Pass gekommen, aber womöglich benutzte er den schon seit Langem. Ein Dokument von einer Krankenpflegeschule rasch aufzutreiben war sicher schwieriger, aber Kate musste an Calebs Worte denken: womöglich zwei Täter, die einander im Gefängnis kennengelernt haben. Knasterfahrung bedeutete immer, gute Kontakte zu speziellen Kreisen zu haben. Wahrscheinlich auch zu Leuten, die ziemlich schnell Papiere fälschen konnten. Jack Gregory hatte sich denken können, dass die Papiere keiner besonderen Überprüfung würden standhalten müssen. Wer sollte einen jungen Krankenpfleger eines konspirativen Tuns verdächtigen?

»Was mich etwas wundert«, sagte sie, »Jack Gregory hatte keine praktische Berufserfahrung, und auch Sie persönlich hatten keine Erfahrung mit ihm. Sophia Lewis ist äußerst betreuungsintensiv. Und dann teilen Sie den Neuling gleich für sie ein? Sie hätten sicher auch jemanden gehabt, der seine Kompetenz schon vielfach unter Beweis gestellt hat.«

Marks Gesichtsausdruck verriet, dass er das Gefühl hatte, die Schuld der Welt auf den Schultern zu tragen. »Er wollte es unbedingt. Er bat dezidiert darum, für diese Verlegung nach Hull eingeteilt zu werden. Er wolle mir beweisen, dass er gut sei, sagte er. Es sei wichtig für ihn. Ich könne sicher sein, dass er sein Bestes gebe. Er wirkte so … so engagiert … Er war nicht besonders selbstsicher, und ich dachte, es sei vielleicht gut, ihm einen Vertrauensvorschuss zu geben.«

»Nicht besonders selbstsicher?«

Mark wirkte immer verzweifelter. »Er war … wie soll ich sagen? Einfach sehr unsicher. Sehr schüchtern. Er stotterte ein wenig. Aber er war zugleich äußerst sympathisch. Vertrauenerweckend. Ja. Das ist das richtige Wort.« Mark hob in einer resignierten Bewegung beide Arme. »Ein Mensch, dem ich auf Anhieb Vertrauen entgegenbrachte. Er war vielleicht nicht unendlich klug, aber er schien viel Empathie und Einfühlungsvermögen zu besitzen. Er hatte einen Abschluss mit guten Noten vorzuweisen. Ich dachte … Offensichtlich habe ich mich getäuscht. Aber ich kann das kaum begreifen.«

»So etwas ist auch schwer zu verstehen.«

»Irgendwie war ich überzeugt, er würde es gut machen. Zumal es sich um eine kurze Strecke handelte. Wäre Sophia Lewis in eine Klinik in Südengland verlegt worden, hätte es sich um eine Reise von vielen Stunden gehandelt, dann hätte ich ihm vermutlich noch jemanden an die Seite gestellt. Aber … nach Hull?«

Wenn ihm jemand an die Seite gestellt worden wäre, wäre der jetzt mit einiger Sicherheit auch tot, dachte Kate.

Der starke Verdacht, es bei Jack Gregory mit dem Täter zu tun zu haben, verdichtete sich fast zur Gewissheit. Er hatte den Zugriff auf Sophia Lewis haben wollen. Die Frau, die einen brutalen Anschlag überlebt hatte. Die ihm gefährlich werden konnte. Er hatte den Fahrer mit einem Kopfschuss getötet. Gregory war ein absolut skrupelloser Mörder.

Sophia Lewis war ihm in ihrem Zustand vollständig ausgeliefert. Kate durchlief eine Gänsehaut, wenn sie daran dachte, was die arme Frau durchmachte, falls sie überhaupt noch am Leben war. Immerhin hatte sie nicht neben dem Fahrer im Gebüsch gelegen. Ob die Variante, mit dem flüchtigen Jack Gregory unterwegs zu sein, die bessere für sie war, blieb allerdings dahingestellt.

Ihr kam ein Einfall. Sie suchte auf ihrem Smartphone das Phantombild des Schützen aus dem Zug und hielt es Mark hin. »Könnte das Jack Gregory sein?«

Mark betrachtete das Bild intensiv und schüttelte den Kopf. »Nein. Bestimmt nicht.«

Wieder fielen Kate Calebs Worte ein. *Womöglich zwei Täter …*

»Könnten Sie mit aufs Revier kommen und beim Erstellen eines Phantombildes von Jack Gregory helfen? Das Passbild bringt uns ja wohl nicht besonders viel weiter.«

Mark nickte. »Ja, das kann ich machen. Mein Gott. Ken! Ausgerechnet er. Wissen Sie, ich fühle mich ganz betäubt. Ich kann es einfach nicht fassen.«

Solche Dinge waren unfassbar. Kate wusste das.

»Kommen Sie«, sagte sie sanft und stand auf. »Ich weiß, wie schwer das für Sie ist. Aber wir wollen den Täter so schnell wie möglich schnappen und vor Gericht stellen, und Sie können uns dabei helfen.«

Er erhob sich. Er war kalkweiß im Gesicht.

»Was wird jetzt aus der Patientin?«, fragte er. »Was wird aus Sophia Lewis?«

Darüber wagte Kate kaum nachzudenken.

Sie war einfach drauflosgefahren, ohne ein Ziel, ohne eine Vorstellung, wohin sie wollte. Erst einmal nur weg von Colin und von ihrem schlechten Gewissen. Irgendwann bemerkte sie, dass sie sich zwar von Colin räumlich entfernen konnte, dass ihrem Gewissen aber weit weniger einfach zu entkommen war. Außerdem näherte sich die Tankfüllung ihrem Ende. In einem kleinen Dorf, das sie durchquerte, fand sie eine Tankstelle. Sie war nervös: Was, wenn das Auto schon gesucht wurde?

Colin hatte kein Handy mehr und musste sich noch immer in der tiefsten Einöde befinden, aber vielleicht ließ Kate bereits nach dem Wagen fahnden. So oft, wie sie Colin zu erreichen versucht hatte, ahnte oder wusste sie wohl tatsächlich, dass er mit ihr, Xenia, unterwegs war.

Sie war froh, als sie den Tank gefüllt und bei dem jungen Mann hinter der Theke, der kaum eine Sekunde lang von seinem Smartphone aufblickte, bezahlt hatte und weiterfahren konnte. Gott sei Dank. Ihr Bild hing noch nicht in allen Tankstellen.

Die Schilder am Straßenrand verrieten ihr, dass sie sich in der Nähe von Northallerton befand. Die Stunden des Nachmittags glitten dahin, und irgendwann müsste sie überlegen, wo sie in der Nacht schlief. Und was sie überhaupt weiterhin tun wollte. Einfach nur fliehen war keine haltbare Option für die Zukunft.

Sie fuhr auf einen Parkplatz, von dem aus, laut der Beschilderung, etliche Wanderwege abzweigten, hielt an und überlegte.

Sie steckte in einem tiefen Schlamassel. Sie steckte darin

seit fünfzehn Jahren. Sie war fünfzehn Jahre lang geflohen, hatte verdrängt, hatte ausgehalten. Hatte ein Leben geführt, wie sie es gar nicht führen wollte, und sich eingeredet, das sei in Ordnung so, und irgendwann, irgendwie würde die Situation besser werden.

Nun begriff sie, dass nichts besser werden würde, solange sie immer davonlief. Sie musste sich ihrer Vergangenheit stellen. Sie musste dort aufräumen, wo das Unglück begonnen hatte, und dann würde sie frei sein.

Sie vergrub das Gesicht in den Händen.

Sie hörte Jacobs Stimme. *Du wanderst in den Knast. Das ist dir ja wohl klar!*

Mit dieser Angst war sie nie fertiggeworden, aber jetzt war sie in eine Situation katapultiert worden – und hatte sich auch in Teilen selbst hinein katapultiert –, in der die Dinge eine solche Eigendynamik entwickelten, dass sie sowieso nicht mehr mit heiler Haut davonkäme. Die Polizei war längst involviert. Kate Linville würde sich nicht abschütteln lassen.

Und inzwischen habe ich auch noch ein Auto gestohlen und einen Mann irgendwo in den Mooren zurückgelassen, dachte sie.

Sie hatte es tatsächlich geschafft, sich noch tiefer ins Unheil hineinzureiten.

Sie hob den Kopf. »Okay«, sagte sie laut. »Okay, du kannst jetzt hier nicht stundenlang stehen bleiben und über deine verkorkste Situation lamentieren. Du musst etwas *tun*.«

Der Ausgangspunkt.

Manchmal half es, an den Ausgangspunkt zurückzugehen. Sie war nicht die Einzige, die alles falsch gemacht hatte. Weiß Gott nicht.

Sie zog ihr Smartphone aus der Tasche und loggte sich bei LinkedIn ein. Sie hatte sich dort registriert in der Hoffnung, irgendwann auf ein gutes Jobangebot zu stoßen, und tatsächlich war manchmal etwas gekommen, aber Jacob war immer dagegen gewesen. Mit Ach und Krach tolerierte er den Sprachkurs am Montagabend, wahrscheinlich deshalb, weil sie damit nichts verdiente und er es als Hobby, nicht als Beruf verbuchen konnte. Alles, was sie auch nur einen Hauch unabhängiger hätte machen können, torpedierte er mit Vehemenz.

Mit zittrigen Fingern gab sie einen Namen ein.

Vielleicht war er auch dort registriert.

Vielleicht erfuhr sie seinen derzeitigen Wohnort.

Vielleicht konnte sie seine Adresse googeln.

Es war jetzt das Einzige, was sie tun konnte. Zum Anfang zurückkehren.

Zu Xenia Sidorowa.

Xenia Sidorowa fügte sich schnell und unkompliziert in unsere Familie. Ich war erstaunt, wie problemlos alles ablief. Nach Jahren fehlgeschlagener Kinderwunschbehandlungen, nach einem zermürbenden Adoptionsverfahren, nach all den Schwierigkeiten mit Sascha und mit unserer ununterbrochen schreienden Tochter Lena hatte ich wohl überhaupt nicht mehr damit gerechnet, dass irgendetwas in meinem Leben auch noch einmal ohne Schwierigkeiten ablaufen könnte. Xenia kam nach England mit einem Touristenvisum, ich holte sie am Flughafen Heathrow ab und war erstaunt, dass sie von Anfang an Englisch sprach – etwas mühsam und unsicher, aber gut verständlich und so, dass es zwischen uns keine Verständigungsschwierigkeiten gab. Sie war ein hübsches Mädchen Anfang zwanzig ... Oder vielleicht eher eine junge Frau. Sie wirkte üppig, aber nicht dick; sie hatte große Brüste und runde Hüften, eine weiche reinweiße Haut und dunkelblonde Haare, die ihr zu einem Zopf geflochten über den Rücken hingen. Sie trug gerne knöchellange Röcke oder Kleider, im Winter mit Wildlederstiefeln, im Sommer mit Sandalen oder Ballerinas. Sie wirkte ein wenig altmodisch in ihrer Erscheinung, was ich sehr liebenswert fand. Sie war nicht der Typ Frau, auf den ich stand, überhaupt nicht, aber sie war ein Typ, den ich mochte und sympathisch fand.

Sie zog in der kleinen Kammer neben der Küche ohne Murren ein. Daheim habe sie viel beengter gelebt, erklärte sie, unser Haus und auch ihr Zimmer seien ungeheuer luxuriös. Sie schien sich vom ersten Moment an nicht als Gast zu fühlen, sondern packte sogleich mit an. Sie räumte die Spülmaschine aus, noch ehe sie ihren Koffer ausgepackt hatte, und als sie dann an den Koffer ging, durfte Sascha ihr dabei helfen, sodass Alice ihn vom Hals hatte und sich um Lena kümmern konnte.

»Sie ist ein echter Glücksgriff«, sagte ich zu Alice.

Sie hielt sich bedeckt. Sie war dagegen gewesen, jemanden kommen zu lassen. Eine Fremde.

»Wir haben ja dann gar kein Familienleben mehr«, hatte sie gesagt. Ich hielt dagegen, dass wir genau das dann wieder viel besser leben können würden.

»Wir können auch mal wieder etwas zusammen unternehmen«, hatte ich gesagt. »Ohne die Kinder.«

Sie war nicht überzeugt gewesen, war es auch jetzt nicht. Räumte jedoch widerstrebend ein, dass Xenia zumindest dem ersten Anschein nach sympathisch und zupackend war.

Die ersten Wochen vergingen, und wir gewöhnten uns immer mehr aneinander. Xenia hatte eine angenehme Art, sich im Hintergrund zu halten. Ganze Abende verbrachte sie in ihrem Zimmer und tauchte nur ab und zu auf, um auf die Toilette zu huschen oder sich etwas zu trinken aus der Küche zu holen. Sie war ungeheuer diskret. Und sie nahm Alice so viel Arbeit ab. Wenn ich vom Büro nach Hause kam, stand sie in der Küche, hielt Lena im Arm – die völlig still war – und rührte mit der freien Hand in irgendeinem Gericht, das auf dem Herd vor sich hin köchelte und wunderbar roch. In diesen ersten noch ziemlich kalten Frühlingstagen zog sie beide Kinder jeden Nachmittag warm an und unternahm lange Spaziergänge mit ihnen, Lena im Wagen, Sascha zu Fuß nebenher. Sie brachte büschelweise Tulpen und Narzissen mit, die sie auf einer Blumenfarm am Rande des Dorfes kaufte und die Sascha dann in Vasen und Wassergläsern in allen Zimmern verteilte, lebhaft und freudig. Xenia hatte eine völlig unaufgeregte Art, mit seiner Retardierung umzugehen. Sie nahm ihn, wie er war, und ließ ihn genau die Dinge tun, die er konnte und die ihm Spaß machten. Er durfte bei ihr im Zimmer Bilder malen, und sie pinnte sie an die Küchenschränke. Sascha war außer sich vor Freude. Lena jubelte, wenn Xenia an ihr Bett trat und streckte ihr beide Arme entgegen. Es herrschte auf einmal so viel Frieden in unserem Haus, Gelassenheit. Alles entspannte sich. Spürbar.

Alles – bis auf Alice.

Nach wie vor saß sie erschöpft in ihrer Sofaecke, wenn ich nach Hause kam, obwohl beide Kinder von Xenia beschäftigt wurden und sie irgendetwas hätte tun oder unternehmen können. Spazierengehen, einkaufen, Musik hören, eine Freundin treffen. Sie hätte nun auch überlegen können, ob sie wieder anfangen wollte zu arbeiten. Aber wann immer ich sie vorsichtig darauf ansprach, wehrte sie ab.

»Das ist zu früh«, sagte sie. »Einfach noch zu früh.«

Sie wirkte depressiv und einsam, und ich wusste nicht, warum. Ein Kollege, mit dem ich darüber sprach, meinte, ihre Depression habe sich in den Jahren der ständigen Überforderung und über all die Kämpfe und Enttäuschungen vielleicht verfestigt und sei jetzt nicht so einfach abzuschalten.

»Aber wir haben doch jetzt alles!«, rief ich. »Wir haben eine gesunde Tochter! Wir haben einen liebenswerten Sohn. Wir haben einen Traum von einem Kindermädchen! Was will sie noch?«

»Depressionen«, meinte der Kollege, »verabschieden sich nicht, nur weil die Umstände verändert wurden. Ich glaube ehrlich gesagt nicht, dass Alice ohne ärztliche Hilfe aus ihrem Zustand herausfindet.«

Alice lehnte es jedoch ab, sich einen Therapeuten zu suchen. »Der kann mir sowieso nicht helfen. Er kann ja meine Lebensumstände nicht verändern. Vielleicht brauche ich ein bisschen mehr Ruhe.«

Aber Ruhe hatte sie jetzt genug. Vielleicht sogar zu viel. Xenia schmiss den kompletten Haushalt und managte beide Kinder, und Alice saß auf dem Sofa und schaute zu, wie einer anderen Frau spielend gelang, wozu sie nicht fähig gewesen war. Alles in allem eine Entwicklung, die mich erneut sorgenvoll stimmte.

Verdammt, hörte das denn nie auf?

Hatte ich zuvor Angst gehabt, Alice könnte in einem schweren Burn-out landen, hatte ich nun Angst, sie könnte vor Langeweile krank werden. Mein Kollege meinte, sie habe bereits einen Burn-out.

»Das hört nicht auf, weil sie plötzlich nichts mehr zu tun hat. Das hat sich verfestigt. Sie braucht Hilfe.«

Wir drehten uns im Kreis.

Erschwerend kam hinzu, dass Lena, die uns mit ihrem Geschrei in den Wahnsinn getrieben hatte, bei Xenia zu einem fröhlichen, lachenden, brabbelnden Kind wurde. Sie schrie nach wie vor, wenn Alice oder ich uns ihr näherten oder sie auf den Arm nahmen, aber bei Xenia trockneten sofort ihre Tränen, und das Gesicht, gerade noch feuerrot und wutverzerrt, entspannte sich.

»Wir haben ihr doch nie etwas getan«, sagte ich ratlos. »Wieso schreit sie bei uns und bei Xenia nicht?«

Wir konnten dieses Rätsel nicht lösen. Mir machte das nicht so viel aus. Xenia hatte offenbar eine tolle Hand mit Kindern – na und? Lena liebte mich und Alice trotzdem, da war ich sicher, und sie würde uns auch später lieben. Alice jedoch nahm die Sache natürlich wieder persönlich.

»Machen Sie das, Xenia«, sagte sie, wann immer irgendetwas mit Lena zu tun war. »Bei mir schreit sie ja doch bloß.«

»Vielleicht solltest du nicht alles auf Xenia übertragen«, sagte ich einmal vorsichtig. »Lena soll sich ja nicht komplett an sie gewöhnen.«

»Hat sie doch schon«, sagte Alice und zuckte die Schultern.

Es war ihr wahrscheinlich weniger egal, als sie vorgab, aber mit der Haltung, die sie nach außen hin einnahm, machte sie es mir unmöglich, mit ihr über das Problem zu sprechen. Sie tat gleichgültig und schuf damit eine uneinnehmbare Distanz. Irgendwann sagte ich mir, dass ich getan hatte, was ich konnte, und dass ich nun einfach auf die Zeit und auf eine gute Entwicklung der Dinge vertrauen musste.

Heute werfe ich mir das vor. Die Tatsache, dass ich innerlich irgendwie ausstieg. Ich war erschöpft, zunehmend entnervt von den häuslichen Problemen, schaffte es immer weniger, mich in meinem Beruf zu konzentrieren. Ich fühlte, dass ich aufgefressen wurde, dass ich irgendetwas dagegen unternehmen musste, und ich reagierte, indem ich immer mehr die Augen verschloss, die zunehmend schlechte Entwicklung ignorierte. Irgendwie würde es sich schon wieder einpendeln.

Hoffte ich.

Der Sommer kam, Xenia gewöhnte sich an uns, wir uns an sie. Noch immer lebte sie mit einem Touristenvisum in England. Ich wusste, dass das nicht ewig so weitergehen konnte. Sie arbeitete schwarz bei uns, ich zahlte weder Sozialabgaben noch Krankenversicherung. Eine heikle Situation, falls es zu einem Unfall kommen sollte, und gerade im Haushalt, so las man immer wieder, ereigneten sich die schlimmsten Unfälle. Ich wusste auch nicht, wie es mit der Haftpflicht aussah, wenn sie selbst irgendjemandem einen Schaden zufügte, oder wie die rechtliche Lage war, wenn einem der Kinder unter ihrer Obhut etwas zustieße. Eigentlich müsste ich mich darum kümmern. Ich schob es Tag für Tag vor mir her.

Aber wie sich herausstellen sollte, war es nicht Xenia, die die Tragödie auslöste.

Sondern Alice.

Und ich hätte es wissen müssen.

FREITAG, 2. AUGUST

I

Kate war an diesem Morgen schon in aller Früh im Krankenhaus, um mit den Schwestern und Pflegern zu sprechen, die am Vortag dabei gewesen waren, als Sophia Lewis für den Transport vorbereitet worden war. Sie war am späten Nachmittag des vergangenen Tages bereits da gewesen, aber da hatte die Schicht schon gewechselt. Sie hatte einem der Ärzte beide Phantombilder gezeigt, das des Schützen aus dem Zug und das neue, das nach Marks Angaben angefertigt worden war. Der Arzt hatte beide lange angestarrt und dann mit den Schultern gezuckt.

»Ich weiß es nicht, ganz ehrlich. Ich kann von keinem sagen, dass er es ist, aber auch nicht, dass er es nicht ist. Es war so ein Gewusel, und ich kam nur kurz vorbei. Ich habe nicht auf einzelne Personen und Gesichter geachtet.«

Kate hatte noch zwei Angestellte in deren Wohnungen aufgesucht, aber beide hatten ebenfalls keine genauen Erinnerungen. Die anderen hatte sie nicht angetroffen. Nun hoffte sie, an diesem Tag mehr Glück zu haben.

Was sie bislang herausgefunden hatten: Die Krankenpflegeschule, die auf dem Briefkopf des Zertifikats angegeben war, mit dem sich Jack Gregory ausgewiesen hatte, gab es nicht. Das Zertifikat selbst war eine ausgesprochen dilettantische Fälschung, wirkte auf einen oberflächlichen Blick hin jedoch überzeugend, und mehr als einen solchen Blick hatte Mark Winslow nicht darauf geworfen, wie er tief betroffen und noch immer schockiert zugab.

Bei Jack Gregory handelte es sich um einen jungen Studenten aus Manchester, der seit einem Dreivierteljahr als vermisst galt – was angesichts der Tatsache, dass sich seine Ausweispapiere in den Händen eines mutmaßlichen Mörders und Kidnappers befanden, nichts Gutes für sein Schicksal erahnen ließ. Helen hatte mit der Manchester Police telefoniert und erfahren, dass Jack Gregorys Zimmernachbar aus dem Studentenwohnheim bei der Polizei erschienen war, nachdem Jack von einem langen Wochenende, das er in Schottland in seinem zu einem Camper umgebauten alten Ford Transit Kastenwagen hatte verbringen wollen, nicht zurückgekehrt war. Seine Eltern, die in Suffolk in einem kleinen Dorf lebten, wussten ebenfalls nichts über seinen Verbleib.

Sowohl Gregory als auch sein Auto waren seither nicht wieder aufgetaucht. Der Student schien wie vom Erdboden verschluckt. Kate vermutete, dass er erschossen irgendwo im Umland von Manchester in einem Gebüsch lag. Möglicherweise würde er nie gefunden werden.

Auf der Station im Krankenhaus traf Kate auf etliche Angestellte, die bei der Vorbereitung von Sophia Lewis zum Transport am Vortag dabei gewesen waren. Einige erinnerten sich überhaupt nicht an den Pfleger vom Transportdienst, alle schüttelten beim Blick auf das nach Mark Winslows Angaben angefertigte Phantombild den Kopf, und zwei Krankenschwestern identifizierten den sogenannten Jack

Gregory ohne zu zögern mit dem Phantombild des Schützen aus dem Zug.

»Das ist er. Definitiv. Das war der Pfleger, der gestern den Transport begleiten wollte!«

»Ach«, sagte Kate perplex.

Caleb hatte recht gehabt: Sie hatten es mit zwei Tätern zu tun.

»Aber wieso?«, fragte Robert eine Dreiviertelstunde später, als sie in seinem Büro zusammensaßen und Kate die Situation aus dem Krankenhaus schilderte. »Warum stellt sich der eine Mann mit den falschen Papieren bei dem Transportdienst vor, und ein anderer Mann übernimmt dann die falsche Identität und begleitet den Transport?«

Er blickte gequält drein. Das wurde alles immer verworrener, und zwar vor allem immer dann, wenn Kate Linville loszog und mit neuen Erkenntnissen zurückkehrte. Andererseits konnte er sie kaum dafür angreifen: Sie manipulierte schließlich nicht. Sie präsentierte Tatsachen. Die allerdings überhaupt nicht zu verstehen waren.

»Ich vermute«, sagte Kate, »dass der Typ aus dem Zug es nicht riskieren wollte, erkannt zu werden. Sein Bild war in allen Zeitungen. Mark Winslow hätte ihn erkennen können.«

»Im Krankenhaus hätte man ihn auch erkennen können.«

»Das ist eine andere Situation. Bei einem Bewerbungsgespräch sitzt man jemandem eine halbe Stunde lang oder länger gegenüber. Der andere hat viel Zeit, das Gesicht zu studieren und sich zu fragen, wo, zum Teufel, er das kürzlich erst gesehen hat. Das ist anders in einer Klinik, in der eine Menge Menschen damit beschäftigt sind, eine Patientin transportfertig zu machen. Niemand hat die Zeit, den Pfleger vom Transportdienst anhaltend zu mustern. Da so viele sich gar nicht erinnern konnten, nehme ich auch an, dass der Täter sich bemüht hat, sein Gesicht nicht zu sehr zu zeigen, also nach unten zu blicken oder sich abseits zu halten. Das scheint ihm ganz gut gelungen zu sein.«

»Warum hat der Fahrer nichts gemerkt?«, fragte Helen.

Kate hatte diesen Punkt bereits mit Mark Winslow geklärt. »Der Fahrer und der neu eingestellte *Jack Gregory* kannten einander nicht. Gregory war ja erst ganz kurz dabei, und es hatte noch keinen gemeinsamen Einsatz gegeben. Sie trafen erst am Auto zusammen. Hätten sie einander gekannt, hätte unser Schütze aus dem Zug eben später die Szene betreten und den Fahrer dann töten müssen, aber so hat es für ihn noch besser gepasst.«

»Zwei Täter«, sagte Robert genervt. »Wieso das denn?«

Kate beschloss, Calebs Theorie zu verkünden, hütete sich jedoch, seinen Namen zu nennen.

»Das würde erklären«, sagte sie, »weshalb wir trotz aller Bemühungen keinen Zusammenhang zwischen Sophia Lewis und Xenia Paget herstellen können. Wir haben es möglicherweise mit zwei völlig verschiedenen Vorgeschichten zu tun, die keinen Schnittpunkt haben.«

»Aber …«, begann Helen, doch Kate fuhr fort: »Die Täter sind irgendwann aufeinandergetroffen und haben sich zusammengeschlossen.«

»Das halte ich für äußerst weit hergeholt«, meinte Robert, aber ihm war anzusehen, dass der Gedanke in seinem Kopf zu rumoren begann.

»Es könnte sich um einen Rachefeldzug handeln«, sagte Kate.

»Sie meinen, sowohl Xenia Paget als auch Sophia Lewis werden von irgendwelchen Typen verfolgt, die sie *aus Rache* umbringen wollen?«, fragte Robert.

»Das halte ich für ziemlich wahrscheinlich.«

»Hm. Zwei Täter ...«

»Das ist, wie Zeugenaussagen und Phantombilder beweisen, ebenfalls offensichtlich.«

»Und wieso machen die gemeinsame Sache?«

Kate zuckte mit den Schultern. »Es ist einfacher für sie. Wie man sieht. Sie greifen einander helfend unter die Arme. Nach dem sogenannten Jack Gregory wird bereits gefahndet, also tritt sein Partner in Erscheinung, wenn es um Dinge wie dieses Vorstellungsgespräch geht. Sie helfen einander vermutlich auch mit Waffen, falschen Papieren und anderen Dingen. Sie sind zu zweit stärker, und sie stiften damit bei uns, der Polizei, große Verwirrung.«

»Treffen sich zwei Männer, die es zufällig auf zwei Frauen abgesehen haben, die sie töten wollen ...?«, begann Robert.

»Vielleicht nicht zufällig«, sagte Kate. Sie fand, dass Robert irgendwie bockig war, und mehr denn je sehnte sie sich nach Caleb. Der war souverän genug, die guten Einfälle anderer akzeptieren zu können. »Sie könnten sich im Knast begegnet sein. Und der Knast könnte auch der Grund für ihre Rachegelüste sein.«

»Paget und Lewis haben jeweils einen Mann ins Gefängnis gebracht?«, fragte Helen.

Kate nickte. »Vielleicht haben sie die entscheidenden Zeugenaussagen gemacht.«

»Das wüssten wir«, sagte Robert. »Die Namen wären im System.«

»Anonyme Anzeige?«, mutmaßte Helen. »Die Täter wissen jedoch, wer verantwortlich ist.«

»Durchaus möglich«, sagte Kate.

»Was haben wir?«, fragte Robert. »Wir haben nur die verdammten Phantombilder. Sonst nichts.«

»Ich könnte die Bilder an alle Gefängnisse landesweit mailen«, sagte Helen und sah bei der Vorstellung nicht allzu glücklich aus. »Vielleicht sind sie anhand derer zu identifizieren.«

»Eine andere Möglichkeit sehe ich nicht«, sagte Robert.

»Vordringlich bleibt, dass wir Sophia Lewis finden müssen«, sagte Kate. »Sie ist schwer krank, und sie ist in den Händen eines skrupellosen Mörders.«

»Die Fahndung nach dem Krankentransporter läuft seit gestern«, sagte Robert. »Ich verstehe nicht, warum keinerlei Hinweise kommen. Er hätte längst irgendeiner Streife auffallen müssen. Ein auffälliger Wagen ... Der kann doch nicht vom Erdboden verschwinden!«

»Ich fürchte«, sagte Kate, »dass der Täter seinen Zielort schon erreicht hatte, ehe uns allen hier auffiel, dass irgendetwas nicht stimmte und Sophia Lewis längst in Hull hätte angekommen sein müssen. Das heißt, der Wagen steht vermutlich in irgendeinem Hinterhof oder einer Garage, ist für niemanden sichtbar und somit in gewisser Weise tatsächlich vom Erdboden verschwunden.«

Bedrücktes Schweigen folgte ihren Worten. Alle drei dachten sie in diesem Moment an Sophia Lewis und an den Alptraum, in dem sie sich befand.

»Die einzige Chance, das Versteck zu finden, in das Lewis gebracht wurde, besteht darin, den oder die Täter zu identifizieren«, sagte Robert schließlich. »Nur darüber können wir *möglicherweise* den Ort eingrenzen, an dem sie sich befindet.«

»Die Zeit arbeitet gegen uns«, sagte Helen und stand entschlossen auf. »Ich klappere jetzt die Gefängnisse ab. Immerhin ist es möglich, dass Sergeant Linvilles Theorie stimmt.«

»Zumindest haben wir augenblicklich keine andere Theorie«, entgegnete Robert und sah schon wieder aus, als habe er Kopfschmerzen.

»Weiterhin läuft die Fahndung nach dem Auto von Colin Blair«, sagte Kate, »in dem sich mutmaßlich Xenia Paget befindet. Sie ist in großer Gefahr, wir dürfen sie nicht aus den Augen verlieren.«

»Schön formuliert«, sagte Robert bissig, »aus den Augen verloren haben wir beide gefährdeten Personen. Und zwar gründlich.«

Irgendwie klang das wie eine Schuldzuweisung in Kates Richtung. Sie verschluckte eine patzige Antwort – er hatte sie immerhin nicht konkret angesprochen – und stand nun ebenfalls auf.

»Apropos Zeit«, sagte sie. »Ich fahre noch mal ins Krankenhaus. Vorhin war Dr. Dane im OP, aber jetzt müsste er zu sprechen sein. Ich will wissen, wie lange Sophia Lewis überleben kann. Unter diesen Umständen.«

»Das heißt«, sagte Robert, »wie viel Zeit uns bleibt, sie zu finden.«

Kate nickte. »Genau das«, sagte sie.

2

Sie lag und atmete. Lag und atmete. Lag und atmete.

Eine Weile hatte sie geweint. Die Nässe auf ihren Wangen hatte sich unangenehm angefühlt, aber sie hatte die Tränen nicht wegwischen können und hatte warten müssen, bis sie von selbst trockneten. Jetzt spannte die Haut auf ihrem Gesicht und fühlte sich sehr unangenehm an. Das Salz vielleicht. Sie hatte früher nie gewusst, wie sich getrocknete Tränen im Gesicht anfühlten. Sie hatte sie immer wegwischen können. Nichts leichter als das, nichts, woran man einen Gedanken verschwendete. Jetzt wurden solche Dinge zum Problem. Allerdings – nicht ihr größtes Problem. Bei Gott nicht.

Sie starrte in die Dunkelheit, lauschte auf Geräusche, die ihr sagen könnten, was als Nächstes passierte. War *er* noch da? In der Nähe? Sie hatte vorhin gemeint, eine Tür ins Schloss fallen zu hören. Vielleicht die Haustür, und vielleicht war er gegangen. Zum Einkaufen?

Sie befand sich in einem dunklen Raum, jedoch nicht in einem Keller. Er hatte sie auf dem Rollbett aus dem Krankenwagen in ein Haus gerollt, sie war keine Treppe hinuntergebracht worden.

Wie lange würde sie das hier überleben? Sie am Leben zu lassen war aller Wahrscheinlichkeit nach nicht die Absicht ihres Entführers. Weder war ihm daran gelegen, noch hatte er vermutlich langfristig die Möglichkeit. Sie war ein Komplettpflegefall, sie brauchte die medizinische Betreuung eines modernen Klinikbetriebes.

Er hatte keine Ahnung von Krankenpflege. Das hatte sie schon an der Ungeschicklichkeit gemerkt, mit der er sie ein- oder zweimal hin- und hergedreht hatte. Mit Sicherheit wusste er nicht, wie der Blasenkatheter zu wechseln war. Immerhin hatte er den Urinbeutel ausgeleert und dann wieder befestigt.

»Wer hätte das gedacht«, hatte er dabei angemerkt und gekichert. »Die hochnäsige Sophia Lewis! Du hättest sicher nicht darauf gewettet, dass wir beide irgendwann einmal in *diese* Situation kommen.«

Sie konnte nicht antworten, aber Tränen der Erniedrigung und der Verzweiflung waren ihr in die Augen geschossen.

Sterben, hatte sie gedacht, einfach nur sterben. Das wäre besser als alles andere.

Aber in ihrer Lage war es nicht einmal einfach zu sterben.

In dem dunklen Zimmer gab es an einer Stelle rechts von ihr etwas Helligkeit. Sie nahm an, dass sich dort ein Fenster befand, ziemlich gut abgedichtet mit einem schwarzen Rollo. Das Fenster nutzte ihr jedoch nichts, weder hätte sie sich durch Rufen bemerkbar machen noch dorthin robben und hinauskriechen können.

Sie fragte sich, ob schon nach ihr gesucht wurde. Sie war nie in Hull angekommen. Der Fahrer war erschossen worden. Sie hatte es gehört. Er hatte, die Pistole an der Schläfe, aussteigen müssen, und kurz darauf war ein Schuss gefallen.

Ihr Entführer war zurückgekommen, hatte sich über sie gebeugt und gelächelt. Es war das furchtbarste Lächeln, das sie je gesehen hatte.

»Jetzt sind wir alleine, Sophia«, hatte er gesagt und ihr über die Haare gestrichen.

Dann waren sie weitergefahren. Schließlich irgendwo zum Stehen gekommen. Sophias Augen waren verbunden worden, bevor sie in das Haus geschafft wurde, sie hatte keine Ahnung, wo sie sich befand. Was geschah mit dem Transporter? Sicher stand er nicht gut sichtbar vor dem Haus. Er würde neugierigen Blicken verborgen sein. Selbst wenn die Polizei nach ihr fahndete – welche Chance hatte sie, gefunden zu werden?

Die Panik stieg in ihr auf und drohte sie zu ersticken. Sie rang sie mit aller mentalen Kraft, derer sie fähig war, nieder.

Denk nach. Denk nach, was du tun könntest.

Nichts, lautete die niederschmetternde Erkenntnis. Sie lag wie ein Käfer auf dem Rücken. Nur dass der wenigstens noch mit den Beinen strampeln konnte.

Oben ging wieder die Tür. Sie öffnete sich, fiel dann mit lautem Knall zu. Sie war jetzt relativ sicher, dass es sich um die Haustür handelte. *Er* war weg gewesen und jetzt zurückgekehrt. Sie empfand beides gleichzeitig: Erleichterung und Schrecken. Sie war absolut hilflos ohne ihn, und wäre er nicht nach Hause gekommen, sie wäre elend krepiert. Aber er war ein Teufel, der Satan selbst, und mit ihm in einem Haus zu sein, ihm ausgeliefert, war entsetzlich.

Warum konnte sie nicht endlich aus diesem Alptraum erwachen?

Sie lag und atmete. Lag und atmete. Lag und atmete.

3

Am Nachmittag, als Kate an ihrem Schreibtisch im Büro saß, rief Lydia Myers an. Kate brauchte einen Moment, um den Namen einzuordnen, aber dann wusste sie es wieder: die Direktorin der Chorlton Highschool in Manchester, in deren Wohnzimmer sie erst wenige Tage zuvor gesessen hatte. Es schien Kate schon wieder eine Ewigkeit her zu sein.

Mrs. Myers hatte wegen des Schülers nachgeforscht, der Sophia Lewis für seine schlechten Noten verantwortlich machte und dessen Eltern ebenfalls sehr massiv geworden waren.

»Die Familie lebt nach wie vor in Dubai«, teilte sie mit. »Auch der Sohn. Sie führen dort ein Restaurant. Das steht zweifelsfrei fest. Ich habe mit einem ehemaligen Klassenkameraden gesprochen, der bis heute mit dem jungen Mann befreundet ist. Demnach war niemand von der Familie mehr in England, seit gut zwei Jahren nicht. Dafür legt er seine Hand ins Feuer.«

Kate bedankte sich und hakte den Schüler aus Manchester damit ab. Natürlich war denkbar, dass er ohne Wissen seines Freundes in England gewesen war, aber das Ganze schien ihr zu weit hergeholt. Sie hatte an diese Spur nie ernsthaft geglaubt.

Vor ihr, auf einem Zettel, standen ein paar Notizen, die sie sich bei dem Gespräch mit Dr. Dane gemacht hatte.

Wie lange konnte Sophia Lewis aushalten?

Ein blasser, besorgter Dr. Dane hatte überlegt.

»Sie kann selbstständig atmen, das ist gut«, hatte er schließlich gesagt. »Der Darm funktioniert einigermaßen, aber sie braucht eigentlich Medikamente, um ihn zu unterstützen. Keine Blasenfunktion, aber sie ist katheterisiert, sodass dort nicht sofort Gefahr droht.«

»Nicht sofort?«

»Der Katheter muss regelmäßig gewechselt werden. Wir haben sonst ein ziemlich hohes Infektionsrisiko.«

»Glauben Sie, dass der Täter das kann? Den Katheter wechseln?«

Dane zuckte die Schultern. »Theoretisch ist das möglich, aber irgendjemand müsste es ihm gezeigt haben. Vielleicht schafft er es auch so … Ich weiß es nicht.«

»Was ist mit der Ernährung?«, fragte Kate.

»Sie kann schlucken. Mühsam im Moment noch. Sehr weiche Nahrung. Das ist hinzubekommen, denke ich«, sagte

Dane. Dann fügte er leise hinzu: »Die Frage ist, will der Mann, der sie entführt hat, sie am Leben halten? Sie ist vollständig auf ihn angewiesen. Es wäre nichts leichter für ihn, als sie sterben zu lassen.«

»Kann sie Schmerzen empfinden?«

»Leider ja. Schmerzen sind ein großes Problem, auch und gerade bei Querschnittslähmung. Es können neuropathische Schmerzen, also Nervenschmerzen, entstehen und sogar chronisch werden. Aber sie kann auch Entzündungsschmerzen spüren. Wenn sie beispielsweise eine Blasenentzündung bekommt, wegen des Katheters, ist anzunehmen, dass sie Schmerzen haben wird. Es kann zudem sein, dass sie Schmerzen heftiger spürt, als es eigentlich angemessen ist.«

»Verstehe.«

»Sie müssen sie schnell finden!«

»Das werden wir«, hatte Kate gesagt. Und sich nicht einmal halb so zuversichtlich gefühlt, wie sie vorgab zu sein.

Ein Anhaltspunkt, dachte sie nun, wir brauchen endlich irgendeinen Anhaltspunkt. Es ist zum Wahnsinnigwerden.

Die Tür ging auf, Helen Bennett und Robert Stewart kamen hinein. Helen wirkte gestresst und frustriert.

»Nichts«, sagte sie. »Ich habe jetzt jedes Gefängnis des Landes kontaktiert. Es gibt keine Zuordnung aufgrund der Phantombilder. Die beiden waren entweder nie im Knast, oder sie sind zumindest nicht anhand der Bilder zu identifizieren.«

»Phantombilder!«, sagte Robert verächtlich. »Aus der Erinnerung zweier Menschen von einem Computersystem erstellt ... Das ist ja auch wirklich nicht viel!«

»Es ist alles, was wir haben«, sagte Kate. »Im Augenblick.«

»Der Augenblick dauert schon ziemlich lange«, knurrte Robert. »Der Augenblick des Stillstandes, meine ich.«

»Ich habe die Handballvereine in West Bromwich abtelefoniert«, sagte Helen. Kate dachte, dass Helen in den letzten Tagen wirklich einen ungeheuren Einsatz gezeigt hatte. Sie war Polizeipsychologin, übte aber im Moment eine Assistenztätigkeit aus, weil sie wegen des Personalmangels niemanden sonst dafür hatten. Ständig telefonierte sie in der Gegend herum, hing in Warteschleifen, fragte sich von einem zum anderen durch. Sie sah erschöpft und blass aus. Kate war ganz sicher, dass Caleb ihr zwischendurch mehrfach ein Lob ausgesprochen und ihrem Einsatz Respekt gezollt hätte. Sie hatte selbst immer wieder erfahren, wie klar und aufrichtig er seine Wertschätzung für einen anderen Menschen zu vermitteln vermochte. Es kam von Herzen, aber zugleich wusste er sicher auch, wie sehr er Mitarbeiter dadurch motivierte und anspornte. Robert schien überhaupt nicht auf die Idee zu kommen, ein Lob auszusprechen. Er wirkte extrem gestresst. Er konnte vermutlich im Moment nicht über den Horizont der verfahrenen Situation hinausblicken.

»Genau genommen gibt es nur zwei«, fuhr Helen fort. »In einem davon bin ich fündig geworden: Sophia Lewis war dort von 1998 bis 2007 Mitglied. Eine sehr nette Dame hat mir Auskunft gegeben.«

»Und?«, fragte Robert ungeduldig.

»Zur selben Zeit war dort ein Samuel Howard in der Jungenmannschaft«, sagte Helen. »Der Einzige, der mit dem Namen *Sam* in Verbindung zu bringen ist. Meine Gesprächspartnerin war zu der Zeit dort noch nicht angestellt. Von einem Stalking-Vorkommnis weiß sie nichts.«

»Und was machen wir jetzt damit?«, fragte Robert.

Helen grinste. »Ich habe seine aktuelle Adresse. Er lebt immer noch in West Bromwich.«

»Bringt er uns etwas?«, fragte Robert stirnrunzelnd.

»Laut Sophias Vater hat er Sophia gestalkt, als beide Teenager waren«, erklärte Kate. »Es ist immerhin eine Möglichkeit, der wir nachgehen sollten.«

»Ich denke, Sophia Lewis' Vater ist nicht mehr ganz dicht. Glauben Sie denn, diese Aussage von ihm hat überhaupt Gewicht?«

Kate seufzte. Es war ja nicht so, dass sie in Samuel Howard, der in seiner Jugend vielleicht einfach nur rasend verknallt gewesen war, aber sich ansonsten absolut nichts hatte zuschulden kommen lassen, den großen Durchbruch witterte. Aber was hatten sie denn sonst? Es blieb ihnen in der augenblicklichen Situation einfach nichts anderes übrig, als jedem noch so kleinen Fingerzeig nachzugehen.

»Ich habe ihn bereits überprüft«, sagte Helen. »Er ist nicht im System. Keine Fingerabdrücke, gar nichts. Das heißt, er ist nie aktenkundig geworden. Es lag nie etwas gegen ihn vor.«

»Womit die großartige Theorie, dass er und *der andere* sich im Gefängnis kennengelernt haben, hinfällig wäre«, meinte Robert mit hochgezogenen Augenbrauen.

Er kann die Ideen anderer schwer akzeptieren, dachte Kate.

»Ja, es ist eben auch nur das: eine Theorie«, sagte sie. »Und solange wir nicht mehr wissen, müssen wir auch diese Ansätze berücksichtigen. Ich fahre jedenfalls morgen nach West Bromwich. Ich will mit Samuel Howard sprechen. Mag sein, dass Sophias Vater übertreibt, was das Stalking angeht, aber zumindest ist er ein Mensch aus ihrer Vergangenheit. Und er war ihr sehr zugetan. Vielleicht weiß er etwas. Irgendetwas.«

»Ich komme mit«, sagte Robert, was Kate angesichts seines Misstrauens gegenüber dieser Fährte für ein erstaunliches Ansinnen hielt. »Ich muss mich stärker in die unmittelbaren Ermittlungen einbringen. Das habe ich ja früher auch gemacht.«

Unausgesprochen schwang der Satz nach: *Dann wird alles besser laufen.*

Kate wäre wesentlich lieber alleine gefahren.

»Ich würde gerne früh aufbrechen, wenn das in Ordnung ist«, sagte sie genervt.

Er nickte. »Ich bin um sieben Uhr bei Ihnen«, sagte er.

4

Sie hatte Oliver Walsh bei LinkedIn gefunden, und praktischerweise gab er dort seinen heutigen Wohnort an: Leeds.

Nicht zu fassen, hatte sie gedacht, wir wohnten in derselben Stadt. Wahrscheinlich über Jahre.

Sie hatte das Meldeverzeichnis gegoogelt und Olivers Adresse gefunden. Eher am Stadtrand gelegen. Sie gab die Adresse ins Navi ein – in das Navi von Colin Blairs Auto.

Das schlechte Gewissen durchzuckte sie dabei wie ein brennender Stich. Inzwischen war eine Nacht vergangen. Colin irrte vermutlich immer noch in den Wäldern herum. Nein, ganz so gruselig musste sie sich das Bild nicht ausmalen. Sie hatten am Rande einer Straße kampiert, und diese Straße würde er entlanglaufen. Er konnte sich nicht verirren.

Aber er hatte im Freien schlafen müssen. Xenia hatte sich auf dem Rücksitz des Autos unter einer Decke zusammengerollt und war trotzdem in den frühen Morgenstunden fröstelnd aufgewacht. Nach Abklingen der Hitzeperiode waren die Nächte ziemlich frisch. Und Colin hatte nichts zum Zudecken.

Nicht darüber nachdenken, befahl sie sich.

Es war so einfach gewesen, Oliver Walsh nach all den Jahren wiederzufinden, dass sie es kaum fassen konnte. Sie hielt vor dem Haus, einem etwas langweilig wirkenden Mehrfamilienhaus mit gepflegtem Garten, und betrachtete die Fassade aus roten Klinkersteinen, die Sprossenfenster in weiß lackiertem Rahmen, den Plattenweg, der zur Haustür führte. Sie fragte sich, ob Alice noch am Leben war und ob die beiden noch zusammen waren. Weder bei LinkedIn noch in der Adressliste hatte es einen Hinweis auf sie gegeben, aber das besagte nicht unbedingt etwas. Die ewig depressive Alice. Unscheinbar, verkrochen und vergraben in ihre komplizierte Psyche.

Xenia stieg aus, hielt ihre Handtasche wie einen Schutzschild vor sich. Sie strich ihr Kleid glatt, dieses schreckliche wallende Leinenkleid mit altmodischem Batikmuster in Grüntönen. Sie fühlte sich wie in einen hässlichen Kartoffelsack gepackt. Zudem hatte sie seit vorgestern ihre Wäsche nicht mehr gewechselt, und in der schäbigen Pension in Whitby hatte sie zum letzten Mal geduscht. Dazwischen lag die Nacht im Auto. Xenia hatte den Eindruck, dass sie schlecht roch. Mithilfe ihres Taschenspiegels und ihres Lippenstiftes hatte sie versucht, ihr Gesicht etwas ansehnlicher zu gestalten, und mit den Fingernägeln hatte sie ihre Haare gekämmt. Das Gesamtergebnis war alles andere als überzeugend, aber vielleicht kam es darauf auch nicht an. Nicht nach allem, was geschehen war.

Der Name *Walsh* stand am Klingelschild gleich vorne am Gartentor. Xenia betätigte die Klingel zögernd. Nach etwa einer Minute knarrte es in der Sprechanlage. »Ja?« Etwas verzerrt, aber unverkennbar die Stimme von Oliver Walsh.

Sie holte tief Luft. »Hallo. Hier ist Xenia.«

Sie standen einander in der Wohnungstür gegenüber. Oliver und Xenia. Fünfzehn Jahre danach.

Wie alt er geworden ist, dachte Xenia erschrocken. Einen Moment lang fragte sie sich, was er wohl dachte. *Wie fett sie geworden ist,* vermutlich.

»Xenia«, sagte er, »du liebe Güte. Nach all der Zeit.«

»Ja«, sagte sie. »Nach all der Zeit.«

Er trat einen Schritt zurück. »Kommen Sie doch rein.« Es wirkte nicht so, als sei er erfreut. Aber er war immer ein höflicher Mensch gewesen. Es war klar, dass er ihr nicht die Tür vor der Nase zuschlagen oder sie einfach wegschicken würde wie einen Hausierer.

»Ja, danke.« Sie trat in die Wohnung. Auf den ersten Blick erkannte sie ein paar der Möbel von früher. Den Garderobenschrank. Den Teppich im Flur. Durch die offene Wohnzimmertür sah sie das alte Sofa. Alice hatte immer darauf gelegen. Chronisch erschöpft. Xenia hatte sie nie anders als müde erlebt.

»Einen Kaffee?«, fragte Oliver. Er schien nervös zu sein.

»Ja. Das wäre schön.« Sie folgte ihm in die Küche, wo er Kaffee in den Filter zu löffeln begann und die Kaffeemaschine einschaltete.

»Ist Alice auch zu Hause?«, fragte sie vorsichtig.

Er hielt kurz inne. »Alice und ich haben uns getrennt.«

»Oh. Schon lange?«

»Ja. Wir sind … danach … auseinandergegangen.«

»Verstehe.« Irgendwie hatte sie es geahnt. Dass eine Beziehung so etwas nicht überleben konnte.

Einige Minuten später saßen sie sich an dem hölzernen Küchentisch gegenüber, den Xenia ebenfalls noch aus dem Haus in Nottingham kannte. Sie sah noch das Gekritzel mit bunten Filzstiften überall. Sascha hatte viel gemalt, aber er hatte die Ränder nicht einhalten können. Sie hatte Zeitungspapier untergelegt, aber dann hatte er auch die Zeitungen bemalt und war dabei über den Rand geraten. Irgendwann hatte sie den ganzen Tisch mit einer Plastikfolie abgedeckt, aber zu spät. Er sah ziemlich ramponiert aus. Doch vielleicht mochte Oliver das so, sonst hätte er ihn abschleifen lassen können. Der Tisch erinnerte ihn an die Familie, die er einmal gehabt hatte. An bessere Zeiten.

Sie waren nie gut, dachte Xenia, die Zeiten dieser Familie. Jedenfalls nicht, seitdem ich sie kannte, und ich vermute, davor auch nicht.

Der Kaffee schmeckte fad, aber Xenia trank ihn trotzdem dankbar. Er war immerhin heiß. Irgendwie hob er ein wenig ihre Lebensgeister.

»Wo lebt Alice jetzt?«, fragte sie.

Oliver zuckte die Schultern. »Wir haben seit Jahren keinen Kontakt mehr. Ich habe keine Ahnung. Ich hörte gerüchteweise, sie sei nach Cornwall gezogen. Wahrscheinlich hat sie das Haus in Nottingham verkauft, aber nicht einmal das weiß ich sicher.«

»Sie haben gar keinen Kontakt?«

»Nein. Sie wollte das so. Sie wollte nicht einmal Unterhalt von mir, wobei ich gar nicht weiß, ob ihr welcher zugestanden hätte, denn immerhin gehörte ihr das Haus, und damit ist sie eigentlich abgesichert. Auf jeden Fall wollte sie den konsequenten Abbruch aller Beziehungen. Ich habe das respektiert.«

»Krass«, sagte Xenia.

»Ja«, sagte Oliver.»Krass.«

Für beide klang das Wort seltsam. Es gehörte nicht zu ihrem üblichen Sprachgebrauch.

Jugendsprache, dachte Xenia. Sie fühlte sich schon lange nicht mehr jung. Eigentlich nicht mehr, seit sie mit Jacob verheiratet war. Aber vielleicht hatte es auch schon nach *der Sache* aufgehört.

»Und wo leben Sie?«, fragte Oliver.

Sie lachte.»Gar nicht so weit weg. Auch in Leeds. In Bramhope.«

»Schon lange?«

»Seit dreizehn Jahren.«

Er lachte auch, nicht freudig, eher in der Art belustigten Erstaunens, in das einen die Wendungen des Lebens versetzen können.»Und wir sind uns nie über den Weg gelaufen.«

»Vielleicht hätten wir einander im Vorbeigehen gar nicht erkannt.« Vermutlich wäre es so gewesen. Tatsächlich war er übermäßig schnell gealtert. Und sie war übermäßig dick geworden. Sie hatten sich beide sehr verändert.

»Sind Sie verheiratet?«

Sie nickte.»Ja. Ich heiße jetzt *Paget*. Xenia Paget.«

»Was machen Sie beruflich? Und Ihr Mann?« Er wurde jetzt lebhafter. Sie rangierten in ungefährlicherem Gewässer. Er hatte Angst gehabt, sie werde ihn auf *die Sache* ansprechen, aber vielleicht war sie wirklich nur so vorbeigekommen, sie würden jetzt den Kaffee trinken, unverfänglich plaudern und sich dann verabschieden.

»Er ist Hausverwalter für mehrere Wohnungsbaugesellschaften. Ich gebe Sprachkurse für Migranten.«

»Wie großartig!«

»Ja, es macht mir Spaß. Es geht uns gut. Wir haben ein

kleines Reihenhaus. Es ist ein friedliches Leben. Unspektakulär. Aber es ist in Ordnung.« Selten hatte sie derart gelogen. Aber sie mochte Oliver nicht von der Misere ihrer Ehe
erzählen. So vertraut waren sie nie gewesen, und nach all den
Jahren waren sie es erst recht nicht.

»Haben Sie ... Kinder?«, fragte er vorsichtig.

»Nein.«

Er hakte nicht nach, ob das eine bewusste Entscheidung
war oder ob sie einen unerfüllten Wunsch mit sich herum-
trug. Dafür war er zu taktvoll. Sie war froh darüber. Hätte sie
ihm wahrheitsgemäß antworten wollen, hätte sie ihm sagen
müssen, dass sie sich Kinder wünschte, aber keinesfalls von
Jacob Paget, an den sie damit noch enger gebunden wäre,
und das hätte das Gespräch in eine Richtung vertieft, die
jetzt nicht anstand.

»Ich freue mich, dass Sie glücklich geworden sind in England, Xenia«, sagte er.

Sie holte tief Luft. Es war der Moment. Sie war deswegen
hergekommen. Um darüber zu reden. Nicht über ihre Ehe.
Über das andere Problem.

»Im Augenblick bin ich alles andere als glücklich«, sagte
sie.

Er blickte etwas verwirrt drein. »Wirklich? Das tut mir
leid.«

»Haben Sie in der Zeitung davon gelesen? Von der Schießerei im Zug von London nach York? Vorletzte Woche?«

»Ja. Schlimme Sache.«

»Das war ich. Die Frau, auf die geschossen wurde.«

»Was?«

»Mein Name wurde in den Medien nicht genannt. Aber
ich war das Opfer.«

Er starrte sie entgeistert an. »Das gibt es doch nicht!«

»Doch. Und ich fühle mich noch immer bedroht. Der Täter hat sein Ziel nicht erreicht. Eine andere Frau hat sich geistesgegenwärtig mit mir in der Bordtoilette verschanzt. Wie sich herausstellte eine Polizistin. Daher hat sie so gut und schnell reagiert. Ich habe ein Riesenglück gehabt. Der Typ wollte mich abknallen. Es war ein einziger Alptraum.«

»Unfassbar. Wer macht denn so etwas?«

Sie entgegnete nichts.

»Und die Polizei? Ich habe gelesen, dass der Mann fliehen konnte. Hat die Polizei schon eine Spur? Oder tappt sie noch im Dunkeln?«

»Vollständig. Und sie sind in großer Sorge um mich. Sie fürchten, dass er es wieder versuchen wird.«

»Und da werden Sie nicht bewacht?«

Sie zuckte mit den Schultern. »Die wissen ehrlicherweise gerade nicht, wo ich bin. Ich bin sozusagen auf der Flucht. Das Auto da draußen ist geklaut.«

»Sie haben ein Auto geklaut?«, fragte er völlig perplex.

»Eine komplizierte Geschichte. Ich werde es natürlich zurückgeben. Aber ich musste mich in Sicherheit bringen. Und ich musste zu Ihnen.«

»Zu mir? Wie kann ich Ihnen denn helfen?«

Langsam und dezidiert sagte sie: »Man wollte mich ermorden. *Mich.* Ganz gezielt. Es war kein Amoklauf in einem Zug mit wahllosen Opfern. Es ging um *mich.*«

»Ja, verstehe. Aber ich weiß nicht …«

»Warum sollte mich jemand töten wollen?«, fragte sie. »Überlegen Sie doch mal.«

Er wurde blass.

Xenia nach so vielen Jahren unvermutet wiederzusehen hat mich völlig durcheinandergebracht. Zuerst habe ich sie nur durch die Sprechanlage gehört. »Hier ist Xenia.« *Im ersten Moment dachte ich an einen Scherz, den sich irgendjemand erlaubte, aber die Stimme, obwohl etwas verzerrt durch die Elektronik, hatte etwas Vertrautes. Als sie dann vor mir stand, hier oben in der Wohnungstür, erkannte ich sie, obwohl sie sich ziemlich verändert hat. Sie ist unheimlich dick geworden. Sie neigte immer dazu, üppig zu sein, aber jetzt ist sie, ehrlich gesagt, wirklich fett. Trotzdem nicht unattraktiv, weil sie diese schöne, glatte milchweiße Haut und die großen Augen hat.*

Wir saßen in meiner Küche, tranken Kaffee und plauderten über dies und das. Erzählten uns in groben Zügen, wie unsere Leben weitergegangen waren. Alles eher nichtssagend. Ich erzählte, dass Alice und ich seit Jahren getrennt sind und ich gar nichts mehr über sie weiß. Und an dieser Stelle hätten wir uns auch verabschieden können. »Es war nett, Sie wiedergesehen zu haben, ja, ja, vielleicht mal wieder auf einen Kaffee.« *Alles gut. Aber dann rückte sie mit dem wahren Anlass ihres Besuches heraus, mit dem Anlass dafür, weshalb sie mich nach all der Zeit wieder aufgestöbert und aufgesucht hat: Auf sie wurde ein Attentat verübt. In einem Zug. Mit knapper Not hat sie überlebt. Und nun hat sie Angst. Vor dem Typen, der sie umbringen will. Aber auch vor der Polizei. Weil die nun am Ende doch herausfinden könnte, was damals passiert ist.*

Angst, dass sie jetzt eingeholt wird. Von allen Seiten.

Der zweite August 2004. Ein Montag.

Niemals, nie werde ich diesen Tag vergessen. Keiner von uns wird ihn je vergessen.

Die Katastrophe brach in unser Leben, unvermittelt, mit einer Wucht, die atemlos macht und verzweifelt. Die Verzweiflung hat mich seither nie mehr losgelassen. Sie wird nie wieder von mir abfallen.

Ich war am Nachmittag jenes Tages in Leicester gewesen, bei einer Versicherungsgesellschaft, die sich dort neu niedergelassen hatte und jemanden suchte, der Buchhaltung, Steuer und Finanzberatung für sie übernahm. Ich hatte mich beworben und eine Einladung zu einem Gespräch bekommen. Eigentlich war das alles eine Nummer zu groß für mich, aber sie würden sicherlich eine gute Bezahlung bieten, und so hatte ich beschlossen, es zumindest zu versuchen. Die Probleme in meiner Familie hatten mich jahrelang dazu gezwungen, höchstens fünfzig Prozent meiner Energie in den Beruf zu stecken, und das war einfach zu wenig. Wir hangelten uns nicht am Existenzminimum entlang, das nicht, aber schon lange schaffte ich es nicht mehr, Rücklagen zu bilden, und das machte mich nervös. Es war Zeit, wieder mehr zu leisten. Jetzt, da Xenia das Zepter schwang und alles perfekt im Griff hatte, konnte ich es riskieren, mir größere Aufgaben und neue Kunden an Land zu ziehen.

Das Gespräch verlief gut, man sagte mir, man werde sich bei mir melden, und ich verließ das moderne Gebäude aus Glas und Chrom voller Hoffnung. Natürlich würden sie weitere Gespräche führen. Aber die Chemie zwischen uns hatte schon mal gestimmt. Irgendwie war ich an jenem windigen, eher kühlen Augustabend in einer optimistischen Stimmung. Der Heimweg dauerte ziemlich lang, normalerweise wäre ich etwa eine Stunde unterwegs gewesen, aber es gab einen größeren Stau, und so wurde es bereits dunkel, als ich Nottingham durchquerte und dann an Wiesen und

Feldern entlang in Richtung unseres Dorfes fuhr. Einmal kreuzte ein Reh die Straße, aber ich konnte gerade noch bremsen. Das Auto stand, und ich merkte, dass ich zitterte.

Das hätte auch schiefgehen können. Plötzlich hatte sich meine Stimmung verändert, als ich weiterfuhr. Ich war jetzt nervös.

Als ich vor unserem einsam gelegenen Haus aus dem Auto stieg, stellte ich fest, dass kein Licht brannte. Jedenfalls nicht in den Räumen, die nach vorne hinausgingen. Das war ungewöhnlich. Seit Xenia da war, wurde ziemlich verschwenderisch bei uns mit Licht umgegangen, weil sie erleuchtete Fenster mochte und sie wichtig fand für die Menschen, die nach Hause kamen. Ich ließ sie gewähren. Auch mir tat die Lebendigkeit, die dadurch entstand, gut.

Dann fiel mir ein, dass Xenia ihren freien Nachmittag und Abend hatte und dass sie mit dem Bus nach Nottingham fahren und ins Kino gehen wollte. Alice war also mit den Kindern alleine und lag wahrscheinlich im dämmrigen Wohnzimmer auf dem Sofa, hatte Sascha vor den Fernseher gesetzt und bemühte sich, Lena ruhig zu halten. Ich merkte, wie sich meine Stimmung noch weiter verdüsterte. Wie abhängig ich schon war von Xenias Anwesenheit. Mir graute regelrecht vor einem Abend alleine mit Alice und den Kindern.

Dann jedoch rief ich mich zur Ordnung. Es würde schon gut werden. Und Xenia war sicher bald wieder zu Hause.

Als ich die Haustür aufschloss und eintrat, hatte ich sofort den Eindruck, dass etwas nicht stimmte. Der Flur war dunkel, die Küche ebenso. Im Wohnzimmer schien eine Lampe zu brennen, man sah es durch die Tür. Der Fernseher lief nicht, zumindest war kein Laut zu hören. Kein Gebrüll von Lena. Es herrschte eine seltsame Stille. Keine friedliche, sondern eine angespannte Stille. Etwas Unwirkliches haftete ihr an. Etwas Ungutes.

»Hallo?«, rief ich und schloss die Tür hinter mir.

Keine Antwort. Normalerweise schoss Sascha herbei, wenn ich nach Hause kam. Kurz kam mir der Gedanke, dass Xenia vielleicht die Kinder mitgenommen hatte.

»Alice? Sascha?« Lenas Namen rief ich vorsichtshalber nicht. Falls sie da war und ausnahmsweise einmal nicht schrie wie am Spieß, könnte schon die Nennung ihres Namens endloses Gebrüll heraufbeschwören.

Ich betrat das Wohnzimmer. Tatsächlich war der Fernseher ausgeschaltet. Die kleine Lampe in der Sofaecke brannte. Der Raum schien menschenleer, und ich wollte mich schon wieder umdrehen, da nahm ich aus den Augenwinkeln eine Bewegung wahr. Ich schaute genauer hin. Unter dem Teetisch im Erker kauerte Sascha. Er hatte sich so klein gemacht, wie er nur konnte, saß völlig zusammengekauert auf dem Boden, beide Arme um seine Beine geschlungen. Er zitterte wie Espenlaub.

»Sascha!« Ich ließ mich auf die Knie nieder, beugte mich zu ihm. Er war kreideweiß. »Was ist denn los? Warum sitzt du da unten? Wo ist Mummy? Wo ist deine Schwester?«

Er sagte nichts. Er starrte mich nur an und hörte nicht auf zu zittern.

Ich stand wieder auf. Irgendetwas stimmte hier nicht.

»Alice!«, rief ich.

Immer noch keine Antwort. Ich verließ das Wohnzimmer. Um Sascha konnte ich mich später kümmern. Erst einmal musste ich herausfinden, was geschehen war.

Ich sah, dass durch die Ritze unter der Badezimmertür Licht drang.

»Alice?«

Ich stieß die Tür auf.

Alice kniete mitten im Badezimmer auf dem Fußboden. Sie war vollständig angezogen, aber ihre Kleidung war überall voll großer nasser Flecken. Auch ihre Haare waren nass. Ihr Gesicht war min-

destens so bleich wie das von Sascha. Sie hielt Lena im Arm. Lena war nackt. Sie hing schlaff wie eine Stoffpuppe auf Alices Schoß.

Zwei oder drei Sekunden vergingen, in denen ich unfähig war, etwas zu sagen oder mich zu bewegen. Dann fiel ich auf den Boden, riss Lena aus Alices Armen.

»Was ist mit ihr? Was, um Himmels willen, ist mit ihr?«

»Ich habe sie gebadet«, sagte Alice mit monotoner Stimme.

Jetzt sah ich, dass die Badewanne noch immer voller Wasser war. Ein paar kleine Schaumkronen trieben noch auf der Oberfläche, der ganze Raum roch intensiv nach dem Rosmarinsalz, das Alice gerne verwendete. Lenas kleine gelbe Schwimmente saß auf dem Badewannenrand.

Ich schüttelte meine Tochter. Sie bewegte sich nicht, sie gab keinen Laut von sich. Ihr Kopf fiel nach hinten. Ihre Augen standen offen und blickten starr.

»Oh Gott! Oh Gott, was ist passiert?« Ich legte Lena auf den Duschvorleger und begann ihre Brust zu massieren. Es war Jahre her, seitdem ich einen Erste-Hilfe-Kurs absolviert hatte. Wenn Lena zu viel Wasser geschluckt hatte, musste das Wasser raus aus ihrer Lunge. Ich bearbeitete ihren Brustkorb mit rhythmischen, harten Bewegungen. Sie rührte sich nicht.

»Hör auf«, sagte Alice. »Sie ist tot.«

»Unsinn!«, brüllte ich, und Alice zuckte zurück. »Sie ist nicht tot! Meine Tochter ist nicht tot!«

»Ich habe sie unter das Wasser gedrückt«, sagte Alice. Sie hatte immer noch diese eigenartig monotone Stimme. »Bis sie still war. Und sich nicht mehr bewegt hat.«

»Du hast was getan?«, schrie ich. Ich hörte auf, Lenas reglosen Körper zu bearbeiten. »Was?«

»Sie hat geschrien. Sie hat einfach nicht aufgehört zu schreien.«

Mir brach der Schweiß am ganzen Körper aus. Für einen Augenblick wurde mir übel, und ich glaubte, ich müsse mich übergeben.

Meine Knie wurden weich wie Pudding; hätte ich nicht schon auf dem Boden gekauert, ich wäre hingefallen.

»Sie hat nicht ... Und du ...«

Alice nickte. »Ich wollte, dass sie still ist. So still wie bei Xenia.«

Ich sah meine Tochter an. Meine tote Tochter. Ganz fein zeichnete sich blaues Adergeflecht an ihrem Hals ab und auf ihrer Brust. Ihr Gesicht trug keinen friedlichen Ausdruck. Der Todeskampf war ihm anzusehen, die Qual des Erstickens.

Alice hatte ein einjähriges Kind ertränkt. Unsere Tochter. Es war klar, dass sie tot war. Es war klar, dass ich sie nicht mehr retten konnte. Es war nicht das geringste Leben mehr in ihr.

»Sag, dass das nicht wahr ist«, flüsterte ich. »Sag bitte, dass ...«

Sie erwiderte nichts.

Ich sprang auf, beugte mich zu Alice hinunter, packte ihre Schultern und schüttelte sie, als wollte ich all das aus ihr herausschütteln, was krank und kaputt und gestört in ihr war.

»Sag, dass das nicht wahr ist!«, brüllte ich.

Sie schwieg noch immer.

Ich ließ sie los, wandte mich wieder Lena zu, schüttelte auch sie, wenngleich sehr viel sanfter. Nichts. Keine Reaktion. Natürlich nicht.

Im Bad herrschte eine warme, feuchte, wabernde Luft. Aus der Wanne mit noch immer warmem Wasser stieg ein Feuchtigkeitsschleier auf und legte sich über Fußboden und Wände, beschlug den Spiegel über dem Waschbecken und die Fensterscheibe, hinter der es inzwischen Nacht geworden war. Ich wollte zum Fenster, wollte es aufreißen und die trockene Kühle von draußen einlassen, aber ich tat es nicht. Weit und breit war keine Menschenseele, und doch hatte ich Angst, dass das, was in den nächsten Minuten in diesem Raum gesprochen und vielleicht geschrien würde, an irgendjemandes Ohr drang.

Ich empfand die Situation als völlig unwirklich, wie einen Alp-

324

traum, aus dem ich hoffte, möglichst schnell wieder zu erwachen, aber zugleich war ich auf eine seltsame Weise geradezu überwach, meine Gedanken liefen schnell und glasklar in meinem Kopf ab: Meine Frau hatte gerade unsere fünfzehn Monate alte Tochter in der Badewanne ertränkt. Weil sie ihr Schreien nicht mehr ertrug. Sie hatte sie umgebracht, um sie ein für alle Mal ruhigzustellen.

Meine Frau war eine Mörderin.

Die Polizei würde kommen und sie festnehmen. Sie würde vor Gericht gestellt werden. Ihre Hormonschwankungen, ihre Depressionen würden von einem wohlwollenden Richter vielleicht in die Waagschale geworfen werden, aber nichts würde sie vor einer mehrjährigen Gefängnisstrafe retten.

Unser Leben würde zerbrechen. In tausend Scherben.

»Es war ein Unfall«, sagte ich. »Wir müssen es als einen Unfall darstellen.«

Alice hatte wie betäubt vor sich hin gestarrt, hob nun den Kopf.

»Wir dürfen es niemandem sagen.«

Sie war wirklich verrückt.

»Wie willst du denn den Tod eines Kindes verheimlichen?«, fragte ich. »Wie willst du das vor deiner gesamten Umwelt verbergen?«

Sie schaute mich aus riesigen Augen an. In ihnen stand der Schock über das, was geschehen war. Sie war vermutlich im Moment wirklich nicht zurechnungsfähig. Sie wusste, was sie getan hatte, aber die Tragweite war ihr nicht bewusst. Etwas schützte sie noch vor der endgültigen Erkenntnis.

Ich betrachtete unser totes Kind. Mir fielen die roten Male an den Schultern, den Oberarmen, am Hals auf. Sie zeichneten sich zunehmend deutlich ab. Spuren von Gewalteinwirkung. Man musste nicht Gerichtsmediziner sein, um sofort zu erkennen, dass Lena nicht einfach ertrunken war, während ihre Mutter unvorsichtigerweise kurz das Badezimmer verlassen hatte. Jemand hatte sie unter die Wasseroberfläche gedrückt. Mit einer Menge Kraft. Was darauf hindeutete, dass Lena sich heftig gewehrt hatte. Sie hatte um ihr Leben gekämpft.

Gegen ihre mörderische Mutter.

Sekundenlang wallte ein Hass in mir auf, ein Hass auf Alice, die unser Leben zerstört hatte, so heftig, dass ich sie hätte schlagen mögen, würgen, schütteln, ihren Kopf mit den schockstarren Augen wieder und wieder gegen die Fliesen an den Wänden knallen ... Ich ballte meine Hände zu Fäusten, grub meine Fingernägel in meine Handballen, bis ich den Schmerz nicht mehr ertrug.

Alles kaputt, sagte eine Stimme in mir, alles kaputt, alles kaputt.

Aber nach wie vor lief das Band ab, auf dem mein Verstand zu mir sprach.

Wir würden Lenas Tod nicht als Unglück tarnen können. Das überhaupt der Polizei gegenüber zu versuchen würde alles nur schlimmer machen. Zugleich war klar, dass wir Notarzt und Polizei nun schnell verständigen mussten. Ein Arzt würde den Zeitpunkt des Todes wahrscheinlich ziemlich präzise feststellen können, es würde uns noch verdächtiger machen, wenn wir Stunden gewartet hatten, ehe wir etwas unternahmen.

Andererseits schien das fast egal. Denn es ging gar nicht darum, verdächtig oder unverdächtig zu erscheinen. Der Sachverhalt war sowieso klar.

»Ich verstehe es nicht«, sagte ich. »Ich verstehe es einfach nicht.«

Alice schüttelte den Kopf. »Ich kann nicht mehr, Oliver.«

Ich starrte sie an. »Was kannst du nicht mehr?«

Sie flüsterte: »Das Geschrei. Dass sie immer schreit. Dass sie nur schreit. Dass nichts mehr übrig bleibt von meinem Leben. Dass nichts mehr übrig bleibt von mir. Ich löse mich auf, Oliver. Ich löse mich auf in den Kindern. Seit Jahren.«

Sie steckte schon lange in einer tiefen Depression. Das war mir ja immer bewusst gewesen. Hatte ich mich zu wenig darum ge-

kümmert? Zu sehr gehofft, es würde sich irgendwie von alleine beheben?

»Von deinem Leben wird jetzt erst recht nichts mehr übrig bleiben«, sagte ich. Meine Stimme hörte sich fremd für mich an und schien zu zittern. Wahrscheinlich stand ich auch unter Schock. »Du wirst ins Gefängnis gehen, Alice. Du hast gerade dein eigenes Kind umgebracht. Man wird dich wegsperren. Das ist es, was du aus deinem Leben gemacht hast.«

Hinter mir vernahm ich einen erstickten Schrei und drehte mich rasch um. Xenia stand in der Badezimmertür. Noch in ihren Straßenschuhen, die billige Handtasche über der Schulter. Sie war nach Hause gekommen, ohne dass wir etwas bemerkt hatten. Sie blickte entsetzt auf die Szenerie, die sich ihr bot.

Sie hatte meine Worte gehört. Sie wusste genau, was geschehen war.

SAMSTAG, 3. AUGUST

I

Auf der ganzen dreieinhalbstündigen Fahrt von Scarborough nach West Bromwich sprach Robert Stewart kein Wort. Nur ein einziges Mal sagte er etwas. Sie machten eine kurze Rast, und Kate ging los, um für jeden einen Kaffee zu holen.

»Bitte beeilen Sie sich«, sagte er. Das war alles.

Sie erreichten die angegebene Adresse erst um halb elf am Vormittag, weil sie sich trotz des Navigationsgeräts mehrfach verfahren hatten. Bauarbeiten und gesperrte Straßen nötigten sie immer wieder zu Umwegen, die sie ständig vom Ziel wegzuführen schienen. Auch dazu sagte Robert nichts. Er hielt das Lenkrad umklammert, sein Gesicht war verbissen, die Lippen fest aufeinandergepresst. Er wirkte so angespannt, dass Kates Mut sank, was das anstehende Gespräch mit Sam Howard anging.

Hoffentlich lässt er überwiegend mich reden, dachte sie.

Sam Howard wohnte in einem recht hübschen Viertel von West Bromwich. Die üblichen Reihenhäuser, kleine Vorgärten. In dem von Howards Haus lag jede Menge Kinderspielzeug auf dem Rasen.

Familienvater, dachte Kate, wahrscheinlich völlig harmlos. Allerdings mussten Familienväter nicht immer harmlos sein. Wie sie im Fall Jayden White gerade erlebt hatten.

Robert hielt auf der gegenüberliegenden Straßenseite. »Wir sind da«, sagte er. Er konnte also immerhin noch sprechen.

Sie stiegen aus, überquerten die Straße, betraten den kleinen Vorgarten mit der Plastikrutschbahn und den Plastiktieren darin und betätigten die Klingel neben der Haustür. Da diese kein Geräusch von sich gab, klopfte Robert kräftig an die Tür.

»Klingel kaputt«, knurrte er.

Schritte näherten sich, ein Mann öffnete und sah von einem zum anderen. Er hielt einen Becher mit Kaffee in der Hand.

»Ja, bitte?«, fragte er.

Robert hielt seinen Ausweis in die Höhe. »Detective Inspector Stewart, Yorkshire Police. CID Scarborough. Das ist meine Kollegin Detective Sergeant Kate Linville. Sind Sie Sam Howard?«

»Ja. Ist ... ist etwas passiert?« Sam reagierte ausgesprochen nervös. Der Kaffee schwappte in dem Becher, weil einen Moment lang seine Hand zitterte. Kate ahnte, spürte es geradezu, dass er in Stewarts Augen gerade vom einem vagen Anhaltspunkt zum Hauptverdächtigen avancierte. Sie selbst teilte dieses Gefühl nicht. Dieser große, hagere, irgendwie übernächtigt wirkende Mann schien ihr nicht abgebrüht genug, bösartige Verbrechen zu begehen und dabei noch einem ausgeklügelten Plan zu folgen. Zudem handelte es sich bei ihm definitiv nicht um den Schützen aus dem Zug. Dem anderen Mann auf dem Phantombild sah er auch nicht ähnlich, aber das musste mit Vorbehalt betrachtet werden: Phantombilder, nach dem Gedächtnis von Zeugen erstellt, konnten manchmal auch ziemlich weit von der Wirklichkeit entfernt sein.

»Wir würden gerne reinkommen«, sagte Robert und drängte bereits in den Flur. Kate wäre mit einem Mann vom Typ Sam Howard vorsichtiger umgegangen, aber ihr Chef schien entschlossen, seinem Stil zu folgen.

Sam geleitete sie in ein kleines Wohnzimmer, das genauso wie der Vorgarten voller Kinderspielzeug lag.

»Entschuldigung. Es ist nicht aufgeräumt. Ich wusste nicht ...«

»Das ist doch gar kein Problem«, beruhigte Kate.

Sam schob hastig ein paar Dinge beiseite, die auf dem kleinen Ikea-Sofa und zwei Sesseln lagen. »Bitte. Setzen Sie sich. Was ist denn passiert?«

»Wir haben nur eine Frage«, sagte Kate. Sie nahm auf dem einen Sessel Platz, Robert auf dem anderen. »Es geht um Sophia Lewis.«

Sie beobachtete sein Gesicht genau. Unbestreitbar wusste er sofort, von wem sie sprach. Seine Augen weiteten sich. »Sophia?«

»Die Frau, die Sie früher monatelang gestalkt haben«, sagte Robert. »Sie wurde entführt.«

Sam schien aufrichtig verwirrt. »Entführt? Sophia?«

»Das sagte ich gerade«, bestätigte Robert.

»Aber wieso ... ich meine, wer entführt denn Sophia?«

»Um das herauszufinden, sind wir hier«, sagte Robert.

Sam, der inzwischen auf dem Sofa saß, stellte seinen Becher auf den Tisch. »Sie glauben doch nicht ...?«

»Wir gehen nur jedem Anhaltspunkt nach«, beruhigte Kate.

»Das ist bestimmt fünfzehn Jahre her«, sagte Sam. Auf

seinen blassen Wangen waren rote Flecken entstanden. »Und es war auch nicht … Also, ich habe sie nicht gestalkt. Wer sagt denn so etwas? Ich habe … ja, ich war verliebt in sie. Ich fand sie toll.«

»Angeblich hingen Sie ständig vor ihrer Haustür herum«, sagte Robert. »Obwohl sie ziemlich genervt auf Sie reagierte.«

Sam ruderte hektisch mit den Armen. »Wir waren jung. Ich war siebzehn, sie sechzehn. Man ist überschwänglich in dem Alter. Wenn man verliebt ist.«

»Zwischen *überschwänglich* und *sexueller Belästigung* besteht ein ziemlich großer Unterschied«, sagte Robert.

Kate musste an sich halten. Es ging nicht, dass sie ihren Vorgesetzten während einer Befragung korrigierte, aber sie fand, dass er es mit seinen Einschüchterungsversuchen zu weit trieb. Niemand hatte etwas von sexueller Belästigung gesagt. Sam Howard mochte sich damals als riesengroße Nervensäge aufgeführt haben, aber er war nicht der Typ, der tatsächlich übergriffig wurde. Er war auch kein Killer. Kate hatte sich im Grunde schon resigniert damit abgefunden, dass sie erneut keinen echten Anhaltspunkt finden würden. Sie erschreckten den armen Sam Howard fast zu Tode, würden aber ohne echte Erkenntnisse wieder davongehen.

»Sexuelle Belästigung?«, fragte Sam. »Das ist ausgeschlossen. Sagt das Sophia? Das kann sie nicht sagen. Das stimmt einfach nicht.«

»Sophia kann uns leider im Moment gar nichts sagen«, entgegnete Robert, »weil sie, wie gesagt, entführt und verschleppt wurde. Es gibt jedoch Menschen in ihrem Umfeld, die uns den Hinweis auf Sie gegeben haben.«

»Ihr Vater vermutlich«, sagte Sam.

Robert erwiderte nichts.

»Du liebe Güte«, sagte Sam, »ich war als Teenager mal wahnsinnig verknallt in Sophia. Ja. Wir kannten uns aus dem Handballclub. Ich bin ihr bestimmt furchtbar auf den Wecker gegangen, aber ich habe ihr nie etwas getan, sie nicht angefasst oder irgendetwas. Das müssen Sie mir glauben. Und inzwischen ist so viel Zeit vergangen. Ich bin glücklich verheiratet. Wir haben drei Kinder. Das Jüngste ist noch keine zehn Tage alt. Wieso sollte ich denn Sophia entführen?«

Fünf Personen in diesem kleinen Haus ... Es wurde Kate schwindelig allein bei der Vorstellung. Dieser junge Mann, der gerade erst zum dritten Mal Vater geworden war und entsprechend übernächtigt aussah ... Nach Kates Ansicht hatte er gar nicht die Kraft, irgendeinem kriminellen Treiben nachzugehen. Und auch einfach keinen Grund. Sie warf Robert einen Blick zu, den dieser jedoch nicht erwiderte.

»Mr. Howard, wo waren Sie am Donnerstag, den 25. Juli?«, fragte er.

Es war, wie Kate wusste, der Tag, an dem sich ein Unbekannter bei Mark Winslow auf die Stelle eines Krankenpflegers beworben hatte. Könnte es sich bei ihm um Sam Howard handeln? Sie bezweifelte es.

Sam Howards Miene erhellte sich. »Das weiß ich noch genau, Sir. An dem Tag wurde meine jüngste Tochter geboren. Lucienne. Um vier Uhr morgens habe ich meine Frau ins Krankenhaus begleitet. Erst um acht Uhr am Abend kam Lucienne auf die Welt. Ich war ohne Unterbrechung die ganze Zeit über bei meiner Frau. Das kann Ihnen in der Klinik jeder bestätigen.«

Sie saßen im Auto, das noch immer gegenüber Howards Haus geparkt stand. Robert starrte missmutig vor sich hin. »Wir können das überprüfen. Allerdings ...«

»Allerdings wäre er nicht so blöd, uns eine so leicht zu enttarnende Lüge zu erzählen«, sagte Kate. »Auf mich wirkte er zudem absolut glaubwürdig.«

»Okay, er ist nicht der Mann, der sich bei *Winslow Ambulance* beworben hat. Trotzdem kann er in der Sache mit drinstecken.«

»Damit wären es ja dann schon drei Personen.«

»Wieso nicht?«

»Weil es hier um etwas sehr Persönliches geht«, sagte Kate. »Das ist keine Geschichte, an der eine ganze Bande beteiligt ist.«

»Was ist mit dem Tag des Anschlags auf Sophia Lewis?«, fragte Robert.

Sie hatten auch danach gefragt, und Sam Howard hatte erklärt, bei der Arbeit gewesen zu sein. Er arbeitete im Lager einer Spedition.

»Spedition?«, hatte Robert mit hochgezogenen Augenbrauen nachgehakt. »Da sind Sie ja viel unterwegs.«

»Ich bin wirklich nur im Lager«, sagte Sam. »An dem betreffenden Tag war ich von morgens bis abends dort. Sie können meinen Chef fragen.«

»Ich lasse Helen das überprüfen«, sagte Robert nun. »Aber wahrscheinlich stellt sich heraus, dass er die Wahrheit sagt.«

»Da bin ich sicher«, sagte Kate. »Sir, wirklich, wir sind auf der falschen Spur. Dieser Howard ist ein Nervenbündel. Total überfordert mit seinem Leben als dreifacher Vater und mit dem anstrengenden und wenig motivierenden Job. Der kommt gar nicht auf die Idee, sich noch mit Anschlägen und Entführungen zu beschäftigen.«

»Aber er hat Sophia Lewis gestalkt. Möglicherweise hat er die Zurückweisung bis heute nicht verdaut.«

»Er setzt ein Kind nach dem anderen in die Welt. Finden Sie nicht, dass das so aussieht, als sei er glücklich mit seiner heutigen Frau und mit seiner Familie, auch wenn ihn das alles nervlich mitnimmt?«

»Kinder in die Welt setzen heißt nicht, dass jemand glücklich ist in seinem Leben«, meinte Robert. »Und dass er Niederlagen aus der Vergangenheit überwunden hat.« Er schlug mit der Faust auf das Lenkrad. »Wir haben nichts, stimmts? Wir haben eigentlich nichts.«

Kate antwortete nicht. Es stimmte, was er sagte. Sie hatten nichts. Und die Uhr tickte für Sophia immer schneller. Und dramatischer.

»Da kommt Howard noch mal«, sagte Robert plötzlich.

Tatsächlich kam Sam Howard über die Straße auf sie zugelaufen. Er hatte noch immer rote Flecken auf den Wangen. Er beugte sich zum Fenster auf der Fahrerseite. Robert ließ die Scheibe hinunter. »Ja?«

»Mir ist etwas eingefallen. Das hat Sophia damals erzählt. Es gab da einen Jungen, der in der Nachbarschaft wohnte, ein paar Jahre jünger als sie.«

»Kinder«, sagte Robert ungeduldig. »Was soll das bringen?«

»Moment mal«, sagte Kate. »Lassen Sie ihn doch ausreden. Sophias Vater erwähnte auch so etwas. Ein Typ aus der Nachbarschaft.«

Robert seufzte.

»Sie hat an zwei oder drei Klubabenden davon erzählt. Ich hielt mich ja immer in ihrer Nähe auf und hing an ihren Lippen.« Sam errötete. »Sie erzählte, dass es da einen Jungen in ihrer Straße gab, der ständig die anderen Kinder terrorisierte. Selbst solche, die älter und größer waren. Der Tiere quälte und vor dem alle Angst hatten.«

Robert seufzte erneut. »Solche Typen gibt es leider überall.«

»Ja, aber dieser ... Sie schien wirklich von Grauen erfüllt, wenn sie von ihm sprach. Und dann ...« Er zögerte.

»Ja?«, fragte Kate.

»Es gab hier irgendeinen schlimmen Fall. In West Bromwich. Ein Typ, selbst noch ein Kind, hatte ein kleines Mädchen in seine Gewalt gebracht. Er konnte geschnappt werden, rechtzeitig, und es wurde nicht recht klar, was er mit dem Kind vorhatte. Nichts Gutes, vermutlich. Die Kleine soll völlig traumatisiert gewesen sein.«

»Und das war der Junge aus Sophia Lewis' Nachbarschaft?«

Sam wirkte unsicher. »Ich weiß das nicht ganz genau. Als das passierte, war ich nicht hier. Ich war in den Staaten, ich war in der Vorauswahl für die Handballnationalmannschaft. Man hat mir eine große Karriere prophezeit.«

Eine Karriere, die offensichtlich im Lagerraum irgendeiner Firma mit dem Packen von Kisten geendet hatte. Er schien Kates unausgesprochene Frage vernommen zu haben, denn er sagte: »Ich hatte eine schwere Schulterverletzung. Nach einem schlimmen Sturz. Es war vorbei mit professionellem Handball.«

Aus seiner Stimme sprachen Enttäuschung und Kummer. Ein geplatzter Lebenstraum.

»Als ich zurückkam, lag das alles schon eine Weile zurück«, berichtete er. »Niemand sprach mehr groß davon. Aber irgendjemand aus dem Klub erzählte mir, das sei der Nachbarsjunge von Sophia gewesen. *Der kranke Typ, von dem Sophia manchmal gesprochen hat,* so drückte er es aus.«

»Sie hat wahrscheinlich im Laufe der Zeit von mehr Menschen gesprochen als nur von irgendeinem Idioten aus ihrer Straße«, meinte Robert. »Sie vermuten also bloß, dass es sich um jenen Mini-Psychopathen handelt?«

»Es klang so«, sagte Sam Howard. »Aber, ja, ich vermute es nur.«

»Den Namen wissen Sie nicht?«

»Nein. Leider.«

»Sie haben uns sehr geholfen«, sagte Kate. »Vielen Dank, Mr. Howard!«

Er nickte ihr noch einmal zu, entfernte sich dann rasch in Richtung seines Hauses. Ein vom Leben frustrierter, nervöser Mann, der wahrscheinlich alten Träumen nachhing, aber dennoch versuchte, aus dem Alltag, wie er ihm geblieben war, das Beste zu machen. Ganz sicher kein Killer. Darauf hätte Kate jeden Eid geleistet.

»Hm«, machte Robert. »Komische Geschichte, oder? Hat vermutlich mit unserer Sache nichts zu tun.«

»Den Luxus, irgendeiner Sache *nicht* nachzugehen, haben wir leider nicht«, sagte Kate. Sie hatte ihr Handy hervorgeholt, um Helen anzurufen. Sie würde sie an diesem Samstagvormittag zwar wahrscheinlich nicht mehr aus dem Bett holen, aber vermutlich bei einem ausgiebigen späten Frühstück stören. Oder bei irgendetwas, aber darauf konnte sie jetzt keine Rücksicht nehmen. »Helen soll alles über den Fall herausfinden. Das verschleppte Kind, Name des Täters, Namen möglicher anderer Beteiligter. Es ist eine Chance.«

»Sehe ich nicht«, sagte Robert. »Aber gut. Was machen wir?«

»Es ist ein Katzensprung nach Birmingham. Ich würde gerne noch einmal Sophias Vater aufsuchen. Vielleicht weiß er noch etwas über diese Geschichte zu berichten.«

Robert ließ den Wagen an. »Sagten Sie nicht, dass er ziemlich verwirrt ist und sich an sehr wenig erinnert?«

»Er hat lichte Momente. Vielleicht erwischen wir einen davon. Es ist einen Versuch wert. In unserer Lage ist *alles* einen Versuch wert.«

»Hoffentlich haben Sie recht«, sagte Robert und fuhr los.

2

Die zweite Nacht im Wald. Colin war erst in den frühen Morgenstunden eingeschlafen, zitternd vor Kälte und klamm von der Feuchtigkeit, die dem Waldboden entstieg. Er hatte sich in einen Laubhaufen eingegraben wie ein ... welche Tiere machten so etwas? Wildschweine? Er kam sich jedenfalls vor wie ein Wildschwein. Nur dass er für ein Leben im Wald nicht gemacht war. Und nicht ausgerüstet.

Er hatte es nicht glauben können, als er den Schlusslichtern seines Autos hinterhergeblickt und begriffen hatte, dass Xenia ihn tatsächlich zurücklassen würde. Sie hatte ihm zu viel erzählt. Den Preis bezahlte er jetzt. Er war zu einer Gefahr für sie geworden.

Sie hatte ihn immerhin nicht im Schlaf ermordet – dazu wäre sie auch gar nicht fähig –, aber sie ließ ihn in der völligen Einöde stehen und würde einen erheblichen Vorsprung haben, ehe er sich irgendwie wieder in zivilisierte Gegenden durchgeschlagen hätte. Allerdings: Vorsprung wohin? Was wollte sie denn? Auf den Kontinent fliehen? Zurück nach Russland? Mit einem gestohlenen Auto?

Kurzschluss, hatte er gedacht, das ist eine irrwitzige

Kurzschlusshandlung. Sie wird merken, dass ihr das nichts bringt.

Das enthob ihn allerdings nicht des Problems, auf irgendeine Weise diese Gegend verlassen zu müssen. Auf eine möglicherweise reumütig zurückkehrende Xenia zu warten war zu ungewiss.

Er hatte sich umgesehen. Sein Smartphone hatte sie mitgenommen. Nicht dass er hier Empfang gehabt hätte, aber er war auf diese Weise auch dann aufgeschmissen, wenn er wieder in belebtere Gegenden kam. Zumindest konnte er Kate nicht so einfach verständigen. Schöner Mist.

Eine Flasche Wasser hatte sie dagelassen. Wie überaus großmütig. Wasser würde aber ohnehin nicht sein echtes Problem werden, er war umringt von glasklar sprudelnden Quellen und kleinen Bächen. Mit dem Hunger würde es schon komplizierter. Andererseits konnte ein Mensch eine ganze Weile ohne Nahrung auskommen.

Er war losmarschiert. Immer an der schmalen, holprigen Landstraße entlang. So konnte er sich nicht verirren, auch wenn es quer durch die Waldgebiete wahrscheinlich weniger kurvenreich und damit kürzer gewesen wäre. Aber wer wusste, ob er aus den Wäldern je wieder herausfand. Zudem bestand an der Straße die Möglichkeit, dass ihm ein Auto begegnete. Hier war allerdings kaum jemand unterwegs. Frustriert erinnerte er sich daran, dass sie auf dem Hinweg niemandem begegnet waren, niemanden gesehen hatten.

Er machte sich auf eine lange Wanderung gefasst.

Die erste Nacht war kalt und schrecklich, aber vor allem die zweite Nacht brachte ihn an den Rand seiner Kräfte. Er hätte nie geglaubt, dass es im Sommer nachts im Wald so kalt werden konnte. Zudem fand er keine Stellung, in der ihm nicht nach kürzester Zeit alle Knochen wehtaten. Er hatte lange nach einem ebenen Stück Boden gesucht, auch geglaubt, eine günstige Stelle gefunden zu haben, aber sehr schnell hatte er festgestellt, dass auch dort Wurzeln verliefen, kleine Mulden und Hügel das Liegen schwermachten, winzige Zweige piksten. Es war fürchterlich. Colin hatte dem Leben in der freien Natur nie viel abgewinnen können, wie er bei zahlreichen Campingurlauben mit seinen Eltern in seiner Jugend festgestellt hatte. Und da hatte er zumindest ein Zelt und Decken und eine Luftmatratze gehabt. Dinge, von denen er jetzt nur träumen konnte.

An diesem Samstagmorgen war er in einem desolaten körperlichen Zustand, zugleich von steigender Wut erfüllt. Die Wut zumindest gab ihm Kraft. Ihm taten alle Knochen weh, er hatte Halsschmerzen und spürte bereits, dass er eine heftige Erkältung bekommen würde. Und er war so zornig auf Xenia, dass er sie hätte schütteln mögen. Er würde der Polizei – Kate – *alles* erzählen, und dann wanderte Xenia womöglich in den Knast, aber das geschah ihr absolut recht. Unfassbar, was sie getan hatte. Sie verdiente es, vor Gericht gestellt zu werden. Okay, sie hatte ihm vertraut, als sie ihm alles erzählt hatte, aber er hatte ihr schließlich auch vertraut, und trotzdem hatte sie ihn gnadenlos im Stich gelassen.

Er schleppte sich die Straße entlang, die eher ein asphaltierter Weg war und auf der er seit zwei Tagen keinem Auto begegnet war, da gewahrte er in der Ferne etwas … Er kniff die Augen zusammen. Ein Dach? Sah er da das Stück eines Daches?

Er hatte Angst, einer Sinnestäuschung zu erliegen und sich zu früh zu freuen, aber er spürte neue Kräfte und lief schneller, und schließlich sah er es unzweifelhaft: ein Haus. Ein Gehöft. Es lag zwischen den Hügeln geduckt in einer

Talsenke, grau wie der Stein der Gegend, irgendwie abweisend, aber das bildete er sich vielleicht nur ein. Ein Trampelpfad führte durch die Wiesen zum Grundstück hin. Wie konnten Menschen bloß so einsam leben? Colin schauderte. Aber sicher hatten sie Strom, einen Telefonanschluss, Internet. Er würde Hilfe herbeirufen können. Auf einmal fiel alle Schwere von ihm ab, er lief fast leichtfüßig den Pfad entlang, atmete den Duft der Sommerblumen, die rechts und links wuchsen und die ihm bislang nicht aufgefallen waren. Das Haus war real. Groß und massig lag es unter dem grauen Himmel, im Schatten eines Berges auf der Rückseite. Colin erreichte die Tür. Es gab keine Klingel, also schlug er mit der Faust dagegen.

»Hallo? Hört mich jemand? Ist jemand zu Hause?«

Nichts rührte sich, und fast panisch blickte er an der Fassade hinauf. *Lieber Gott, lass die nicht verreist sein! Wo sind die denn, an einem Samstag. Wohl kaum bei der Arbeit, oder?*

Endlich näherten sich Schritte hinter der Tür. Jemand öffnete einen Spalt breit. Colin blickte in das misstrauische Gesicht einer älteren Frau. Er versuchte, vertrauenerweckend zu lächeln.

»Guten Tag. Es tut mir leid, dass ich …«

Die Frau starrte ihn entsetzt an. Colin fiel ein, dass er wahrscheinlich ziemlich Furcht einflößend wirkte. Unrasiert, ungewaschen, ungekämmt. Nach zwei Tagen und zwei Nächten in der Wildnis war seine Kleidung dreckig und zerknittert. Seine Augen gerötet. Er musste wie ein Landstreicher aussehen, und die Frau war womöglich alleine in dem Haus. Er könnte es ihr fast nicht verdenken, wenn sie ihn nicht einließ.

»Ich hatte eine Panne«, sagte er. Das machte sich besser als *Mein Auto wurde geklaut,* was wieder einen kriminellen

Aspekt ins Spiel gebracht hätte. »Natürlich am Rande der Welt.« Er machte eine Handbewegung in die waldige, endlose Gegend hinter sich. »Sie sind der erste Mensch, den ich …«

»Verschwinden Sie«, sagte die Frau. Er konnte ihre Angst fast riechen. »Hauen Sie ab!«

Sie knallte die Tür zu.

»Bitte!«, rief Colin. »Bitte, ich brauche Hilfe! Können Sie mir ein Telefon nach draußen reichen? Ich …«

»Verschwinden Sie!«

»Bitte!«

»Wenn Sie nicht sofort verschwinden, rufe ich die Polizei!«

Colin ließ sich mit dem Rücken an der Tür entlang langsam zu Boden sinken. Erschöpft blieb er sitzen und starrte vor sich hin.

»Bitte«, sagte er, »bitte tun Sie das. Rufen Sie die Polizei.«

3

Xenia wusste, dass sie nicht ewig bei Oliver bleiben konnte. Er hatte sie in seiner Wohnung übernachten lassen, aber eher deshalb, weil sie am Vortag einfach keine Anstalten gemacht hatte, sich zu verabschieden, und irgendwann hatte er wohl das Gefühl, höflich sein zu müssen. Vielleicht lag es auch an seiner Einsamkeit. Xenia hatte sich schon mittags in das kleine Gästezimmer zurückgezogen, weil sie sich vor Müdigkeit kaum noch auf den Beinen halten konnte. Sie hatte sich hingelegt und den ganzen Nachmittag über geschlafen. Am Abend hatten sie und Oliver etwas gegessen, und dann hatte sie wieder geschlafen und war erst um zehn Uhr morgens in die Küche gekommen. Oliver machte ihr frischen Kaffee und schob ihr einen Korb mit Brot und ein Glas Marmelade zu.

»Ist nicht viel da«, sagte er entschuldigend. »Ich raffe mich nicht oft zum Einkaufen auf. Lohnt sich immer nicht so richtig für eine Person.«

»Gar kein Problem«, beruhigte Xenia. »Es ist perfekt so.«

Während sie Zucker in ihren Kaffee schaufelte – so viel zu ihrem Vorsatz, endlich abzunehmen –, überlegte sie, wie sie das Thema noch einmal anschneiden konnte. *Das Thema.* Gestern war Oliver nicht mehr darauf eingegangen. Nachdem sie ihm von den Schüssen im Zug erzählt und ihn gefragt hatte, wer wohl einen Grund haben könnte, sie ermorden zu wollen. Er hatte sofort gewusst, wovon sie sprach. Er war blass geworden. Und dann hatte er gesagt: »Ich will darüber nicht reden. Nicht jetzt.«

Sie hatte danach keinen weiteren Vorstoß gewagt.

Jetzt, an diesem trüben Morgen in der Küche, sagte er plötzlich: »Ich habe ein paar Mal einen Mann gesehen. Er stand unten auf der Straße.«

Sie sah ihn fragend an. »Auf der Straße?«

Oliver machte eine Kopfbewegung zum Fenster hin. »Gegenüber. Dort, wo jetzt Ihr Auto parkt. Da stand er. Ich hatte den Eindruck, er beobachtet das Haus. Aber ich weiß nicht, ob er mich und meine Wohnung meinte.«

»Könnte es …«

»Ich habe den Mann nicht erkannt. Er war zu weit weg. Außerdem hat er sich in all den Jahren sicherlich auch verändert.«

»Ja, bestimmt.«

»Der Mann im Zug …«

»Ich habe ihn auch nicht erkannt.«

Sie starrten einander über den Tisch hinweg an.

»Das muss alles nichts bedeuten«, meinte Oliver schließlich.

»Der Mann, der mich im Zug zu ermorden versucht hat, bedeutet schon irgendetwas«, meinte Xenia.

»Aber es muss nichts mit damals zu tun haben«, sagte Oliver.

Sie schwiegen. Sie wussten beide, dass es aller Wahrscheinlichkeit nach etwas *mit damals* zu tun hatte.

»Ich würde gerne …«, begann Xenia, aber in diesem Moment klingelte es an der Tür. Sie unterbrach sich. »Erwarten Sie Besuch?«

»Nein«. Oliver erhob sich. »Mich besucht eigentlich nie irgendjemand. Vielleicht die Post.«

Er ging zur Tür. Sie beobachtete ihn, seinen schleppenden Gang. Er war ungeheuer gealtert, man sah es vor allem an seinen Bewegungen. Die Last drückte ihn, lag schwer auf seinen nach vorne gekrümmten Schultern. Er schleppte sich ab mit dem, was in seinem Leben geschehen war. Er würde das nie loswerden.

Sie hörte ihn durch die Sprechanlage fragen, wer da sei. Die Antwort des anderen konnte sie nicht verstehen, aber sie vernahm das Summen des Türöffners.

»Ein Kurierdienst«, sagte Oliver. Er klang erstaunt.

An das Erstaunen in seiner Stimme würde sich Xenia später wieder und wieder erinnern. Und sich fragen, warum sie dem nicht mehr Bedeutung beigemessen hatte. Oliver schien wirklich irritiert. Hätte sie ein rotes Warnlicht aufleuchten sehen müssen? Hätte ihr eine innere Stimme *Vor-*

sicht zurufen müssen? Hätte sie aus dem Umstand, dass Oliver absolut nicht mit einem Kurierdienst rechnete, und aus der Tatsache, dass er ihr direkt zuvor von einem seltsamen Fremden berichtet hatte, der vor seinem Haus stand, einen Schluss ziehen müssen? Zumindest eine Ahnung fühlen sollen? Ihm zurufen, dass er die Wohnungstür zumachen, dass er niemanden einfach so einlassen sollte? Stattdessen blickte sie in ihre halb volle Kaffeetasse und ließ ihre Gedanken schweifen, bis sie plötzlich ein lautes Geräusch von der Wohnungstür vernahm. Erst dann blickte sie hoch und sah Oliver, wie er erschrocken rückwärts gegen die Wand im Flur taumelte. Vor ihm stand ein Mann. Er hielt eine Waffe in der Hand.

»Oliver«, sagte er. Dann zuckte er zusammen, als er Xenia hörte, die aufgesprungen war. Er hatte keinen weiteren Menschen in der Wohnung erwartet und schien fast zu Tode erschrocken. Er richtete seine Waffe auf sie, dann weiteten sich seine Augen.

»Xenia!«, sagte er, und er klang fast entsetzt.

Sie erkannte ihn. Trotz all der Jahre, die vergangen waren, und obwohl er ein inzwischen erwachsener Mann geworden war.

»Sascha«, sagte sie geschockt.

4

Geoffrey Lewis reagierte auf den überraschenden Besuch von Kate und DI Stewart freundlich, aber verwirrt.

»Ich war ja erst kürzlich bei Ihnen, Mr. Lewis«, sagte Kate, und er lächelte und nickte, aber sie hatte den Eindruck, dass er sie nicht einordnen konnte. In seinem kleinen Haus roch es so, als sei seit Monaten kein Fenster mehr geöffnet worden. Auf dem Herd in der Küche köchelte etwas Undefinierbares vor sich hin. Kate drehte im Vorbeigehen unauffällig die Gasflamme ab.

Diesmal servierte er keinen Kaffee, aber er bot Wasser an, aus Gläsern, die entweder gar nicht oder zumindest höchst unzulänglich gespült worden waren. Kate und Robert lehnten beide dankend ab.

»Mr. Lewis, Sie haben von einem Nachbarsjungen aus Sophias Jugend berichtet«, sagte Kate. »Erinnern Sie sich? Sophia hatte Angst vor ihm.«

Geoffrey dachte nach. »Ja. Das stimmt«, sagte er schließlich.

»Wissen Sie noch, wie er hieß?«

Geoffrey legte die Stirn in Falten. »Wer?«

»Der Junge aus Ihrer Straße. Vor dem Sophia Angst hatte.«

Robert warf Kate einen genervten Blick zu. *Ich habe es ja gesagt,* bedeutete dieser Blick.

»Alle hatten Angst vor ihm«, sagte Geoffrey. »Hat er nicht später das Mädchen entführt?«

Kate lehnte sich vor. »Er hat ein Mädchen entführt?«

»Ja. In eine Garage.«

»Wie alt war er da?«

Geoffrey dachte nach. »Er war elf. Oder zwölf.«

»Also selbst fast noch ein Kind.«

Geoffrey schüttelte den Kopf. »Er war nie ein Kind. Er war immer ein Monster.«

»Er hatte das Kind in einer Garage versteckt?«, schaltete sich Robert ein.

»Wir hatten auch einmal eine Garage«, sagte Geoffrey. »Wir hatten sie mal gemietet, aber dann nicht mehr, weil wir unser Auto verkauft hatten.« Er blickte traurig drein. »Ich hatte meine Arbeit verloren. Wir hatten kaum noch Geld.«

»Was geschah mit dem Mädchen?«, fragte Kate. Unauffällig schielte sie auf ihr Handy. Helen hatte sich noch nicht gemeldet.

»Ich weiß nicht«, sagte Geoffrey. »Heute ist sie bestimmt erwachsen.«

»Er hat sie also nicht umgebracht?«, fragte Robert.

Geoffrey schüttelte den Kopf. »Nein. Er hat sie nicht umgebracht. Die Polizei kam rechtzeitig.«

»Die Eltern des Mädchens hatten die Polizei verständigt?«

Er schien verwirrt. »Ich weiß es nicht.«

»Aber die Polizei war offenbar auf der Suche nach dem Kind?«

»Ich weiß es nicht.«

Sein Verstand durfte ihnen nicht entgleiten, und Roberts beharrliches Fragen nach der Polizei schien genau das zu provozieren. Kate schaltete sich rasch ein.

»Mich interessiert diese Garage, Mr. Lewis. Oder darf ich Geoffrey sagen?«

»Geoffrey.« Er lächelte. Seine verkrampfte Miene entspannte sich.

So macht man das, hätte Kate am liebsten zu Robert gesagt.

»Geoffrey. Befand sich diese Garage in der Straße, in der Sie und auch dieser Junge damals wohnten?«

»Nein. Ein ganzes Stück weit weg, bei einer alten Fabrik, da gab es lange Reihen mit Garagen. Früher konnte man sie mieten, aber sie standen dann schon lange leer und waren halb verfallen. In der Fabrik war auch alles kaputt.«

»Kannte Sophia diese leer stehenden Garagen?«

»Ja. Da ist sie ja immer gejoggt. Jeden Abend.«

»Ihre Joggingstrecke führte durch dieses verlassene Fabrikgelände und an den Garagen vorbei?«

»Ja.«

»Ich verstehe. Erinnern Sie sich an den Namen des Jungen? Aus Ihrer Nachbarschaft?«

»Er fällt mir einfach nicht ein«, sagte Geoffrey fast verzweifelt. Dann erhellte sich seine Miene, er stand auf und schlurfte zu einem Regal, stöberte zwischen Bergen von Papier, Heften, Zeitungen herum. Dann kehrte er mit einem großen Umschlag zurück, den er öffnete. »Hier. Das ist ein Foto von einem Sportfest aus der Grundschule. Es haben Kinder aus allen Klassen mitgemacht. Sophia war im sechsten Jahr. Der Junge im ersten Jahr. Infant School.«

Kate nahm das Bild. Es zeigte rund fünfzig Kinder verschiedenen Alters und einige Lehrer. Die Kinder blickten offen oder verlegen, lachend oder ernst in die Kamera, je nach Naturell. Einigen schien es schwerzufallen, stillzuhalten. Alle trugen kurze Hosen, T-Shirts und Turnschuhe. Kate dachte an ähnliche Fotos aus ihrer Schulzeit. Sie erinnerte sich, später etwas erschrocken gewesen zu sein, weil sie so verschlossen darauf wirkte. Völlig nach innen gerichtet. Und dass sie manchmal mit Blick auf die kleine Kate gedacht hatte: Da hat es sich schon abgezeichnet. Mein weiteres Leben. Dieses Alleinsein. Ohne Freunde. Ohne einen Lebenspartner. Das stand schon in der Grundschule fest.

Diese Erkenntnis hatte sie immer traurig gestimmt. Dass es sowieso umsonst gewesen war. Ihre Hoffnung auf einen Menschen, der zu ihr gehörte. Es war noch nicht so lange her, nach der desaströsen Geschichte mit David, einem Mann, in den sie hoffnungslos verliebt gewesen war, dass sie verstanden hatte: Der Traum von der großen Liebe würde für sie ein Traum bleiben.

Der Augenblick *dieser* Erkenntnis war der allertraurigste gewesen in einer Zeit, in der sie ohnehin mehr geweint als gelacht hatte.

Sie riss sich zusammen. Absolut nicht der Zeitpunkt, über ihr verpfuschtes Privatleben nachzudenken.

»Das Mädchen in der ersten Reihe ganz rechts«, sagte Geoffrey. »Das ist meine Sophia.« Er klang stolz und glücklich.

Kate sah das lächelnde Gesicht eines etwa zehn oder elf Jahre alten Mädchens. Dichte dunkle Haare, helle Augen. Sie hätte Sophia Lewis von selbst nicht erkannt, aber nun dachte sie, dass der Kontrast zwischen den sehr hellen Augen und sehr dunklen Haaren markant war und dass er ihr auch auf Bildern der viel älteren Sophia aufgefallen war. Sie war ein hübsches Kind gewesen und später eine aparte Frau.

»Und dieser Junge ist hier auch drauf?«, fragte sie.

Geoffrey nickte. Mit zittrigen Fingern glitt er die Reihen von Kindern entlang. »Hier«, sagte er. »Das ist er.«

An dem Jungen war nichts Besonderes, wie Kate feststellte, während sie ihn mit zusammengekniffenen Augen betrachtete. Ein Kindergesicht. Wenn er zum Zeitpunkt der Aufnahme im ersten Jahr der Primary School gewesen war, musste er fünf sein. Etwas starr vielleicht im Ausdruck, aber das fand sie bei anderen Kindern auch. Mit fünf oder sechs Jahren reagierten Kinder einfach schüchtern auf die ungewohnte Situation, auf das Aufstellen, den Fotografen, die Anweisung, in die Kamera zu blicken. *Der Junge* hatte dunkle Haare und dunkle Augen. Er sah nicht unbedingt sympathisch aus. Einen Psychopathen hätte sie jedoch auch nicht in ihm erkannt. Wenn sie ehrlich war, konnte sie aufgrund des Bildes gar nichts über ihn sagen. Ein fünfjähriger Junge eben. Der einige Jahre später ein kleines Mädchen schnappte und in einer Garage gefangen hielt? Sie dachte an den Fall *James Bulger,* einen der grauenhaftesten Fälle der britischen Kriminalgeschichte, der sich für immer in das kollektive Gedächtnis der Nation eingebrannt hatte: Der zweijährige James Bulger war am helllichten Tag von zwei zehnjährigen Jungen aus einem Einkaufszentrum mitgenommen und später sadistisch zu Tode gequält worden. Das Land, die Medien, alle waren vereint gewesen in einem Aufschrei des Entsetzens. Kate war damals neunzehn oder zwanzig Jahre alt gewesen. Sie erinnerte sich, was sie am meisten erschüttert hatte: die Gesichter der Täter. Es waren Kindergesichter gewesen. So jung. Etwas ängstlich. Harmlos.

Man hatte es an nichts, an gar nichts erkennen können.

»Sophia hat mich schon so lange nicht mehr besucht«, sagte Geoffrey traurig.

»Sophia wurde entführt«, sagte Robert. »Deshalb sind wir hier.«

Geoffrey starrte ihn entsetzt an. »Entführt? Von wem denn?«

»Da hofften wir, von Ihnen einen Hinweis zu bekommen«, sagte Robert. »Vielleicht haben Sie eine Ahnung, wer einen Grund haben könnte, Ihre Tochter zu entführen?«

»Wollen die Geld haben?«, fragte Geoffrey. »Ich habe kein Geld, wissen Sie. Ich habe eine ganz kleine Rente. Ich kann kaum davon leben.«

»Es geht nicht um Geld«, beruhigte Kate.

»Ich habe kein Geld«, wiederholte Geoffrey. »Ich habe nur eine kleine Rente.« Sein Mund begann zu zittern.

Kates Handy klingelte. Sie stand auf und ging hinaus in den winzigen Flur der kleinen Wohnung.

Es war Helen.

»Sergeant, ich habe einiges herausgefunden«, sagte sie. »Der Fall erregte kein riesengroßes Aufsehen, weil er letztlich gut ausging, war aber einige Zeit durchaus Gesprächsthema in West Bromwich. Der Junge hieß Ian Slade. Er war zum Zeitpunkt der Tat zwölf Jahre alt. Er hatte am späten Nachmittag des dritten November 2006 die damals dreijährige Patricia Baldwin aus dem Vorgarten ihres Elternhauses gelockt und mitgenommen. Das Mädchen spielte dort im Laub, kam jedoch mit, als er ihr sagte, er werde ihr seine Katze und deren Junge zeigen. Er nahm sie mit in eine Garage, die etwas am Stadtrand lag. Da gab es offensichtlich eine ganze Reihe von leer stehenden Garagen.«

»Ich weiß«, sagte Kate. »Und dann?«

»Es ist wohl nie klar geworden, was er mit dem kleinen Mädchen vorhatte. Er gab bei der polizeilichen Vernehmung natürlich an, er habe überhaupt keine bösen Absichten gehabt. Er habe ihre Eltern ein bisschen erschrecken wollen. Patricia war jedenfalls in Tränen aufgelöst, als man sie fand, und rief ständig nach ihrer Mutter.«

»Sie war nicht sexuell missbraucht worden?«

»Nein. Keine Anzeichen. Was nicht heißt, dass er es nicht vorhatte. Er wurde von der Polizei überrascht.«

»Wie kam die Polizei auf diese Garage?«, fragte Kate gespannt.

»Das ist etwas mysteriös«, sagte Helen. Kate konnte es rascheln hören, als sie in ihren Notizen blätterte. »Um genau 17 Uhr und zwei Minuten ging ein anonymer Anruf bei der Polizei in West Bromwich ein. Aus einer öffentlichen Telefonzelle – damals gab es die ja noch etwas häufiger als jetzt. Eine sehr junge Mädchen- oder Frauenstimme gab den Hinweis auf die Garage und sagte, dass dort ein Kind gefangen gehalten werde. Dann wurde aufgelegt. Patricia Baldwin war zu diesem Zeitpunkt von ihren Eltern bereits vermisst gemeldet worden. Die Polizei ging dem Hinweis sofort nach und konnte Schlimmeres verhindern.«

»Sophia Lewis«, sagte Kate. »Sie könnte die Anruferin gewesen sein.«

»Das ist möglich«, stimmte Helen zu.

»Was geschah mit dem Jungen? Mit Ian Slade?«

»Es kam zu einer Verhandlung vor dem Jugendgericht. Er wurde in ein Heim für schwer erziehbare Kinder und Jugendliche eingewiesen.«

»Das ist es!«, sagte Kate. Sie spürte, dass ihr Herz schnell und hart schlug, ihr Puls raste. Sie war überzeugt, dass sie endlich den Anfang eines Fadens gefunden hatten. Sie stocherten nicht mehr blind im Nebel. Das war ein Ansatz. Es schälte sich aus dichten Schleiern heraus. Gewann ganz langsam an Konturen.

»Wir waren gar nicht schlecht mit dem Gedanken an ein Gefängnis. Aber stattdessen ist es ein Erziehungsheim. Zwei Jungen, die dort einsitzen. Zu Männern heranwachsen. Und auf Rache sinnen.«

»Das klingt schlüssig«, stimmte Helen zu.

»Wie heißt das Heim?«

»Staatliche Unterbringung für schwer erziehbare Jugendliche«, sagte Helen. »Einen anderen Namen hat es nicht. In Birmingham. Es sind dort die besonders schweren Fälle untergebracht.«

»DI Stewart und ich werden sofort dort hinfahren«, sagte Kate. »Wir sind ja ganz in der Nähe. Wir brauchen Informationen über Ian Slade. Und über die Freundschaften, die er dort geschlossen hat.«

»Okay«, sagte Helen.

»Danke, Helen«, fügte Kate hinzu, »das haben Sie großartig gemacht. Und bitte nehmen Sie noch Kontakt zu den Kollegen bei der West Midlands Police auf. Die sollen jemanden zu der Garage schicken, in der die Geschichte damals passiert ist. Und zum Wohnhaus der Familie Slade – oder dem ehemaligen Wohnhaus, falls dort niemand von der Familie mehr lebt.«

»Was sollen sie dort machen?«

»Nachschauen«, sagte Kate. »Es ist nur ein schwacher Versuch, aber wir sollten nichts außer Acht lassen. Irgendwo muss der Krankentransporter versteckt sein. Und irgendwo muss sich Slade mit Sophia aufhalten. Es sollte zumindest überprüft werden.«

»In Ordnung«, sagte Helen.

5

Sophia wusste, dass ihr Leben keinen Penny mehr wert war. Er würde sie nicht am Leben lassen, er konnte es gar nicht. Sie wusste, wer er war. Sie konnte ihn lebenslang ins Gefängnis bringen. Es war nie geplant gewesen, dass sie ihren Unfall überlebte, und nun musste sie eben mit einer Zeitverzögerung sterben. Sie wünschte nur, er würde es schnell machen. Ihr einfach eine Kugel in den Kopf schießen, und das war es dann. Für ihn auch das wesentlich kleinere Risiko, als sich hier mit ihr versteckt zu halten. Aber sie kannte ihn. Er war ein ausgeprägter Sadist, ein Mensch, dem das Quälen anderer Freude, Lust und Befriedigung verschaffte. Er war schlau, und sicher wog er die Gefahr ab, die sich für ihn dadurch ergab, dass er sie vorläufig am Leben ließ und gefangen hielt, aber seine Lust überwog. Noch.

Sie konnte nach wie vor nichts bewegen, weder Arme noch Beine noch ihre Finger. Ein Fluchtversuch war völlig ausgeschlossen. Darum war sie auch nicht gefesselt. Sie lag hier als bewegungslose Hülle herum, ihr Entführer musste sich nicht die geringste Sorge machen. Dass er die Tür zu ihrem Zimmer immer abschloss, geschah wahrscheinlich eher aus einer Art Routine heraus. Man schloss Räume ab, in denen man entführte Menschen versteckt hielt, oder? Vielleicht war es aber auch eine Vorsichtsmaßnahme, damit niemand hereinkommen und sie sehen könnte. Hieße das, dass noch andere Menschen im Haus waren oder zumindest gelegentlich vorbeikamen? Unwahrscheinlich. Dennoch, für den Fall, dass sie dort draußen einmal Stimmen hören würde, versuchte sie, ihre Sprechfähigkeit wiederzuerlangen. Dr. Dane hatte ihr sehr viel Hoffnung gemacht, dass das möglich sein würde.

»Viele Menschen mit einem Schlaganfall erlernen eine ganze Menge wieder«, hatte er gesagt. »Sie werden wieder sprechen können, Sophia. Da bin ich sehr sicher.«

Sie erinnerte sich, dass sie seine Worte damals als zweischneidig empfunden und sich nicht wirklich gefreut hatte. Denn je intensiver er über ihre Sprache und die guten Chancen sprach, desto mehr fiel ihr auf, dass er das Thema der Wiedererlangung ihrer anderen körperlichen Fähigkeiten sorgfältig umging. Sie konnte ihn nicht fragen, ihm nur flehende Blicke zusenden, in die sie die Frage legte: *Was wird aus dem Rest? Wann werde ich laufen können? Fahrrad fahren? Wann wird mein Leben wieder normal sein?*

Er hatte ein kluges, empfindsames Gesicht. Sie war fast sicher, dass er ihre Frage lesen konnte. Es war kein gutes Zeichen, dass er sich begriffsstutzig stellte.

Ein ganz schlechtes Zeichen sogar.

Allerdings jetzt, in dieser wirklich verflucht aussichtslosen und katastrophalen Lage, hielt sie sich wieder an seinen Worten fest. Daran, dass er gesagt hatte, sie würde wieder sprechen können. Die ganze Zeit über, ununterbrochen, versuchte sie, Worte zu formen. Was ihr gelang, war, dass sie mittlerweile einige Laute hervorbringen konnte. Zu Anfang war das nur eine Art ganz leises Brummen gewesen, kaum hörbar, und sie war jedes Mal danach so erschöpft gewesen, dass sie einschlief. Inzwischen hielt sie länger durch, und auch ihre Kräfte verließen sie nicht sofort wieder. Aber trotz allem blieb es bei einem Brummen, und es war auch nicht sehr laut. So würde sie niemanden auf sich aufmerksam machen. Geschweige denn, dass sie das Wort *Hilfe* hätte formulieren und rufen können. Immer wieder probierte sie, Buchstaben zu formen, aber sie scheiterte. Vielleicht konnte man das nicht alleine. Sie hätte einen Logopäden gebraucht. Der würde ihr hier mit Sicherheit nicht angeboten werden. Sie musste es alleine schaffen. Irgendwie.

Wobei sie selbst dann, wenn sie es schaffte, eine gegen null tendierende Chance auf Befreiung hatte. Denn wahrscheinlich war keine Menschenseele in der Nähe. Außer ihrem Entführer.

Immer, wenn sie mit ihren Gedanken wieder an diesem Punkt war, stiegen Sophia die Tränen in die Augen, und sie musste sie mit aller Kraft zurückdrängen. Weinen brachte ihr nichts. Es erfreute nur ihren Peiniger, wenn er Tränenspuren auf ihren Wangen entdeckte. Heute früh, als er ihr das Frühstück gebracht hatte – Tee, dazu irgendein scheußliches püriertes Gemüse und zum Nachtisch einen Bananenjoghurt –, hatte er gelacht, als er ihre verquollenen Augen und ihr nasses Gesicht sah. Sie hatte die halbe Nacht lang geweint. Verzweifelt und hoffnungslos.

»Ach, herrje, die kleine Sophia!«, hatte er gesagt und gegrinst. »Liegt hier herum und heult und heult. Bringt jetzt nicht viel, nicht wahr? Manchmal muss man einfach vorher seinen Kopf anstrengen, und man darf keine bösen Dinge tun. Anderen Menschen das Leben schwermachen und ihnen die Jugend zerstören. Da hast du gar nicht richtig überlegt, liebe Sophia, und nun musst du leider dafür bezahlen.« Mit einem ziemlich schmuddeligen Taschentuch hatte er ihr die Tränen abgewischt, in einer Bewegung, die fast etwas Zärtliches ausdrückte und sie damit noch mehr verhöhnte. »Man bezahlt immer für alles im Leben. Das ist ein Gesetz. Alles holt einen Menschen irgendwann ein. Zu dumm, oder? Du dachtest bestimmt schon, dass du ungeschoren davonkommst!«

Dann hatte er ihren Urinbeutel ausgeleert und sie gefragt, ob sie neue Windeln brauchte, aber sie hatte den Kopf geschüttelt. Sie hatte keine Verdauung, wofür sie in dieser Situation dankbar war. Sie spürte einen leichten, nicht richtig lokalisierbaren Schmerz im Unterleib und hoffte, er würde nicht schlimmer werden. Immerhin *empfand* sie Schmerz, was in ihrem ansonsten toten Körper vielleicht einen Hoffnungsschimmer darstellte. Oder darstellen würde, wären die Umstände anders. Denn sie würde sterben.

Vielleicht war das sogar besser, als gelähmt zu sein.

Die Frage war, wann er sie töten würde. Und wie. Und ob man sie bis dahin finden konnte.

Konnte man es?

Sie war in der Reha nicht angekommen, der Krankentransporter war verschwunden. Kein Kontakt mehr zu Pfleger und Fahrer. Ob man den toten Fahrer schon gefunden hatte, wusste sie nicht.

Auf jeden Fall aber musste allen klar sein, dass etwas passiert war, aber wer würde auf *diesen Täter* kommen? Woher sollte jemand etwas wissen? Sie zermarterte sich das Gehirn, wem sie von ihrer Angst erzählt hatte. In jüngerer Zeit eigentlich niemandem. Ihr Vater wusste, dass sie sich während der Schulzeit und eigentlich auch noch später vor Ian gefürchtet hatte, aber ihr Vater war ziemlich verwirrt und durcheinander und schaffte es selten, Sachverhalte zusammenhängend wiederzugeben. Wenn ihm die Dinge überhaupt noch einfielen.

Ihr Vater. Schon kamen ihr wieder die Tränen. Er war so alt. So einsam. Er hatte keinen Menschen auf der Welt, nur noch seine Tochter. Schon seinetwegen durfte sie nicht sterben. Er brauchte sie.

Sie verdrängte den Gedanken. Zu schmerzhaft, und es

brachte ihr jetzt nichts, sich dem Schmerz hinzugeben. Es schwächte sie.

Sie musste sprechen üben. Selbst wenn sie nicht glaubte, dadurch zu überleben, aber es war das Einzige, was sie tun konnte. Die einzige minimale Chance.

Sie nahm alle Kraft zusammen.

H-i-l-f-e.

Das Wort hallte in ihrem Kopf wider. Sie sah die einzelnen Buchstaben vor ihren Augen. Sie versuchte, sie einzufangen. Sie sprangen davon wie Bälle. Immer wenn sie meinte, einen von ihnen zu haben, war er wieder weg.

Es ging nicht. Sie schaffte es einfach nicht.

Sie begann zu weinen, und sie konnte nichts mehr dagegen tun.

6

Sie saßen dem Leiter des Heimes für schwer erziehbare Kinder und Jugendliche in seinem schmucklosen Arbeitszimmer gegenüber. Sean Hedges war ein großer, massiger Mann, dessen nach vorne gezogenen Schultern und schwerfällige Bewegungen auffielen. Er sah müde aus, und irgendwie schien es, als sei dies nicht ein einmaliger Ausdruck auf seinem Gesicht an diesem Tag, sondern als habe sich die Müdigkeit tief in ihn eingegraben und sei zu einem ständigen Zustand geworden. Er war nicht müde, weil er eine Nacht lang schlecht geschlafen hatte. Er war chronisch erschöpft.

Schwerer Job, dachte Kate.

Das Heim lag am Stadtrand von Birmingham, am Übergang zu einem Industriegebiet. Irgendwo hinter dem Industriegebiet begannen Wiesen, am Horizont zeichnete sich die wellige Linie blaugrauer Hügel ab. Aber sie waren weit weg. Auf eine seltsame Art schienen sie unerreichbar. Als würden sie zu einer anderen Welt gehören, die mit diesem Ort nichts zu tun hatte.

Ein kasernenartiges Gebäude. Ein Hof, von Mauern umgeben. Bänke, Bäume, auch Grasflächen innerhalb der Umzäunung. Man hatte sich Mühe gegeben, das Heim nicht trostlos wirken zu lassen, aber das war nur bedingt gelungen. Es sah bemüht aus, nicht wirklich echt. Die vielen kleinen Fenster. Die langen, dunklen Korridore. Der antiseptische Geruch nach einem scharfen Putzmittel, das Unmengen an Zitronenaroma enthalten musste. Eine Mischung aus Krankenhaus und Gefängnis. Immerhin hörte man Stimmen aus den Räumen im Erdgeschoss, irgendwo lief ein Fernseher, und den Geräuschen nach zu urteilen spielte jemand Tischfußball. Hinter dem Gebäude erklangen trippelnde Schritte, schrille Pfiffe.

»Ein Fußballturnier«, sagte Sean Hedges. »Es findet jeden Samstagnachmittag statt. Wir versuchen, so viel Sport mit den Jungs zu machen wie nur möglich. Es gibt nichts Besseres, ihre Aggressionen zu kanalisieren. Und gegen die Depressionen hilft es auch. Liegt ja sowieso alles nah beieinander.«

»Sie haben hier nur männliche Insassen?«, erkundigte sich Robert Stewart.

Hedges nickte. »Ja. Jungs im Alter von sieben bis fünfundzwanzig Jahren.«

»Bis fünfundzwanzig?«, fragte Kate. »Also über die gesetzliche Volljährigkeit hinaus?«

»Manche werden ja hier per Gerichtsbeschluss eingewiesen und müssen für eine bestimmte Zeit bleiben. Oder unser psychologischer Gutachter hält sie mit achtzehn Jahren noch immer für eine Gefahr für die Gesellschaft und plädiert für einen längeren Verbleib. Für die meisten wäre es dann ein Problem, den Ort zu wechseln. Den Therapeuten, den Gruppenleiter, den Vertrauenslehrer. Die Freunde. Deshalb haben wir die Altersgrenze nach oben gesetzt.«

»Verstehe«, sagte Kate.

»Also, Ian Slade …«, hakte Robert ungeduldig nach.

Sean Hedges nickte. »Ja. Ian. Schwieriger Fall. Er wurde vor fast eineinhalb Jahren entlassen.«

»Weshalb?«

»Er war von einem Gericht hier eingewiesen worden. Für elf Jahre und einige Monate. Bis zu seinem vierundzwanzigsten Geburtstag. Sein Anwalt hat mehrfach versucht, eine frühere Entlassung zu erwirken, aber das scheiterte an den Gutachtern. Sowohl an unserem hier als auch an mehreren neutralen Gutachtern, auf die der Anwalt bestand. Slade hätte nur alternativ in eine Jugendstrafanstalt verbracht werden können für den Rest der Zeit, aber da bevorzugte er es, bei uns zu bleiben.«

»Dann war er zum Zeitpunkt seiner Entlassung vierundzwanzig?«

»Gerade geworden.«

»Jetzt ist er fünfundzwanzig?«

»Ja.«

»Noch ziemlich jung«, meinte Kate.

Wenn das überhaupt möglich war, sah Sean von einem Moment zum anderen noch müder aus. »Jung. Ja. Aber …«

»Ja?«

»Ich sage das selten über einen der Insassen hier«, sagte Sean. »Ich glaube an diese jungen Menschen, wissen Sie. Sonst könnte ich meinen Beruf ja auch gar nicht ausüben. Aber Ian ...«

»Ja?«

»Er ist von einer Verdorbenheit, wie sie mir in allen meinen Berufsjahren noch nicht begegnet ist. Und mir ist eine Menge begegnet. Viele junge Menschen, die etliches auf dem Kerbholz hatten, deren Zukunftsprognosen alles andere als rosig aussahen. Und doch war immer ein Hoffnungsschimmer zu sehen. Irgendetwas leuchtete durch die Dunkelheit. Ein Kern des Guten. Nicht notwendigerweise konnte er sich durchsetzen. Aber es gab ihn. Etwas, woran man sich festhalten, woran man glauben konnte, wenn man die jungen Menschen ins Leben entließ. Aber bei Ian ist da nichts. Da ist Schwärze. Die totale Finsternis.«

Kate sah, dass Robert die Stirn runzelte. Für sein Gefühl drückte sich Sean Hedges zu blumig, zu unpräzise aus.

»Ein Psychopath?«, fragte er mit leiser Ungeduld in der Stimme. »Sie wollen sagen, dass es sich bei Ian Slade um einen Psychopathen handelt?«

Sean nickte. »Und zwar um einen der allerschlimmsten Sorte.«

»Trotzdem durfte er vor einem Jahr gehen!«

Sean lächelte müde. »Was hätten wir denn tun sollen? Es ist ja noch nichts passiert, was eine lebenslange Sicherungsverwahrung begründet hätte. In der er über kurz oder lang landen wird, davon bin ich überzeugt.«

»Die Geschichte mit dem kleinen Mädchen damals ...«

»Sie wissen davon?«

»Ja«, sagte Kate. »Er hat ein dreijähriges Kind in eine abgelegene Garage gelockt.«

»Hat er sich je geäußert, was er mit dem kleinen Mädchen vorhatte?«, fragte Robert.

»Er hat behauptet, er habe die Eltern erschrecken wollen«, sagte Sean. »Diese hätten ein so kleines Kind unbeaufsichtigt im Vorgarten spielen lassen. Das sei verantwortungslos, und er habe ihnen zeigen wollen, was daraus entstehen kann. Dann habe er die Kleine natürlich unversehrt zurückbringen wollen.«

»Eine selbstlose Tat mit erzieherischem Effekt!«, sagte Robert und verzog angewidert das Gesicht. »Eine blödere Ausrede ist ihm nicht eingefallen?«

»Natürlich hat ihm das niemand abgenommen. Und selbstverständlich war ihm die Entführung der Kleinen anzukreiden. Aber eben nicht mehr als das. Es war darüber hinaus tatsächlich nichts passiert.«

»Weil es diesen anonymen Anruf bei der Polizei gab.«

»Ja. Eine Frau, die ihren Namen jedoch nicht nannte. Eine sehr junge Frau, der Stimme nach, wie die Polizei damals sagte.«

»Wir hatten leider noch keine Zeit, mit den Kollegen von der West Midlands Police zu sprechen oder die Akten anzufordern«, sagte Kate. »Wissen Sie, was genau die Frau sagte?«

Sean überlegte. »Ich habe ja bei Ians Einweisung hierher das Protokoll gelesen. Was die Frau genau sagte, weiß ich nicht mehr, aber sie beschrieb den Standort der Garagen und sagte sinngemäß, dort halte sich ein gefährlicher Junge mit einem sehr kleinen Kind auf, das er nur entführt haben konnte. Es sei höchste Eile geboten. Zuvor war bei der Polizei auch schon eine Vermisstenmeldung durch die Eltern eingegangen. Eine Streife raste sofort zu der angegebenen Stelle hin.«

»Und traf die beiden wie an? In welcher Situation?«

»Sie hatten die Garage bereits verlassen und befanden sich auf dem Rückweg. Ian versuchte, das Mädchen zu tragen, aber es wehrte sich heftig schreiend. Zu Fuß kam es jedoch kaum voran. Die beiden waren nur ein Stück von den Garagen entfernt. Ian behauptete, er habe das Mädchen gerade nach Hause bringen wollen. Sie war unversehrt.«

»Sie glauben nicht, dass er ursprünglich tatsächlich vorhatte, sie nach Hause zu bringen?«

Sean schüttelte den Kopf. »Niemand hat das geglaubt. Nicht einmal sein eigener Anwalt, wenn Sie mich fragen. Höchstwahrscheinlich hat Ian mitbekommen, dass er gesehen wurde. Dass jemand bei den Garagen war. Eben jene Frau, die dann anonym telefoniert hat. Deshalb schien es ihm geraten, dieses ganze verrückte Unternehmen abzubrechen. Offenbar ging er zudem davon aus, dass er erkannt worden war, denn sonst hätte er einfach alleine abhauen und das kleine Mädchen sich selbst überlassen können. Aber so musste er die Variante aufbauen, dass er sie gerade hatte zurückbringen wollen. Clever ist er jedenfalls.«

»Was«, fragte Robert, »glauben Sie, hätte er mit der Kleinen gemacht?«

Sean hob resigniert beide Arme. »Sie missbraucht? Gequält? Getötet? Ian ist seit frühester Kindheit aktenkundig. Er hat furchtbare Dinge mit Tieren angestellt. Mit Katzen, Kaninchen, Fröschen … was immer ihm in die Hände fiel. Er hat andere Kinder terrorisiert. In der Schule, aber auch schon im Kindergarten, hatten alle Angst vor ihm. Es gab immer wieder Anzeigen gegen ihn und seine Eltern. Er war natürlich noch zu jung. Das Jugendamt stand ständig im Kontakt mit der Familie. Jedem war klar, dass da eine Zeitbombe vor sich hin tickte.«

»Die Eltern«, sagte Kate, »die Familie … was wissen Sie über die?«

Sean lächelte traurig. »Die Eltern waren keine schlechten Menschen. Völlig überfordert mit ihrem Sohn. Ihr einziges Kind. Warum er sich so entwickelt hat, ich weiß es nicht. Es gab weder Gewalt noch Alkohol noch sonst eine dieser klassischen Komponenten in der Familie. Es gab vielleicht auch nicht genug Liebe. Der Vater arbeitete in einer Fabrik, die Mutter ging putzen. Sie kümmerten sich nicht besonders intensiv um Ian, aber sie misshandelten ihn auch nicht. Sie kamen einfach nicht klar mit ihm und zogen sich innerlich zurück.«

»Manchmal werden Menschen wie Ian einfach so geboren«, sagte Robert. »Ich habe erst neulich wieder darüber gelesen. Manchmal gibt es einfach keine Erklärung.«

Kate nickte. Es war so. Der gewalttätige Vater, die trinkende Mutter – das waren die Klischees. Manchmal aber konnten sie nicht angewandt werden. Wie Stewart sagte: Manchmal gab es keine Erklärung.

Und das war dann oft am allererschreckendsten.

»Leben die Eltern noch?«, erkundigte sie sich.

»Ich weiß es nicht genau«, sagte Sean. »Sie sind damals von West Bromwich weggezogen, weil sie das Gerede der Nachbarn nicht ertragen haben. Im Heim haben sie sich nie blicken lassen. Sie sind irgendwo untergetaucht, wahrscheinlich am anderen Ende des Landes.« Er hielt inne, dann setzte er hinzu: »Was ist denn eigentlich genau passiert?«

»Wir müssen Ian Slade unbedingt finden«, sagte Kate. »Es besteht der dringende Verdacht, dass er eine Frau entführt hat. Die Frau ist schwer verletzt, wobei möglicherweise er selbst es war, der den Unfall vorsätzlich herbeigeführt hat. Unter Umständen handelt es sich um die Frau, die damals

363

den besagten anonymen Telefonanruf getätigt hat, weswegen Ian letztlich ins Heim gekommen ist.«

Seans Augen weiteten sich.»Rache? Aber kannte Ian denn diese Frau?«

»Gut möglich«, sagte Kate.»Wie Sie selbst gerade sagten, hat Ian damals ja wahrscheinlich mitbekommen, dass er gesehen und erkannt worden war, und wenn diese Frau wusste, wer er war, ist anzunehmen, dass er sie umgekehrt auch kannte. Er hat sich aber diesbezüglich nie geäußert, oder?«

»Nein. Er hatte regelmäßige Gespräche mit seinem Therapeuten. Hätte er Rachegedanken geäußert, wäre das an mich weitergegeben worden. Wissen Sie, dafür wäre Ian aber auch zu schlau gewesen. Der wollte hier raus, so bald wie möglich, um jeden Preis. Der hätte nichts verlauten lassen, was uns irgendetwas in die Hand gegeben hätte, um ihn länger hierzubehalten.«

»Können wir mit seinem Therapeuten sprechen?«, fragte Kate.

»Der ist leider im Urlaub. Wir haben August, Hauptreisezeit, was es für Sie nicht leichter macht, nicht wahr? Soviel ich weiß, ist er mit seiner Familie in Südfrankreich. Er kommt in zwei Wochen zurück.«

Kate seufzte. Bei dieser ganzen Ermittlung hatten sie ständig so viel Pech.

»Sagt Ihnen der Name *Sophia Lewis* etwas?«, fragte sie.

Sean überlegte, schüttelte dann jedoch den Kopf.»Nein. Nie gehört.«

»Ian Slade nannte diesen Namen nie?«

»Nein. Zumindest nicht mir gegenüber.«

Vielleicht gegenüber seinem Therapeuten. Dessen sie erst in vierzehn Tagen habhaft werden würden. Allerdings ahnte Kate schon, dass sie auch von ihm keine bedeutsamen Auskünfte bekommen würden. Ian Slade war vermutlich tatsächlich zu gerissen, als dass er an irgendeiner Stelle Spuren hinterlassen hätte, und es hatte ihm sicher Freude bereitet zu wissen, dass alle um ihn herum ihn gerne für viel längere Zeit weggesperrt sehen würden, dass er ihnen jedoch nichts zukommen ließ, was sie hätten verwenden können.

»Mr. Hedges, eine wichtige Frage noch«, sagte sie. »Wir haben starke Anhaltspunkte dafür, dass Ian Slade seine Tat nicht alleine begangen hat. Es ist ein zweiter Mann involviert, und wie es aussieht, verfolgt er ebenfalls einen Racheplan.«

Sean blickte verwirrt drein. »Zwei Männer? Zwei Pläne?«

»So ist es«, bestätigte Robert. »Eindeutig zwei Männer, zwei Opfer. Ein und dieselbe Tatwaffe. Zwischen den Opfern gibt es nicht die kleinste Schnittmenge – außer der Tatsache, dass es sich in beiden Fällen um das Motiv der Vergeltung zu handeln scheint. Das brachte uns auf den Gedanken, dass sich die beiden Männer vielleicht zusammengetan haben, um einander wechselseitig bei ihren *Rachefeldzügen* zu unterstützen. Wir hatten zunächst die Idee, es könnte sich um Männer handeln, die im Gefängnis gesessen hatten und nun gegen jene vorgehen, die in irgendeiner Weise an ihrer Inhaftierung beteiligt waren.«

»Verstehe«, sagte Hedges. »Und nun vermuten Sie, dass es sich zwar nicht um ein Gefängnis handelt, aber möglicherweise um dieses Heim hier?«

»So ist es«, sagte Kate. »Eine Frau hat durch einen anonymen Telefonanruf dafür gesorgt, dass Ian Slade hier fast zwölf Jahre lang eingesperrt war. Wenn es sich bei der Anruferin um Sophia Lewis handelt, dann ist Rache ganz sicher das Motiv. Wer aber ist der andere Mann? Hatte Ian hier Freunde? Oder einen engen Freund?«

Wieder dachte Hedges nach. »Schwierig«, meinte er. »Ian gehörte hier zu den Jungs, vor denen alle Angst hatten. Insofern versuchten alle, sich mit ihm gut zu stellen. Er hatte viele Anhänger, die ihn umschmeichelten. Einen besonderen Freund … nicht, dass ich wüsste.«

»Jemand, mit dem er mehr Zeit verbrachte als mit den anderen?«, fragte Robert.

»Ich glaube nicht. Aber ich leite dieses Heim, ich bin von den alltäglichen Abläufen auch zu weit entfernt. Allerdings ist *Freundschaft* ein Thema, solche Dinge werden mir im Allgemeinen berichtet, weil die Fähigkeit, Freundschaften zu schließen, als wichtig angesehen und von uns sehr genau registriert wird. Ich erinnere mich nicht, dass ich im Zusammenhang mit Ian etwas in dieser Richtung gehört habe. Wie gesagt, Anhänger, die ihm gefallen wollten. Aber keine Freunde. Mehr Auskunft könnte Ihnen da sein Therapeut und Gruppenleiter geben, aber der ist, wie gesagt …«

»… gerade im Urlaub«, vollendete Robert resigniert. »Dennoch haben Sie sicher seine Handynummer? Wir müssten versuchen, ihn wenigstens telefonisch zu erreichen.«

»Er ist schwer erreichbar«, sagte Hedges, »er wollte einmal komplett abschalten, aber ich gebe Ihnen die Nummer natürlich.«

»Haben Sie je den Namen *Xenia Paget* gehört?«, fragte Kate. »Oder *Xenia Sidorowa*?«

»Nein.«

»Wissen Sie von einem Ort, an den sich Ian Slade zurückgezogen haben könnte? Und sich versteckt hält?«

»Leider nein. Ich habe in den Unterlagen nur die ehemalige Wohnadresse der Familie Slade gefunden, aber …«

»Dorthin sind Kollegen bereits unterwegs«, sagte Kate.

366

»Wir wüssten es vermutlich bereits, wenn er sich dort aufhielte.«

Hedges chronisch sorgenvolles Gesicht sah noch sorgenvoller aus. »Ich wusste es«, sagte er. »Ich wusste bei Ians Entlassung, dass ziemlich bald die Polizei seinetwegen hier vor mir stehen würde. Es war mir vollkommen klar. Aber ich konnte nichts tun. Gar nichts.«

Kate erhob sich. »Ich kenne dieses Gefühl genau, Mr. Hedges. Auch uns sind oft die Hände gebunden. Wenn Ihnen irgendetwas einfällt, was Ian Slade betrifft, egal wie banal es Ihnen erscheinen mag, dann kontaktieren Sie uns bitte!«

»Das mache ich«, versprach Hedges.

7

Xenia fragte sich, wie es hatte geschehen können, dass sie und Oliver sich von Sascha hatten überrumpeln lassen. Sascha mit einer Waffe in der Hand und fast erschrockener als sie selbst. Es war klar, dass er nur eine Person in der Wohnung erwartet hatte, Oliver, und er war zu Tode erschrocken gewesen, als er Xenia in der Küche gesehen hatte. Mit ein wenig Entschlusskraft hätten sie ihm die Waffe wegnehmen können, wobei auch ein sich versehentlich lösender Schuss hätte gefährlich werden können. Außerdem waren sie überrascht und verwirrt gewesen und nicht in der Lage, sich miteinander abzustimmen.

Nach ein paar Sekunden erstarrten Schweigens hatte Sascha Oliver angeherrscht: »Ins Bad!«

Und Oliver war vor ihm hergegangen, kreideweiß im Gesicht und mit erhobenen Händen, eine intuitive Geste des sich Ergebens, um keine Kurzschlusshandlung bei seinem Gegenüber zu provozieren. Sascha wirkte keineswegs schießwütig, sondern eher überfordert von der Situation, aber genau dieser Umstand bereitete Oliver Sorge. Sascha durfte keinesfalls restlos die Nerven verlieren.

Das Bad war ein Innenraum ohne Fenster, was Sascha kaum gewusst haben konnte, aber vermutlich gehofft hatte. »Gut«, sagte er, nach einem Blick in die Dunkelheit, »gut. Geh da rein.«

Er griff um die Tür herum, zog den Schlüssel ab und schloss von außen zu. Oliver war eingesperrt, ohne die Möglichkeit, Hilfe herbeizurufen. Xenia wusste das, weil sein Handy auf dem Fensterbrett in der Küche lag. Sascha hatte das nicht überprüft. Er hatte einfach Glück.

Dann war er zu ihr in die Küche gekommen und hatte gesagt: »Setz dich hin!«

Sie war aufgestanden in ihrem Schrecken über die Situation, nun setzte sie sich wieder. Ihr Handy lag noch im Gästezimmer. Das von Oliver stellte eine weit größere Chance dar, aber solange Sascha hier stand, eine Pistole in der Hand, war es fast so unerreichbar, als befinde es sich auf dem Mond.

»Sascha«, sagte sie. »Was tust du? Warum hast du Oliver eingesperrt?«

Er zog sich einen Stuhl heran, setzte sich ihr gegenüber.

»Ich kann euch nicht beide bewachen«, erklärte er. Er sprach korrekt, aber er sprach sehr langsam, und es schien nicht leicht für ihn, die richtigen Worte zu finden. »Nicht beide!«

»Sascha ...«

»Sei still. Ich denke nach.«

Er war in ein ausgiebiges Grübeln verfallen. Währenddessen betrachtete Xenia ihn genau. Wäre er auf der Straße an ihr vorbeigegangen, hätte sie ihn nicht erkannt, aber nun entdeckte sie vertraute Züge und Eigenheiten. Er hatte noch immer einen Kopf, der zu klein wirkte im Verhältnis zu seinem Körper. Einen langen dünnen Hals. Insgesamt war er größer geworden, als man das bei dem kleinen Kind vermutet hätte. Irgendwie war er unproportioniert: Die Beine eher kurz, der Oberkörper ziemlich lang. Die Füße extrem groß. Er hatte sehr feingliedrige Hände. Er wirkte überaus nervös.

»Warum bist du hier?«, fragte er schließlich. »Ian hat gesagt, hier ist nur Oliver.«

»Wer ist Ian?«

»Warum bist du hier? Oliver ist alleine. Am Dienstag kommt die Putzfrau.«

»Ich bin gestern überraschend zu Besuch gekommen. Zum ersten Mal seit vielen Jahren.«

Wieder dachte er nach. Xenia gewann den Eindruck, dass er lange brauchte, Gesagtes zu verarbeiten und zu überlegen, was er darauf erwidern wollte. Er war immer retardiert gewesen, und das war so geblieben. Er hatte große Schwierigkeiten, Dinge zu durchdringen und sich einen Reim darauf zu machen.

»Warum?«, fragte er dann.

»Warum ich zu Besuch gekommen bin? Nur so. Einfach so.«

»Hm.«

Sie neigte sich vor. »Weshalb bist du hier, Sascha? Was hast du vor?«

Er sah sie mit einem Lächeln an. »Ich bin frei.«

»Frei?«

»Sie haben mich eingesperrt. Jetzt bin ich frei.«

Sie versuchte auch zu lächeln. »Das ist schön, Sascha.«

»Ja.«

»Aber was du jetzt gerade tust …« Sie deutete auf die Waffe in seiner zittrigen Hand. »Das ist nicht gut. Das macht alles nur wieder schlimm.«

Er dachte angestrengt nach.

»Sei still«, sagte er schließlich. »Du musst still sein, ja?«

»Okay.«

Sie saßen stumm voreinander. Auf Xenia wirkte Sascha alles andere als entschlossen, ganz sicher nicht wie ein Killer, der unbeirrt seinen tödlichen Plan verfolgt. Er hatte ganz offenkundig vorgehabt, mit Oliver abzurechnen, auf welche Weise auch immer, aber nun war sie plötzlich da. Sie wusste, dass sein einfach strukturiertes Gehirn Mühe hatte, mit der Tatsache fertig zu werden, dass es eine Abweichung der Gegebenheiten gab, wie er sie als sicher angenommen hatte. Er war überzeugt gewesen, Oliver alleine anzutreffen. Er hatte Bescheid gewusst über Olivers einsames Leben, er hatte sogar gewusst, dass jeden Dienstag die Putzfrau kam. War er der Mann gewesen, den Oliver auf der anderen Straßenseite gesehen hatte? Er war definitiv nicht der Mann aus dem Zug.

Gab es zwei Männer?

»Sascha«, sagte sie schließlich leise. »Es ist nicht gut, was du gerade tust. Es bringt dich nur wieder in Schwierigkeiten. Wer hat dir gesagt, dass du das hier tun sollst? Dieser … Ian?«

Er überlegte. »Ja«, sagte er dann.

»Er ist ein Freund von dir?«

Sascha nickte stolz. »Mein Freund!«

»Wie schön, dass du einen Freund hast. Sicher meint er es gut mit dir. Aber das hier ist keine so gute Idee, weißt du? Wie wäre es, wenn du die Waffe weglegst? Sie macht mich nervös.« Xenia lachte etwas, aber es klang völlig gekünstelt. »Leg sie bitte weg. Ich mache uns einen Tee. Und wir reden.«

Er dachte nach, schüttelte dann aber den Kopf. »Nein. Ich behalte die Waffe. Bis Ian kommt.«

Sie zuckte zusammen. »Ian kommt? Dein Freund kommt hierher?«

Wieder erschien der Ausdruck von Stolz auf Saschas Gesicht. Er hatte einen Freund. Er war Teil eines Plans. Er war wichtig. »Ja. Bald.«

Xenias Herz sank noch tiefer. Wenn es sich bei dem ominösen Ian um den Mann aus dem Zug handelte, waren sie verloren. *Er* war nun wirklich ein Killer, skrupellos und ohne Gnade. Er war der Drahtzieher. Sascha war das Werkzeug, er stieg gar nicht wirklich dahinter, was hier ablief.

»Sascha, du musst uns gehen lassen!« Sie sprach eindringlich. »Mich und Oliver. Bitte. Mach dir dein Leben nicht kaputt. Ich weiß nicht, was ihr mit uns vorhabt, aber es wird dein Leben zerstören. Bitte glaub mir das, und lass es nicht zu!«

Er schaute sie an. In seinen dunklen Augen sah sie eine Traurigkeit, die ihr fast das Herz zerriss.

»Ihr habt mir mein Leben doch schon zerstört«, sagte er. »Das habt ihr doch schon getan.«

8

Auf dem Rückweg von Birmingham nach Scarborough bekam Kate die Nachricht von Helen, dass Beamte der West Midlands Police weder in der benannten Garage oder in deren Umgebung noch im ehemaligen Haus der Familie Slade auf eine Spur von Ian und Sophia gestoßen waren und es auch nicht den geringsten Anhaltspunkt gab, dass sie dort gewesen waren.

»Im ehemaligen Haus der Slades leben inzwischen andere Leute«, berichtete sie Robert nach dem Telefonat. »Völlig ahnungslose Menschen.«

»Es wäre auch unwahrscheinlich gewesen«, meinte Robert. »Slade scheint ja ziemlich intelligent zu sein. Er würde es uns kaum so leicht machen.«

»Vermutlich nicht«, stimmte Kate zu. Sie starrte hinaus in die hochsommerliche Landschaft, auf die bereits abgeernteten Felder unter einem grau verhangenen Augusthimmel. »Aber es ist nicht leicht, oder? Er muss einen Krankentransporter verstecken und eine gelähmte Frau. Die er nur bewegen kann, indem er sie trägt. Alles sehr auffällig. Er kann eigentlich nicht mitten in einer Stadt sein. In einer Wohnung. Das wäre zu riskant.«

»Es gibt massenhaft einsam gelegene Häuser. Gehöfte.«

»Wovon bezahlt er die Miete für so etwas? Ich glaube nicht, dass er einer geregelten Arbeit nachgeht.«

»Er kann auch in einem verlassenen Haus untergekrochen sein. Irgendeine halb verfallene Bruchbude in der Einsamkeit. Es ist Sommer. Man kann das aushalten.«

»Oder sein Mitstreiter besitzt ein Haus«, meinte Kate.

»Wenn der aus dem Heim ist, woher hat er ein Haus?«

»Geerbt?«

Robert knurrte irgendetwas. Das Schlimme an ihren Gesprächen über den Fall war, dass sie immer wieder zu der Erkenntnis führten, dass sie zu wenig wussten. Dass sie selbst dann, wenn sie einen Schritt vorwärts machten, noch immer tatenlos verharren mussten. Sie kannten den Namen und die Identität des mutmaßlichen Entführers von Sophia Lewis. Sie hatten sogar eine Vorstellung von seinem Motiv.

Aber sie konnten damit nichts anfangen.

»Seit einem Jahr ist Slade draußen«, resümierte Robert. »Wovon, verdammt, lebt er?«

Kate zuckte mit den Schultern. »Gelegenheitsjobs. Dafür muss er nirgends gemeldet sein.«

Robert entgegnete nichts.

Schweigend fuhren sie weiter. Kate überlegte gerade, welche Schritte sie sinnvollerweise als Nächstes tun sollten, als ihr Handy klingelte. Sie erwartete, dass es Helen sein würde, aber auf dem Display erschien eine ihr unbekannte Nummer. Sie meldete sich. »DS Kate Linville?«

»Kate? Oh Gott, Kate!«, erklang es von der anderen Seite.

Wie elektrisiert setzte sie sich aufrechter hin. »Colin?«

»Kate, du liebe Güte, wie gut, dass ich dich erreiche!«, rief Colin.

Sie hätte ihm am liebsten eine Standpauke gehalten, ihm erklärt, für wie verantwortungslos, leichtsinnig und illoyal sie ihn hielt, aber irgendetwas sagte ihr, dass dafür nicht der Moment war.

»Wo bist?«, fragte sie stattdessen.

Er schluchzte fast. »Irgendwo in den Yorkshire Dales. Oh Gott. Xenia hat mein Auto geklaut und ist damit unterwegs.«

»Wie bitte?«

»Ja, sie hat mich in der Einöde zurückgelassen. Sie ist abgehauen. Mit meinem Auto, meinem Handy, mit allem.«

»Warum das denn?«

»Ich glaube, sie will das Land verlassen. Sie *muss* das Land verlassen. Sie ist in eine wirklich schlimme Geschichte verstrickt. Sie hat mir alles erzählt. Kate, kannst du mich hier abholen? Bitte!«

»Von wessen Apparat aus telefonierst du?«

»Ich habe ein einsames Bauernhaus gefunden. Die Frau hielt mich, glaube ich, für einen gefährlichen Landstreicher. Aber sie hat mir schließlich wenigstens ihr Telefon durch die Tür gereicht. Kate, ich …«

»Hör zu, ich bin auf dem Weg von Birmingham nach Scarborough, also ziemlich weit weg. Ich schicke dir eine Streife, die dich abholt, okay? Vielleicht kannst du noch eine Adresse oder eine Wegbeschreibung erfragen. Aber als Erstes erzählst du mir jetzt, was mit Xenia los ist. In welche Geschichte ist sie verstrickt? Und weshalb will sie das Land verlassen?«

»Ich weiß nicht, ob sie das Land verlassen will. Ich denke nur, dass sie …«

»Der Reihe nach«, unterbrach Kate. »Bitte, Colin. Was ist passiert?«

»Unfassbar«, sagte Colin, »es ist unfassbar!«

Dann erzählte er.

Ich sitze in dem verdammten Badezimmer meiner Wohnung in völliger Dunkelheit. Der Lichtschalter befindet sich draußen, die Tür ist abgeschlossen. Ich habe mich ohne jede Gegenwehr hier hineinverfrachten lassen, erstarrt vor Angst wegen der Waffe, die ich auf mich gerichtet sah. Jetzt denke ich, dass ich einen Fehler gemacht habe, ich hätte Widerstand leisten oder mit Sascha reden sollen. Ihn dazu bringen sollen, dass er die alberne Pistole weglegt ... Wenn ich es jetzt richtig überlege, dann war er absolut nicht entschlossen zu schießen. Er wirkte verunsichert, gestresst und überfordert, so, als spiele er eine Rolle, die nicht zu ihm passt. Er wirkte wie ferngesteuert. Nicht echt.

Aber das begreife ich erst jetzt. In der Abgeschiedenheit und völligen Finsternis des Badezimmers. In der Ruhe ... na ja, Ruhe ist vielleicht das falsche Wort. Ich bin nicht ruhig, das wäre mehr als seltsam in dieser Situation. Aber ich bin nicht mehr so völlig verwirrt und durcheinander wie vorhin.

Als er reinkam.

Sascha.

Ich hätte nicht einfach öffnen sollen. Eine Paketlieferung ... das kam mir gleich seltsam vor. Ich hatte nichts bestellt, und überhaupt bekomme ich eigentlich nie Pakete. Seit einer Ewigkeit schon nicht mehr. Ich war erstaunt. Aber nicht wirklich misstrauisch.

Ich hatte Xenia nicht erwartet nach all den Jahren.

Und Sascha auch nicht.

Ich glaube, es ist wirklich ein Zufall, dass sie beide im Abstand eines einzigen Tages hier aufkreuzten. Zufall in dem Sinn, dass sie sich untereinander nicht abgesprochen haben. *Zufall andererseits insofern wahrscheinlich nicht, als sich seit einiger Zeit das Netz zuzuziehen beginnt, das schon lange über uns allen schwebte, das sich nun gesenkt hat, bereit, uns in sich einzufangen. Die Vorboten waren die Schüsse auf Xenia. Der Mann, der mein Haus beobachtete. Hatten wir je geglaubt, ungeschoren davonzukommen? Es ist eine Ironie des Schicksals, dass ich im Badezimmer festsitze. Denn die Szene damals, die alles entscheidende Szene, spielte sich auch in einem Bad ab. Wenn auch in einem mit Fenster. Und hell erleuchtet. Grell beleuchtet geradezu. So kam es mir jedenfalls vor. Vielleicht weil das, was die Deckenlampe anstrahlte, so unfassbar war. So furchtbar.*

August 2004
»Wie konnte das geschehen?«, fragte Xenia entsetzt.
Trotz meiner Fassungslosigkeit, trotz meines Entsetzens arbeitete mein Gehirn fieberhaft.
Alice hatte einen Mord begangen. Sie würde im Gefängnis landen. Unsere Familie würde zerbrechen.
Das durfte nicht geschehen. Alice und ich hatten unser Kind verloren. Wir hatten nur noch einander.
Das Problem war Xenia. Sie wusste Bescheid. Einen Moment lang, während ich in ihr schneeweißes Gesicht blickte, hatte ich die furchtbare Vorstellung, sie könnte sich umdrehen, ans Telefon stürzen und die Polizei anrufen. Aber dann wurde mir klar, dass sie das nicht tun würde. Sie befand sich im Ausland. Sie lebte in einem unklaren Beschäftigungsstatus. Sie würde nichts Unüberlegtes tun.
»Sie hat nicht aufgehört zu schreien«, erklärte Alice auf Xenias Frage hin.
Xenia schien völlig schockiert, was ich ihr nicht verdenken konnte.

Alice tauchte ganz langsam aus ihrer Schockstarre auf. Nachdem sie zuvor verlangt hatte, wir dürften niemandem etwas sagen, schien sie nun zu begreifen, dass ich recht hatte: Man konnte den Tod eines Kindes nicht verbergen. Nicht einfach so, indem man gar nichts tat.

»Wir müssen die Polizei benachrichtigen«, sagte sie.

»Ja«, stimmte Xenia zu. Beide Frauen schienen entschlossen.

»Moment«, sagte ich, »ist dir wirklich klar, was du tust, Alice? Du wirst ins Gefängnis müssen!«

Sie nickte. »Ja.«

Verzweifelt presste ich beide Fäuste gegen meine Augen, danach gegen meine schmerzenden Schläfen. Alice überblickte nicht, was sie da sagte. Sie stand unter Schock, ihr war nicht klar, dass sie gerade über ihr ganzes weiteres Leben entschied. Und über mein weiteres Leben. Über alles, was ich aufgebaut hatte. Ich beriet Menschen in ihren Geldangelegenheiten. Als Ehemann einer Frau, die ihr eigenes Kind ertränkt hatte und deshalb im Gefängnis saß? Kein Mensch würde mehr zu mir kommen. Alices Tat würde lebenslang an mir haften wie ein schlechter Geruch, wie eine unheilvolle Aura. Ich war erledigt. Privat und beruflich.

Die Wut auf Alice wallte erneut so heftig in mir auf, dass ich am liebsten auf sie losgegangen und in ihr blasses, kleines, krankes, gestörtes Gesicht geschlagen hätte, aber ich riss mich zusammen. Das brachte nichts, das brachte überhaupt nichts. Es brachte auch nichts, dass ich mich verkroch, meinem eigenen Schock erlaubte, sich auszubreiten und mich vor dem Wahnsinn zu schützen. Es war klar, dass innerhalb der nächsten fünfzehn Minuten etwas passieren musste.

Mehr Zeit hatten wir nicht.

In meinem Kopf begann sich ein Gedanke zu formen. Genau genommen war er wohl schon die ganze Zeit über da gewesen, aber ich hatte nicht gewagt, ihn zu denken.

Weil er einerseits undenkbar war.

Andererseits gab es keinen anderen Weg als ihn.

Ich blickte von einer der beiden Frauen zur anderen, in der Hoff-nung, wenigstens einer von ihnen käme derselbe Gedanke und nicht ich würde derjenige sein, der ihn aussprechen musste. Aber es schien nicht so, als werde mir von dieser Seite Hilfe zuteilwerden. Alice starrte die tote Lena auf dem Fußboden an, in ihrem Blick Leid und Grauen und Fassungslosigkeit. Sie schien gar nicht wirk-lich anwesend zu sein. Xenia wirkte schockiert, aber gefasst. Sie hatte längst entschieden. Die Polizei musste gerufen werden, Alice musste sich ihrer Verantwortung stellen. Für sie gab es vermutlich keine Alternative. Aber sie war auch nicht diejenige, deren Leben danach zerstört wäre.

Also blieb es an mir hängen.

»Alice geht kaputt im Gefängnis«, sagte ich. »Das darf nicht passieren.«

Sie hob den Kopf, sah mich aus schmerzverschleierten Augen an. »Ich bin schon kaputt.«

»Nein, das bist du nicht. Wir überstehen das hier. Wir überstehen das.«

Sie stöhnte leise.

»Wir müssen die Polizei rufen, Sir«, drängte Xenia.

»Natürlich müssen wir das. Natürlich. Aber das Ganze darf nicht an Alice hängen bleiben. Auf keinen Fall.«

»Sir ... Mr. Walsh ...«

Sie war so schwer von Begriff. Xenia.

»Es war ein anderer, der das getan hat«, sagte ich. »Versteht ihr?«

Alice verstand überhaupt nichts, das konnte ich sehen. Aber in Xenias Augen erwachte etwas. Ein Begreifen. Ein entsetztes Be-greifen.

»Um Gottes willen«, sagte sie schockiert.

Ich redete schnell. Um sie zu überzeugen, um mich zu überzeugen. »Es ist die einzige Möglichkeit. Sascha wird nicht ins Gefängnis müssen. Er ist ein Kind. Ein geistig retardiertes Kind. Er ist nicht schuldfähig.«

»Sie können … Sie können doch einem Kind keinen Mord in die Schuhe schieben«, *sagte Xenia.*

Sie verstand immer noch nicht wirklich. »Es wäre dann eben kein Mord«, *sagte ich.* »Er wird in vier Wochen sieben Jahre alt. Ein knapp siebenjähriges Kind kann überhaupt keinen Mord im strafrechtlichen Sinne begehen. Schon gar nicht ein behindertes Kind.«

»Aber man wird ihn doch wahrscheinlich auch nicht einfach hierlassen? Man wird ihn als eine Gefahr sehen. Für andere Kinder.«

»Er wird vermutlich in ein Heim kommen«, *sagte ich.*

»Das ist sein Ende«, *sagte Xenia. Sie starrte mich an, als sei ich ein Monster. Oder irgendetwas anderes Abartiges.* »Sie können ihn nicht hier aus der Familie reißen. Dass er in irgendeiner Anstalt dahinvegetiert …«

»Wir sind hier in Großbritannien, nicht in Russland«, *sagte ich, schärfer als beabsichtigt.* »Anstalten, so wie Sie das vielleicht vor Augen haben, gibt es hier überhaupt nicht. Es gibt Heime, in denen die Kinder von erstklassig geschulten Pädagogen betreut werden. Wahrscheinlich hat er es dort besser als hier. Diese Leute sind für Fälle wie ihn ausgebildet.«

»Fälle wie ihn? Kleine Mörder? Er ist keiner.«

»Er hat schon einmal versucht, ein Kind zu ertränken«, *sagte ich.*

Alice erwachte aus ihrer Trance. »Das hat er doch gar nicht. Das hast du selbst immer gesagt, Oliver. Er hat nichts Böses getan.«

Das stimmte, das hatte ich immer gesagt. Es war auch meine Ansicht gewesen. Aber es ging jetzt nicht darum, diese Dinge alle sauber zu analysieren. Wir brauchten einen Plan, wir brauchten ihn schnell, und er musste klug sein.

»Xenia, es ist ein ehrenhafter Gedanke, Sascha nicht aus der Familie reißen zu wollen«, sagte ich, »aber Sie vergessen, dass es diese Familie nicht mehr geben wird. Lena ist tot. Alice wird für viele Jahre im Gefängnis sitzen. Ich muss arbeiten. Von welcher Familie sprechen Sie also?«

Sie schaute mich an, begriff wohl irgendwie, dass ich recht hatte. »Aber …«, fing sie dennoch an.

Alice sagte: »Das können wir nicht tun, Oliver.« Aber sie klang nicht wirklich überzeugt.

»Er landet sowieso in einem Heim«, sagte ich. »Denn ich kann mich nicht um ihn kümmern. Da ich vermutlich meine Mandanten verliere und neu anfangen muss, werde ich auch Xenia nicht mehr bezahlen können. Er ist retardiert, er wird es immer bleiben. Er braucht ständige Betreuung. Wo ist der Unterschied?«

»Der Unterschied ist, dass die Menschen für den Rest seines Lebens jemanden in ihm sehen werden, der seine Schwester getötet hat«, sagte Xenia.

»Er ist geistig behindert. Sie werden es ihm nicht ankreiden können.«

Alle schwiegen. Es war etwas dran an dem, was ich sagte.

»Wir haben keine Zeit mehr«, sagte ich unruhig.

»Was ist, wenn Sascha nicht mitspielt?«, fragte Xenia. Ich atmete tief. Immerhin wies sie meinen Plan nicht mehr weit von sich.

Ich schaute keine der beiden Frauen an, als ich antwortete: »Er wird es nicht richtig begreifen.«

»Es werden sich Psychologen mit ihm beschäftigen«, sagte Xenia. »Sie werden ihn befragen. Sie werden wissen, wie man das machen muss, wenn jemand retardiert ist.«

Ja, ja, ja. Ich sah das Problem, natürlich. Das war ein gewaltiges Risiko, keine Frage, aber die Aussage von uns, von Alice und mir, würde gegen die von Sascha stehen, der sich nur schwer artikulieren konnte und vermutlich nicht wirklich verstand, was man ihm vorwarf.

»Es ist unsere einzige Chance«, sagte ich. »Und, Xenia, Sie werden nicht auf der Bildfläche erscheinen. Ihr Aufenthaltsstatus ist etwas heikel ...« Wahrscheinlich war er das gar nicht, aber ich wollte sie aus dem Weg haben. Xenia war der Wackelkandidat in der Konstruktion. Schon deshalb, weil sie am wenigsten zu verlieren hatte. Und weil sie eine starke Beziehung zu Sascha aufgebaut hatte.

»Sascha wird vielleicht von mir sprechen«, sagte sie.

Das würde er mit Sicherheit tun. Aber Sascha brachte Zeitabläufe durcheinander, eigentlich immer.

»Sie waren bei uns«, sagte ich, »als Au-pair. Aber Sie sind schon vor Wochen nach Russland zurückgekehrt.«

Ihr Blick begann zu flackern. »Wo soll ich denn dann jetzt hin?«

»Sie müssen sofort Ihre Sachen packen«, sagte ich. »Sie nehmen unser Fahrrad mit Anhänger. Es ist mühsam, aber Sie kommen damit bis Nottingham. Dort nehmen Sie ein Taxi, lassen sich in ein Hotel bringen. Ich gebe Ihnen Geld. Genug für zwei oder drei Nächte im Hotel und den Rückflug nach Moskau. Okay?«

»Ich ...«

»Sofort«, sagte ich leise. »Wir haben keine Zeit.«

Sie verschwand in ihrem Zimmer. Stumm und verstört.

»Ich spreche jetzt mit Sascha«, sagte ich. »Danach rufe ich die Polizei. Alice, du hast Lena gebadet. Du bis kurz rausgegangen, weil in der Küche das Teewasser kochte. Als du zurückkamst, war es passiert. Du hast Sascha angetroffen, wie er Lena unter das Wasser drückte. Du hast mit ihm gekämpft. Du hast Lena aus der Wanne gezogen. Es war zu spät. Dann bist du mit ihr im Arm hier sitzen geblieben. Ich habe dich so vorgefunden, wie es auch in Wirklichkeit war. Verstanden?«

Sie nickte. Sie schien bereit, sich zu fügen. Sowohl sie als auch Xenia hatte ich überzeugt, dass es keinen anderen Weg gab. Ob sie bei der Version bleiben würden – das wusste nur Gott.

Ich ließ die reglose Alice und die tote Lena im Bad zurück. Ein kurzer Blick in Xenias kleines Zimmer zeigte mir, dass sie am Packen war. Zum Glück besaß sie nicht viel. Sehr schnell schon würde nichts von ihr mehr hier sein.

Ich betrat das Wohnzimmer. Sascha saß noch immer unter dem Tisch im Erker. Er zitterte. Ich stellte fest, dass er genau den Eindruck vermittelte, der uns in die Hände spielen würde: Er wirkte geschockt, entsetzt, vollkommen aus der Bahn geworfen. Der Ausdruck seiner dunklen Augen verriet Angst. Irgendwie hatte er wohl verstanden, dass etwas Schlimmes geschehen, dass seine kleine Schwester tot war.

Ich würde ihm jetzt erklären, dass er es war, der sie getötet hatte.

9

Oliver schrak aus seinen Erinnerungen hoch, als er hörte, dass es an der Haustür klingelte. Sofort richtete er sich gerade auf, lauschte angespannt. Wer konnte das sein? Vielleicht ein Vertreter, vielleicht die Frau aus der Wohnung unter ihm, die so oft ihren Schlüssel vergaß. Irgendjemand. Aber Sascha würde diese Person höchstwahrscheinlich nicht in die Wohnung lassen, sondern durch die Sprechanlage abwimmeln. Würde demjenigen, der da unten stand, etwas auffallen? Eine fremde Stimme, ein Mann noch dazu, der sich stockend und unbeholfen ausdrückte? Aber wer sollte daraus den Rückschluss ziehen, dass sich hier oben zwei Menschen in Gefahr befanden und gegen ihren Willen festgehalten wurden?

Wenn es die Nachbarin war, würde sie allerdings nicht so leicht lockerlassen, weil sie ihren Schlüssel brauchte. Würde Sascha ihr letzten Endes öffnen? Und sollte er, Oliver, dann rufen? Schreien? Oder brachte er die junge Frau damit in Gefahr? Sie war gänzlich ahnungslos, und Sascha hatte eine Waffe. Wer wusste, wozu er in einem Moment der Panik fähig wäre?

Er hörte, dass Sascha zur Tür ging. Er hörte, dass der Summer betätigt wurde.

Sascha hatte nicht einmal gefragt, wer da kam.

Das ließ nur einen Schluss zu: Er wusste es. Er erwartete jemanden.

Verstärkung?

Oliver spürte, dass ihm überall am Körper der Schweiß ausbrach. Was Sascha betraf, so hatte er die Sorge gehabt, dass dieser aus seiner Überforderung heraus etwas tat, was sie alle verletzte, aber er war absolut überzeugt, es bei ihm nicht mit einem kaltblütigen Killer zu tun zu haben. Im Grunde war Sascha nicht fähig, auch nur einer Fliege etwas zuleide zu tun. Mit ihm konnte man reden. Zur Untätigkeit in diesem dunklen Bad verdammt, hatte Oliver die ganze Zeit über gehofft, dass Xenia genau das tat: dass sie mit Sascha redete. Sie hatte immer einen guten Draht zu ihm gehabt. Sie konnte ihn überzeugen, dass er gerade dabei war, das völlig Falsche zu tun, dass sie alle miteinander sprechen, Dinge klären konnten, die vor vielen Jahren passiert waren.

Aber wenn da noch einer war ... Ein womöglich völlig anderes Kaliber ... Der Typ, der auf Xenia im Zug geschossen hatte. Dem sie mit knapper Not entkommen war.

Würde er hier vollenden, woran er gehindert worden war?

Er robbte zur Tür, stieß im Dunkeln dabei schmerzhaft mit dem Kopf gegen das Waschbecken, unterdrückte jeden Schmerzenslaut. Er presste ein Ohr gegen das Holz. Er musste hören, wer da kam.

Die Wohnungstür ging, und dann sagte eine fremde Männerstimme: »Und? Alles nach Plan?«

Er hörte, wie Sascha antwortete: »Nein. Gar nicht ...«

»Wieso? Was ist los?«

»Zwei ...«, sagte Sascha leicht stotternd. »Zwei ... Leute.«

»Wie ... zwei?«

»Du ... hast ... gesagt ... er ist allein ...«

Der Fremde schien sich umzublicken und entdeckte offenbar Xenia, denn Oliver hörte ihn sagen: »Ach, wen haben wir denn da? Das nenne ich eine freudige Überraschung. Xenia Paget. Was war ich hinter dir her. Und jetzt bekomme ich dich auf dem Präsentierteller angerichtet. Das Leben meint es gut mit mir.«

Xenia erwiderte etwas, das Oliver nicht verstand. Der Fremde lachte laut auf. »Mir macht das Jagen Spaß, stell dir vor. Und deshalb ist es gar nicht schlimm, dass es länger gedauert hat. Es wäre nett gewesen, dich im Zug abzuknallen. Aber so habe ich im Grunde noch viel mehr Spaß an der Sache.« Dann veränderte sich seine Tonanlage, er wandte sich offenbar wieder an Sascha. »Und wo steckt Oliver?«

»Im … im … Bad«, stotterte Sascha.

»Okay. Bevor wir uns um ihn kümmern, machen wir erst einmal Xenia dingfest. Mir sieht sie ganz so aus, als würde sie gerne jeden Moment das Weite suchen. Stimmt's, Xenia? Wer hat schon Lust, sich seiner Verantwortung zu stellen? Der Tag der Abrechnung ist gekommen, Schätzchen. Das wird lustig. Das wird ein riesiger Spaß für uns beide!«

Dann wurden Schubladen krachend aufgezogen und wieder geschlossen.

»Das wird gehen«, sagte der Fremde. Dann: »Sorry, Lady, das tut jetzt weh. Aber ich muss auf Nummer sicher gehen.«

Xenia gab einen Schmerzenslaut von sich. Oliver vermutete, dass sie mit dem Bindfaden gefesselt wurde, den es in einer seiner Küchenschubladen gab.

»Nicht«, sagte Sascha unbehaglich. »Sie kriegt keine Luft, Ian!«

»Muss sein«, erklärte der Fremde, der offenbar Ian hieß. »Sie schreit sonst plötzlich los, und was sollen da die Nachbarn denken?«

Wahrscheinlich hatte er ihr einen Knebel in den Mund geschoben. Oh Gott, die arme Xenia. Es wurde Oliver ganz schlecht bei dem Gedanken, dass sie Schmerzen hatte und nur schwer atmen konnte. Und das ließ auch für ihn selbst nichts Gutes ahnen. Dieser Ian war brutal und entschlossen. Was trieb ihn an?

Ian.

Oliver forschte verzweifelt in seinem Gedächtnis, aber ihm fiel niemand ein, der so hieß. Niemand, den er kannte oder mit dem er irgendwann einmal näher zu tun gehabt hatte. Einer seiner Mandanten? Nein, da war keiner dabei, der so hieß. Zumindest keiner, den er sich gemerkt hätte. Und das hätte er, wenn es Jahre später zu einer Geschichte wie dieser geführt hätte, oder?

Forsche Schritte näherten sich dem Badezimmer, und Oliver rutschte hastig von der Tür weg, stieß sich ein zweites Mal dabei den Kopf an. Der Schlüssel wurde umgedreht, die Tür aufgerissen. Grelles Licht flammte auf, so plötzlich, dass Oliver die Augen zusammenkniff. Ein großer, dunkler Schatten stand über ihm im Türrahmen.

»Oliver, du Wurm«, sagte der Schatten, »wie schön, dich endlich näher kennenzulernen.«

Olivers Augen gewöhnten sich nur langsam an die Helligkeit. Aber nach und nach gelang es ihm, Einzelheiten zu erkennen. Die riesige grobschlächtige Gestalt. Verbeulte Jeans. Ein graues Sweatshirt, auf dessen Vorderseite Spuren von Eigelb prangten. Schwarze ungekämmte Haare. Ein Gesicht, das ... ja, Oliver hätte nicht recht zu sagen gewusst, warum gerade das Gesicht ihm einen Schauer des Entsetzens über den Rücken laufen ließ. Die Häme, mit der der Mann ihn betrachtete? Die unverhohlene Freude daran, in einer Machtposition zu sein? Die Grausamkeit in seinem Grinsen? Oder war es die völlige Kälte in seinen Augen? Obwohl er die Situation eindeutig genoss, erreichte der Genuss nicht seine Augen. Sie schienen wie tot zu sein. Dunkel. Ohne ein Leuchten, ein Glänzen, ein Schillern. Einfach stumpf und ohne Leben.

Er hatte nie zuvor solche Augen gesehen. So vollständig

ohne das geringste Gefühl. Was sagten sie aus über diesen Mann?

Er begann zu frieren. Tief aus seinem Innersten heraus.

Ian betrachtete ihn mit einem gewissen Interesse. »So aus der Nähe habe ich dich noch nie gesehen. Ich weiß einiges über dein Leben. Hab mir die Beine in den Bauch gestanden, da drüben …«, er machte eine Handbewegung in Richtung Küche und meinte die Straße dahinter. »Dachte eigentlich, ich weiß alles über deine Angewohnheiten. Über dein leeres Leben. Da passiert ja nie etwas. Wirklich nie.«

Oliver wusste nicht, ob Ian eine Antwort erwartete. Vorsichtshalber sagte er nichts.

»Du hast nie Besuch. Einfach nie! Aber ausgerechnet jetzt. Da schneit dieses Kindermädchen von einst herein. Damit hast du nicht gerechnet, wie? Ich auch nicht. Aber Sascha hat ja alles bestens in den Griff bekommen. Und in gewisser Weise schlagen wir jetzt zwei Fliegen mit einer Klappe.« Er lachte. Es war ein brutales, bösartiges Lachen.

Was will der bloß von mir?, fragte sich Oliver. *Was hat er gegen mich?*

»Nach allem, was ich weiß, warst du der Drahtzieher in dieser ganzen miesen Geschichte«, sagte Ian. »Die treibende Kraft. Die anderen sind dir gefolgt, was nicht heißt, dass sie keine Schuld trifft. Aber du hast alles angezettelt. Es war deine Idee, Sascha bezahlen zu lassen. Für das, was deine Frau angerichtet hatte.«

Er tut das für Sascha. Sicher nicht, weil er einen ausgeprägten Gerechtigkeitssinn hat.

Der Kerl war ein Psychopath, ein Sadist. Dem war es scheißegal, ob Sascha für andere den Kopf hatte hinhalten müssen. Davon war Oliver überzeugt. Dieser Ian liebte es, ein Opfer zu haben oder am besten sogar gleich mehrere.

Es ging ihm nur darum, seine perversen Triebe auszuleben. Seinen Hass, seinen Hang zur Gewalttätigkeit, zum Quälen.

»Sascha hat jahrelang im schlimmsten Erziehungsheim des ganzen Landes aushalten müssen«, sagte er. »Wegen euch.«

Oliver wagte nicht, etwas zu erwidern – tatsächlich hätte er auch nicht wirklich widersprechen können –, aber gerade sein Schweigen schien Ian zu provozieren, denn plötzlich machte er einen Schritt nach vorne, holte mit dem rechten Bein aus und trat Oliver mit aller Kraft in den Magen. Er trug, trotz der sommerlichen Jahreszeit, schwere Lederstiefel. Der Schmerz, der durch Olivers ganzen Körper schoss, war so heftig, dass er mit einem Schrei nach vorne kippte und sich wie ein Embryo zusammenrollte. Ihm wurde schlecht, eine Sekunde lang fürchtete er schon, sich übergeben zu müssen. Kaffee gemischt mit Galle stieg in seinem Hals auf. Er schluckte es wieder hinunter, gab dabei einen würgenden Laut von sich. Ian lachte laut auf.

»Tut weh, was? Und das ist nur der Anfang, Oliver. Eine ganz müde kleine Variante von dem, was alles noch auf dich zukommt. Du wirst bezahlen für das, was du Sascha angetan hast. Man bezahlt immer im Leben, weißt du?«

Der Kerl war völlig verrückt. Absolut krank im Hirn.

»Ob du das weißt?«, wiederholte er drohend.

Oliver brachte ein leises »Ja« hervor. Ihm war noch immer schlecht.

Ian grinste. »Geht doch.« Er machte eine blitzschnelle Bewegung mit dem Bein, als wolle er erneut treten, und Oliver rollte sich mit einem Aufschrei zur Seite, versuchte, seinen Magen und seinen Kopf zu schützen. Ian hatte sich aber bereits wieder abgebremst. Er wollte sich ausschütten vor

Lachen. »Der hat richtig Angst, der alte Sack! So ist das, wenn man nicht der Stärkere ist!«

Oliver blinzelte und erhaschte einen Blick auf Sascha, der hinter Ian stand. Sascha sah blass und gestresst aus. Was hier passierte, war nicht in seinem Sinn. Er fragte sich, was Ian ihm erzählt hatte, worauf dieser Rachefeldzug hinauslaufen sollte. Wahrscheinlich nicht auf Quälen und Morden. Womöglich hatte Sascha aber auch nichts richtig verstanden und überblickt. Er schien Ian gegenüber hörig zu sein, ergeben und bereit, ihm auch dorthin zu folgen, wohin er selbst eigentlich nicht gehen wollte.

Einsam. Verlassen. Ian mochte ihm als sein einziger Freund erscheinen, als sein einziger Halt im Leben und in einer Welt, in der er sich alleine nicht zurechtfand.

»Zieh einen Strumpf aus«, herrschte Ian Oliver an.

Oliver blinzelte verängstigt. »Was?«

»Strumpf aus!«

Zitternd zog Oliver seinen Schuh vom rechten Fuß und rollte seine blaue Socke über den Knöchel. Er reichte Ian den Strumpf. Schnell knetete ihn dieser zu einem Knäuel, beugte sich zu Oliver hinunter und stopfte ihm den Strumpf in den Mund. Oliver japste entsetzt. Die dicke Wolle steckte so tief in seinem Hals, dass er einen unbändigen Würgereiz verspürte. Verzweifelt versuchte er, mit der Zunge gegen den Fremdkörper anzukämpfen, aber die Zunge wurde gegen den unteren Gaumen gedrückt und hatte keinerlei Bewegungsspielraum.

»Klebeband«, sagte Ian zu Sascha.

Sascha reichte ihm die braune Rolle, von der Oliver wusste, dass sie ebenfalls aus einer der Küchenschubladen stammte. Er gab verzweifelte Laute der Abwehr von sich. Er würde ersticken.

Ian scherte sich nicht darum. Er riss ein Stück Klebeband ab und klebte es quer über Olivers Mund und sein halbes Gesicht und zur Sicherheit ein zweites darüber.

»So. Der gibt erst einmal Ruhe.«

Mit einem langen Stück Bindfaden fesselte er schnell und geübt Olivers Hände und Füße. Er ließ ihn liegen wie ein gut verschnürtes Paket.

Oliver spürte einen entsetzlichen Brechreiz. Er versuchte, Ian darauf aufmerksam zu machen, ihm zu bedeuten, dass er ihn so nicht einfach zurücklassen durfte. Aber Ian schenkte ihm keinen weiteren Blick. Er wandte sich zur Tür, schlug sie hinter sich zu, drehte den Schlüssel um. Schaltete von draußen das Licht aus.

Würgend, keuchend und von Todesangst gepeinigt, blieb Oliver in völliger Dunkelheit zurück.

10

Er war seit dem frühen Morgen nicht mehr erschienen, und langsam bekam Sophia Angst.

Stunde um Stunde verging, zäh und klebrig und ohne dass irgendetwas den Verlauf der Zeit angezeigt hätte.

Üblicherweise erschien Ian irgendwann mit einem Mittagessen, aber diesmal schleppte sich der Tag dahin, ohne dass er noch einmal auftauchte. Oder war es noch gar nicht Mittagszeit? Zogen sich die Minuten heute noch mehr in die Länge als sonst?

Sophia fragte sich, ob man an Einsamkeit und Langeweile sterben konnte. Sie hatte von Gefängnissen in totalitären Staaten gelesen, in denen Menschen monatelanger Einzelhaft in Dunkelheit und ohne die geringste Ansprache ausgesetzt gewesen waren. Viele sollen wahnsinnig geworden sein. Sophia konnte das absolut verstehen. Man verlor zuerst jegliches Zeitgefühl, danach verlor man sich selbst. In diesem dunklen Alptraum von Unendlichkeit, von konturenlos ineinander übergehenden Tagen, Stunden, Minuten, in einer Stille, die zu tosen und zu dröhnen begann und in der doch zugleich die völlige Lautlosigkeit vorherrschte, begann das Sterben.

Das war genau der Gedanke, der sie beherrschte, während sie reglos in der Dunkelheit lag.

Ich werde sterben. Es hat bereits angefangen.

Es gab einen einzigen Menschen auf der Welt, der wusste, wo sie sich befand, und das war Ian, was bedeutete: Nur der Teufel wusste, wo sie war, er war Herr über ihr Leben und ihren Tod, und damit war ihr Leben nichts mehr wert.

Sie konnte jetzt nur noch hoffen, dass ihr Sterben schnell gehen würde. Woran Ian allerdings nicht interessiert war. Sie war ihm in die Hände gefallen, und den Genuss, ihr alles heimzuzahlen, würde er sich nicht entgehen lassen.

Die Schmerzen in ihrem Unterleib, die sie schon morgens verspürt hatte, waren ständig stärker geworden. Inzwischen war sie ziemlich sicher, dass es sich um eine Blasenentzündung handelte, und obwohl sie kaum über medizinisches Wissen verfügte, schwante ihr, dass ihre Dauerkatheterisierung der Grund war. Seit ihrer Entführung war der Katheter nicht mehr gewechselt worden. Über ihn gelangten ständig Bakterien in ihr Inneres. Wenn die Schmerzen noch schlimmer wurden, hatte sie ein weiteres Problem. Ihr Entführer ließ sich nicht blicken, aber selbst wenn er auftauchte, hatte sie keine Ahnung, wie sie ihn auf ihre Schmerzen aufmerksam machen sollte. Nicht, dass es ihn groß gestört hätte, wenn sie litt. Aber vielleicht kapierte er, dass die Gefahr bestand, dass die Entzündung … ja, was? Sie würde Fieber bekommen? Eine Blutvergiftung? Sonst irgendetwas Schlimmes?

Sie rang die erwachende Panik nieder. Wenn sie sich etwas in ihrer Situation nicht leisten konnte, dann war es Panik. Wohin sollte ein Mensch mit dem Gefühl der Panik, wenn er nicht einmal mit dem kleinen Finger zucken konnte, um die Panik irgendwohin abzuleiten, in irgendeine Form von Bewegung, wenn Bewegung genau das war, was diesem Körper nicht mehr abzuringen war?

Sie merkte schon wieder, dass ihr die Tränen hochstiegen. Sie war gefangen, einfach komplett gefangen. Gefangen in diesem Raum. Gefangen in ihrem Körper. Selbst wenn sie, was nicht zu erwarten stand, aus Ians Fängen befreit würde, blieb sie dennoch eine lebenslange Gefangene.

Die Hoffnungslosigkeit senkte sich wie mit tausend Gewichten beschwert auf ihre Brust. Ihr Atem ging schwerer. Die Dunkelheit umgab sie, und sie war in ihr. Die Nacht würde ewig dauern, egal, was passierte. Glasklar erkannte sie in diesem Moment, wie naiv ihr Glaube gewesen war, sie würde ihr altes Leben zurückbekommen. Dr. Dane hatte nichts zu ihrer Lähmung gesagt, weil es nichts zu sagen gab, was ihr Hoffnung machte. Sie würde wieder sprechen können. Aber niemals mehr laufen, rennen, Fahrrad fahren. Schwimmen. Tanzen. Einen Mann umarmen. Das Pulsieren des Lebens in ihrem Körper spüren.

Es war vorbei.

Ermattet schloss sie die Augen.

Ein Geräusch ließ sie innerlich zusammenzucken. Sie schlug die Augen auf. War er zurück?

Es war nicht das erste Mal heute und am Tag zuvor, dass er ihr gesagt hatte, er werde für ein paar Stunden fort sein, und sie dann trotzdem gemeint hatte, Bewegungen im Haus wahrzunehmen. Sehr leise nur, sehr weit entfernt und oft so, dass sie kurz danach dachte, sie habe sich eigentlich getäuscht.

Auch diesmal war sie gleich darauf nicht sicher, ob da wirklich etwas gewesen war. Die Wahrscheinlichkeit, dass sie langsam anfing, den Verstand zu verlieren, war sehr groß, und vielleicht hörte sie Dinge, die sich nur in ihrem Kopf abspielten und sonst nirgends. Aber vielleicht ging er auch in Wahrheit gar nicht weg. Vielleicht behauptete er es nur, blieb aber stattdessen im Haus. Um zu beobachten, ob sie Befreiungsversuche, Fluchtversuche unternahm? Das war lächerlich. Sie hatte nicht den allergeringsten Bewegungsspielraum. Es ging gar nichts. Er könnte sie hier liegen lassen, ohne Türen und Fenster zu schließen, und für Tage verschwinden. Wenn er wiederkäme, würde sie in genau derselben Stellung liegen wie zuvor.

Sie lauschte angespannt, aber wieder herrschte nur Stille um sie herum. Nichts und niemand war zu hören. Wahrscheinlich hatte sie sich geirrt.

Ihre Schmerzen wurden stärker. Der Katheter musste dringend gewechselt werden, und sie brauchte ein Antibiotikum.

Ihr Mund formte einen Schrei. Zum tausendsten Mal während der letzten Tage und Stunden.

Er verhallte lautlos im Inneren ihrer Gedanken.

11

Ein Unfall auf der M1 hatte die Fahrt von Birmingham hinauf in den Norden in die Länge gezogen. Robert hatte geflucht, während sie im Stau standen, und Kate hatte abwechselnd den in Frankreich weilenden Therapeuten von Ian Slade zu erreichen versucht, was ihr nicht gelang, und dazwischen immer wieder mit Colin telefoniert, den inzwischen eine Streife abgeholt und damit aus seiner misslichen Lage inmitten der Yorkshire Dales befreit hatte. Er hatte ihr die ganze unglaubliche Geschichte von Oliver und Xenia erzählt. Und von Alice Walsh. Der Mutter, die ihr einjähriges Kind in der Badewanne ertränkt hatte.

»Damit die Kleine aufhört zu schreien«, hatte er gesagt, und seine Fassungslosigkeit war durch das Telefon hindurch fast greifbar gewesen. »Stell dir das vor, Kate!«

Kate teilte sein Entsetzen, aber als geschulte Ermittlerin wusste sie, dass die Gründe für so eine unfassbare Tat vielschichtig waren. Häufig war Überforderung das Motiv, Schlafmangel und Kraftlosigkeit und das Gefühl, dass sich das eigene Leben auflöste inmitten des Geschreis und der Forderungen eines völlig abhängigen Säuglings. Dazu die Anstrengung, eben all dies, die Überforderung und die Traurigkeit, die Leere vor der Umwelt zu verbergen, denn eine junge Mutter hatte glücklich zu sein, außer sich vor Freude über das Geschenk eines Kindes, bereit, eher zu sterben, als zuzulassen, dass diesem kleinen, hilflosen Geschöpf ein Unglück zustieß. Man war bereit, für vieles Verständnis zu haben, was Menschen umtrieb, aber niemals dafür, dass eine Mutter ihr Kind nicht liebte. Kate musste an Maya Price denken, Xenias Freundin aus Southend-on-Sea. Das ewige

Gebrüll ihres kleinen Sohnes und die vollkommen erschöpfte Frau, das unordentliche Haus, der Fernseher, in dem sie sich Sendungen ansah, die sie nicht interessierten, nur um irgendwie über den Tag zu kommen. Maya würde ihr Kind nicht töten. Aber sie hatte absolut nicht wie eine glückliche Mutter gewirkt, und genau dafür hatte sie sich hundertmal entschuldigt. Weil es ein Tabubruch war.

»Und dann haben sie es dem Adoptivsohn in die Schuhe geschoben«, hatte Colin erzählt. »Sascha. Geistig leicht zurückgeblieben. Er war damals fast sieben. Er kapierte wahrscheinlich nicht, was genau los war. Nach einem früheren Skandal im Kindergarten, wo er angeblich versucht hatte, ein anderes Kind im Planschbecken zu ertränken, bezweifelte niemand, dass er auch am Tod seiner kleinen Halbschwester schuld war. Zumal er es nicht abstritt. Sondern zu allem nickte.«

»War Xenia dabei?«, fragte Kate.

»Nein. Sie war weg, ehe Oliver Walsh den Notruf wählte. Ausgestattet mit etwas Geld. Walsh wusste wohl, dass sie eine Gefahr darstellte, dass sie einer Befragung nicht standhalten würde. Sie war total entsetzt über diesen Plan, aber sie wagte nicht, dagegen aufzubegehren. Sie tauchte unter. Die Walshs hat sie dann nie wieder gesehen, nur irgendwann gehört, dass sie von Nottingham, wo sie damals lebten, weggezogen sind. Gerüchteweise in den Norden. Weitere Informationen hat sie aus der Zeitung.«

»Sascha kam in ein Heim«, sagte Kate. Langsam begannen sich die Dinge zu verbinden.

»Ja. Er war ja nicht schuldfähig. Aber er stellte eine Gefahr dar, und der Familie war es – nach Ansicht von Polizei und Jugendamt – nicht mehr zuzumuten, mit ihm unter einem Dach zu leben.«

»Ein Heim in Birmingham?«

Das wusste Colin nicht. Kate nahm es jedoch als fast sicher an. Sie versuchte mehrfach, den Heimleiter zu erreichen, aber er ging nicht an sein Handy. Auch im Sekretariat des Heimes meldete sich niemand.

»Wir müssen uns beeilen!«, sagte sie wütend zu Robert.

»Ich kann es nicht ändern«, sagte dieser, ebenso wütend auf die zäh vor ihnen herkriechende Autokolonne.

Dann rief sie Helen an, die es vermutlich inzwischen aufgegeben hatte, noch auf ein geruhsames Wochenende zu hoffen.

Sie setzte sie über alle neuen Informationen, die sie gewonnen hatten, in Kenntnis.

»Wenn es irgendwie möglich ist, dann finden Sie heraus, in welchem Heim der Junge damals untergebracht wurde. Sascha Walsh. Ich vermute, in Birmingham, aber wir müssen Gewissheit haben.«

»Okay«, sagte Helen, die eifrig mitschrieb. Kate konnte durch das Telefon den Stift auf dem Papier kratzen hören.

»Es ist stark anzunehmen, dass Sascha Walsh der zweite Mann neben Ian Slade ist. Da die beiden offenbar Hand in Hand arbeiten, müssen Beamte zum früheren Wohnhaus der Familie Walsh gehen. Hoch unwahrscheinlich, dass sich Slade dort mit Sophia Lewis versteckt hält, aber die Möglichkeit, egal wie gering, muss ausgeschlossen werden. Die Adresse haben wir nicht, die müssten Sie ermitteln. Des Weiteren brauche ich die heutige Adresse der Walshs. Die bitte zuerst, denn DI Stewart und ich werden direkt dorthin fahren.«

Helen seufzte. »Ich erledige das alles.«

Sie beendeten das Gespräch. Robert warf Kate einen Blick zu. »Ich wusste noch gar nicht, dass wir zu den Walshs fahren?«

»Es wäre doch sinnvoll, das zu tun, oder? Sie können uns vielleicht Informationen über ihren Adoptivsohn geben. Außerdem sind sie in Gefahr. Wahrscheinlich wäre es das Beste, sie verlassen ihre Wohnung, und wir bringen sie irgendwo in Sicherheit. Dieser Rachefeldzug ist sicher noch nicht zu Ende.«

Robert bewegte das Auto ein paar Meter weiter, ehe erneut alles zum Stehen kam. »Dann wissen wir nicht einmal, ob wir hier richtig sind. Wir kämpfen uns hier stundenlang durch den Stau und erfahren am Ende, dass die Walshs irgendwo an der Südküste leben.«

»Xenia meinte, sie seien in den Norden gezogen. Hoffen wir, dass das stimmt.«

Zumindest was das betraf, hatten sie Glück: Helen meldete sich eine halbe Stunde später mit einer Adresse in Leeds. »Dort lebt Oliver Walsh. Des Weiteren konnte ich in Erfahrung bringen, dass die Walshs inzwischen geschieden sind. Wo Alice Walsh heute wohnt, konnte ich noch nicht klären.«

»Okay. Bleiben Sie dran, Helen, bitte. Wir fahren jetzt direkt zu Oliver Walsh. Aber auch seine Exfrau ist in Gefahr. Wir müssen sie möglichst schnell ausfindig machen.«

»Ich gebe mein Bestes«, versprach Helen.

Irgendwann passierten sie endlich die Unfallstelle, an der drei Autos ineinandergerast waren und alles mit Polizei- und Rettungswagen zugestellt war. Danach begann der Verkehr wieder zu fließen.

»Wir müssten in einer Dreiviertelstunde in Leeds sein«, meinte Robert irgendwann.

Kate betrachtete ihn von der Seite. Er sah erschöpft aus, deprimiert. Ihm war klar, dass Kate die Ermittlungen vorantrieb und er nur hinterherlief. Ihm war klar, dass er auf seinem Posten versagte und dass Kate nur aus Höflichkeit und aus Respekt vor seiner Position dazu schwieg. Auf die Dauer würde das so nicht funktionieren. Sie wusste das, er wusste es auch.

Es war nach sechs Uhr am Abend, als sie an der Adresse ankamen, die Helen ihnen genannt hatte. Ein ruhiges Viertel am Stadtrand von Leeds, eine wenig befahrene Straße. Mehrfamilienhäuser in kleinen Gärten auf beiden Seiten. Es spielten keine Kinder draußen. Obwohl der Augustabend noch hell war. Vielleicht wohnten hier eher ältere Menschen. Oder die Familien mit Kindern waren verreist.

Kate sah sofort Colins Auto, das am Straßenrand parkte.

»Xenia ist hier«, sagte sie. »Da ist das Auto, das sie meinem Freund Colin geklaut hat.«

»Was tut sie hier?«, fragte Robert, stieg aus und schüttelte seine vom langen Sitzen steif gewordenen Beine.

»Sie wird verfolgt. Sie vermutet, dass Sascha dahintersteckt. Klar, dass sie mit dem Mann sprechen möchte, der das alles damals organisiert hat.«

»Der muss uns nun auch einiges erklären«, meinte Robert grimmig. »Gott, was für eine Geschichte, oder? Seine Frau tötet das gemeinsame Kind, und er hängt es dem unterbelichteten Adoptivsohn an. Der verschwindet auf Jahre in einem staatlichen Erziehungsheim. Irgendwie kann ich verstehen, dass der die Verantwortlichen zur Rechenschaft ziehen will.«

»Ich kann es auch verstehen, aber so geht es nicht. Zum Glück.«

Robert murmelte irgendetwas und folgte Kate über die Straße zum Gartentor.

Sie klingelten, aber es kam keine Reaktion. Kate klingelte erneut, stieß dann probehalber gegen das Tor. Es gab sofort nach. Sie standen auf dem Plattenweg, der zur Haustür führte.

»Vielleicht sind sie nicht zu Hause«, meinte Robert. Er blickte an der Hauswand hoch. »Hinter einem der Fenster hat sich gerade jemand bewegt. Aber ich weiß natürlich nicht, ob das die Wohnung von Walsh ist.«

Kate runzelte die Stirn. »Aber so oder so: Wo sollten sie hingegangen sein? Die haben sehr ernste Dinge zu besprechen, für die sie keine Mithörer brauchen. Und sie sind in Gefahr.«

»Vielleicht sind sie deshalb weggegangen. An einen sicheren Ort.«

»Ohne Colins Auto?«

Sie erreichten die Haustür. Davor stand eine junge Frau und kramte in ihrer Handtasche. Sie blickte auf. »Mein Schlüssel …« Dann seufzte sie erleichtert. »Hier. Ich habe ihn doch dabei.«

Kate zückte ihren Ausweis. »DS Kate Linville, North Yorkshire Police. Mein Kollege DI Stewart. Kennen Sie Oliver Walsh?«

Die Frau guckte erschrocken. »Ja. Er wohnt über mir. Ein sehr netter Herr. Er hat einen Ersatzschlüssel zu meiner Wohnung, weil ich mich dauernd aussperre.«

Robert trat einen Schritt zurück und wies nach oben. »Gehört dieses Fenster zu seiner Wohnung?«

Die Frau nickte. »Ja.« Ängstlich fügte sie hinzu: »Ist etwas passiert?«

»Wir müssen ihn nur sprechen«, beruhigte Kate. Sie überlegte. Wenn Robert sich nicht getäuscht hatte, war Walsh zu Hause. Xenia war bei ihm. Weshalb öffneten die beiden nicht?

Weil sie Angst hatten. In ihrer Lage verständlich.

Sie klingelte noch einmal, aber wieder geschah nichts.

»Ich kann Sie reinlassen«, bot die junge Frau an. »Zumindest ins Treppenhaus.«

Kate nickte. Sie hatte irgendwie ein dummes Gefühl, die Sache gefiel ihr nicht. Es war verständlich, dass Oliver zwei völlig unbekannten Menschen, die er allem Anschein nach vom Fenster aus gesehen hatte, in seiner Situation nicht traute. Aber dennoch. Eine innere Stimme riet zur Vorsicht.

»Vielleicht sollten wir Verstärkung anfordern?«, wisperte sie Robert zu.

Der schüttelte den Kopf. »Verstärkung? Um zwei Leute zu vernehmen?«

Die Hausbewohnerin hatte inzwischen aufgeschlossen. »Bitte sehr. Er wohnt über mir.«

»Sie wohnen hier im Erdgeschoss?«

»Ja.«

»Dann gehen Sie jetzt bitte direkt in Ihre Wohnung. Schließen Sie die Tür hinter sich und öffnen Sie vorerst nicht. In Ordnung?«

»Es ist doch etwas passiert, oder?«

»Nur eine Vorsichtsmaßnahme«, beruhigte Kate.

Die junge Frau schloss schnell ihre Wohnungstür auf, verschwand im Inneren. Sie konnten hören, dass der Schlüssel zweimal umgedreht wurde.

Robert runzelte die Stirn. »Sie haben ihr Angst eingejagt!«

»Mir ist die Situation nicht geheuer«, entgegnete Kate. Sie standen am Fuß der Treppe, lauschten nach oben.

»Wir gehen jetzt rauf«, bestimmte Robert. »Vielleicht gibt es einen Türspion, dann können sie unsere Ausweise sehen. Der Polizei öffnen sie bestimmt.«

»Vor der Polizei hat Xenia fast genauso große Angst wie vor ihren Verfolgern«, murmelte Kate. Sie folgte Robert die Treppe hinauf. Es gab einen Absatz mit einem Fenster, vor dem auf einer altmodischen Holzbank ein großer Terrakottatopf mit einer undefinierbaren, ziemlich welken Pflanze stand. Das Treppenhaus machte einen Knick, und eine weitere Treppe führte direkt auf einen Gang und eine Wohnungstür zu.

»Das muss die Tür von Walshs Wohnung sein«, sagte Robert und setzte den Fuß auf die erste Stufe.

Oben wurde die Tür geöffnet, und im selben Moment peitschten Schüsse durch das Treppenhaus. Robert fiel um wie ein gefällter Baum. Mit grotesk verdrehten Gliedern blieb er auf den Stufen liegen.

Kate erschrak fast zu Tode, machte einen Sprung zurück um die Biegung der Treppe. Das Handy, das sie fest in der Hand gehalten hatte – immer noch in dem Gefühl, möglicherweise einen Notruf absetzen zu müssen –, rutschte aus ihren zitternden Fingern und fiel durch den Treppenschacht in eine dunkle Tiefe, vermutlich in den Keller. Kate hörte es weit unten auf den Steinen zersplittern.

Sie fluchte lautlos. Sie hatte es gewusst, verdammt. Sie hatte es gewusst. Wann lernte sie endlich, ihrer inneren Stimme zu vertrauen?

Wieder wurde geschossen. Eine der Kugeln traf erneut DI Stewart, der daraufhin kurz zuckte. Kate versuchte, sich vorsichtig nach vorne zu schieben, flach auf dem Bauch. Wenn sie nur eines seiner Beine zu fassen bekam, konnte sie ihn aus der Ziellinie ziehen. Es mochte gefährlich sein, ihn zu bewegen, aber zweifellos war es noch gefährlicher, ihn liegen zu lassen, wo er war. Zudem hatte er ein Handy. Irgendwo am Körper. Sie musste sofort Verstärkung herbeirufen, ein bewaffnetes Einsatzteam. Da oben schoss jemand sofort und ohne jede Vorwarnung auf jeden, der sich der Wohnung näherte, und er hatte zudem Geiseln in seiner Gewalt. Das Haus musste evakuiert werden.

Sie hatte Robert fast erreicht, da fielen die nächsten Schüsse. Es gelang Kate gerade noch, sich zurückzuziehen. Sie überlegte fieberhaft, es machte keinen Sinn, Robert aus der Schusslinie bringen zu wollen, wann immer sie sich vorwagte, schoss der Irre da oben, und damit erhöhte sie das Risiko, dass ihr Chef erneut getroffen wurde. Sie fragte sich, ob er noch lebte. Sie konnte das nicht erkennen. Er lag wie ein großer massiger Sandsack auf der Treppe, ein perfektes Ziel, und nichts an ihm bewegte sich.

Was sollte sie am besten tun? Sie hatte keine Waffe, sie hatte kein Handy, ihr blieb erst einmal nichts als der Rückzug. Sie könnte versuchen, von der Wohnung der jungen Frau im Erdgeschoss aus zu telefonieren, aber die eiserne Regel lautete, in Situationen wie dieser keine unbeteiligten Zivilisten in irgendeiner Form zu gefährden, vor allem nicht, wenn man sie schon glücklich hinter verschlossenen Türen in Sicherheit gebracht hatte.

Die andere Möglichkeit war, sich zum Auto durchzuschlagen und zur nächsten Wache zu fahren. Kate rief sich den Plattenweg zum Tor ins Gedächtnis. Zunächst könnte sie sich eng an die Wand gepresst voranschieben, aber das letzte Stück musste sie sich gewissermaßen im offenen Gelände bewegen. Kein Problem für Ian Slade – sie nahm stark an, dass es sich bei dem Schützen um ihn handelte –, sie von einem der Fenster aus abzuknallen. Da waren weder Bäume noch Büsche gewesen, nur flach wachsende Vegetation, die keinen Schutz bot. Blieb der Umweg durch den hinteren Garten. Sie müsste in diesem Fall in einem Bogen über eines der Nachbargrundstücke versuchen, die Straße zu erreichen.

Viel Zeitverlust.

Noch mehr Zeitverlust, wenn sie hier auf der Treppe zusammengekauert sitzen blieb und überlegte, während DI Stewart mit dem Tode rang, falls er nicht sowieso schon tot war. Zudem bestand jeden Augenblick die Gefahr, dass andere Hausbewohner unten zur Tür hineinkamen oder ihre Wohnungen verließen.

Sie musste schnell und gezielt handeln. Ihr brach der Schweiß aus.

Erneut fiel ein Schuss. Diesmal nicht im Treppenhaus. Sondern in der Wohnung.

Hatte er begonnen, die Geiseln zu erschießen?

Kate schnellte aus ihrer niedergekauerten Position nach oben. Gleichzeitig vernahm sie Schritte, die die Treppe hinunterkamen. Jemand sprang mit einem einzigen Satz über den die unteren Stufen blockierenden DI Stewart hinweg. Schwere Stiefel, der Boden dröhnte. Eine große Gestalt verdunkelte das Fenster, das dem Treppenabsatz Helligkeit geben sollte.

Kate sah eine Waffe, die auf sie zielte.

Sie fragte sich, wie es sein würde zu sterben.

12

Um Viertel vor sieben an diesem Samstagabend ging der Notruf bei der Polizei in Leeds ein. Eine Frauenstimme meldete sich, so verängstigt und leise, dass die diensthabende Beamtin Mühe hatte zu verstehen, was sie sagte.

»Es ist geschossen worden«, piepste die Stimme. »Hier im Haus. Nachdem ich die zwei Polizisten reingelassen hatte.«

»Es ist schon Polizei da?«

»Ja. Aber dann wurde geschossen, und jetzt rührt sich gar nichts mehr. Schon seit mindestens zehn Minuten.«

»Können Sie mir Ihre Adresse sagen?«

Die Frau nannte eine Adresse. Sie wirkte vollkommen verängstigt.

»Es handelt sich um ein Mehrfamilienhaus?«, fragte die Beamtin.

»Ja. Die beiden Polizisten wollten zu Mr. Walsh. Er wohnt direkt über mir. Im ersten Stock.«

»Haben die Polizisten sich ausgewiesen?«

»Ja.«

»Ist jemand verletzt?«

»Ich weiß es nicht. Ich bin die ganze Zeit nur in meiner Wohnung.«

»Es befindet sich eine Streife ganz in Ihrer Nähe, die ist gleich da. Bleiben Sie unbedingt in Ihrer Wohnung. Gehen Sie nicht in die Nähe eines Fensters, und öffnen Sie niemandem die Tür. Okay?«

»Okay.« Man musste das der Anruferin vermutlich gar nicht sagen. Selbst durch das Telefon hindurch wirkte sie wie versteinert vor Angst.

Die Beamtin und der Beamte, die kurz darauf eintrafen,

bewegten sich vorsichtig auf das Haus zu, immer gewärtig, dass jeden Moment jemand auf sie schießen könnte.

Die große Eingangstür unten schien auf den ersten Blick geschlossen zu sein, aber dann stellte sich heraus, dass sie leicht aufzudrücken war. Sie war nicht richtig ins Schloss gefallen. Jemand hatte das Haus womöglich in großer Eile verlassen.

Es war noch nicht dunkel draußen, das Treppenhaus war gut zu erkennen. Nirgends regte sich etwas. Nirgends war ein Laut zu hören.

Die beiden Beamten stiegen die Treppe hinauf. Sie erreichten den Treppenabsatz. Sie sahen einen Mann auf den Stufen der weiterführenden Treppe liegen. Die Beamtin zückte sofort ihr Handy.

»Wir brauchen einen Notarzt. Schnell. Und dringend eine bewaffnete Einheit. Bislang ein Verletzter.«

Ihr Kollege hatte sich hinuntergebeugt und Robert Stewarts Puls zu ertasten versucht. »Ein Toter«, korrigierte er. »Dieser Mann hier ist tot.« Er fingerte in Roberts Jacketttasche herum, während seine Partnerin die obere Wohnungstür scharf im Auge behielt. Er hielt Roberts Ausweis in den Händen.

»Detective Inspector Robert Stewart. Er ist beim CID Scarborough. Ein Kollege.«

Sie sahen einander an.

»Scheiße«, murmelte der Beamte.

Keine Viertelstunde später wimmelte es von Einsatzkräften. Rettungssanitäter bestätigten den Tod von DI Stewart. Bewaffnete Polizisten sicherten die Wohnung. Es bot sich das schreckliche Bild eines weiteren erschossenen Mannes, der im Flur vor der Küche lag. Unter seinem Gesicht hatte sich eine Blutlache ausgebreitet. Er war aus nächster Nähe durch einen Kopfschuss getötet worden.

In der Küche saß eine gefesselte und geknebelte Frau auf einem Stuhl und gab würgende Laute von sich. Im Bad lag ein Mann in der Ecke, ebenfalls gefesselt, dabei jedoch mit grausam verrenkten Gliedern wie zu einem Paket zusammengeschnürt. Ein Knebel war ihm brutal tief in den Rachen geschoben und mit Paketklebeband fixiert worden. Der Mann war dem Erstickungstod nahe. Er wurde sofort in ein Krankenhaus gebracht.

Ein halb toter Mann und zwei tote Männer, einer davon ein hochrangiger Polizist.

Die Beamtin, die zusammen mit ihrem Kollegen als Erste am Tatort gewesen war, hatte inzwischen mehrfach mit der Einsatzzentrale telefoniert, wo unter Hochdruck die Informationen zusammengetragen wurden.

»CID Scarborough bestätigt den Einsatz hier«, berichtete sie. »Detective Inspector Robert Stewart und Detective Sergeant Kate Linville waren hier, um ein Gespräch mit Oliver Walsh zu führen. Dem Besitzer der Wohnung.«

»Das ist der Mann, den wir im Bad aufgefunden haben«, warf ein Beamter ein. »Sagt die Frau, die gefesselt in der Küche saß. Xenia Paget. Bei dem Toten im Flur handelt es sich um seinen Adoptivsohn. Sascha Walsh. Geschossen hat ein weiterer Mann, von dem Mrs. Paget nur den Vornamen kennt: Ian. Er ist abgehauen, nachdem er Sascha Walsh per Kopfschuss getötet hatte.«

Fassungslose Blicke wurden ausgetauscht.

»Ein flüchtiger Täter«, sagte die Beamtin, die mit der Zentrale gesprochen hatte, »ein flüchtiger Täter und eine verschwundene Detective Sergeant. Wo, zum Teufel, ist diese Kate Linville abgeblieben?«

»Wir durchkämmen jetzt das ganze Haus und die umliegenden Gärten und Straßen«, bestimmte der Leiter des bewaffneten Teams. »Vielleicht hat sie sich irgendwo in Sicherheit gebracht.«

»Hier im Keller liegt ein kaputtes Handy!«, rief jemand. »Vielleicht das von Linville?«

Keiner sprach es aus, aber jeder hatte die bedrohliche Ahnung, dass sie Kate Linville weder im Haus noch irgendwo da draußen finden würden.

Sie war spurlos verschwunden.

Gemeinsam mit einem skrupellosen Killer, der nichts mehr zu verlieren hatte.

*Noch nie habe ich so sehr gelitten. Noch nie habe ich mich dem
Tod so nahe gefühlt. Diese Stunden im Bad, gefesselt und geknebelt, der ununterbrochene Würgereiz ... Ich war überzeugt, es
nicht zu schaffen. Zu sterben, ehe mich dieser Typ überhaupt erschießen konnte. Ich war verzweifelt und verloren, in Dunkelheit
und Schmerz, Elend, Angst. In allem, was die Hölle bereithält.*

*Dann hörte ich Schüsse, aber ich wusste nicht, wem sie galten,
und dann war irgendwann die Polizei da und befreite mich. Es
hätte nicht viel gefehlt und ich hätte den Beamten, der mir den
Knebel aus dem Mund zog, geküsst, weil ich noch nie zuvor so
dankbar gewesen war.*

*Ich liege jetzt im Krankenhaus. Ich glaube, Xenia ist auch hier,
zur Vorsicht und um sie durchzuchecken. Ob vor unseren Türen
Polizisten sitzen, weiß ich nicht, und wenn ja, dann entweder um
uns zu beschützen, oder um uns zu bewachen, oder beides. Wir
werden verhört werden wegen der Sache damals, sie jetzt noch
vertuschen zu wollen ist aussichtslos, und ich bin auch zu erschöpft dafür. Ob es eine Verjährung gibt, keine Ahnung. Wir müssen uns dem stellen, was wir angerichtet haben.*

In gewisser Weise bedeutet das eine Erleichterung.

*Es war damals unfassbar, wie problemlos wir mit unserer Ge-
schichte durchkamen. Sascha beantwortete die Fragen der Polizei
und später auch die der Psychologen, ob er seine kleine Schwester
unter das Wasser gedrückt habe, mit »Ja«. Ich wusste, dass er Un-
terstellungen immer zustimmte, was wohl damit zusammenhing,*

dass er die Überlegenheit und Autorität des anderen sofort aner-
kannte und sich ihr unterordnete. Er hielt es gar nicht für möglich,
dass seine Version der Dinge die richtige sein könnte, daher äußerte er sie gar nicht erst. Er war der kleine Schwachkopf, und alle
anderen waren klug und stark, und deshalb musste wohl stimmen,
was sie sagten, auch wenn er eine andere Erinnerung an die Ab-
läufe hatte.

Alice wurde nicht verdächtigt. Man machte ihr zwar den Vorwurf, in die Küche gegangen und ihre einjährige Tochter in der
Obhut des stark entwicklungsverzögerten Adoptivbruders zurückgelassen zu haben, nachdem dieser bereits früher wegen des An-
griffs auf ein kleines Mädchen auffällig geworden war, aber da sie
als Mutter ohnehin eine unfassbare Tragödie, den Verlust ihres Kindes, durchleiden musste, ging niemand sie hart an, sie wurde sanft
und mit Vorsicht behandelt. Mutter eines Problemkindes und eines
Säuglings – man konnte sich ihren Stress und ihre Überforderung
vorstellen. Sie hatte einen furchtbaren Fehler gemacht. Sie bezahlte bitter genug dafür.

Sascha wurde auf Empfehlung des Jugendamtes von einem
Gericht in ein Heim eingewiesen. Ich hatte ein schrecklich schlechtes Gewissen, aber ich hatte Angst, mich verdächtig zu machen,
wenn ich protestierte. Wie konnten wir es unter diesen Umständen
noch ertragen, mit ihm unter einem Dach zu leben? Er kam in ein
staatliches Erziehungsheim in Birmingham, die uns nächstgele-
gene Anstalt dieser Art.

Das alles ging ziemlich schnell. Eine Dame vom Jugendamt
hatte ihn noch am Tatabend mitgenommen, während Alice in
einer Ecke des Wohnzimmers saß und von einem Psychologen betreut wurde. Auch mir war ein Psychologe angeboten worden,
aber ich hatte abgelehnt. Ich hielt mich lieber in Alices Nähe und
versuchte, halbwegs mitzubekommen, was gesprochen wurde. Ich
hatte große Sorge, dass sie zusammenbrechen und alles gestehen

würde oder dass sie sich in Widersprüche verhedderte. Wir hatten nicht die Zeit gehabt, unsere Version der Ereignisse mehrfach durchzugehen, bis sie sich sozusagen in unser Gehirn eingegraben hatte. Wir standen Polizei, Psychologen, Jugendamt und dann natürlich den zwangsläufig aufkreuzenden Medien mit unserer schnell zusammengeschusterten Geschichte gegenüber, die nun all den Fragen standhalten musste. Dabei waren wir am Ende unserer Nerven, geschockt und traumatisiert. Weit davon entfernt, kühl agieren zu können. Andererseits war das auch gut: Wir mussten die schieren Nervenbündel sein, das war logisch, alles andere wäre seltsam gewesen. Und wahrscheinlich hätte man uns sogar etliches an Ungereimtheiten in unseren Aussagen nachgesehen. Jeder hatte Verständnis dafür, dass wir vollkommen durcheinander waren.

Xenia war verschwunden, wie vereinbart, aber auch was sie betraf, hielt ich den Atem an: Sie hatte zwar getan, was ich sagte, aber ich hatte gesehen und gespürt, wie schockiert sie war. Über das, was Alice getan hatte, aber noch mehr vielleicht über die Lösung, die ich geplant und in Gang gesetzt hatte. Sie konnte sich Alices unfassbare Tat noch irgendwie mit deren Depressionen, ihrer Überforderung, ihrer chronischen Verzweiflung erklären. Nicht rechtfertigen, aber doch irgendwie nachvollziehen, wie es dazu hatte kommen können. Was ich hingegen tat, erfüllte sie einfach nur mit Entsetzen. Wohl auch mit Abscheu. Die Frage war, ob ihr Gewissen dem standhalten würde. Ich konnte nur hoffen und beten.

Sascha blieb einige Tage in der Obhut des Jugendamtes, bei einer Pflegefamilie, bevor er nach Birmingham kam. Uns wurde gesagt, dass wir ihn noch einmal sehen durften, denn in Birmingham würde es dann strikte Besuchszeiten und Regelungen geben. Alice wollte nicht mitkommen, aber ich fuhr hin, weil ich ohnehin schon das Gefühl hatte, an meinen Schuldgefühlen zu zerbrechen.

Die Begegnung fand in einem äußerst tristen Zimmer in den Räumen des Jugendamtes statt: gelbes Linoleum auf dem Fußboden, ein Handwaschbecken in der Ecke, ein Schreibtisch. An der Wand ein paar Plakate, die für irgendwelche Veranstaltungen warben.

Sascha saß auf einem Stuhl, blass und dünn. Sein Gesicht leuchtete förmlich auf, als er mich sah, er sprang auf und stürzte auf mich zu. Ich nahm ihn in die Arme. Ich schluckte schwer. Ich hatte Alice vor dem Gefängnis, das ihren psychischen Tod bedeutet hätte, gerettet, aber um welchen Preis?

»Gehen wir nach Hause?«, fragte Sascha in seiner etwas abgehackten, mühsamen Sprechweise.

Ich schüttelte den Kopf. »Leider nein, mein Junge. Du weißt, warum wir das nicht können?«

Er schaute mich an, tiefe Traurigkeit in den großen dunklen Augen.

»Lena«, sagte er.

»Ja. Du weißt ja, was du mit Lena getan hast?«

Er nickte. Er hatte es verinnerlicht. »Ganz schlimm«, sagte er leise.

»Ja, ganz schlimm«, wiederholte ich.

Er war unschuldig, aber er spielte seine Rolle perfekt. Weil er es glaubte? Oder meinte, unsere Liebe zu erhalten, wenn er mitmachte? Vielleicht eine Mischung aus beidem.

Er spähte an mir vorbei Richtung Tür, wo die Mitarbeiterin des Jugendamtes stand.

»Wo ist Alice?«, fragte er.

Ich seufzte. »Sie konnte nicht mitkommen. Es geht ihr schlecht. Sie ist sehr traurig wegen Lena.«

Er dachte eine Weile nach. »Sehe ich Alice nie mehr wieder?«

»Sie braucht Zeit«, sagte ich.

»Zeit«, wiederholte er.

»Da, wo du jetzt hinkommst«, sagte ich, »wird es dir gut gehen. Da sind viele andere Kinder …«

Das war natürlich der falsche Satz. Mit anderen Kindern hatte Sascha noch nie gute Erfahrungen gemacht, ganz im Gegenteil. Er sah mich erschrocken an. »Kinder?«

»Sehr nette Kinder. Und nette Erwachsene. Es wird dir gefallen. Ich bin da ganz sicher.«

Er wirkte alles andere als überzeugt.

»Alice«, sagte er noch einmal.

Es war erstaunlich, wie sehr er an ihr hing. Natürlich, sie hatte die meiste Zeit mit ihm verbracht. Aber im Grunde war sie nie mit ihm zurechtgekommen, von Anfang an nicht. Er hatte sie überfordert, und sie hatte vergeblich versucht, seine Störung zu akzeptieren, und war gescheitert. Von da an war sie ihm stets nur mit einem gewissen Befremden begegnet.

Warum sie das Zentrum seiner Gefühle, seines Lebens geworden war – ich verstand es nicht. Er liebte sie, warum auch immer. Und letztlich entzieht sich Liebe nun einmal jeglichem Versuch, sie erklären zu wollen.

»Wenn es Alice besser geht, wird sie dich besuchen«, sagte ich.

Nie werde ich seinen Anblick vergessen, als er an der Hand der Dame vom Jugendamt das Zimmer verließ. Er ging, ohne sich zu sträuben. Er wirkte verzweifelt, zugleich jedoch völlig ergeben in sein Schicksal. Was hätte er auch tun sollen? Er war sieben Jahre alt, und er war aus unserem Leben verbannt worden. Für den Moment hatte er nichts als die Hand der fremden Frau, die ihn festhielt.

Ich hingegen kehrte zu Alice zurück.

Ich versuchte, uns zu retten, das, was von unserem gemeinsamen Leben noch übrig war.

Wie sich herausstellen sollte, war da nichts.

SONNTAG, 4. AUGUST

I

Der Tag war so langsam verstrichen, als habe irgendwo jemand beschlossen, dass die Zeit von nun an eingefroren würde, dass sie sich für eine Weile nicht bewegen sollte. Caleb Hale hatte die Wände seines Wohnzimmers angestarrt und sich gefragt, ob er jemals einen sich so quälend und endlos hinziehenden Tag erlebt hatte. Seit seiner Suspendierung war ihm oft die Zeit lang geworden, sein Alltag hatte die Struktur verloren, es war inzwischen egal, wann er morgens aufstand und ob er es überhaupt tat. Es war egal, ob er aß und trank, wann er schlafen ging, ob er duschte, sich rasierte, sich anzog oder ob er einfach den ganzen Tag über in Unterhose und T-Shirt am Wohnzimmertisch saß und vor sich hin starrte. Manchmal, wenn Fußballspiele oder Formel-1-Rennen stattfanden, ließ er den Fernseher laufen. Dann gab es wenigstens Stimmen um ihn herum. Aber wirklich besser hatte er sich damit auch nicht gefühlt.

An diesem Tag war alles anders.

Caleb war noch immer gut vernetzt bei der North Yorkshire Police, er war immer sehr beliebt gewesen, und nicht wenige fanden, dass seine Suspendierung ein mehr als ungerechter Akt war. Caleb wusste inzwischen, dass sogar einige Polizisten, die bei dem tragischen Einsatz in der Nordbucht dabei gewesen waren, geschlossen den Chief Superintendent aufgesucht und Protest gegen die Suspendierung eingelegt hatten. Zwei von ihnen hatten nahe genug bei ihm gestanden, um das Telefonat, das Caleb mit dem durchgeknallten Jayden White geführt hatte, mithören zu können, und sie hatten übereinstimmend bezeugt, dass der Chef absolut vorschriftsmäßig vorgegangen war und keinen Fehler gemacht hatte. Die Situation sei aussichtslos gewesen, und daran trage Caleb keine Schuld. Genützt hatte es nichts: Gegen 0,7 Promille war nicht anzureden.

Noch in der vergangenen Nacht hatten ihn ehemalige Kollegen angerufen und ihm berichtet, dass Robert Stewart tot war, erschossen von einem Schwerkriminellen, dass der Täter flüchtig und Kate Linville, die vermutlich neben Stewart gestanden hatte, als er erschossen wurde, spurlos verschwunden war.

Caleb hatte die ganze Nacht über kein Auge zugetan.

Robert Stewart tot.

Er hatte sich von ihm verraten gefühlt, völlig unerwartet angegriffen und ausgebootet, und er erinnerte sich nur zu gut an den Moment, als er begriffen hatte, *wer* ihn angeschwärzt hatte. Ein Mensch, von dem er es nie im Leben erwartet hätte. Fast zwei Jahrzehnte engste Zusammenarbeit – in einem Beruf, in dem unbedingte wechselseitige Verlässlichkeit die wichtigste Grundlage darstellte. Seine Sicherheit, seine Unversehrtheit hatte auch von Robert abgehangen, und die von Robert von ihm. Ohne Vertrauen in den anderen wäre die Tätigkeit nicht auszuüben gewesen.

Dieses Vertrauen hatte Robert zerstört, als er ihn beim Chief Superintendenten gemeldet hatte.

Und dennoch gab es die Jahre des Vertrauens davor, das gemeinsame Bewältigen schwieriger und gefährlicher Situationen, Momente, in denen sie einander nur angesehen und gewusst hatten, was der andere dachte, wortlose Verständigung und Übereinstimmung. Das hundertprozentige Wissen, dass der andere da war, auch in den kritischsten Momenten.

Caleb Hale trauerte. Trotz allem, was am Ende passiert war. Er trauerte um seinen Partner, während er zugleich das Gefühl hatte, in einem bösen Traum zu stecken. Robert Stewart erschossen. Einfach abgeknallt, auf einer Treppe in einem Mietshaus am Stadtrand von Leeds. Es war unfassbar. Es konnte nicht wahr sein. Und doch wusste er, dass er nicht träumte.

Hinzu kam, dass er sich eine stille Trauer, ein sich Zurückziehen in den Schmerz, nicht erlauben konnte. Seine Gedanken rasten wie wild in seinem Kopf: Was war mit Kate geschehen?

Verschwunden. Spurlos. Kurz zuvor hatte sie noch mit der Dienststelle telefoniert und angekündigt, dass sie und Robert von Birmingham kommend zu einer Befragung nach Leeds unterwegs waren.

Man hatte das ganze Haus durchsucht, jede einzelne Wohnung, in der Hoffnung, Kate habe sich irgendwohin geflüchtet, sich in Sicherheit gebracht, als plötzlich geschossen worden war. Aber nirgends war sie zu finden gewesen. Nicht im Keller, wo man auf ihr kaputtes Handy gestoßen war, nicht auf dem Dachboden, nicht im Garten, nicht in den umliegenden Gärten und Häusern. Es kristallisierte sich tatsächlich immer schärfer die einzige naheliegende Möglichkeit heraus: dass der flüchtige Kriminelle – Ian Slade war sein Name – Kate mitgenommen hatte.

Das bedeutete, Kate befand sich in den Händen eines Psychopathen, eines irren Killers, für den ein Menschenleben keinen Wert besaß. Eine Art Worst-Case-Szenario, bei dem das Allerschlimmste war: die Hilflosigkeit. Kate und ihr Entführer konnten überall sein. Irgendwo in der Nacht. Irgendwo im ersten Licht des heraufdämmernden Tages. Irgendwo in den Stunden dieses quälend dahinschleichenden Sonntags.

Es zerriss Caleb fast, dass er nichts tun konnte. Dass er *hier saß*. Dass er nicht länger im Dienst war. Was immer geschah: Er war nicht dabei. Er wusste nicht, was passierte. Ob das Richtige passierte. Der Ermittlungsleiter des Falles war tot, damit derjenige, der die Fäden in den Händen gehalten hatte. Nicht allzu geschickt, wie Kate angedeutet hatte. Aber immerhin. Caleb ahnte, dass im Präsidium nun alle wie aufgescheuchte Hühner herumliefen und gleichzeitig versuchen mussten, sich die Zusammenhänge überhaupt erst einmal wirklich klarzumachen.

Ein Alptraum. Denn Kates Uhr tickte. Unerbittlich.

Den ganzen Tag über widerstand Caleb. Der Flasche. Er hatte den Whisky vor sich auf dem Tisch stehen, er starrte die goldfarbene Flüssigkeit an. Sie versprach Rettung, wenn es unerträglich wurde, sie versprach Umnebelung, Vergessen, ein Abdriften in Gefilde, in denen die Welt an Schärfe und Schrecklichkeit verlor. Aber er würde nur im Notfall davon Gebrauch machen. Zum ersten Mal seit Langem war es ihm wieder wichtig, einen klaren Kopf zu haben.

Er musste präsent sein, wach, glasklar in seinen Gedanken. Er musste Kate helfen. Er wusste nur nicht, wie er das anstellen sollte.

Wahrscheinlich nicht, indem er fast vierundzwanzig Stunden lang an seinem Esstisch saß und eine Flasche betrachtete.

Er stand auf, als die Abenddämmerung kam. Im Spiegel, der an der Wand gegenüber dem Esstisch hing, sah er sich und erschrak. Wahrscheinlich sah er seit vielen Tagen so aus, aber zum ersten Mal betrachtete er sich vollkommen nüchtern. Er sah einen hohlwangigen Mann mit geröteten Augen, struppigen, zu langen Haaren. Graue Bartstoppeln bedeckten sein Gesicht. Er trug ein fleckiges T-Shirt, unter den Ärmeln verliefen dunkle Schweißränder.

Er sah kaputt aus. Und alt. Und absolut nicht wie der Held, der Kate Linville retten würde.

Er zuckte heftig zusammen, als es an seiner Haustür klingelte.

Am liebsten hätte er so getan, als wäre er nicht daheim, aber vielleicht entging ihm dann irgendeine wichtige Information.

Er schlurfte zur Tür – irgendwie fühlten sich seine Gelenke wie eingerostet an – und öffnete. Vor ihm stand Sergeant Helen Bennett. Sie sah erschöpft und mitgenommen aus.

»Guten Abend, Chef«, sagte sie. »Ich muss mit jemandem reden. Haben Sie Zeit?«

»Kommen Sie rein.« Er ging voraus zum Wohnzimmer. Es war ihm peinlich, in welchem Zustand Helen ihn antraf. Verdreckt und verwahrlost. Immerhin nicht betrunken. Er hätte gewettet, dass sie genau davor Angst gehabt hatte und dass sie nun innerlich erleichtert aufatmete. Er lallte und schwankte nicht. Hoffentlich war sie deshalb bereit, über sein unmögliches Äußeres hinwegzusehen.

»Irgendeine Spur von Kate?«, fragte er.

Sie standen einander im Wohnzimmer gegenüber. »Nein«, sagte Helen. »Es ist ... es geht nichts voran. Ich habe Angst.«

Er wies auf den Esstisch. »Setzen Sie sich doch. Ich habe leider praktisch nichts im Haus. Selbst der Kaffee ist aus. Ich kann Ihnen nichts anbieten.«

»Kein Problem«, versicherte Helen. Sie nahm am Tisch Platz. Er konnte erkennen, dass sie angestrengt an der Whiskyflasche vorbeischaute, so tat, als sähe sie sie nicht. Unablässig knetete sie die Finger ihrer Hände ineinander.

»Sie wissen, dass DI Stewart tot ist?«, fragte sie leise.

Caleb nickte. Der Satz dröhnte geradezu in seinem Kopf. *DI Stewart ist tot.*

Das Unaussprechliche ausgesprochen.

»Ich kann es nicht fassen«, sagte er.

Helens Augen waren erfüllt von Schmerz. »Ich auch nicht. Es ist absolut unwirklich.«

Caleb setzte sich an den Tisch. »Wie ist der Stand der Dinge?«, fragte er, bemüht sachlich. »Ich bin mit den Grundstrukturen des Falles vertraut. Und ich weiß, was in Leeds passiert ist. Dass es sich um zwei Täter handelt. Einer ist tot. Der andere flüchtig.«

Helen nickte. »Ian Slade, mit hoher Wahrscheinlichkeit der Mörder von DI Stewart, hat seinen Kumpel Sascha Walsh erschossen, ehe er die Flucht antrat. Wahrscheinlich, um zu verhindern, dass dieser gegenüber der Polizei eine Aussage macht. Sascha Walsh ist geistig retardiert. Sowohl nach Aussagen von Xenia Paget, die früher sein Kindermädchen war. Und nach der Aussage des Leiters eines staatlichen Erziehungsheimes, in dem Walsh über dreizehn Jahre verbracht hat. Es ist stark anzunehmen, dass er Slades Werkzeug war und nichts von dem, was passiert ist, wirklich wollte.«

»Dann haben Walsh und Slade sich also in dem Heim kennengelernt«, folgerte Caleb. Er hatte damals auf ein Gefängnis getippt. Erziehungsheim war nicht so weit davon entfernt.

Helen nickte. »Ich habe gleich gestern noch mit dem Heimleiter telefoniert. Kate und DI Stewart waren ja bei ihm wegen Ian Slade, aber erst hinterher haben sie von Sascha Walsh erfahren. Tatsächlich waren die beiden in einer Gruppe. Dass sie spezielle Freunde waren, ist niemandem dort aufgefallen, aber Ian Slade war wohl sowieso jemand, dem alle nachliefen. Aus Angst. Es war wichtig, sich mit ihm gutzustellen.«

»Verstehe. Und was war Slades Motiv?«

Helen berichtete von der Geschichte mit dem kleinen Mädchen und dass Kate vermutete, bei der anonymen Anruferin habe es sich um Sophia Lewis gehandelt. »Sie war verantwortlich dafür, dass Ian in ein Erziehungsheim musste.«

»Er wusste, dass sie die Anruferin war?«

Helen zuckte mit den Schultern. »Wenn unsere Theorie stimmt, wusste er es offenbar.«

»Und Walsh?«

»Sascha Walsh ist das russische Adoptivkind der Familie Walsh. Oliver und Alice. Sie haben ihn adoptiert, weil sie keine Kinder bekommen konnten.«

Helen schilderte Caleb so knapp und präzise wie möglich die tragischen Ereignisse, die sich nach der Adoption in der Familie Walsh zugetragen hatten bis zu dem Tod der kleinen Lena.

»Die Tat wurde Sascha in die Schuhe geschoben«, sagte Helen. »Er war ein Kind, damals fast sieben Jahre alt. Stark entwicklungsverzögert oder sogar leicht geistig behindert. Natürlich nicht schuldfähig.«

Caleb starrte sie an. »Das ist wirklich …«

»Ja. Er war völlig wehrlos. Man konnte ihm alles einreden, also glaubte er es wohl selbst. Polizei, Gericht und Jugendamt zweifelten die Darstellung nicht an. Kann sein, dass Sascha sogar geständig war, das muss ich noch klären. Auf jeden Fall kam er ins Heim.«

»Rache«, sagte Caleb. »Das Motiv bei beiden jungen Männern.«

»Ich habe lange mit Xenia Paget gesprochen«, erklärte Helen. »Sie hält es für ausgeschlossen, dass Sascha von echten Rachegedanken beseelt war. Er ist wohl wieder benutzt worden. Von Ian Slade. Der brauchte einen Komplizen, weil er so besser und viel verwirrender agieren konnte. Er hat Sascha eingeredet, er müsse alle zur Rechenschaft ziehen, die damals beteiligt waren. Hat es aber hauptsächlich selbst in die Hand genommen. Er war der Schütze aus dem Zug. Xenia hat ihn erkannt.«

»Die Beteiligten damals«, sagte Caleb, »sind Xenia Paget, Oliver Walsh und seine Frau Alice?«

»Ja. Oliver Walsh und Xenia sind im Moment im Krankenhaus in Leeds. Sie haben Polizeischutz. Oliver und Alice Walsh sind seit Jahren geschieden. Wir versuchen, Alice ausfindig zu machen.«

»Sie ist ebenfalls in Gefahr.«

»Ja. Natürlich.«

»Und Slade hat Sophia Lewis in seiner Gewalt. Und Kate.«

»Ja.«

»Verdammt«, sagte Caleb. Er überlegte. »Er muss ein Auto haben, oder? Anders wäre er da in Leeds nicht weggekommen.«

»Ian Slade ist mit den Papieren und unter der Identität eines gewissen *Jack Gregory* aufgetreten. Ein Student aus

Manchester, der seit einem Jahr spurlos verschwunden ist. Auch sein Auto ist nie wiederaufgetaucht. Also ist anzunehmen, dass ...«

»Slade in Gregorys Auto unterwegs ist.«

»Es läuft eine Fahndung nach dem Wagen. Ein Ford Transit.«

Caleb rieb sich die schmerzenden Schläfen. »Er muss ein Versteck haben. Er muss irgendwo ein Versteck haben, wohin er Sophia Lewis gebracht hat. Und wohin er jetzt Kate bringt. Wenn er ...«

»... beide überhaupt am Leben gelassen hat bisher«, vollendete Helen mit düsterer Miene.

Sie sahen einander an. »Unvorstellbar«, sagte Caleb leise. »Unvorstellbar, dass Kate ...«

»Wir müssen davon ausgehen, dass sie lebt«, sagte Helen.

»Wir *müssen*. Nur dann tun wir das Richtige zu ihrer Rettung.«

Das Richtige tun. Überhaupt etwas tun. Wo war der Ansatz?

»Es waren Kollegen in dem früheren Haus der Familie Slade in Bromwich«, erklärte Helen, »und in dem der Familie Walsh nahe Nottingham. Immerhin wäre es eine vage Möglichkeit gewesen, dass es sich um möglicherweise leer stehende Gebäude handelt, die nun als Rückzugsort dienen könnten. Aber leider Fehlanzeige. Im Haus der Slades wohnt inzwischen ein älteres Ehepaar, das den Namen Slade noch nie gehört hat. Die Slades sind vor vielen Jahren weggezogen, niemand weiß, wohin. Und bei den Walshs lebt eine alleinerziehende Frau mit ihren zwei Kindern, auch ohne Kenntnis über die früheren Bewohner. Die Beamten sagten, in beiden Fällen seien sie auf glaubwürdige Ahnungslosigkeit gestoßen und auf das leichte Erschrecken, das das plötzliche Erscheinen von Polizisten immer auslöst. Aber beide Häuser kommen für Slade nicht infrage.«

»Es gibt einen Ort«, sagte Caleb. Er ballte die rechte Hand zur Faust. »Verdammt, er gondelt nicht einfach in der Gegend herum, mit inzwischen *zwei* entführten Frauen im Auto, eine davon in hochkritischem gesundheitlichem Zustand. Es gibt einen bestimmten Ort, und Sascha Walsh kannte ihn, und das ist der Grund, weshalb er sterben musste.«

»Das Schlimme ist, dass unsere Abteilung inzwischen so ausgedünnt ist«, sagte Helen. »Sie sind suspendiert. Der leitende Ermittler ist tot. Seine engste Mitarbeiterin verschleppt. Natürlich wird jetzt eine Sonderkommission gebildet, aber das sind alles Kollegen, die mit den Details erst noch vertraut gemacht werden müssen. Ich fühle mich so hilflos. Und das Schlimmste ist, ich habe das Gefühl, dass wir keine Zeit mehr haben. Vielleicht leben Kate und Sophia noch. Aber er wird sie nicht am Leben lassen. Er kann es gar nicht.«

»Helen, ich kann so wenig tun. Ich bin nicht befugt, etwas zu tun.« Aber während er das sagte, musste er intensiv an Kate denken. In zwei Fällen hier in Scarborough hatte sie eigenmächtig ermittelt, ohne jede Befugnis, und es war ihr völlig gleichgültig gewesen. Im ersten Fall war es um ihren Vater gegangen, der nachts in seinem eigenen Haus überfallen und besonders grausam ermordet worden war. Sie hatte sich einen Dreck darum geschert, dass sie bei allen möglichen anderen Menschen deswegen aneckte, allen voran bei ihm, Caleb. Jemand hatte ihren Vater getötet. Man hätte sie fesseln und anketten müssen, um sie daran zu hindern, seinen Mörder zu suchen und zu überführen.

Jetzt steckte Caleb in einer vergleichbaren Situation und

erwog ernsthaft, den Schwanz einzuziehen und sich den Bestimmungen unterzuordnen? Sollten er und Kate sich je wieder gegenüberstehen – was würde sie von ihm denken?

Helen erhob sich. Ihre Bewegungen wirkten müde, ihr Gesichtsausdruck verriet ihre Verstörtheit und ihren Kummer. Kates ungewisses Schicksal bedrückte sie, aber sie kannte Kate noch nicht lange. Es war sicher der Tod Robert Stewarts, der ihr am meisten zu schaffen machte. Auch sie hatte jahrelang mit ihm zusammengearbeitet. Genau wie Caleb konnte sie noch nicht wirklich fassen, was passiert war.

»Tut mir leid, Chef«, sagte sie, »ich weiß ja, dass Sie nichts tun können. Nichts tun dürfen. Ich musste nur mit jemandem reden, ich dachte, ich werde sonst wahnsinnig.«

Auch Caleb stand auf, begleitete Helen zur Tür. »Ich bin mit im Boot«, sagte er. »Ich weiß noch nicht, wie, aber ich bin dabei. Irgendwie.«

Sie sah ihn fragend an. Er zuckte mit den Schultern. »Ich habe noch keinen Plan. Aber irgendetwas wird mir einfallen.«

Zum ersten Mal an diesem Abend war so etwas wie der Anflug eines Lächelns auf Helens Gesicht zu sehen. »Ich weiß«, sagte sie leise, »irgendetwas ist Ihnen eigentlich immer eingefallen.«

Das war ein Vertrauensvorschuss, der Caleb schon fast wieder überforderte. Dennoch sagte er: »Ja. So ist es. Und deshalb wird es auch jetzt so sein.«

Selbst wenn das Kate konkret noch nichts brachte, tat er dennoch ein paar wichtige Dinge, nachdem Helen gegangen war. Er ging hinauf in sein Bad, duschte lange und ausgiebig. Rasierte sich. Zog saubere Sachen an, stopfte alle seine verdreckten Klamotten in die Waschmaschine. Er würde an diesem Abend nichts mehr unternehmen können, aber es brachte ihm ein Gefühl von Kraft und Selbstvertrauen zurück, sich wieder in einen Menschen zurückzuverwandeln. Nicht länger eine vegetierende Hülle zu sein.

Er ging ins Wohnzimmer hinunter, nahm die Flasche vom Tisch und kippte den Whisky in den Ausguss in der Spüle. Der Geruch des Alkohols ließ ihn schwindelig werden. Gott, wie er sich danach sehnte. Überall an seinem nach Seife duftenden frisch gewaschenen Körper brach der Schweiß aus. Er sah der goldgelben Flüssigkeit nach, wie sie leise gluckernd verschwand.

Er atmete tief durch.

Kate brauchte ihn jetzt nüchtern. Sie brauchte hundert Prozent seines Verstandes und seiner Einsatzfähigkeit.

Und sie hatte es verdient, dass er nicht einmal einen Fingerbreit unterhalb seiner Fähigkeiten blieb.

MONTAG, 5. AUGUST

1

Sie war seit gestern ganz sicher, dass sie nicht alleine im Haus war. Irgendwann am gestrigen Tag hatte sie sogar gemeint, den Motor eines Autos zu hören, aber das hätte sie nicht beschwören können. Sie war tatsächlich eingeschlafen, in einen oberflächlichen, unruhigen Schlaf, der nicht tief werden konnte, weil die Schmerzen sie zunehmend quälten. Die Blasenentzündung schritt voran, wurde immer schlimmer, aber niemand kam, um ihr zu helfen. Sie hatte außerdem Hunger und qualvollen Durst. Nach ihrer Berechnung waren inzwischen rund 48 Stunden vergangen, seitdem Ian zuletzt bei ihr erschienen war und ihr etwas zu essen und zu trinken gegeben hatte.

Lange würde sie das nicht mehr überstehen.

Sie wusste nicht mehr, welcher Wochentag war und welches Datum, aber anhand der sich abzeichnenden Helligkeit an den Rändern des Rollos am Fenster ging sie davon aus, dass ein neuer Tag angebrochen war – welcher auch immer. Und außer dass da am Vortag *vielleicht* ein Auto gewesen war, hatte sie eben gerade gemeint, Schritte oben im Haus gehört zu haben. Eine Bodendiele hatte geknarrt. Womöglich war es nur der Wind im Dachgebälk gewesen, aber nein, so konnte sie sich nicht irren. Ian war zurück. Sie hatte sein Auto gehört und seine Schritte.

Bloß, warum zeigte er sich nicht bei ihr?

Das konnte an seinem Sadismus liegen. Ein absolut vorstellbares Motiv, wenn man ihn kannte. Ihm war klar, dass sie hungerte, dass starker Durst sie quälen musste. Ihm war klar, dass sie Angst hatte.

Für ihn war das eine Situation, wie er sie sich schöner kaum vorstellen konnte.

Die Frage war, wie weit er gehen würde.

Sie hatte inzwischen ziemlich hohes Fieber, das konnte sie spüren, und das bedeutete, dass die Entzündung ernst zu nehmen war. Außerdem hatte sie den schrecklichen Eindruck, dass durch den Katheter nichts mehr abfloss. Entweder er war verstopft, oder das Organ krampfte so, dass es nicht mehr normal funktionierte. Sie überlegte, was sie je über Harnverhalt gelesen oder gehört hatte, konnte sich nicht erinnern, vermutete aber, dass auch das keine Lappalie war. Aber die Schmerzen wären dann schlimmer, oder? Sie waren heftig, jedoch noch nicht unerträglich. Sie hatten sich jedoch stetig gesteigert, und wenn sie das weiterhin taten, wären sie in absehbarer Zeit nicht mehr auszuhalten.

Immer noch und immer wieder versuchte sie verzweifelt, Worte zu formen. Genauer gesagt, sie formte sie bereits, glasklar schwebten sie in ihrem Kopf, aber sie schaffte es nicht, sie nach außen zu transportieren. Sie kamen nicht über ihre Lippen. Wobei es fraglich gewesen wäre, ob Ian reagiert hätte, wären ihre Hilferufe an sein Ohr gedrungen. Wahrscheinlich hätte er sich einen Riesenspaß daraus gemacht, sie zu ignorieren.

Sie war verlorener, als es ein Mensch überhaupt sein konnte.

Es gab keine Hoffnung auf Rettung.

Es gab nur noch die Hoffnung auf einen schnellen Tod, und selbst die war gering. Sie war sehr schwer verletzt worden, aber im Prinzip war sie eine kräftige, gesunde, durchtrainierte Person. Das gereichte ihr nun zum Nachteil. Ihr Körper würde nicht so einfach aufgeben, er besaß jede Menge Kraftreserven. Genug für einen endlosen, schrecklichen Todeskampf.

Sie wusste nicht, was schlimmer war: der Durst oder die Schmerzen. Beides zusammen war jedenfalls die schiere Qual.

Gar nicht zu reden von der Angst. Und der Hilflosigkeit.

Die Hilflosigkeit war das Allerschlimmste. Wenn das alles ein böser Traum war, wurde es Zeit, daraus zu erwachen.

Wenn es kein böser Traum war, wurde es Zeit, dass das Fieber so sehr stieg, dass sie es zumindest für einen Traum hielt.

2

Caleb war in den frühen Morgenstunden mit seinem Auto aufgebrochen und erreichte Birmingham am späteren Vormittag. Er hatte keinen Termin bei dem Heimleiter, würde sich jedoch nicht davon abhalten lassen, mit ihm zu reden. Zum Glück besaß er noch seinen Dienstausweis, obwohl er ihn eigentlich hätte abgeben müssen. Das war damals in der allgemeinen Aufregung untergegangen, und Caleb hatte sich nicht bemüßigt gesehen, darauf hinzuweisen. Es war völlig unmöglich, was er jetzt tat, und es würde ihn noch tiefer ins Verderben bringen, aber das war egal. Es ging um Kate. Nichts sonst war wichtig.

Caleb wusste, dass Kate einmal sehr verliebt in ihn gewesen war, ob sie noch immer Gefühle für ihn hegte, konnte er nicht sagen. Er war nicht darauf eingegangen, weil sie überhaupt nicht dem Typ Frau entsprach, auf den er stand. Kate war in seinen Augen einfach nicht besonders attraktiv, das sah er bei all seiner Wertschätzung für sie ganz klar. Eine graue Maus, fast unsichtbar vor lauter Unscheinbarkeit, und sie trug furchtbare Klamotten. Er selbst war einige Jahre lang verheiratet gewesen und hatte davor und danach – und zuweilen auch währenddessen – etliche schnelle, heftige Affären gehabt. Sehr schöne Frauen, sehr selbstbewusst, sehr sexy. Frauen, in deren Gesellschaft er sich ebenso aus der Wirklichkeit wegbeamen konnte, wie er das mit dem Alkohol schaffte, Frauen, die Leichtigkeit gaben und leidenschaftlichen Sex, der alle schweren Gedanken im Kopf auflöste. Zeitweise hatte Caleb nicht gewusst, womit er sich stärker betäubte, mit Sex oder mit Whisky. Unschlagbar war die Kombination aus beidem.

Kate entsprach schon von ihrem äußeren Erscheinungsbild nicht unbedingt seinem Ideal, aber viel schwerer wog für ihn die Tatsache, dass sie ein völlig unterentwickeltes Selbstwertgefühl hatte und dazu neigte, sich in eine aggressive Verteidigungshaltung zurückzuziehen, selbst wenn kein Mensch sie angriff. Sie witterte Gegner, wo überhaupt keine waren. Er würde es nie verstehen, warum sie so unsicher war, denn gleichzeitig verfügte sie über die Gabe einer hochentwickelten Intuition, wenn es um die Aufklärung von Verbrechen ging. Sie war ein kluger Kopf, hatte einen scharfen, analytischen Verstand, daneben aber auch die Fähigkeit, Dinge zu erahnen, die ungreifbar und nur schattenhaft im Raum schwebten. Manchmal spürte sie etwas, ohne dass es sich logisch hätte begründen lassen. Mehr als andere Menschen, die Caleb kannte, nahm sie Schwingungen auf. Er war davon immer absolut fasziniert gewesen.

Jetzt, da sie in Lebensgefahr schwebte, erkannte er, dass er mehr empfand als nur Bewunderung für eine begabte Ermittlerin. Sie war nicht die Frau, die er begehrte oder je begehren würde. Aber sie war ein Mensch, den er keinesfalls verlieren wollte. Mehr noch, es war geradezu unerträglich, sich vorzustellen, sie könnte nicht mehr da sein. Dieses Gefühl wiederum hatte er nie einer der anderen Frauen entgegengebracht: dieses Gefühl, innerlich zu verarmen, wenn sie nicht mehr da wären.

Jetzt jedoch war er fast in Panik. Er musste Kate finden. Retten. Sie befreien. Dafür sorgen, dass sie am Leben blieb. In *seinem* Leben blieb.

Er war verwirrt über seine Gefühle und deren Heftigkeit, aber er sagte sich, dass jetzt nicht der Zeitpunkt war, sie zu analysieren. Später.

Sean Hedges, der Leiter des Heimes für schwer erziehbare Kinder und Jugendliche in Birmingham, war nicht erstaunt, dass schon wieder jemand von der Polizei auftauchte, denn seit dem Telefonat mit Helen war er über die dramatische Entwicklung vom Samstag informiert und hatte erwartet, dass man ihn erneut befragen würde. Er warf nur einen kurzen Blick auf Calebs Ausweis.

»Ich bin völlig fassungslos und entsetzt«, sagte er. Tatsächlich sah er nicht so aus, als habe er in den letzten beiden Nächten geschlafen. »Sascha ist tot. Ein Polizist ist tot. Es ist ... entsetzlich. Einfach entsetzlich.«

»Und eine Kollegin ist verschwunden«, ergänzte Caleb. »Vermutlich entführt von Ian Slade.«

»Immer noch keine Spur von ihr?«

»Nein. Ich muss jetzt unbedingt mit dem Psychotherapeuten sprechen, der Ian Slade behandelt hat. Und mit dem Vertrauenslehrer, Gruppenleiter oder wer auch immer sein Ansprechpartner im Alltag war.«

»Im Fall von Ian Slade ist das die identische Person. Sein Vertrauenslehrer war auch sein Therapeut. Aber er ist im Urlaub in Südfrankreich.«

»Ich brauche seine Handynummer. Ich muss mit ihm sprechen.«

Hedges seufzte. »Ich selbst versuche seit Samstag schon ständig, ihn zu erreichen. Er wollte das Handy selten einschalten. Sein Urlaub …«

»Sein Urlaub interessiert mich nicht«, unterbrach Caleb. »Es geht darum, zwei Frauen das Leben zu retten, die sich in der Hand dieses Psychopathen befinden. Versuchen Sie bitte sofort wieder, ihn zu erreichen. Diesen … Therapeuten. Dem es offensichtlich nicht im Entferntesten gelungen ist, Ian Slade auch nur in Ansätzen so weit zu therapieren, dass er keine Gefahr mehr für seine Mitmenschen darstellt!«

Sean Hedges Gesicht verfärbte sich. »Entschuldigen Sie, bei einem Psychopathen ist es schlichtweg nicht möglich …«

»Sie haben ihn immerhin rausgelassen.«

»Es lag nichts gegen ihn vor, weswegen wir ihn hätten hierbehalten können!«

Caleb sah ein, dass er ungerecht war. »Okay. Kein Vorwurf an Sie. Aber nun muss ich mit diesem Mann sprechen, egal an welchem Ort der Welt er sich in irgendeinem Liegestuhl sonnt!«

Caleb hatte sich kaum Chancen ausgerechnet, aber tatsächlich bekam Sean Hedges seinen Mitarbeiter diesmal ans Telefon – vermutlich, weil das Wochenende vorüber war und der Mann seine Abschottung lockerte. Er hieß Kamil Abrowsky und lag gerade am Pool seines gemieteten Ferienhauses am Rande des südfranzösischen Ortes Sanary. Er hatte sein Handy noch nicht abgehört, daher von Kates Anrufen und ihren Nachrichten nichts mitbekommen. Er reagierte geschockt, als ihm sein Chef in Kurzform eine Zusammenfassung der Ereignisse gab und ihn dann an Caleb weiterreichte. Caleb konnte im Hintergrund die Zikaden lautstark zirpen hören. Die Luft schien davon zu vibrieren.

»Detective Chief Inspector Caleb Hale hier«, meldete er sich, »CID Scarborough. Sie haben es ja schon gehört. Wir müssen sehr dringend und sehr schnell Ihren ehemaligen Patienten Ian Slade finden. Er hat zwei Frauen in seine Gewalt gebracht.«

»Guter Gott«, murmelte Kamil Abrowsky. Innerhalb weniger Minuten hatte sich die Urlaubsidylle aus blauem Himmel, Zikaden, Pinienduft und Wärme aufgelöst.

»Die Zeit läuft uns davon, Mr. Abrowsky. Wir nehmen an, dass beide Frauen in Lebensgefahr sind.«

»Vermutlich«, stimmte Abrowsky resigniert zu. Er schien sich wenig Illusionen über den psychischen Zustand seines ehemaligen Patienten zu machen.

»Mr. Abrowsky, war auch Sascha Walsh bei Ihnen in Behandlung?«

»Ja. Aber der kann nichts verbrochen haben. Dieser Junge ist nicht in der Lage, auch nur einer Fliege etwas zuleide zu tun.«

»Hatten Sie je Zweifel an der gegen ihn vorgebrachten Beschuldigung, er habe seine kleine Schwester in der Badewanne ertränkt?«

Abrowsky zögerte. »Es war ja wohl so, und er hatte es auch zugegeben. Dennoch, diese Geschichte gehört zu den ungelösten Mysterien in meiner Laufbahn als Psychologe. Es passt einfach nicht. Eigentlich gar nicht vorstellbar, aber ...« Er ließ den Satz in der Luft hängen.

»Er war es nicht«, sagte Caleb. »Das haben wir inzwischen herausgefunden. Seine Adoptivmutter hat das Mädchen getötet. Sie haben es ihm angehängt.«

Abrowsky schnappte hörbar nach Luft. »Nein!«

»Doch. Aber nun zu Ian Slade. Gibt es einen Ort, den er mal erwähnt hat, ein mögliches Versteck, wo er die beiden Frauen hingebracht haben könnte? Denken Sie bitte nach. Irgendeine Unterkunft? Die Wohnung eines Kumpels? Eine ... alte Scheune, in der er als Kind gespielt hat ... keine Ahnung. *Irgendetwas*. Hat er *irgendetwas* in dieser Art erwähnt? Ich weiß, dass Sie der Schweigepflicht unterliegen, aber es geht wirklich um Leben und Tod.«

Da Abrowsky Ian Slade kannte, erschien ihm diese Formulierung keineswegs übertrieben. Er dachte so intensiv nach, dass Caleb schon meinte, das Knirschen seiner Gedanken zu hören. »Ich weiß nicht. Verdammt, mir fällt nichts ein. Es gab da diese Garage, in die hatte er das kleine Mädchen verschleppt und ...«

»Schon überprüft«, unterbrach Caleb. »Dort ist er nicht. Ebenso wurde das einstige Wohnhaus der Familie Slade und das der Familie Walsh aufgesucht. Da wohnen jetzt andere Leute drin. Kein Hinweis auf Ian Slade.«

»Ich wünschte wirklich, ich könnte Ihnen helfen. Aber Ian war zwölf, als er zu uns kam. Er hatte natürlich nur bei seinen Eltern gewohnt. Etwas anderes gab es nicht.«

»Und Sascha? Die beiden haben gemeinsame Sache gemacht, wobei Slade eindeutig die treibende Kraft, Sascha ein zögernder Erfüllungsgehilfe war. Sascha wurde von Slade erschossen, ehe dieser flüchtete, vermutlich, weil er das Versteck kannte.«

»Es ist ein einziger Alptraum«, sagte Abrowsky erschüttert.

»Ja. Definitiv. Gibt es einen Ort, den Sascha erwähnt hat?«

»Es tut mir so leid, Inspector Hale. Ich würde Ihnen so gerne helfen. Aber da ist nichts. Wirklich nicht.«

»Okay. Ich gebe Ihnen meine Handynummer. Sie rufen mich sofort an, falls Ihnen etwas einfällt, ja?«

»Natürlich, aber du lieber Himmel! Ich wusste gar nicht, dass Ian und Sascha … also, dass es da eine Verbindung gab. Aber Ian hatte zu niemandem eine Freundschaft, wissen Sie? Jeder fürchtete ihn.«

»Sie wurden etwa zur selben Zeit entlassen?«

»Ian gut ein halbes Jahr früher.«

»Zumindest scheint Sascha *ihm* anvertraut zu haben, dass er seine Schwester nicht getötet hat und von der Familie geopfert wurde.«

»Ja«, sagte Abrowsky unglücklich. Es war ein Tiefschlag für ihn als behandelnder Therapeut. Es war ihm über Jahre nicht geglückt, Saschas Vertrauen zu gewinnen. Ian Slade, ein durchgeknallter Psychopath, hatte es hingegen offenbar geschafft.

Abrowsky seufzte tief. Die Ferien waren ihm gründlich verdorben.

Er notierte Calebs Nummer und versprach, sich zu melden. Caleb hoffte, dass er für den Rest des Tages nichts anderes tat, als sein Gehirn zu durchforsten.

Er verabschiedete sich von Hedge, ebenfalls mit der Bitte, sich zu melden, wenn ihm etwas Wichtiges einfiele, dann stand er wieder auf der Straße, atmete die frische Luft dieses kühlen Augusttages. Zwei Tage zuvor hatte Kate an dieser Stelle gestanden. Neben Robert Stewart.

»Wo bist du, Kate?«, flüsterte er. »Wo bist du? Und was soll ich jetzt tun?«

Kamil Abrowsky hatte ihn keinen Schritt weitergebracht. Selbst wenn ihm noch etwas Bahnbrechendes einfiel, Caleb hatte nicht die Zeit, darauf zu warten. Kate hatte sie schon gar nicht. Und Sophia Lewis vermutlich am allerwenigsten.

»Was würdest du jetzt tun, Kate?« Er lauschte seinen Worten nach, hoffte auf eine Antwort. *Was würde Kate an seiner Stelle tun?*

Er wusste, dass Kate akribisch und rational vorging, wenn sie ermittelte, und dass sie manchmal Probleme hatte, Dinge zu delegieren. Von allem und jedem überzeugte sie sich am liebsten selbst. Nicht weil sie an den Berichten und Darstellungen der Kollegen zweifelte. Sondern weil sie ein Gespür, eine Intuition für Menschen, Situationen, Konstellationen nur dann entwickeln konnte, wenn sie selbst vor Ort gewesen war. Sie musste selbst sehen, hören, atmen, fühlen. Erst dann konnte sie eine Ahnung für das Ungesagte bekommen, für das Ungreifbare, für das, was zwischen den Zeilen schwebte.

Caleb beschloss, selbst zum einstigen Wohnhaus der Familie Slade in Bromwich zu fahren und dann zu dem der Walshs in Nottingham. Im Grunde hatte er nicht wirklich die Hoffnung, dadurch neue Erkenntnisse zu gewinnen, zumal ihm Kates Fähigkeiten fehlten. Was seine Intuition anging, war er nicht einmal halb so begnadet wie sie. Wahrscheinlich war es reiner Aktionismus, was er jetzt tat. Aber nichts zu tun hätte ihn wahnsinnig gemacht.

Die Adressen hatte er sich von Helen geben lassen, speiste die erste nun in sein Navi ein und fuhr los. West Bromwich lag nicht weit von Birmingham entfernt, er hatte das Haus eine halbe Stunde später erreicht. Es befand sich am Ende einer tristen, langen Straße, in der sich mickrige, heruntergekommene Häuser aneinanderreihten, etliche schienen unbewohnt oder kaum noch bewohnbar, wie zerbrochene Fensterscheiben oder in zwei Fällen sogar fehlende Haustüren zeigten. Das ehemalige Haus der Familie Slade gehörte nicht zu einer der vielen Reihenhausgruppen, sondern stand einzeln und etwas versetzt. Dadurch war es von einem Garten vollständig umgeben, anstatt nur einen winzigen Vorgarten und ein handtuchschmales Stück Gras nach hinten hinaus zu haben. Der Garten sah ziemlich verwildert aus, überwuchert von langen Brombeerranken, gegen die zu kämpfen die Hausbewohner offenbar aufgegeben hatten. Ein Zaun stand nur stellenweise noch. Es gab einen Stellplatz für ein Auto innerhalb des Grundstückes, zumindest schien das gepflasterte Quadrat gleich neben dem Plattenweg, der zum Eingang führte, dafür gedacht zu sein. Allerdings stand dort kein Auto. Vielleicht in dem Schuppen, der sich halb verdeckt vom Haus im hinteren Teil des Gartens befand. Caleb musterte ihn argwöhnisch. Hätte ein Krankentransporter darin Platz?

Es gab nirgends eine Klingel, also ging er zur Haustür und klopfte an. Es dauerte eine Weile, dann waren Schritte zu hören. Ein Mann öffnete. Hinter ihm stand eine Frau. Beide waren noch nicht wirklich alt, aber Armut, Perspektivlosigkeit und Lethargie hatten sich in ihre Gesichter eingegraben und gaben ihnen einen Ausdruck von Verlebtheit, der über ihr tatsächliches Alter vermutlich hinausging. Beide starrten Caleb misstrauisch an. »Ja?«

Er zückte seinen Ausweis. »DCI Hale, CID Scarborough. Ich bin hier, weil in Ihrem Haus früher eine Familie Slade gewohnt hat.« Er kam sich ziemlich blöd vor. Genau deswegen waren die Kollegen hier bereits vorstellig geworden, und es hatte nichts gebracht.

»Deshalb war schon jemand hier«, sagte der Mann. »Von der Polizei. Und wir konnten ihm nicht helfen.«

»Ich wollte mir noch einmal ein persönliches Bild machen. Es ist sehr wichtig, dass wir Kontakt zu der Familie Slade aufnehmen können.«

»Wir wissen nicht, wo die sind«, sagte der Mann. »Wir haben das Haus gemietet.«

»Sie sind …?«

»Mr. und Mrs. Dales.«

»Und wer ist Ihr Vermieter?«, fragte Caleb.

»Die Stadt. Sie haben uns dieses Haus als Sozialwohnung zugewiesen. Wir zahlen kaum Miete. Ich habe schon lange keine Arbeit mehr.« Mr. Dales blickte ängstlich drein. »Ist daran etwas verkehrt? Ich habe das Ihrem Kollegen auch so gesagt.«

»Nein, das ist schon in Ordnung.« Caleb überlegte. Das deckte sich mit den Angaben, die er hatte. Ian Slades Eltern waren spurlos verschwunden, das Haus war Eigentum der Kommune, die es neu vermietet hatte, nachdem irgendwann klar gewesen war, dass von der Familie niemand mehr auftauchen würde.

»Eine Frage«, sagte Caleb, »was befindet sich in dem Schuppen hinter dem Haus?«

»Nichts«, sagte Dales. »Der ist leer.«

»Dürfte ich kurz hineinschauen?« Caleb wusste, dass er keinerlei Recht hatte, sich den Schuppen anzusehen, wenn die Hausbewohner es ihm verwehrten, schon gar nicht, da er nicht mal im Dienst war. Diese ganze Befragung jedoch fand ohnehin im rechtsfreien Raum statt genau wie zuvor das Gespräch mit Kamil Abrowsky, insofern kam es auf diese Feinheiten nicht mehr an.

»Natürlich«, sagte Dales hastig. Ihm war vermutlich nicht klar, dass er sich hätte weigern können. »Gehen Sie nur. Die Tür ist offen.«

Caleb ging zum Schuppen hinüber, öffnete das große Holztor. Drinnen herrschte anthrazitgraues Dämmerlicht, etwas Helligkeit floss durch Zwischenräume in den Wänden und fehlende Dachsparren ein. Tatsächlich war der Schuppen leer. Gähnend leer. Platz für ein Auto in der Größe eines Krankentransporters wäre jedoch vorhanden gewesen. Caleb suchte mit den Augen den Lehmboden ab. Er konnte keinerlei Reifenspuren erkennen, aber möglicherweise war der Boden auch einfach zu hart dafür.

Überhaupt war das alles vielleicht nur absurd. Diese unbedarften Leute als Helfershelfer eines hochgefährlichen Verbrechers? Sie hatten verstört gewirkt, aber nicht so, als hätten sie etwas zu verbergen. Zum zweiten Mal war die Polizei bei ihnen aufgekreuzt, und sie bekamen offensichtlich inzwischen Angst, dass mit ihrer vom Staat gesponserten Wohnsituation etwas nicht stimmte.

Ich tappe im Dunkeln, dachte Caleb.

Er rief den Dales, die in der Tür standen und ihn angstvoll anstarrten, einen Abschiedsgruß zu und ging zum Auto zurück.

Irgendetwas störte ihn dennoch. Besser gesagt: Irgendetwas kam ihm seltsam vor. Er wusste jedoch nicht, was es war. Vielleicht eine Einbildung.

Jetzt Nottingham. Wahrscheinlich genauso sinnlos.

Das einstige Wohnhaus der Familie Walsh lag ein gutes

Stück von der Stadt entfernt am äußersten Rand eines kleinen Dorfes. Ein ehemaliges Bauernhaus, das saniert und mit neuen Fenstern und einem neuen Dach modernisiert worden war. Es gab ein Nebengebäude, das einstmals eine Scheune gewesen sein konnte, dessen Seitenwände aber nun herausgenommen waren, sodass es wie eine Art Carport aussah. Allerdings ohne Auto darin. Zumindest im Moment. Vielleicht stand dort sonst ein Wagen geparkt.

Caleb hielt und ging zur Haustür. Auch hier verwilderte das Grundstück, aber da das Haus ländlich gelegen war und der Garten ohne deutliche Begrenzung in die Landschaft ringsum überging, wirkte es bei Weitem nicht so ungepflegt und heruntergekommen wie bei dem Ehepaar in Bromwich. Die Natur wuchs bis an das Haus heran, aber das hatte eindeutig etwas Idyllisches.

Hier gab es zumindest eine Klingel neben der Haustür. Sie schrillte laut und grell. Caleb wartete. Nach einer Weile öffnete eine Frau. Sie sah ihn misstrauisch an. »Ja?«

Er zückte seinen Ausweis. »DCI Caleb Hale, CID Scarborough. Ich habe nur ein, zwei Fragen.«

Die Frau seufzte. »Es waren doch schon Ihre Kollegen da!«

»Ich weiß. Ich überprüfe das hier auch nur routinemäßig.« Caleb war klar, wie seltsam er klingen musste. Er hatte wirklich einfach gar nichts in der Hand. »Sie sind Mrs. …?«

»Callaghan. Maud Callaghan.«

»Mrs. Callaghan, können Sie mir sagen, von wem Sie das Haus gemietet haben?«

»Ich habe es gekauft. Genauer gesagt, mein Exmann hat es gekauft. Als Bleibe für mich und die Kinder.« Zynismus und Verbitterung sprachen aus ihrer Stimme. »Er musste ja irgendwie sein Gewissen beruhigen, als er sich mit der

Schlampe, die vom Alter her seine Tochter hätte sein können, vom Acker machte.«

»Ich verstehe. Und Sie wohnen nun hier mit Ihren Kindern?«

»Mit meinen zwei Jungs, ja. Dreizehn und fünfzehn Jahre alt.«

»Ihre Jungs sind zu Hause?«

»Nein. In einem Ferienlager. Am Meer. In Bournemouth.«

Alle Welt war verreist. Es war klar, dass Caleb auch hier wieder umsonst rumstocherte.

Er blickte hinüber zu dem Carport. »Sie haben kein Auto?«

»Nein. Ich habe wenig Geld.«

»Aber wie machen Sie das? Sie wohnen recht abgelegen.«

Maud Callaghan machte eine Kopfbewegung zur Rückseite des Hauses hin. »Da hinten steht mein Fahrrad. Muss eben so gehen.«

»Ja.« Es gab nichts. Keinen Ansatzpunkt. Aber im Grunde war das klar. Sowohl die Familie Slade als auch die Familie Walsh existierten schon lange nicht mehr in ihrer ursprünglichen Form, über beide Familien waren Tragödien hereingebrochen, die nichts mehr sein ließen, wie es gewesen war. Die einzelnen Familienmitglieder hatten sich in alle Himmelsrichtungen verstreut. Die Häuser waren in andere Besitzverhältnisse übergegangen.

Er verabschiedete sich von Maud Callaghan und ging zu seinem Auto zurück, setzte sich hinein und dachte einen Moment nach.

Ian Slade war wie vom Erdboden verschluckt, obwohl er zwei Frauen entführt hatte, in einem gestohlenen Auto unterwegs gewesen war und sich eines Krankentransporters hatte entledigen müssen. Den Transporter konnte er in irgendeinem Baggersee versenkt haben. Das Teil war zu groß und zu auffällig, als dass er es in seiner unmittelbaren Nähe untergebracht hatte, darauf hätte Caleb gewettet. Es machte daher keinen Sinn, nach großen Garagen Ausschau zu halten. Den Transporter konnten sie abhaken, der war weg.

Das Auto des – höchstwahrscheinlich toten – Studenten aus Manchester hingegen gab es mit Sicherheit noch, aber obwohl es sich um einen Kastenwagen handelte, ließ es sich relativ leicht verstecken. Man konnte einige Straßenecken entfernt parken, in einem Parkhaus, auf einem Feldweg. Es blieb ein Risiko, aber da Slade inzwischen davon ausgehen musste, dass man seine falsche Identität enttarnt hatte und dass auch nach dem Auto gefahndet wurde, würde er geschickt agieren und nichts Leichtsinniges tun. Ganz abgesehen davon konnte es sein, dass er längst irgendwo ein Nummernschild von einem anderen Auto gestohlen hatte und damit herumfuhr, dann hatte die Polizei sowieso keine guten Karten.

Er blickte zur Haustür zurück, aber Mrs. Callaghan war schon wieder im Haus verschwunden. Dann wunderte sie sich hoffentlich nicht darüber, dass er hier noch länger herumstand.

Das Schlimme war, dass Ian Slade so viel kriminelle Energie besaß, dass nahezu alles denkbar war. Er konnte irgendein einsames Ferienhaus an der Südküste aufgebrochen und seine Opfer dorthin gebracht haben, er konnte aber auch Menschen in deren Haus überfallen und womöglich ermordet haben und sich nun in deren Räumen aufhalten, ohne dass irgendjemand etwas ahnte oder mitbekam. Er konnte außer Sascha weitere Kumpels aus dem Heim haben, die ihm nun Unterschlupf gewährten. Da im Heim nicht einmal etwas über eine besondere Freundschaft zwischen ihm und Sascha bekannt gewesen war, brachte es nichts, nach weiteren Freundschaften zu forschen. Alle hatten vor Slade Angst gehabt, und alle hatten daher versucht, sich mit ihm gutzustellen. Wahrscheinlich konnte er auch jetzt noch einstige Kameraden leicht um Gefälligkeiten ersuchen: Sie dürften immer noch Angst vor ihm haben.

Konnte das ein Ansatzpunkt sein? Die Namen ehemaliger Mitinsassen aus dem Heim zu erfragen, deren heutige Adressen ausfindig zu machen, dort nachzuforschen? Umständlich und langwierig, es würde mehr Zeit kosten, als Kate und Sophia zur Verfügung hatten. Zudem hatte Caleb nicht die Befugnis, ein solches Unterfangen in Gang zu setzen. Er könnte nur Helen den Hinweis geben, und sie musste für die Umsetzung bei den Kollegen sorgen. Er griff nach seinem Handy. Er würde ihr Bescheid sagen, aber er hegte wenig Hoffnung, dass dieser Weg zum Erfolg führen würde. Nicht bei *so wenig Zeit*.

Ihm musste ein Einfall kommen. Ein genialer Einfall.

Kate, was würdest du tun?, fragte er wieder lautlos, während er wartete, dass Helen an ihr Telefon ging. Was würdest du tun?

Helen meldete sich schließlich.

Kate blieb stumm.

3

Sie kauerte auf dem Boden, in einem kleinen Raum, an einem Ort, von dem sie nicht wusste, wo er sich befand. Sie konnte nicht sprechen. Sie konnte nur sehr schwer atmen. Sie hatte einen Strumpf ausziehen müssen, und Ian hatte ihn ihr zusammengeknäult in den Mund geschoben, Klebeband darüber geklebt. Es hatte ihm Spaß gemacht, das war spürbar gewesen.

»Ich mache das immer«, hatte er gesagt. »Den eigenen Socken ins Maul. Möglichst weit nach hinten. Fühlt sich gut an, wie?«

Sie hatte nichts erwidern können. Außerdem kämpfte sie gegen den Brechreiz an. Sie gab nur ein leises gurgelndes Geräusch von sich.

»Es gab so ein paar große Jungs im Heim. Die haben das mit uns kleineren immer so gemacht. Da hatten die einen Riesenspaß. Entweder die haben uns den Kopf in eine Kloschüssel getaucht, und wir mussten das Wasser auflecken. Oder sie haben uns den Socken tief in den Hals gesteckt und uns so ein paar Stunden in irgendeiner Klozelle sitzen gelassen. Die Erzieher haben nichts gemerkt oder wollten nichts merken. Und wehe, einer hätte gepetzt, der wäre seines Lebens nicht mehr froh geworden!« Er hatte Kate angegrinst. »Ich war elf, als ich ins Heim kam. Ich hatte keine so lange Leidenszeit. Ich war dann schnell groß und stark genug. Dann habe ich genau dasselbe mit den anderen gemacht. War cool. Hat echt Spaß gemacht.«

Kate versuchte, ihre Zunge in eine Position zu bringen, die es ermöglichte, den Strumpf ein Stück nach vorne zu schieben. Selbst Millimeter hätten schon ihre Qualen gelindert. Aber ihre Zunge wurde gnadenlos nach unten gedrückt, trocknete unter der Wolle im Handumdrehen aus und fühlte sich pelzig und verdorrt an.

Sie fragte sich, wie lange sie das aushalten würde. Die Antwort war einfach: Solange der Typ vor ihr das wollte. Und solange sie nicht daran erstickte.

»Sascha hat echt gelitten. Der wurde gerade sieben Jahre alt, als er ins Heim kam und war noch dazu extrem dünn und mickrig. Und nicht ganz richtig im Kopf. Mit dem haben die Großen gemacht, was sie wollten. Den haben sie richtig drangsaliert. Wo immer sie ihn sich schnappen konnten. Der hatte angeblich seine kleine Schwester in der Badewanne ertränkt. Nicht dass die Großen nicht selbst genug Dreck am Stecken hatten, wer in der Anstalt dort gelandet ist, war alles andere als ein Engel. Aber sie haben sich trotzdem moralisch aufgespielt. Sascha war der *Kindermörder*. Er stand ganz unten auf der Leiter.« Er grinste wieder. »Da muss immer einer stehen. Ganz unten. Der kriegt dann alles ab. Die anderen müssen sich überlegen fühlen, und es muss einen Grund geben, dass der da unten steht. Na ja, wer ein einjähriges Kind ertränkt …«

Sie keuchte. Nicht wegen seiner Ausführungen. Sondern weil ihr Brechreiz stärker wurde.

Er hockte vor ihr. Immer wieder dieses penetrante Grinsen auf dem Gesicht. Es war böse. Irr. Krank. Aber zugleich auch sehr schlau. Ian Slade war ein Psychopath, aber Psychopathen waren, wie Kate nur zu gut wusste, keineswegs dumm. Es war nicht anzunehmen, dass er irgendeinen Fehler gemacht hatte – einen Fehler, der dazu führen würde, dass die Polizei das Versteck fand. Er war clever und sehr selbstsicher. Er hatte, das war erkennbar, die Lage absolut im Griff. Selbst in Oliver Walshs Wohnung, als unerwartet zwei Personen vor der Tür gestanden und geklingelt hatten, war ihm die Situation nicht entglitten. Er hatte nicht gewusst, dass es sich um Polizisten handelte, aber er hatte geschossen, bevor irgendetwas aus dem Ruder hatte laufen können. Dann hatte er das Weite gesucht. Kate war nicht ganz klar, warum er sie mitgenommen hatte, anstatt sie auch einfach abzuknallen. Im Grunde stellte sie eine Belastung für ihn dar. Aber vielleicht lag es daran, dass sie sich als Polizistin zu erkennen gegeben hatte. Als er in dem Treppenhaus plötzlich wie ein riesiger Schatten vor ihr aufgetaucht war, schwarz und übergroß, die Helligkeit des kleinen Fensters völlig abdunkelnd, da hatte sie, unbewaffnet zwei Stufen unter ihm stehend, gesagt: »Detective Sergeant Kate Linville, CID Scarborough. Legen Sie sofort Ihre Waffe nieder!«

Er hatte sie völlig perplex angeschaut und wahrscheinlich nur nicht geschossen, weil ihre Unverfrorenheit ihn restlos überrumpelt hatte, aber dann hatte sich dieses Grinsen über seinem Gesicht ausgebreitet, dieses widerwärtige Grinsen, das Kate den letzten Nerv raubte, und er hatte leise gesagt: »Sieh mal an. Eine Polizistin ...«

Irgendwie hatte sie das Gefühl, dass er in diesem Moment entschied, sie am Leben zu lassen, zumindest vorläufig. Vielleicht dachte er, eine Polizistin als Geisel könnte ihm noch von Nutzen sein. Oder er fand es einfach toll, eine Polizistin in seiner Gewalt zu haben.

Eine Polizistin zu foltern. Kate wusste, dass das manchen Kriminellen ein geradezu berauschendes Machtgefühl verlieh.

Er hatte sie mit vorgehaltener Pistole gezwungen, in sein Auto zu steigen. Ein schäbiger, uralter Kastenwagen, mit einiger Sicherheit der des unglücklichen Jack Gregory. Kate hatte sich so langsam bewegt, wie sie nur konnte, in der

Hoffnung, Zeit zu schinden und den Menschen in den umliegenden Häusern die Möglichkeit zu geben, die Szene zu beobachten und die Polizei zu rufen. Aber es hatte nicht den Anschein, als blicke jemand genau in diesen Minuten hinaus auf die Straße. Auf dem Boden des Laderaums lag eine Matratze. An den Seiten standen große Plastikboxen. Kate erinnerte sich, dass Jack Gregory seinen Transit als Camper genutzt hatte. Wahrscheinlich befanden sich Geschirr und Besteck und andere Gebrauchsutensilien in den Boxen. Leider nutzte ihr das nichts. Slade fesselte sie an Händen und Füßen. Keine Chance, an irgendeinen Gegenstand heranzukommen und ihn als Waffe zu nutzen. Immerhin knebelte er sie zu diesem Zeitpunkt noch nicht.

Sie fragte sich, was er mit ihr vorhatte. Und sie fragte sich, wie es Robert Stewart ging. Er hatte sich nicht mehr bewegt, hatte wie eine große Stoffpuppe gewirkt, die jemand achtlos auf die Treppenstufen geworfen hatte. Sie betete, dass er nur bewusstlos und am Leben war. Sie betete, dass er schnell ärztliche Hilfe bekam.

Sie betete, dass sie selbst das alles irgendwie überstehen würde, aber sie dachte gleichzeitig, dass sie verdammt schlechte Karten hatte.

Nach ihrer Schätzung dauerte die Fahrt knappe zwei Stunden.

Die Nacht war hereingebrochen, als sie endlich anhielten und als er die beiden Türen des Kastenwagens wieder öffnete. Er klebte Kate Paketklebeband vor die Augen und löste ihre Beinfesseln, ehe er sie aufforderte auszusteigen. Im ersten Moment trugen ihre Beine sie kaum. Durch die Fesselung hatte sie in einer verrenkten Haltung ausharren müssen, und ihre Muskeln waren völlig verkrampft. Sie stieß einen Schmerzenslaut aus, aber Ian Slade bohrte ihr ungerührt einen harten Gegenstand zwischen die Schulterblätter – seine Pistole, nahm sie an – und drängte sie vorwärtszugehen.

»Los jetzt! Keine Müdigkeit vorschützen!«

Sie sah gar nichts und bewegte sich in vorsichtigen Trippelschritten voran. Dann machte Ian einen Schritt an ihr vorbei und öffnete eine Tür. Sie gelangten in das Innere eines Hauses. Steinfliesen unter den Füßen. Mit den Ellbogen stieß sie gegen den rauen Putz der Wände. Es roch nicht gut. Irgendwie feucht, etwas modrig. Ein Haus, in dem lange niemand gewohnt hatte. Kates Hoffnung sank. Die ganze Fahrt über hatte sie überlegt, wo das Versteck liegen mochte, Ian Slades Rückzugsort, und nun vermutete sie, dass er in ein leer stehendes Haus eingedrungen war, in Küstennähe vielleicht, und dass auf absehbare Zeit niemand dieses Haus aufsuchen und entdecken würde, was dort vor sich ging. Slade dürfte überprüft haben, ob er sich dort sicher fühlen konnte.

Niemand würde sie finden.

Die Frage war, ob Sascha Walsh den Ort kannte. Er stellte Kates einziger kleinen Hoffnungsschimmer am Horizont dar, denn Sascha war wahrscheinlich zum Reden zu bringen. Trotzdem blieb da ein nagendes Misstrauen: Ian hatte Sascha nicht mitgenommen. Er hatte ihn in Walshs Wohnung zurückgelassen. Ein unkalkulierbares Risiko, und das sah ihm nicht ähnlich.

Kannte Sascha den Ort nicht? Und war deshalb keine Gefahr für Ian? Und keine Chance für Kate?

Und für Sophia. Kate fragte sich, ob Sophia auch in diesem Haus war. Sie wagte es, die Frage zu stellen. »Halten Sie Sophia Lewis auch hier gefangen? Lebt sie noch?«

Anstatt zu antworten, schlug er ihr so fest ins Gesicht,

dass ihr Kopf zur Seite flog und gegen die Wand schlug. Vor Schmerz schossen ihr die Tränen in die Augen.

»Du stellst hier keine Fragen«, zischte er. »Verstanden? Wenn hier einer fragt, dann bin ich das!«

Sie waren dann in den Raum gelangt, in dem sich Kate nun befand, ein enger Raum, wie sie sehen konnte, nachdem Ian ihr den Klebestreifen von den Augen gerissen hatte. So brutal, dass sie das Gefühl hatte, er habe ihr alle Wimpern dabei ausgerissen. Sie konnte einen Klagelaut nicht unterdrücken. Er lachte. »So hat dich noch keiner behandelt, stimmt's? Wird Zeit, du dumme, kleine Schlampe.«

Es war ein winziges Zimmer, eine Art Abstellkammer. Ein paar leere Regale entlang einer Wand wiesen darauf hin. Das hochgelegene Fenster war mit einem Rollladen verdunkelt. Licht kam von einer Glühbirne, die an der Decke hing. Ian hatte zwar dafür gesorgt, dass Kate nicht wusste, wo sie sich befand, aber er unternahm nicht den geringsten Versuch, seine Identität zu verbergen. Er ließ sie sein Gesicht sehen, er hatte von dem Heim erzählt. Er ging davon aus, dass sie wusste, wer er war, und das schien ihn nicht sonderlich zu beunruhigen.

Was umso beunruhigender für Kate war.

Dann also erfolgte die brutale Knebelung, er zwang sie, einen Socken auszuziehen und stopfte ihn in ihren Mund, dann fesselte er erneut ihre Beine und zog auch die Handfesseln noch einmal enger. In ihren Händen würde schon bald kaum noch Blut zirkulieren. Für den Moment war es aushaltbar, aber Kate wusste, dass ihr diese Art der Fesselung ziemlich bald starke Schmerzen bereiten würde. Im Augenblick war das Würgegefühl schlimmer. Und die Trockenheit, die durch die Wolle im Mund entstand. Kate hatte nicht geahnt, dass man im Mund so schnell derart austrocknen konnte. Und dass dies solche Schmerzen in den Schleimhäuten verursachte.

Zuletzt tastete er ihren ganzen Körper ab, griff in alle Taschen, ließ seine Hände sogar unter ihre Kleidungsstücke wandern, nahm ihren Dienstausweis an sich.

»Muss sein«, erklärte er. »Vorsicht macht sich immer bezahlt. Nicht dass du irgendwo doch noch eine Waffe hast. Oder ein Handy.«

Nachdem er sich überzeugt hatte, dass es nichts gab, womit Kate ihm hätte gefährlich werden können, hockte er sich ihr gegenüber auf den Boden und berichtete ihr, wie es im Heim gewesen war und wie sehr er und vor allem Sascha gelitten hatten. Dann streichelte er mit fast zärtlichen Bewegungen seine Pistole.

»Die hat mir ein ehemaliger Kumpel aus dem Heim besorgt. Der seit drei Jahren draußen ist. Gute Kontakte sind wichtig, nicht wahr?«, sagte er. »Ich wollte schon immer einen Bullen abknallen. Aber das habe ich ja heute getan. Ich denke, dein Kollege ist tot. Er wirkte ziemlich tot, wie er da auf der Treppe lag. Leider wusste ich nicht, dass es ein Bulle ist, als ich schoss. Das wäre richtig geil gewesen. Aber hinterher ist es auch nicht schlecht!«

Sie hoffte, dass er sich irrte. Dass Robert Stewart überlebte.

»Sascha habe ich auch erledigt. Kopfschuss.« Er seufzte, es klang unecht. »Armer Kerl. Aber es musste sein.«

Sascha tot. Der Schuss auf ihn musste für Kates Wahrnehmung in den Schüssen auf Robert Stewart untergegangen sein. Aber nun hatte sie die Antwort: Sascha hatte das Versteck gekannt, aber er konnte ihr nicht mehr helfen. Ian war kein Risiko eingegangen. Ein toter Mann redete nicht.

»Sascha war leider ziemlich unbrauchbar«, sagte Ian. »Er sollte Sophia erledigen, die Frau, die mich in dieses Irrenhaus in Birmingham gebracht hat. Mir sollte man nicht den Mord an einer Frau nachweisen können, bei der ich ein Motiv hätte, sie umzubringen. Umgekehrt bei Sascha genauso. Ich würde seine Leute übernehmen. Wir hatten beide Alibis für den jeweiligen Zeitpunkt, waren in Kneipen mit vielen Menschen. Jemand hätte sich erinnert … Sascha sollte Sophia einfach abknallen, wenn sie morgens aus ihrem Haus kommt. Aber dann wurde mir klar, der trifft sie vermutlich nicht, und dann wird es unnötig kompliziert. Also kam ich auf die Idee mit dem Draht. Ich hatte ihre Gewohnheiten ausgekundschaftet und fand den Plan geradezu genial. Wenn es gut lief, würde sie sich schon bei dem Sturz das Genick brechen, aber sicherheitshalber sollte Sascha ihr dann noch in den Kopf schießen. Sie bot ja ein leichtes Ziel, reglos auf dem Boden liegend. Aber dann bekam er nicht einmal das hin, schoss irgendwo in die Gegend und suchte das Weite.«

Das Leck in Ians Plan. Saschas Sensibilität. Er hatte keinerlei kriminelle Energie in sich.

»Als ich in der Zeitung las, dass Sophia für den Rest ihres Lebens querschnittsgelähmt ist, war ich schwer versucht, es dabei zu belassen«, fuhr Ian fort. »Wie krass ist das denn? Eine bessere Strafe gab es gar nicht für das Miststück. Aber dann wurde mir das Risiko klar. Sie würde wissen, wer dahintersteckte. Und sie würde reden. Jeder Tag war eine Gefahr. Ich musste sie unschädlich machen.«

Er grinste wieder. »Ist mir ja auch gelungen. Mir gelingt immer alles. Ihre Entführung war ein Coup, was? Falsche Papiere einer Krankenpflegeschule waren kein Problem dank meiner Beziehungen. Den Krankentransporter habe ich in einem See versenkt. Nach dem habt ihr wie wild gesucht, stimmt's? Aber so dumm, dass ich den in meiner Nähe herumstehen lasse, bin ich nicht.«

Er war vollkommen mit sich zufrieden. Aus seiner Sicht hatte er leider jeden Grund dazu.

»Weißt du, Kate«, er hatte sich ihren Namen gemerkt, »die Sache ist wirklich die, dass ich schlauer bin als die meisten Menschen. Ich habe einfach mehr im Kopf. Zum Beispiel in dem blöden Heim … Ich kam zwei Jahre nach Sascha dorthin. Ich wusste ganz schnell, dass dieser arme Junge nichts mit dem Tod seiner Schwester zu tun hatte. Das war einfach klar. Er ist nicht der Typ. Der ertränkt niemanden. Sascha geht nach einem Regenschauer die Straße entlang und sammelt Regenwürmer auf und setzt sie in die Erde. Und er passt auf, wo er hintritt, denn da könnte ja ein Käfer sitzen oder eine Raupe oder was weiß ich. So ein Mensch ist das. Ich wusste, der hat im Leben nicht *seine Schwester ertränkt*. Aber die Therapeuten und Erzieher und der bescheuerte Direktor, alle glaubten sie es und machten sich Gedanken und Sorgen und … Bullshit! Ich hingegen dachte immer, ihr solltet nicht so viel Energie in den armen Sascha stecken. Sondern lieber in die Frage, wer es denn wirklich getan hat. Ich meine, irgendwer ersäuft ein Baby und läuft straffrei da draußen rum. Wahnsinn, oder?«

Kate konnte nichts erwidern. Die Genugtuung, einfach nur einen würgenden Laut von sich zu geben, wollte sie ihm nicht verschaffen. Außerdem hätte das ihren Brechreiz verstärkt.

»Ich habe es irgendwann aus Sascha herausbekommen. Mir hat er mehr vertraut als den Erwachsenen, deshalb hat er es schließlich erzählt. Seine durchgeknallte Adoptivmutter war es. Und sein Adoptivvater hat den Plan gefasst, das alles dem hirnlosen Sascha in die Schuhe zu schieben. Das Kindermädchen hat mitgemacht. Ich kam dann auf die Idee, dass wir Rache nehmen. Sascha hat zwar mit geplant, aber es war eindeutig so, dass er nicht ernsthaft dahinterstand. Er wollte mir gefallen, und außerdem habe ich ihn beschützt. Es ging ihm besser, solange er mir nach dem Mund redete, die großen Jungs trauten sich nicht mehr an ihn ran, und insgeheim dachte er wahrscheinlich, wir setzen das dann doch nie um. Aber da kannte er Ian Slade schlecht. Ich rede nicht nur so. Ich bin einer, der handelt.«

Er war wieder einmal vollauf mit sich im Reinen. Manchmal war es dieser Grad an Selbstzufriedenheit, der Verbrecher verleitete, Fehler zu machen. Das hatte Kate oft erlebt. Allerdings konnte Ian im Moment nicht mehr viel falsch machen. Er hatte die gesamte Situation unter Kontrolle.

»Ich habe monatelang alle beschattet. Sophia. Oliver. Alice. Xenia. Herausgefunden, wer wo wohnt. Die Lebensgewohnheiten erkundet. War eine ganz schöne Herumfahrerei. Aber irgendwann wusste ich richtig gut Bescheid. Ich bin Xenia nach London gefolgt. Im Zug. Und zurück. Ich wollte sie erst nur ein bisschen verstören, indem ich mich hingesetzt und sie angestarrt habe. Aber dann … irgendwie war es verlockend. Sie einfach abzuknallen.«

Riskant. Er schien gerne mit dem Feuer zu spielen. Vielleicht würde er darüber stolpern.

Er betrachtete sie, als sei sie ein interessantes Objekt auf einem Seziertisch. »Was mache ich mit euch? Mit dir und Sophia?«

Immerhin: Sophia lebte offensichtlich. Möglicherweise befand sie sich im selben Haus. Aber was nützte es? So wild die Gedanken hinter Kates Stirn abliefen, der rettende Einfall wollte nicht kommen. Es gab einfach keinen Ausweg.

Sie konnte im Grunde nur auf ihre Kollegen hoffen, und sie ahnte, wie hilflos sich diese gerade fühlten.

»Sophia hat mein Leben zerstört«, sagte Ian. »In so einem Heim zerbricht etwas in dir. Du kannst dir das wahrscheinlich nicht vorstellen. Du bist sicher total behütet aufgewachsen, immer schön beschützt von Mummy und Daddy. Ich habe mir überlegt, dass ich Sophia vergrabe. In einer Kiste. Wie findest du das?«

Jetzt konnte sie nicht anders, als einen Laut von sich geben. Es wurde ein seltsames Geräusch, das nicht im Mindesten dem gerecht wurde, was sie empfand: blankes Entsetzen. Denn so weit glaubte sie ihn bereits in seinem Wesen zu erfassen, um zu wissen, dass er nicht bluffte. Er war brutal, er liebte Grausamkeiten, sie waren sein Lebenselixier. Er war förmlich süchtig danach. Und was Sophia betraf, so kam noch sein persönlicher Hass dazu. Er hasste sie abgrundtief. Typisch für einen Menschen seiner Wesensstruktur, hochgradig narzisstisch, sah er nicht, dass er ganz allein durch sein Verhalten, durch die Entführung eines kleinen Mädchens, mit dem Gesetz in Konflikt geraten und damit im Heim gelandet war. Er schob die Schuld ausschließlich Sophia zu. Und er war rasend vor Wut. Die Wut war in all den Jahren gewachsen, hatte sich gestaut, hatte an Kraft gewonnen. Nun, da es keinen Damm mehr gab, brach sie mit einer Macht hervor, der durch nichts Einhalt zu gebieten war. Selbst wenn Kate hätte sprechen können, sie wusste, es hätte nichts genützt, an irgendeine Moral in Ian Slade zu appellieren. Er hatte keine Moral. Und wenn es doch irgendwo einen Funken gab – was Kate eher bezweifelte –, dann war er unter der Gewalt seines Hasses erloschen.

»Vielleicht« sagte er langsam, »mache ich mit dir dasselbe. Was meinst du? Dann wird euch niemals irgendjemand finden.«

Er grinste.

Voller Entsetzen erkannte Kate, dass sein Hass auf Polizisten vermutlich so groß war wie sein Hass auf Sophia.

Sie würde sterben, und er würde es so qualvoll wie möglich gestalten.

4

Caleb war unschlüssig, was er als Nächstes tun sollte, und schließlich überlegte er, dass es Sinn machen könnte, mit Xenia Paget und Oliver Walsh zu sprechen. Vielleicht hatten sie doch noch eine Idee, wo sich Slade mit seinen Opfern verstecken könnte. Auch wieder nur eine vage Hoffnung. Ganz sicher waren sie bereits vernommen worden, offenbar ohne eine bahnbrechende Vermutung geäußert zu haben. Aber Caleb hatte oft erlebt, dass es Sinn machte, Menschen mehrfach zu befragen und dabei auch verschiedene Personen einzusetzen. Das Problem war, dass Leute oft etwas wussten, die Relevanz jedoch nicht erkannten und deshalb wichtige Anhaltspunkte arglos für sich behielten. Eine einzige richtige Frage, auf die richtige Art gestellt, konnte zu völlig neuen Erkenntnissen führen. Sowohl bei den Fragen als auch bei den Antworten spielte oft der Zufall eine entscheidende Rolle.

Also wieder nach Leeds, wo Walsh und Xenia Paget nach Helens Angaben in einem Krankenhaus lagen. Es würde nicht einfach werden, mit Sicherheit hatten sie Polizeischutz. An dem er, Caleb, irgendwie vorbeimusste.

Das Problem würde er lösen, wenn er vor Ort war.

Er fuhr Richtung M1, tief in Gedanken versunken, und schreckte auf, als er plötzlich von einem Polizeiauto überholt wurde, das kurz darauf vor ihm in eine Parkbucht schwenkte, mit dem leuchtenden elektronischen Hinweis in der Heckscheibe, er möge folgen. Caleb fluchte leise. Hatte man schon mitbekommen, dass er unbefugt ermittelte? Hatten die Dales in Bromwich oder Maud Callaghan in Nottingham einen wütenden Anruf beim nächsten Revier getätigt, weil schon wieder jemand bei ihnen aufgetaucht war und dieselben Fragen gestellt hatte, die sie nicht beantworten konnten?

Aber würde man ihm deshalb gleich eine Streife hinterherjagen?

Er fuhr an den Rand. Ein uniformierter Beamter stieg aus dem anderen Fahrzeug aus, trat an Calebs Auto heran. Caleb ließ die Scheibe hinunter.

»Guten Tag, Sir. Tut mir leid, aber Sie sind vorhin deutlich zu schnell durch zwei Dörfer gefahren. Ich würde gerne Ihre Papiere sehen.«

Caleb atmete auf. Bescheuert von ihm natürlich, zu schnell zu fahren, aber immerhin: Es hatte nichts mit seinen Ermittlungen zu tun.

Er reichte Führerschein und Fahrzeugpapiere nach draußen, und zum Abschluss seinen Dienstausweis. Der Beamte nahm sofort Haltung an.

»Oh. Detective Chief Inspector Hale. Ich wusste nicht …«

Caleb winkte ab. »Kein Problem. Ich bin ja offensichtlich zu schnell gefahren.«

»Sir, falls Sie in einer Ermittlung unterwegs sind, dann …«

»Eine Entführung.«

Der Beamte reichte die Papiere zurück, tippte sich kurz an die Mütze. »Alles klar. Nichts, was man weiterverfolgen müsste. Tut mir leid, dass ich Sie gestoppt habe. Man sieht es ja niemandem an, wer er ist.«

Er nickte grüßend, wandte sich dann zum Gehen und stieg wieder in sein Auto.

Caleb starrte hinter ihm her. Irgendetwas erwachte in seinem Hinterkopf, ein Gedanke ... Etwas, das dieser Mann gerade gesagt hatte.

Man sieht es ja niemandem an, wer er ist.

Irgendetwas hatte ihn heute gestört. In einer Situation hatte er das Gefühl gehabt, dass ihm etwas seltsam vorkam, aber er hatte es nicht zu fassen gekriegt.

Dieses Ehepaar in West Bromwich. Mr. und Mrs. Dales.

Dales.

Slade.

Dieselben Buchstaben. Nur in einer anderen Reihenfolge. Slade und Dales.

Er sortierte die Informationen, die er hatte: Ian Slade war 2006 in das Heim in Nottingham gekommen. Seine Eltern waren bald darauf weggezogen, niemand wusste, wohin.

Vermutlich hatte es nie eine Suche nach den Slades gegeben. Es stand Menschen frei zu verschwinden, solange sie keine Schulden oder sonstige Verpflichtungen hinterließen. Es hatte niemanden verwundert, dass die Slades das Weite gesucht hatten. Ihr Sohn, selbst noch ein Kind, aber verhaltensauffällig praktisch seit dem ersten Tag seines Lebens, hatte ein kleines Mädchen in seine Gewalt gebracht und – so wie man ihn kannte und einschätzte – Schlimmstes mit ihr vorgehabt. Jetzt saß er in einer berüchtigten Erziehungsanstalt, in der die schlimmsten Fälle des ganzen

Landes untergebracht waren. In Bromwich zu leben musste für die Slades einem täglichen Spießrutenlauf geglichen haben.

Doch was, wenn sie zurückgekehrt waren?

Welchen Beweis gab es, dass die Stadt das Haus an Sozialhilfeempfänger weitervermietet hatte? Nach allem, was er wusste, stand dafür nur die Aussage des Ehepaars Dales. Er nahm an, dass niemand das überprüft hatte. Hatte sich überhaupt jemand die Papiere der beiden zeigen lassen? Er jedenfalls nicht. Die Kollegen wahrscheinlich auch nicht. Es war ein routinemäßiges Überprüfen einer Adresse gewesen, niemand hatte ernsthaft geglaubt, dort Hinweise auf Ian Slade zu finden. Nach so vielen Jahren.

Aber wenn es die Eltern waren? Die einfach in ihr altes Haus zurückgekehrt waren? Es erneut gemietet hatten? Oder den ursprünglichen Mietvertrag nie gelöst hatten, was allerdings ein teurer Spaß gewesen wäre, aber man durfte nichts ausschließen.

Hätte sich aber ihre Rückkehr nicht in der Nachbarschaft herumgesprochen? Hatte es eine Nachbarschaftsbefragung gegeben?

Vielleicht zeigten die Dales sich nicht draußen. Vielleicht wurden sie von ihrem Sohn versorgt.

Ian.

War das logisch? Würden die Nachbarn Ian nicht erkennen?

Er war zwölf gewesen, als er fortmusste. Er war jetzt vierundzwanzig. Nein, er mochte nicht ohne Weiteres zu erkennen sein. Bewegte sich vielleicht auch nur im Schutz der Dunkelheit hinein und hinaus. Kaufte Lebensmittel in entfernten Städten ein. Parkte sein Auto um ein paar Straßenecken herum.

Es war denkbar.

Das hieße, Kate befand sich in dem Haus in Bromwich. Und er hatte in der Tür gestanden. Vielleicht nur Schritte von ihr entfernt.

Die Dales waren sehr nervös gewesen. Auch Maud Callaghan hatte irritiert reagiert, als zum zweiten Mal die Polizei aufkreuzte, um sie in derselben Angelegenheit zu befragen wie zuvor, aber sie hatte nicht beunruhigt gewirkt. Die Unruhe der Dales hingegen war greifbar gewesen.

Dales. Slade. Die Namen ließen Caleb nicht mehr los.

Er wählte die Nummer von Helen, betete, dass sie erreichbar war. Zum Glück meldete sie sich sofort.

»Sergeant, wissen Sie zufällig, wie genau die Dales in Bromwich überprüft wurden?«, fragte er ohne Einleitung. »Sind ihre Angaben gegengecheckt worden? Hat es eine Nachbarschaftsbefragung gegeben?«

Helen wirkte überrascht. »Soweit ich weiß, handelte es sich nur um eine kurze Befragung an der Haustür. Warum? Haben sich Ungereimtheiten ergeben? Und wo sind Sie überhaupt gerade?«

»Ich komme gerade von Nottingham. Ich war bei dem früheren Haus der Familie Walsh, davor bei dem der Slades. Hat sich eigentlich niemand über den Namen der Leute dort Gedanken gemacht? *Dales*?«

Helen dachte eine Sekunde nach, dann sagte sie überrascht: »Ach!«

»Ist mir auch nicht sofort aufgefallen«, gab Caleb zu. »Wissen Sie, ob sich die Kollegen die Ausweise haben zeigen lassen?«

»Ich weiß es nicht, vermute aber eher, nein. Die beiden waren ja nicht verdächtig, es ging nur darum, den Ort zu sehen und mögliche Hinweise auf den Verbleib des Ehepaars Slade zu erfragen, aber das scheint nichts ergeben zu haben.«

»Die Dales waren extrem nervös. Ungewöhnlich nervös.«

»Sir, denken Sie …?«

»Es könnten die Slades sein, oder? Ian Slades spurlos verschwundene Eltern.«

»Die zurückgekommen sind?«

»Warum nicht?«

»Aber«, sagte Helen, »ihre Nachbarn würden sie erkennen.«

»Die Nachbarn hat niemand gefragt. Zum Teil dürfte sich die Nachbarschaft über die Jahre auch verändert haben. Zudem – vielleicht verlassen die Dales kaum das Haus?«

»Sie müssen einkaufen.«

»Vielleicht macht das Ian für sie.«

Helen schwieg einen Moment, verdaute die Informationen und Gedanken der letzten Minuten.

»Das alles«, meinte sie dann zögernd, »ist nicht völlig von der Hand zu weisen. Trotzdem ist es im Moment reine Spekulation. Was sollen wir tun? Wenn ich jetzt zum Chef gehe und …«

»Wer leitet denn jetzt die Ermittlungen?«, unterbrach Caleb.

»Der Chief Superintendent selbst.«

Calebs besonderer Freund. Der Mann, der die Suspendierung angeordnet hatte. Caleb konnte sich vorstellen, wie er reagieren würde, wenn er erfuhr, dass sein alkoholabhängiger ehemaliger Mitarbeiter auf eigene Faust nach Kate Linville suchte und dabei den Dienstausweis benutzte, den er längst hätte abgeben müssen.

Er überlegte kurz. »Hören Sie zu, Sergeant, ich fahre jetzt noch mal zu den Dales. Ich will sehen, ob ich mehr herausfinden kann. Vielleicht könnten Sie inzwischen zu klären versuchen, an wen die Stadt das Haus vermietet hat. Das würde uns erheblich weiterbringen.«

»Das kann ich machen. Aber wollen Sie nicht lieber abwarten, bis ich das überprüft habe? Ehe Sie irgendwelche Schritte unternehmen?« Helen klang beunruhigt und gestresst. Wenn Caleb jetzt Dinge in Bewegung brachte, die sich zum Schluss als nicht zielführend erwiesen, würde das jede Menge Ärger verursachen, und in dem Zusammenhang käme auch ans Tageslicht, dass sie, Helen, ihrem suspendierten ehemaligen Chef zugearbeitet hatte.

Caleb erriet, was sie dachte.

»Ich werde sehr vorsichtig sein. Ich unternehme nichts Konkretes, ehe ich nicht neue Erkenntnisse von Ihnen bekomme. Aber ich will zu dem Haus. Es kann sein, dass die Dales durch ein zweimaliges Erscheinen der Polizei aufgescheucht sind. Falls Kate und Sophia in dem Haus sind, dürfen wir nicht so lange warten, bis man sie weggebracht hat.«

»Ich melde mich, sowie ich Neues in Erfahrung bringen konnte«, versprach Helen und legte auf.

Caleb fuhr weiter. Der Tag klarte auf, blauer Himmel blitzte zwischen den Wolken hervor, die von einem leichten Wind immer weiter auseinandergetrieben wurden. Bis er Bromwich erreicht hatte, strahlte die Sonne. Der Sommer nahm endlich wieder Fahrt auf. Allerdings hatte Caleb in diesem Moment wenig Sinn dafür.

Er hielt gegenüber dem Haus der Dales. Niemand ließ sich blicken. Der verwilderte Garten, die geschlossenen Fenster, die Stille – es wirkte wie ein leeres, verlassenes Haus. So hatte es zuvor allerdings auch ausgesehen, und dennoch waren die Dales daheim gewesen. Diese Menschen führten ein völlig abgeschottetes Leben. Aus gutem Grund?

Er stieg aus. Es war deutlich wärmer geworden. Er zog sein Jackett aus, warf es achtlos auf den Fahrersitz, setzte seine Sonnenbrille auf. Die Vorstellung, dass Kate irgendwo hinter diesen dunklen Fenstern gefangen gehalten wurde, ließ ihn vibrieren. Noch schlimmer jedoch war die Vorstellung, sie könnte bereits fortgeschafft worden sein. Hätte die Zeit ausgereicht? Er war über zwei Stunden unterwegs gewesen. Vermutlich hätte man das schaffen können.

Er überquerte die Straße, betrat den Garten. Er wusste noch nicht, was er sagen würde, wenn er den Dales nun gleich wieder gegenüberstand. Er hoffte auf eine Eingebung. Er hoffte, ihm würde etwas einfallen, weshalb sie ihn ins Haus bitten mussten.

Er musste da rein.

Auf sein Klopfen reagierte niemand. Alles blieb still. Er wartete, klopfte erneut, dann noch einmal. Nichts. Die Dales waren entweder nicht zu Hause, oder sie wollten nicht öffnen.

In langsamen, vorsichtigen Schritten umrundete Caleb das Haus. Der Verfall, den es atmete, deprimierte und erschreckte ihn. Das Dach sah nicht so aus, als hielte es Regengüssen stand, die Fenster, die in von jahrzehntelanger Feuchtigkeit aufgequollenen Rahmen hingen, vermochten im Winter sicher kaum die Kälte auszusperren. An dem Haus war nie etwas gemacht worden, und inzwischen konnte man es eigentlich nur noch abreißen.

Er war auf der Rückseite angekommen. Hier gab es noch ein Stück Garten, der aus hohem, vergilbtem Gras und aus wild wuchernden Brombeerranken bestand. Er endete an einer roten Ziegelmauer, aus der allerdings schon etliche Steine herausgebrochen waren. Hinter der Mauer begann das nächste Grundstück.

Das alles wirkte zwar völlig heruntergekommen, aber zugleich ganz und gar unspektakulär.

Was Caleb jedoch elektrisierte, waren die Fenster auf der Rückseite des Hauses. Sie waren mit Brettern vernagelt.

Weil die Scheiben kaputt oder die Dichtungen zu porös waren? Oder weil man verhindern wollte, dass jemand in die Räume dahinter blicken konnte?

Es wäre ohnehin schwierig. Da das Grundstück leicht abfiel, lagen die Fenster hier hinten höher als vorne. Ein groß gewachsener Mann wie Caleb hätte, auf den Zehenspitzen stehend, knapp hineinspähen können, jeder kleinere Mensch hätte nichts gesehen. Dennoch, jemand hatte hier für eine völlige Abschottung gesorgt. Warum?

Calebs Herz und sein Puls beschleunigten sich. Etwas stimmte hier nicht, da war er sicher. Das Haus wirkte völlig verlassen, aus irgendeinem Grund hatte er nicht den Eindruck, dass die Dales in ihrem Wohnzimmer saßen und einfach nicht reagierten. Sie waren fortgegangen. Nachdem er da gewesen war. Zufall?

Oder brachten sie Kate und Sophia weg?

Alleine konnten sie das kaum bewerkstelligen. Sie waren nicht sehr alt, aber vom Leben abgenutzt, verbraucht. Man sah ihnen an, dass sie sich ungesund ernährten und vermutlich zu wenig bewegten. Abgekämpft und energielos. Sie würden keine querschnittsgelähmte Frau in ein Auto schleppen können. Noch dazu mitten am Tag. Jeder aus der Nachbarschaft hätte zuschauen können.

Trotzdem. Er musste da jetzt rein. Er musste wissen, wer diese Leute waren. Und vielleicht fanden sich Hinweise, dass jemand hier festgehalten worden war.

Probeweise rüttelte Caleb an einem der Holzbretter, die eines der Fenster verschlossen, und hielt es im nächsten

Moment in der Hand. Die Befestigung taugte nichts oder hatte sich allmählich abgenutzt. Das Brett war vollkommen morsch. Das Ganze schien nicht erst kürzlich angebracht worden zu sein, was dagegen sprach, dass … Egal.

Er zerrte die anderen Bretter ab und stand vor einem offenen Fenster. Die Glasscheibe war herausgebrochen, ein paar gefährlich gezackte Ränder standen noch. Caleb zog sich am Fensterbrett hoch und kroch, so vorsichtig er konnte, hinein. Er spürte einen scharfen Schmerz an der Schulter und wusste, dass ihn eine der Scherben erwischt hatte. Es tat teuflisch weh, aber er biss die Zähne zusammen. Sprang hinunter auf den Fußboden und stand in einem kleinen Zimmer. Er nahm seine Sonnenbrille ab.

Ein Doppelbett mit sorgfältig glatt gestrichener Tagesdecke darüber. Ein Kleiderschrank, der nicht so aussah, als würde er es noch lange aushalten, dass man seine Türen öffnete, ohne dass er in sich zusammenkrachte. Aus einem Wäschekorb in der Ecke quoll die Schmutzwäsche. Er befand sich höchstwahrscheinlich im Schlafzimmer des Ehepaares Dales.

Die Tür zum Gang stand offen. Caleb spähte ihn entlang. Eine Garderobe an der Wand mit ein paar Mänteln daran. Sonst nichts.

Er war jetzt ziemlich sicher, dass niemand zu Hause war. Er war nicht gerade leise gewesen, als er die Bretterverschalung abgerissen hatte, jeder im Haus hätte es gehört. Aber nichts rührte sich. Irgendwo tropfte ein Wasserhahn.

Vom Flur zweigten drei Türen ab, von denen eine offen stand. Caleb schaute hinein. Eine Wohnküche, unfassbar abgewohnt. Schimmel in den Ecken. Ein altmodischer Gasherd. Ein verrosteter Wasserhahn, der tropfte, wahrscheinlich konnte er gar nicht mehr richtig zugedreht werden. Ein

Tisch und zwei Stühle, ein paar Hängeschränke mit Plastikverkleidung. Unter dem Fenster ein durchgesessenes graues Sofa. Ein riesiger Fernseher auf einem Regal. Es roch schlecht in dem Raum, nach vergammeltem Essen und nach Feuchtigkeit.

Die Armut, in der Ian Slade aufgewachsen war, wurde überall in diesem Haus sichtbar. Spürbar. Trotzdem, weder war das eine Entschuldigung noch eine Erklärung für das, was aus ihm geworden war und was sich in ihm schon als kleines Kind abgezeichnet hatte. Viele Menschen wuchsen in schwierigen Verhältnissen auf. Die wenigsten wurden zu Psychopathen.

Caleb verließ die Küche, öffnete nacheinander die beiden anderen Türen, die vom Flur abgingen. Die eine führte in eine Art Rumpelkammer, in die offenbar alles geschoben und gestopft wurde, was gerade nicht gebraucht wurde: Kaputte Möbel, Pappkartons, Plastikplanen, leere Blumentöpfe, zerbrochenes Geschirr. Das Zeug türmte sich bis fast zur Decke. Hier passte definitiv kein Mensch mehr dazwischen.

Hinter der anderen Tür lag das Bad. Es war dunkel, weil das Fenster ebenfalls mit Brettern vernagelt war. Caleb schaltete das Licht ein. Ihm wurde fast schlecht, so viel Schimmel wuchs hier überall. Kein Wunder, das Fenster ließ sich ja nicht mehr öffnen. Es gab eine Badewanne mit einem vergilbten Duschvorhang aus Plastik, eine Toilette, ein kleines Waschbecken mit einem Spiegel darüber, durch dessen Mitte ein Riss lief. Der langhaarige Teppichvorleger auf dem Fußboden vermittelte Caleb den Eindruck, er würde krabbeln, aber vielleicht bildete er sich das nur ein.

Dieses Haus war eine einzige Müllkippe. Ein Gefangenenlager war es augenscheinlich nicht.

Es sei denn, es gab einen Dachboden. Oder einen Keller.

Caleb schaute nach oben und nach unten. Nirgends eine Klappe, weder in der Decke noch auf dem Boden.

Es sah auch nicht so aus, als sei hier jemals jemand eingesperrt gewesen.

Aber er war sicher, verdammt, so sicher! Hier war etwas faul.

Er überlegte, was er als Nächstes tun sollte – es gab so wenig Optionen, genau genommen, sah er praktisch keine –, da vernahm er den Schlüssel in der Haustür. Er stand vor der Badezimmertür im Flur. Mr. und Mrs. Dales kamen herein und starrten ihn entgeistert an. Sie trugen Einkaufstaschen und wirkten abgekämpft und verschwitzt.

Sekundenlang sagte niemand etwas. Dann begann Mrs. Dales zu schreien.

»Einbrecher!«, kreischte sie. »Hilfe! Einbrecher! Oh Gott, Hilfe!«

Ihr Mann schaute etwas genauer hin und erkannte Caleb. »Sie?«, fragte er erstaunt. »Sie sind doch von der Polizei?«

»Ja«, sagte Caleb.

»So geht das nicht«, sagte Mr. Dales. »Sie können hier nicht einfach ins Haus eindringen.«

Seine Frau angelte ein Handy aus der Einkaufstasche. Caleb dachte nicht zum ersten Mal, wie seltsam es war, dass Menschen, ganz gleich wie arm, immer über die neusten Smartphones verfügten, ebenso wie über die größten Fernsehflachbildschirme.

Sie behielt ihn scharf im Auge, während sie hastig eine Nummer eintippte.

»Ja, Dales hier. Bitte kommen Sie ganz schnell. Bei uns ist ein Einbrecher im Haus. Ja, bitte!« Sie nannte ihre Adresse.

»Die Polizei wird gleich hier sein«, sagte sie.

Caleb seufzte. Ihm stand jede Menge Ärger bevor. Und

noch etwas ging ihm auf: Er war tatsächlich auf der falschen Fährte. Diese Frau hätte nicht die Polizei gerufen, wäre sie in ein Verbrechen verwickelt.

Seine Intuition, von der er gehofft hatte, sie reiche wenigstens in Ansätzen an die von Kate heran, hatte ihn völlig im Stich gelassen.

5

Draußen genossen die Menschen den inzwischen sonnigen Augusttag, und sie hockte in der seelenlosen Cafeteria des Krankenhauses. Selten zuvor hatte sich Xenia so danach gesehnt, einen Raum zu verlassen und sich unter dem freien Himmel zu bewegen, die Wärme der Sonnenstrahlen auf ihrer Haut zu spüren und sich den Geruch des Sommers um die Nase wehen zu lassen. Es wäre so viel besser als die Plastiktische und Plastikstühle in dem großen Raum, in dem es nach irgendeinem warmen Essen roch, das Übelkeit in ihr erzeugte, besser als das Stimmengewirr, das Klappern von Tassen und Tellern und Besteck und als der Anblick der Menschen in Bademänteln, Jogginganzügen und Pantoffeln. Manche zogen Infusionsständer hinter sich her.

Es war deprimierend.

Sie und Oliver saßen einander gegenüber, jeder einen Becher Kaffee vor sich. Xenia hatte sich außerdem einen Schokomuffin geholt, aber nun rührte sie ihn doch nicht an. Sie wollte endlich abnehmen, und am besten sie fing sofort damit an.

Das Krankenhaus hatte einen kleinen Garten, aber weder Oliver noch Xenia waren sicher gewesen, ob sie hinausdurften. Der Polizist, der vor ihren nebeneinanderliegenden Zimmern postiert war und ihnen auch jetzt in die Cafeteria gefolgt war, diente ihrem Schutz, solange sich Ian Slade auf freiem Fuß befand, aber vermutlich sollte er auch verhindern, dass sie sich abzuseilen versuchten. Sie würden sich vor Gericht verantworten müssen. Sie hatten eine Straftat, die Tötung eines kleinen Kindes, zu vertuschen geholfen, und sie hatten einen anderen Menschen, einen geistig eingeschränkten Jungen, zu Unrecht belastet. Das Ganze war fünfzehn Jahre her. Xenia kannte sich mit Verjährungsfristen nicht aus, sie hoffte, dass sich die lange Zeit, die seither vergangen war, irgendwie zu ihren Gunsten auswirken würde. Alice würde die Hauptlast zu tragen haben, nahm sie an, aber natürlich waren sie und Oliver nicht unschuldig. Würde man ihr zugutehalten, dass sie fremd gewesen war in England und zu diesem Zeitpunkt in einem Abhängigkeitsverhältnis zu ihren Arbeitgebern gestanden hatte? Auf jeden Fall brauchte sie einen Anwalt.

»Wie konnte es eigentlich passieren, dass Sie einen Mann geheiratet haben, mit dem Sie jetzt so unglücklich sind?«, fragte Oliver.

Sie hatte ihm an diesem Morgen im Krankenhaus davon erzählt. Als sie langsam die Gänge auf und ab gewandert waren. Sie versteckte sich nicht mehr hinter der biederen, ordentlichen Fassade des beschaulichen Lebens im Reihenhaus in Bramhope. Sie hatte ihm gesagt, wie unglücklich sie war. Wozu sollte sie jetzt noch den Schein wahren, wozu etwas vorgaukeln?

Sie erinnerte sich mit Grauen an die Zeit nach Lenas Tod. Sie hatte auf keinen Fall zurück nach Russland gewollt. Und sie hatte ständig in der Angst gelebt, von der Polizei aufgegriffen zu werden. Ihr Visum lief ab, und sie wusste, dass sie eigentlich fortmusste. Zudem hatte sie Angst, dass das, was geschehen war, ans Tageslicht kommen und dass sie mit zur Verantwortung gezogen werden würde. Monatelang versteckte sie sich zitternd in Hauseingängen oder Hofeinfahrten, wenn sie auch nur in der Ferne einen Polizisten oder ein Polizeiauto sah. Über ein Jahr lang hielt sie sich mit Gelegenheitsjobs über Wasser, meist servierte sie in Pubs oder spülte Geschirr oder putzte Toiletten. Sie wohnte in unfassbar billigen, heruntergekommenen Zimmern, deren einziger Vorteil darin bestand, dass die Vermieter es mit den Papieren nicht so genau nahmen. Sie blieb nie länger als acht bis zehn Wochen an einem Ort. Sie war Teil eines monströsen Verbrechens. Sie durfte nicht auffallen.

Sie entfernte sich immer weiter von Nottingham und landete schließlich in Leeds, einer Stadt, von der sie vorher nichts gehört hatte, die ihr aber endlich weit genug entfernt erschien vom Ort des schrecklichen Geschehens. Es war Winter, der zweite Winter nach Lenas Tod, und sie fand Arbeit als Aushilfskraft in der Küche eines Altenheims, aber sie fand kein Zimmer – keines, in dem sie riskieren konnte, mit abgelaufenem Visum einzuchecken. In ihrer Verzweiflung kroch sie schließlich im Kellergeschoss eines leer stehenden Neubaus unter, ein eiskaltes, feuchtes Gebäude, in dem es nach frischem Mörtel roch und die Türen noch keine Klinken besaßen und nur angelehnt waren. Im Grunde kein Ort, an dem man im Februar leben konnte, aber sie hatte wenigstens ein Dach über dem Kopf und war geschützt, als dann auch noch starker Schneefall einsetzte. Auf einem kleinen Gaskocher machte sie sich Konserven warm und hüllte sich dabei in ihren Schlafsack, den sie sich trotz ihrer knappen Kasse geleistet hatte, denn ohne ihn wäre sie erfroren.

»Jacob fand mich dort eines Morgens vor«, berichtete sie. »Er arbeitet ja für eine Hausverwaltungsfirma und hatte diesen Gebäudekomplex zugeteilt bekommen. Er kam mit ein paar Leuten von der Baugesellschaft, um eine gemeinsame Inspektion durchzuführen. Ich lag dort in meinem Schlafsack und sah ganz schön verwahrlost aus. Die hielten mich für einen Drogenjunkie. Jacob rettete mich in diesem Moment, denn die anderen wollten die Polizei holen. Er wiegelte das ab und sagte, er werde sich um mich kümmern. Er nahm mich mit nach Hause, gab mir zu essen und zu trinken, ich konnte heiß duschen und meine Klamotten waschen.« Sie hielt inne. »Damals dachte ich noch, das Blatt habe sich endlich zu meinen Gunsten gewendet.«

»Aber er machte das alles nicht aus reiner Nächstenliebe«, mutmaßte Oliver.

Sie schüttelte den Kopf. »Er war schon lange auf der Suche nach einer Frau. Ohne Erfolg, weil es keine bei ihm aushielt. Da kam eine, der er in der Not helfen konnte und die deshalb dankbar sein musste, wie gerufen. Und ich war dumm genug ...«

»Ja?«

»Er gab sich zu Anfang einigermaßen umgänglich, und in einem Moment der Schwäche erzählte ich ihm alles.«

»Alles?«, fragte Oliver entsetzt. »Von Alice? Von Lena? Von Sascha? Und von mir?«

Sie nickte. Sie starrte in ihre Kaffeetasse, dachte an den kalten Tag in Jacobs Wohnzimmer zurück, an ihre Verzweiflung, ihre Schuldgefühle, ihre Angst.

»Ich glaube, ich musste es einfach jemandem erzählen. Ich bin fast erstickt daran. Ich konnte es alleine nicht mehr tragen.«

»Ja«, sagte Oliver, »ich verstehe das.« Er selbst hatte

immerhin Alice gehabt. Ihre Ehe war an alldem zerbrochen, aber sie hatten eine ganze Weile noch zumindest immer wieder über die Geschehnisse reden können. Xenia war völlig alleine gewesen.

»Ich hoffte auf seinen Trost. Darauf, dass er mein Gewissen ein wenig erleichtern würde. Ich brauchte jemanden, der mir sagte, dass ich für das alles nichts konnte und dass ich nicht anders hätte handeln können, als ich gehandelt habe. Ich kannte Jacob nicht gut genug, um zu wissen, dass er die völlig falsche Person für ein solches Geständnis ist. Jacob freut sich, wenn es anderen Menschen schlecht geht. Ich kann mir nicht vorstellen, dass er je im Leben jemandem Trost gespendet hat.«

»Und Ihnen natürlich auch nicht.«

»Nein. Im Gegenteil, er bauschte das alles noch richtig auf. Erzählte mir geradezu wollüstig, was alles mit mir passieren würde, wenn das rauskäme. Nach seinen Schilderungen stand ich dicht davor, den Rest meines Lebens in irgendeinem Kellerverlies im Tower von London zu verbringen. Andererseits war mir natürlich klar, dass er im Kern recht hatte: Ungeschoren würde ich nicht davonkommen. Ganz und gar nicht.«

Oliver sah sie aus traurigen Augen an. »Wir hätten Sie da nie mit hineinziehen dürfen.«

Nein, dachte Xenia, und einen Moment lang spürte sie große Wut auf den verstörten, unglücklichen Mann, der da vor ihr saß.

»Das alles hätte nicht passieren dürfen«, sagte sie. »Alice hätte sich ihrer Schuld stellen müssen. Es wäre der einzige richtige Weg gewesen.«

»Sie hätte das Gefängnis nicht überlebt.«

»So hat Sascha nicht überlebt.«

Oliver schwieg. Was hätte er sagen sollen? Es gab keine Rechtfertigung für sein Verhalten.

»Auf jeden Fall«, fuhr Xenia sachlich fort, »zeigte Jacob von dem Moment an, da er Bescheid wusste, sein wahres Gesicht. Er hatte mich jetzt in der Hand. Er drohte unverhohlen damit, zur Polizei zu gehen, wenn ich nicht täte, was er sagte. Auf diese Weise erpresste er die Heirat. Er erpresste mein Ausharren in seinem Haus. Ich lebte wie eine unbezahlte Angestellte. Ich putzte und kochte und kümmerte mich um den Garten. Er kommandierte und befahl und meckerte an allem herum. Besonders an mir. Er nannte mich hässlich und fett. Er erklärte, ich sei eine völlige Versagerin, die von Glück reden konnte, dass sie ihn gefunden hatte. Irgendwann war ich so weit, das selbst auch zu glauben. Ich fühlte mich elend und minderwertig. Oft hatte ich das Gefühl, diesen Mann keinen einzigen Tag mehr zu ertragen. Aber was hätte ich tun sollen? Er wäre sofort zur Polizei gegangen.«

»Wer weiß«, meinte Oliver, »von irgendeinem Zeitpunkt an hatte er sich wahrscheinlich selbst strafbar gemacht. Er wusste von der Geschichte, und auch er meldete sie über Jahre nicht ...«

»Er hätte immer behaupten können, es gerade erst erfahren zu haben. Sein Wort gegen meines. Es war zu riskant. Ich wagte es nicht.«

»Jetzt können Sie ihn verlassen«, sagte Oliver.

»Ja«, sagte Xenia. »Seltsam, oder? Vielleicht muss ich ins Gefängnis. Aber ich habe mich schon lange nicht mehr so befreit gefühlt wie jetzt.«

Oliver nahm einen Schluck von seinem Kaffee. »Mir geht es noch nicht so. Die Sache ist nicht zu Ende. Diese Polizistin, die entführt wurde ...«

Es war ein grauenhafter Gedanke. Sie hatten Ian Slade erlebt, sie konnten sich vorstellen, was Kate bevorstand. Zwar trugen sie keine Schuld an Ians Rachefeldzug. Aber die Geschichten hatten sich vermischt, und es lag in ihrer Verantwortung, dass Sascha in die Fänge eines Psychopathen geraten und zu dessen Werkzeug geworden war. Durch ihr Verschulden hatte er seine Kindheit und Jugend in einer Einrichtung verbringen müssen, in der man Typen wie Ian Slade traf. Das alte Problem mit Gefängnissen, Erziehungsheimen und Ähnlichem: Mancher geriet überhaupt dort erst in den Sog des Bösen.

Sascha hatte es das Leben gekostet. An ihm waren sie alle schuldig geworden, und sie würden es nicht mehr gutmachen können.

Zwei Polizisten hatten mit ihnen geredet. Es ging darum, ein mögliches Versteck ausfindig zu machen, wo sich Ian mit seinen Opfern aufhalten könnte. Sie hatten sich die Köpfe zerbrochen. Es fiel ihnen nichts ein.

»Ich schätze, morgen können wir das Krankenhaus verlassen«, sagte Oliver. »Ich frage mich, ob sie uns nach Hause gehen lassen.«

»Ich denke nicht, dass sie an eine Fluchtgefahr glauben«, meinte Xenia. »Das Problem ist nur, ich habe kein Zuhause. Nie im Leben, *nie,* gehe ich zu Jacob zurück.«

»Komisch, dass er sich nicht blicken lässt.«

»Er kommt an unserem Bewacher nicht vorbei«, sagte Xenia und machte eine Kopfbewegung hin zu dem Polizisten, der etwas gelangweilt an der Wand neben der Tür lehnte. »Ich habe gesagt, dass ich ihn nicht sehen will.«

»Verstehe. Wollen Sie mit zu mir kommen?«

»Das ist nett, danke.« Sie überlegte. »Aber falls ich mich frei bewegen kann, werde ich als Erstes Colin Blair aufsuchen. Der Mann, dessen Auto ich genommen hatte. Ich muss das mit ihm klären. Unbedingt.«

»Okay. Meine Tür ist offen, wenn Sie mich brauchen.«

Sie lächelte schwach. Zum ersten Mal seit Jahren fühlte sich das Leben ein wenig verheißungsvoll an. Trotz der juristischen Konsequenzen, die noch auf sie zukamen. Sie übernahm endlich die Verantwortung für ihre Tat, und das würde sie befreien.

Aber eines blieb: Kate Linville. Ihr ungewisses Schicksal.

Kehrte Kate nicht zurück, würde sich Xenia niemals frei fühlen.

6

»Der Chief Superintendent tobt«, sagte Helen bekümmert. »Es wäre vielleicht gut, wenn Sie herkämen und ihm alles erklären würden.«

Caleb ahnte, dass das vielleicht wirklich gut wäre und seine berufliche Zukunft retten könnte, aber dennoch war es genau das, was er nicht tun würde. Nach einem Gespräch mit dem Chef könnte er keinesfalls fortfahren, nach Kate zu suchen, das wäre beruflicher Selbstmord, aber er wusste, dass er es nicht aushalten würde, daheim zu sitzen und nichts zu tun. Allerdings war es möglicherweise noch unvernünftiger, sich totzustellen. Auf seinem Handy waren etliche Anrufe des Superintendenten aufgelaufen, die er nicht angenommen hatte. Am besten, er suchte sich gleich einen Job als Nachtwächter oder Türsteher.

»Sergeant, ich bleibe hier dran«, erklärte er. Der Satz war nicht ohne Komik. *Woran*, bitte schön, wollte er bleiben? Er hatte nichts, absolut gar nichts in den Händen.

»Sir, die erneuten Befragungen von Oliver Walsh und Xenia Paget haben leider nichts gebracht. Und meine Überprüfung bei der Stadtverwaltung Bromwich hat ergeben, dass die Stadt das ehemalige Haus der Familie Slade tatsächlich an die Dales weitervermietet hat. Das hat alles seine Richtigkeit.«

»Ich weiß«, sagte Caleb müde. Er starrte zum Autofenster hinaus. Der Tag wurde immer strahlender und sonniger, seine Gemütsverfassung hingegen immer trüber. Er parkte vor einem Pub in einem Dorf, das er nicht kannte. Er hatte geplant, hier eine Kleinigkeit zu essen, aber tatsächlich hatte er keinen Appetit und war stattdessen im Wagen sitzen geblieben, um mit Helen zu telefonieren. Die Polizei, die Mrs. Dales herbeigerufen hatte, hatte auf seine Bitte die Ausweise des Ehepaares kontrolliert, die sich als korrekt herausstellten. Die Leute waren die, die sie behaupteten zu sein. Nicht die verschollenen Eltern eines gefährlichen Psychopathen, die in dessen Machenschaften verstrickt waren. Die Szene in dem verkommenen Haus war peinlich und schrecklich gewesen. Caleb hatte sich der eintreffenden Streife gegenüber als Chief Inspector zu erkennen gegeben, aber natürlich war ganz schnell allen klar gewesen, dass er sich gerade auf einer völlig falschen Fährte befand und dass er widerrechtlich in ein fremdes Haus eingebrochen war. Caleb machte Gefahr im Verzug geltend, aber angesichts der Tatsache, dass man es offenkundig mit einem harmlosen Ehepaar zu tun hatte, das nicht im Entferntesten wusste, worum es überhaupt ging, wirkte das wenig überzeugend. Man hatte ihn seiner Wege ziehen lassen, er war ein hoher

Beamter, aber offenbar war inzwischen bereits Meldung an die nächsthöhere Stelle ergangen.

Es war wie immer in solchen Fällen: Hätten sich Kate und Sophia in dem Haus aufgehalten, wäre Calebs Verhalten immer noch vorschriftswidrig gewesen, aber außer ein paar vorsichtigen Ermahnungen hätte er nichts gehört. Im Gegenteil, ihm wäre dann der Ruhm zuteilgeworden, den entscheidenden Ermittlungsschritt getan zu haben. So jedoch hatte er sich tief in den Schlamassel manövriert. Er hatte alles auf eine Karte gesetzt und verloren.

»Es gibt jedoch Neuigkeiten aus Cornwall«, fuhr Helen fort. »Ich habe mit einer Polizistin in Camborne gesprochen. Alice Walsh, die seit ihrer Scheidung übrigens wieder ihren Geburtsnamen trägt und Alice Coleman heißt, ist seit dem 24. Juli vermisst gemeldet.«

»Ach!« Caleb setzte sich aufrechter hin. »Was wissen Sie noch darüber?«

»Alice Coleman wohnt seit der Scheidung von Oliver Walsh in Redruth. Ihre Lebensgefährtin hat sie vermisst gemeldet, weil sie zu einem Seminar nach Bodmin aufgebrochen war, dort aber nie angekommen ist. Kinder haben ihr Auto am Rand einer Landstraße nahe Taunton gesehen und die Polizei geholt. Das Auto war unverschlossen, der Zündschlüssel steckte. Gepäck und Handtasche waren verschwunden. Von Alice Coleman fehlt seitdem jede Spur.«

»Das sieht nicht gut aus«, murmelte Caleb. »Es ist klar, dass Alice Coleman auf Slades Liste steht. Die Hoffnung war, dass man sie noch würde beschützen können, aber ...«

»Sie war möglicherweise das erste Opfer«, sagte Helen. »Ohne dass eine Verbindung hergestellt werden konnte.«

»Weil wir bis vor zwei Tagen nicht wussten, womit wir es

zu tun haben. Verdammt. Die Frage ist, ob sie auch entführt wurde.«

»Dann würde Slade bereits drei Frauen gefangen halten«, sagte Helen.

»Sie kann auch tot irgendwo in einem Gebüsch liegen.«

»Das halte ich für wahrscheinlicher«, meinte Helen.

Beide schwiegen bedrückt. Alice Coleman war eine Frau, die ihr Baby getötet hatte, aber sowohl Caleb als auch Helen war klar, dass sie keine von niederen Beweggründen getriebene Mörderin war. Sondern eine Frau, die mit ihrem Leben nicht mehr zurechtgekommen war, die der andauernden Überforderung nervlich nicht mehr hatte standhalten können. Eine Tat im Affekt, unter größtem seelischem Stress und in Verzweiflung ausgeführt. Sie hatte es nicht verdient, von einem Mann wie Ian Slade deshalb hingerichtet zu werden.

»Okay«, sagte Caleb schließlich, »er ist uns immer einen Schritt voraus. Slade. Er hat definitiv die Nase vorn.«

»Was haben Sie jetzt vor, Sir?«, fragte Helen.

»Ich weiß es nicht«, sagte Caleb müde. Er hatte sich selten so hilflos gefühlt. Für ein paar Stunden war er wie elektrisiert gewesen, aber das hatte in einem riesigen Fauxpas geendet. Jetzt fragte er sich, wie er so dämlich hatte sein können: Als ob Ian Slade ausgerechnet sein einstiges Elternhaus als Versteck aussuchen würde. Dafür war er zu schlau, zu gerissen, zu vorsichtig.

Er merkte, wie elend er sich fühlte, und beschloss, nun doch irgendetwas zu essen. Vielleicht kurbelten ein paar Kalorien sein Gehirn an.

»Ich gehe schnell etwas essen«, sagte er. »Ich bin ständig erreichbar. Lassen Sie es mich wissen, wenn es etwas Neues gibt?«

Helen zögerte, sagte dann aber: »Ja. Mach ich.«

Er wusste, was er ihr abverlangte. »Danke. Das ist nicht selbstverständlich, ich weiß. Ich werde Ihnen das nicht vergessen, Sergeant.«

In dem darauffolgenden Schweigen schwang deutlich mit, was Helen dachte: Dass Caleb zumindest beruflich nie wieder in einer Position sein würde, sich erkenntlich zu zeigen für das, was sie jetzt tat.

Sie beendeten das Telefonat, und Caleb stieg aus dem Auto. Trotz der Wärme zog er sein Jackett an, sein Hemd war blutig an der Schulter, wo er sich an den Glasscherben des Fensters im Haus der Dales' geschnitten hatte. Er atmete den Geruch von frisch gemähtem Gras. Ein wunderschöner Augusttag.

Ein Tag, der jede Sekunde den Tod für Kate bringen konnte.

Das Pub hatte zur Rückseite hin einen kleinen Garten, und Caleb setzte sich an einen Tisch unter einem Baum. Außer ihm war nur ein junges Paar anwesend, das sich an den Händen hielt und nichts und niemanden ringsum bemerkte. Und ein älterer Mann, der einen Kaffee trank und den *Observer* las.

Caleb studierte die Speisekarte, bestellte dann ein Stück Quiche, einen grünen Salat und ein Mineralwasser. Er versuchte sich ein wenig zu entspannen, den Frieden und die Wärme des Tages auf sich wirken zu lassen. Er wusste, dass krampfhaftes Grübeln meist zu nichts führte. Das Laufenlassen der Gedanken allerdings in diesem Fall auch nicht. Weil es nichts, *nichts* gab, woran sich die Gedanken festhalten konnten.

Sein Handy piepte. Eine Nachricht von Helen. Er griff danach wie der Ertrinkende nach dem Strohhalm, aber was er las, ließ seine Hoffnung wieder in sich zusammenfallen.

Nichts Neues, Chef, leider. Nur die Vermisstenmeldung von Alice Coleman. Dachte, die interessiert Sie vielleicht. Bringt meiner Ansicht nach aber keine neuen Erkenntnisse.

Es folgten Alice Colemans Daten, sodann eine kurze Wiedergabe dessen, was ihre Lebensgefährtin auf der Polizeiwache berichtet hatte. Der Bericht des Beamten, der zu dem Auto gerufen worden war, das leer und unverschlossen am Rande einer Landstraße in Somerset gestanden hatte.

Nichts, was Caleb nicht schon wusste.

Zuletzt folgte eine Fotografie von Alice Coleman. Sie stand an einem Strand, vermutlich in Cornwall. Ihre Haare waren vom Wind zerzaust. Sie lächelte, aber es wirkte bemüht. Sie sah aus wie eine tieftraurige Frau, die sich anstrengt, auf einem Bild ein wenig freundlich zu wirken.

Caleb starrte das Foto an.

»Das gibt's doch nicht«, sagte er. Das junge Paar blickte ihn irritiert an.

Er sprang auf.

7

Sie hatte Schmerzen und Fieber, Hunger und Durst. Das wunderte sie. Früher, wenn sie krank gewesen war und Fieber gehabt hatte, war Essen undenkbar gewesen. Aber da war sie nicht so ausgehungert gewesen. Das war vermutlich der Grund. Inzwischen war sie überzeugt, dass Ian vorhatte, sie einfach verhungern zu lassen. Damit konnte er Erfolg haben. Vielleicht erledigte sie auch vorher schon eine Sepsis.

Ihr war klar, dass sie nicht sterben wollte. Obwohl sie ziemlich sicher war, dass sie sich vermutlich nie wieder im Leben würde bewegen können und dass sie ein Leben in völliger Bewegungslosigkeit irgendwann vielleicht nicht mehr wollen würde. Dann konnte sie erneut über den Tod nachdenken. Über einen selbstbestimmten Tod.

Sicher war sie jedoch: Sie wollte nicht *so* sterben. Nicht in diesem Zimmer. Nicht in diesem Haus. Nicht langsam und qualvoll.

Und nicht, weil Ian Slade es wollte.

Tatsache war, dass sie schlechte Karten hatte.

Auf jeden Fall durfte sie nicht mehr weinen. Sie hatte festgestellt, dass Weinen sie schwächte. Ob es ihr allerdings etwas brachte, nicht zu weinen, wusste sie nicht.

Realistisch betrachtet gab es keine Strategie, die ihr wirklich half.

Sie vernahm Schritte, die sich der Tür ihres Zimmers näherten, und unwillkürlich spannte sie ihre Muskeln an. Zumindest die, die sich noch anspannen ließen, was zumindest einige waren.

Die Tür ging auf. Dahinter brannte Licht, das war allerdings immer der Fall, wie sie beobachtet hatte, auch am Tag.

Ein dunkler Flur ohne Fenster. Eine von vielen Erkenntnissen, die ihr nicht weiterhalfen.

Die große, massige Gestalt von Ian Slade neigte sich über sie. Sophia zwang sich, ihn anzublicken, obwohl sie unwillkürlich die Augen hatte schließen wollen.

Er grinste. »Hallo, Sophia. Wie geht es dir?«

Fick dich, hätte sie gerne entgegnet. Aber nach wie vor konnte sie nicht sprechen.

»Du hast sicher Hunger und Durst«, sagte er, eine schlecht gespielte Besorgnis in der Stimme. Er setzte eine Tasse mit

Wasser an ihre Lippen. Sie hätte sie ihm ins Gesicht schleudern mögen, aber dazu hätte sie fähig sein müssen, sich zu bewegen, und zudem wäre es unklug gewesen. Sie war dabei, völlig zu dehydrieren. Sie konnte es sich nicht leisten, Wasser zu verschwenden.

Er ließ sie eine Weile trinken, dann fütterte er sie mit pürierten Kartoffeln und Gemüse. Salzig und kräftigend, sie spürte es sofort. Aber es gab kaum etwas, was sie so verabscheute, wie sich von ihm füttern zu lassen wie ein Kleinkind. Bohrender Hunger und Vernunft ließen sie kooperieren.

»Sonst scheint alles okay zu sein«, meinte er, nachdem der Teller leer war.

Nichts war okay, aber wie hätte sie es ihm erklären sollen? Und sich von ihm den Katheter wechseln zu lassen … Sie zweifelte, ob er das konnte. Und bei dem Gedanken an seine Hände zwischen ihren Beinen hätte sie sich übergeben mögen.

Er berührte kurz ihre Wange. »Du fühlst dich ziemlich heiß an. Hast du Fieber?«

Wann kapierte er, dass sie seine Fragen nicht beantworten konnte? Aber vielleicht ging es ihm darum sowieso nicht.

»Irgendetwas hast du dir eingefangen«, sagte er. »Du glühst wirklich. Ich werde dir eine Paracetamol geben. Damit du länger durchhältst.«

Paracetamol und *länger durchhalten* klang aus Ians Mund nicht nach etwas, das Mut machte. Eher im Gegenteil.

»Obwohl«, fügte er hinzu, »du dir wahrscheinlich wünschen wirst, dass es schneller geht.« Er grinste.

Wovon redest du, Arschloch?

Er strich ihr eine Haarsträhne aus der Stirn. »Die Polizei ist dicht an mir dran. Ich muss dich wegschaffen. So leid es mir tut.«

Komm, spuck aus. Die Angst würgte in ihrem Hals.

Slade neigte sich tiefer über sie. »Ich vergrabe dich, mein Schatz. Niemand wird dich jemals finden.«

Du tötest mich und vergräbst mich dann?

Er konnte nicht hören, was sie dachte, aber vermutlich ahnte er es.

»Ich habe lange überlegt, wie ich dich vernichten soll«, sagte er lächelnd. »Mir ist einfach nichts eingefallen. Ich meine, wer macht sich schon gerne an einem Stück Dreck die Finger schmutzig?« Sein Lächeln war sanft wie das eines Engels, was zusammen mit der dunklen Leere in seinen Augen grauenhafter aussah als alles, was sich Sophia vorstellen konnte. »Und was wäre die gerechte Strafe dafür, dass man ein Kind von seiner Familie getrennt und dafür gesorgt hat, dass es in einer der schlimmsten Anstalten Großbritanniens aufwachsen muss? Ich meine, das ist echt schwierig.«

Irgendwie verstand sie in diesem Moment, was er vorhatte. Ihr stockte der Atem. Trotz des Fiebers wurde ihr plötzlich kalt. Nicht einmal er … nicht einmal er konnte so etwas tun.

»Eine komfortable Kiste«, sagte er. »Und ein schönes Loch in der Erde. Es wird kalt sein und dunkel, Sophia. So wie meine Jugend war. Kalt und dunkel und ohne Hoffnung.«

Sie atmete immer noch nicht.

»Niemand wird dich finden. Es ist sehr einsam dort. Sehr, sehr einsam. Ich glaube nicht, dass Wanderer dort vorbeikommen. Wenn doch … Du kannst ja leider nicht schreien.«

Sie starrte ihn an.

Er lachte. »Mach nicht so ein Gesicht! Hast du ernsthaft

geglaubt, du kommst einfach so davon? Nach allem, was du mir angetan hast? Wusstest du nicht, dass man immer bezahlt? Immer?«

Er schob beide Arme unter sie und hob sie hoch. »Lass uns gehen«, sagte er.

In ihrem Kopf formte sich der Schrei.

Ein Schrei der Angst, der Verzweiflung, des Schmerzes. Er war lauter als jeder Schrei, den Sophia je gehört hatte.

Und doch war er lautlos.

8

Der Augustabend war noch hell, aber es würde nicht mehr lange dauern, bis die Dämmerung kam. Der Spaziergang in der Wärme war anstrengend gewesen, aber besser, als immer nur die Wände anzustarren.

Und sich zu fragen, ob man das Richtige tat.

Es hatte sich zu Beginn richtig angefühlt, aber jetzt tat es das nicht mehr. Schon lange nicht mehr. Und es lief auch alles anders als geplant. Nichts von dem, was ihr versprochen worden war, hatte sich erfüllt. Stattdessen diese arme gelähmte Frau, die hilflos in dem kleinen hinteren Zimmer lag und dringend medizinische Hilfe gebraucht hätte. Und nun auch noch die Polizistin … Welche Rolle spielte sie, warum hatte Ian sie entführt und verschleppt? Und warum tauchte Sascha nicht mehr auf?

Wenige Schritte vor der Haustür blieb sie stehen, strich sich die Haare aus der Stirn. Die Frage war, ob sie aussteigen sollte. Einfach verschwinden. Die Polizei rufen? Für immer, sie ahnte es, von Ian Slades Rache verfolgt zu werden.

Sie hatte Angst.

Sie kramte den Haustürschlüssel aus der Tasche ihrer Jeans.

Im selben Moment packten zwei Arme sie von hinten, hielten ihre Taille und ihren Hals fest umklammert, und eine Männerstimme sagte an ihrem Ohr: »Wagen Sie nicht zu schreien! Kein Laut!«

Tatsächlich war sie viel zu erschrocken. Sie gab nicht den geringsten Mucks von sich.

»Mrs. Coleman? Mrs. Callaghan? Oder soll ich sagen: Mrs. Walsh? Wie werden Sie denn am liebsten genannt?«

Sie rührte sich nicht.

Ihr Angreifer bog ihr die Finger auseinander, mit denen sie wie in einem Klammergriff den Schlüssel festhielt. Er nahm ihr den Schlüssel ab. Sie leistete nicht den geringsten Widerstand.

Sein Griff lockerte sich, er drehte sie zu sich um.

»Oh«, sagte sie überrascht. Der Polizist, der am Mittag da gewesen war. Sie erinnerte sich nicht an seinen Namen. Aber es war das zweite Mal innerhalb von knapp drei Tagen, dass die Polizei hier vorstellig wurde, und als sie das Ian später erzählt hatte, war er wütend geworden. »Verfluchte Scheiße. Das wird zu heiß hier. Wir müssen so schnell wie möglich weg.«

»Was wird aus den Gefangenen?«, hatte sie zu fragen gewagt und war sich dabei vorgekommen wie in einem schlechten Film. Gefangene … Sie hatte nie gedacht, dass es Gefangene geben würde.

»Da habe ich schon einen Plan. Den brauchst du nicht zu kennen. Ich erledige das alles.«

Und jetzt war der Polizist zurückgekehrt.

Sie empfand Erleichterung.

»Detective Chief Inspector Caleb Hale«, stellte er sich noch einmal vor. »Sie erinnern sich?«

Sie nickte. »Ja.«

»Sie sind Alice Coleman. Ehemals Walsh. Ich habe Sie auf dem Bild erkannt, mit dem Ihre Lebensgefährtin nach Ihnen sucht.«

Sie seufzte. Abstreiten hatte keinen Sinn, und warum hätte sie das auch tun sollen? Es war ohnehin alles am Ende, und das war gut so.

»Wird Sophia Lewis in diesem Haus festgehalten? Und Kate Linville?«

»Ja. Sophia Lewis. Und eine Polizistin. Ich weiß nicht, wie sie heißt.«

»Wo ist Ian Slade im Moment?«

»Ich weiß es nicht.«

»Könnte er im Haus sein?«

»Ja. Ich war zwei Stunden lang spazieren. Ich weiß wirklich nicht, wo er ist.«

»Er ist immer noch bewaffnet, nehme ich an?«

»Ja.«

»Okay. Sie bleiben draußen. Am besten jenseits des Grundstücks und so, dass Sie durch einen Baum oder ein Gebüsch geschützt sind. Verstanden?«

»Ja.«

Sie verließ den Garten, zog sich hinter eine Baumgruppe zurück. Beobachtete, wie Caleb Hale die Haustür aufschloss und schließlich im Inneren des Hauses verschwand. Sie betete, dass Ian nicht da sein möge. Dieser Hale hätte keine Chance gegen ihn. Nicht gegen seine Waffe.

Und wahrscheinlich auch nicht gegen seine absolute Skrupellosigkeit.

Normalerweise wäre das der Moment gewesen, Verstärkung anzufordern, aber Caleb konnte sich nicht aus der Deckung wagen – nicht nach alldem, was er an diesem Tag bereits angerichtet hatte. Wahrscheinlich wäre es ihm sowieso nicht bewilligt worden. Den Chief Superintendenten hätte der Schlag getroffen, wenn er auf diese Weise erfuhr, dass Caleb unverdrossen weiterermittelte.

Er tastete sich durch alle Räume des glücklicherweise nur eingeschossigen Hauses. Wohnzimmer, zwei kleine Zimmer, jeweils mit einer Schlafcouch, das Bad, ein weiteres Zimmer … In einem der hinteren Zimmer stieß er auf eine Rolltrage, wie sie für Krankentransporte benutzt wurde. Sie war leer.

Eine Stimme sagte ihm, dass Ian Slade tatsächlich nicht da war und dass es kein gutes Zeichen für Sophia Lewis' Schicksal war, dass dieses Rollbett, auf dem sie nach ihrer Entführung gelegen hatte, leer war. Er kam an der Küche vorbei, öffnete die nächste Tür, hielt sich vorsichtig in der Deckung der Wand.

Und sah Kate.

Sie kauerte, im Licht einer einsam von der Decke baumelnden Glühbirne, in einer Ecke, an Händen und Füßen gefesselt und mit einem breiten Streifen dunkelbraunen Paketklebeband über dem Gesicht. Sie gab würgende, keuchende Laute von sich, als sie seiner ansichtig wurde.

Er war mit einem Satz neben ihr. Er wusste, dass er ihr wehtat, aber sie schien dem Ersticken nahe, und so riss er das Klebeband mit einem einzigen kräftigen Ruck von ihrem Gesicht. Vor Schmerz schossen ihr die Tränen in die Augen. Er zog ihr einen dicken Socken aus dem Mund. Ihn schauderte, sie musste furchtbar gelitten haben.

»Wasser«, brachte sie mühsam hervor.

»Gleich.« Mithilfe seines Taschenmessers durchschnitt er die Nylonschnüre, mit denen der Dreckskerl sie gefesselt hatte. Caleb sah ihre blau angelaufenen Hände, und die Wut stieg nahezu unkontrolliert in ihm auf. Der Typ war ein Scheißsadist, und er konnte sich warm anziehen, wenn er ihm, Caleb, in die Hände fiel.

Er ließ Kate einen Moment alleine, lief in die Küche und sah ein paar Plastikflaschen mit Wasser auf dem Fensterbrett stehen. Er nahm eine davon und kehrte zurück. Kate trank wie eine Verdurstende. Dann sagte sie, mit einer Stimme, die immer noch fremd klang: »Wo ist Sophia Lewis?«

»Weg. Ich schätze aber, sie war hier. Der Rollwagen aus dem Krankentransporter steht ein Zimmer weiter.«

Kate sprang auf, aber ihre Beine knickten sofort unter ihr weg. Ihre Blutzirkulation war zu lange gestört gewesen. Caleb fing sie auf. Er hielt sie in seinen Armen und konnte spüren, wie versucht sie war, dort zu bleiben, von ihm gehalten, die Augen geschlossen. Sie war so fertig, so kaputt. So am Ende ihrer Kräfte.

Aber Kate wäre nicht Kate gewesen, hätte sie in einer Situation wie dieser nachgegeben. Es war nicht der Moment, sich auszuruhen.

Sie löste sich von ihm, kam wackelig und zittrig auf eigenen Füßen zu stehen. »Er hat gedroht, sie zu vergraben. Lebendig. Dasselbe hat er mit mir vor.«

»Was?« Caleb starrte sie an. »Und Sie meinen, er ist jetzt schon dabei, sie …?«

»Es ist gut möglich.«

Ein Geräusch an der Zimmertür ließ beide zusammenzucken. Alice stand dort, mit aschfahlem Gesicht.

»Er ist nicht hier, oder?« fragte sie. »Aber er wird wiederkommen.«

»Alice Walsh«, erklärte Caleb. »Oder vielmehr, Alice Coleman, wie sie jetzt heißt.«

»Alice Walsh«, wiederholte Kate.

»Ich nehme an, das hier ist immer noch Ihr Haus?«, fragte Caleb. »Das Haus, in dem Sie damals mit Ihrer Familie wohnten?«

Alice nickte. »Ich habe es nie verkauft. Ich war aber auch nie mehr hier. Bis vor knapp zwei Wochen.«

»Warum, um alles in der Welt«, fragte Kate, »machen Sie gemeinsame Sache mit Ian Slade?«

Es war nicht der Zeitpunkt, Dinge zu klären. Aber sie verstand es nicht, verstand nicht, wie *irgendjemand* ... mit diesem Irren ...

»Sascha meldete sich bei mir«, erklärte Alice. »Nach seiner Entlassung im vergangenen Jahr. Ich hatte Kontakt mit ihm gehalten über die Jahre, er hatte meine Handynummer. Ich hatte meiner Lebensgefährtin von alldem nichts erzählt, sie wusste nichts von Sascha, nichts von Lena. Und ich wusste auch nicht, wie ich es ihr hätte erklären sollen.«

»Das verlassene Auto in Somerset ...«, sagte Caleb, und Alice nickte. »Mein Ausbruch. Ich habe mich sehr lange gequält, aber schließlich entschieden, dass ich ein neues Leben möchte. Ein Leben mit Sascha. Ich hatte etwas gutzumachen.«

Caleb wusste nicht viel über Alice Coleman, aber was er wusste, passte zu diesem Verhalten. Sie war kein böser Mensch, obwohl es eigenartig klang, dies über eine Kindsmörderin zu sagen. Aber sie war sich und ihren Stimmungen und Emotionen, ihren Ängsten und Paniken vollständig ausgeliefert. Ihre inneren Dramen beherrschten sie bis hin zur grausamen Rücksichtslosigkeit gegenüber anderen. Dem Problem, ihrer Lebensgefährtin unangenehme Tatsachen aus ihrem Leben erklären zu müssen, entzog sie sich, indem sie einfach abtauchte. Weg war und nicht einmal darauf achtete, dass das stehen gelassene Auto schlimmste Befürchtungen heraufbeschwor: Gedanken an ein Verbrechen. Die schlaflosen Nächte, die Tränen der Frau, mit der sie einmal gelebt hatte, interessierten sie nicht, sie realisierte vermutlich nicht einmal, dass die andere durch die Hölle gehen würde. Im Grunde sah Alice nur sich. Immer nur sich. Auch als sie entschied, sich mit Sascha zusammenzutun, um *etwas gutzumachen*. Im Grunde war es nur ein weiterer Versuch, sich selbst zu therapieren.

»Verabredungsgemäß wurde ich an diesem Weg in der Nähe von Taunton von einem Freund von Sascha abgeholt. Ian Slade. Er gefiel mir nicht, ganz und gar nicht, aber zu diesem Zeitpunkt hatten die Dinge bereits eine Eigendynamik entwickelt.« Sie zuckte hilflos mit den Schultern. Es war klar, was passiert war: Sie war plötzlich in die Racheorgie des Ian Slade hineingeraten, und ganz schnell hatte sie nicht mehr gewusst, wie sie den Absprung finden sollte.

»Als er anfing, seine Opfer hier bei Ihnen zu deponieren«, sagte Caleb, der bewusst eine zynische Ausdrucksweise wählte, »die querschnittsgelähmte Frau, dann Kate, eine Polizistin … Da hatten Sie immer noch nicht das Gefühl, dass es besser wäre, zur Polizei zu gehen?«

»Ich hatte Angst«, sagte Alice schlicht, und tatsächlich konnte ihr das Caleb nicht einmal wirklich verdenken. Vor Ian Slade keine Angst zu haben wäre geradezu fahrlässig gewesen. Aus gehetzt flackernden Augen blickte sie sich um. »Er kann jeden Moment wieder hier sein. Oh Gott, ich mache mir solche Sorgen um Sascha!«

Caleb entschied, dass dies nicht der Moment war, ihr zu sagen, dass Sascha tot war – erschossen von dem Mann, den er als *Freund* bezeichnet und wahrscheinlich wirklich als solchen empfunden hatte. Aber wenn Alice jetzt zusammenbrach, würde es alles nur noch mehr verkomplizieren.

So drückte er nur kurz ihren Arm – in einer aufmunternden Geste, die beides sein konnte: Hoffnung wie Trost.

»Sollten wir Verstärkung anfordern?«, fragte Kate. »Ich kann das jederzeit machen, ich …« Sie schluckte den Rest des Satzes hinunter. *Ich bin im Dienst,* hatte sie sagen wollen.

»Ich bräuchte nur Ihr Handy, Caleb«, sagte sie stattdessen.

»Das Problem ist …«, sagte Caleb.

Sie verstand sofort, was er meinte. »Wenn er zurückkommt und hier wartet die Polizei auf ihn – sagt er uns dann, wo Sophia ist?«

»Ich würde dafür nicht die Hand ins Feuer legen«, sagte Caleb. »Selbst wenn ihm das bei der Festsetzung seines Strafmaßes positiv angerechnet werden würde.«

»Ob das noch einen Unterschied macht?« Kate sah ihn ängstlich an. »Hat DI Stewart überlebt?«

»Nein«, sagte Caleb.

Kate stöhnte auf. Sie hatte ihre Probleme mit Stewart gehabt, aber ihn tot zu wissen, einfach abgeknallt auf der Treppe eines Mehrfamilienhauses in Leeds, war unerträglich. Hinzu kam, Ian hatte damit, zusätzlich zu dem mutmaßlichen Mord an Jack Gregory und dem Mord an dem Fahrer des Krankentransporters, einen Polizistenmord auf dem Gewissen. Und Sascha hatte er auch getötet … Er würde so oder so für sehr lange Zeit ins Gefängnis gehen. Das machte ihn unter Umständen wenig verhandlungsbereit.

»Aber vielleicht wäre er trotzdem zu einem Deal bereit«, meinte Caleb, als habe er ihre Gedanken gelesen, »Strafmilderung, wenn er das Versteck von Sophia Lewis preisgibt.«

»Wir müssen uns beeilen«, sagte Alice angstvoll drängend.

Caleb und Kate sahen einander an.

»Zu riskant«, sagte Kate.

Ian war irre. Mitzuerleben, wie sämtliche Ermittler um ihn herum fast wahnsinnig wurden, weil er ihnen nicht sagte, wo er Sophia vergraben hatte, würde ihn so befriedigen, dass er dafür sogar länger ins Gefängnis gehen würde. Zumal er vermutlich sowieso mit einer lebenslangen Sicherheitsverwahrung rechnen musste.

»Jetzt tut doch etwas«, stöhnte Alice. Sie blickte sich ständig voller Angst um, als erwarte sie, ihn jeden Moment hinter sich aufzutauchen.

»Es gibt nur einen Weg«, sagte Kate.

Caleb verstand sofort, was sie meinte. »Nein. Kommt nicht in Frage.«

»Er will dasselbe mit mir machen. Wenn Sie uns folgen …«

»Er kann einen völlig anderen Ort wählen.«

»Das Risiko müssen wir eingehen.«

»Zum Teufel, nein«, sagte Caleb. »Das birgt viel zu viele Risiken. Was, wenn ich sein Auto aus den Augen verliere? Wenn er mich bemerkt und abhängt. Das ist ausgeschlossen, Kate.«

»Sehen Sie eine andere Möglichkeit? Um Sophia zu retten?«

Er schwieg.

»Uns läuft die Zeit weg«, drängte Kate. Sie standen schon viel zu lang in dem Haus herum. Jeden Moment konnte Ian auftauchen.

»Wo steht eigentlich Ihr Auto, Caleb?«

»Ein Stück entfernt. Er wird es nicht sehen, wenn er zurückkommt.«

»Ich habe es auch nicht gesehen«, sagte Alice.

»Wenn ich euch verliere …«, setzte Caleb erneut an, aber Kate machte eine fuchtelnde Handbewegung. »Sie kennen die Richtung, in die wir fahren. Das Kennzeichen habe ich mir gemerkt, als ich in Leeds einsteigen musste, ich schreibe es Ihnen auf. Dann setzen Sie den gesamten Polizeiapparat der Region in Bewegung.«

Er sah sie an. »Es kann trotzdem schiefgehen, Kate.«

»Ich weiß«, sagte sie.

»Worüber wir hier gerade sprechen«, sagte Caleb, »ist Wahnsinn, und es ist gegen jede Vorschrift, das wissen Sie?«

»Dass Sie hier überhaupt stehen, Caleb, ist schon gegen jede Vorschrift.«

»Ich habe nicht mehr viel zu verlieren.«

»Wenn wir jetzt die Kollegen rufen«, sagte Kate, »spricht Slade kein Wort mehr. Jede Wette. Und auf mich als Lockvogel lassen sich die nicht ein. Entweder wir agieren jetzt eigenmächtig, und zwar schnell, oder Sophia ist verloren. Mehr Möglichkeiten gibt es nicht.«

»Okay«, sagte Caleb. »Sie haben Ihr Handy nicht mehr, Kate?«

»Nein. Das habe ich in Walshs Haus verloren.«

»Dann bekommen Sie mein Handy. Sie müssen in der Lage sein, Kontakt aufzunehmen, und wir müssen Sie orten können.«

»Und Sie?«

»Ich habe ein Prepaidhandy«, sagte Alice, »das können Sie nutzen.«

»Ich habe ein Scheißgefühl«, sagte Caleb.

»Los jetzt«, sagte Kate. »Was wir alle definitiv nicht haben, ist Zeit!«

9

Ian Slade hatte die unbestimmte Ahnung, dass etwas nicht stimmte, aber außer seinem Instinkt, der diffuse Warnungen sendete, gab es keinen Hinweis.

Alles war still im Haus. Alice war nirgends zu sehen, was aber nicht ungewöhnlich war. Sie unternahm ständig lange, einsame Spaziergänge. Sie hatte sich alles ganz anders gedacht, und es war offensichtlich, wie sie die Umstände immer mehr verstörten. Erst Sophia, dann Kate. Alice hatte nicht kapiert, was eigentlich vor sich ging, aber natürlich inzwischen gemerkt, dass sie dabei war, sich in eine ganz ungute Geschichte zu verstricken. Ein paar Mal hatte Ian überlegt, ob es besser wäre, sie auszuschalten. Sie stand ohnehin auf seiner Vergeltungsliste. Stellte sie zudem ein Risiko dar? Sie war starr vor Angst. Angst vor ihm. Um sich und um Sascha. Er glaubte nicht, dass sie irgendetwas unternehmen würde, aber er hatte ihr nie völlig vertraut. Die Frau war nicht berechenbar. Schwer depressiv. Ziemlich durchgeknallt. Er war nicht zimperlich, aber er fand es krass, das eigene Kind in der Badewanne zu ertränken. Und was sie mit Sascha gemacht hatte, war auch ein starkes Stück. Wobei da wohl ihr Mann, dieser Kotzbrocken, die treibende Kraft gewesen war. Aber man machte mit, oder man machte nicht mit. Und Alice hatte sich nicht widersetzt. Sie hatte zugesehen, wie man Sascha wegbrachte. Gott, hatte diese Frau viel Scheiße in ihrem Leben angerichtet.

Letztlich hatte er sie Sascha zuliebe nicht eliminiert. Zumindest bislang noch nicht. Aus irgendeinem Grund hing Sascha an ihr, und solange er ihn brauchen konnte, wollte er nicht riskieren, dass er einen Nervenzusammenbruch erlitt oder gänzlich durchdrehte. Tatsächlich war Alice dann auch von Nutzen gewesen, als die Polizei in ihrem Haus aufkreuzte – womit Ian gerechnet hatte, nachdem klar war, dass Saschas und seine Identität und ihre Verbindung aufgeflogen waren. Er hatte Alice einen anderen Namen und ein paar wesentliche Fragmente glaubwürdiger Lebensumstände eingetrichtert – geschieden, alleinerziehend, die Kinder im Ferienlager, verbittert, einsam –, und Alice hatte das gut rübergebracht. Was wohl auch daran lag, dass etliche der Attribute tatsächlich auf sie passten: Sie war einsam und verbittert. Total frustriert.

Wäre Ian an ihrer Stelle auch gewesen.

Er hatte Sascha erschossen, weil der sonst das Versteck hätte auffliegen lassen. Ihm war klar, dass Alice in dem Moment die Seiten wechseln würde, da sie davon erfuhr. Kein Problem, sie vorher zu erledigen, aber es kam hinzu, dass die Polizei inzwischen zweimal hier gewesen war, und beim zweiten Mal war er hellhörig geworden. Was ahnten die? Waren sie schon dabei, die Puzzlestücke zusammenzusetzen? Ihm blieb keine Zeit mehr. Die beiden Frauen mussten fortgeschafft werden, er selbst musste zusehen, dass er außer Landes kam. Sophia Lewis einen qualvollen Tod zu bescheren war ihm eine Herzensangelegenheit gewesen – und fast vier Fuß unter der Erde in einem gottverlassenen Waldstück lebendig in einer Holzkiste zu liegen war *verdammt* qualvoll –, aber Kate Linville hatte ihm im Prinzip nichts getan. Na ja, sie hatte gegen ihn ermittelt, aber das war nun mal ihr Job. Obwohl Polizist in seinen Augen kein Beruf, sondern ein Charakterfehler war.

Fast war er versucht gewesen, sie einfach gefesselt und geknebelt, wie sie war, bei Alice zurückzulassen und kein Risiko mehr einzugehen: Wer wusste, ob Alice nicht inzwi-

schen gekippt war, vielleicht sollte er einfach schnellstmög-
lich das Weite suchen, nachdem er Sophia vergraben hatte.
Aber dann dachte er, dass es sinnvoll sein könnte, eine Geisel
mitzunehmen. Eine Polizistin in seiner Gewalt würde ihm
eine Menge Freiraum verschaffen. Ihre Kollegen würden
nicht einfach das Feuer auf ihn eröffnen können, sollten sie
ihn plötzlich schnappen. Er würde freien Abzug fordern, an-
dernfalls drohen, Kate eine Kugel durch den Kopf zu jagen.
Sein Plan war, mit ihr zusammen Frankreich zu erreichen,
sich von dort irgendwie auf den Balkan durchzuschlagen.
Dort unterzutauchen stellte er sich ziemlich einfach vor.
Kate würde er dann ausschalten. Ihr Pech. Sie hätte schließlich auch etwas Anständiges lernen können.

Wenn er nur nicht dieses dumme Gefühl hätte. Dieses
verdammte Gefühl einer nicht fassbaren Bedrohung.

Er durchquerte das Haus vorsichtig, ständig auf der Hut,
schaute in jeden Raum. Alice war tatsächlich nicht da. Die
Haustür war abgeschlossen gewesen. Blöde Schlampe. Sie
hätte daran denken können, dass er auch einmal etwas essen
musste. Wäre ihr ein Zacken aus der Krone gebrochen, wenn
sie ihn mit einer fertigen Mahlzeit erwartet hätte? Aber in
der Küche stand nichts auf dem Herd, es roch auch nicht so,
als ob jemand etwas gekocht hätte. Vermutlich hatte sie
nicht einmal eingekauft, sodass es auch kein Brot und Käse
oder etwas in dieser Art gab. Wovon lebte sie selbst eigentlich? Sie war klapperdürr. Zu ihrer verqueren Form der
Selbstbestrafung gehörte es vermutlich, dass sie absichtlich
bis auf die Knochen abmagerte.

Vollkommen gestört.

Kate kauerte in genau der Position, in der er sie zurückgelassen hatte, in dem kleinen Zimmer neben der Küche. Er
musste grinsen, als er ihre verrenkten Glieder sah. Er hatte

die Schnüre ganz schön eng gezogen. Sie musste ziemliche Schmerzen leiden. Am meisten quälte sie sicher der Socken in ihrem Mund.

Er riss Kate den Klebestreifen vom Gesicht und puhlte den Socken aus ihrer Mundhöhle. Mann, wer trug denn auch Wollsocken im August? Typisch für eine derart uneitle Frau, wie es diese Kate war. Braune, bequeme Halbschuhe. Und Wollsocken.

»Wasser«, keuchte Kate.

»Später«, sagte Ian. »Wir müssen jetzt erst mal sehen, dass wir hier wegkommen.«

Mit einem Taschenmesser durchschnitt er ihre Fußfesseln. »So. Damit du laufen kannst.«

»Können Sie bitte meine Hände losbinden? Ich habe kein Gefühl mehr in den Fingern.«

»Tut mir leid. Zu gefährlich.« Er würde den Teufel tun, ihre Arme zu befreien. Zwar war er bewaffnet und sie nicht, aber als Polizistin war sie möglicherweise in Nahkampftechniken ausgebildet und würde es schaffen, ihn zu überwältigen. Er musste auf der Hut sein. Sie war zäh und klug. Niemals würde sie sich widerstandslos ihrem Schicksal fügen.

Es würde nicht so einfach sein wie mit der völlig bewegungsunfähigen Sophia.

»Steh auf«, befahl er.

Schwankend kam sie auf die Füße. Es dauerte einige Augenblicke, ehe sie stehen konnte.

»Kann ich bitte Wasser haben?«, wiederholte sie.

»Wenn wir im Auto sind. Los jetzt.«

Er wollte weg, nichts wie weg. Ungeduldig packte er ihren Arm und zerrte sie den Flur entlang. Durch die lange Bewegungslosigkeit war sie noch immer total ungelenk und wäre zweimal fast gefallen.

»Ich kann nicht richtig laufen.«

»Stell dich nicht so an! Verdammt noch mal, denkst du, ich habe ewig Zeit?«

»Kommt Sophia Lewis auch mit?«

Er grinste. »Die ist schon weg.«

»Wo ist sie?«

»Hab ich dir gesagt.«

Sie blieb stehen. »Das haben Sie nicht getan!«

»Klar habe ich das getan. Ich tue immer, was ich sage.«

»Mr. Slade, Sie machen sich in höchstem Maße strafbar, das wissen Sie. Egal, was Sie bisher getan haben, das hier hat noch eine andere Dimension. Wenn Sie mir jetzt sagen, wo Sophia ist, wenn Sie aufgeben, dann werde ich mich beim Staatsanwalt ...«

»Halt's Maul! Was für ein Scheißdeal soll das sein? Zwei Jahre weniger Knast, oder wie?« Er brachte sein Gesicht ganz nah an ihres und registrierte mit Befriedigung, dass sie leicht zurückzuckte. »Ich geh überhaupt nicht in den Knast, merk dir das. Wir beide, du und ich, wir verlassen England. Ich werde mich auf dem Kontinent in Luft auflösen. Und du bist mein verdammter Schutzschild, falls auf dem Weg dahin deine Kollegen irgendwelchen Ärger machen. So läuft das, und deshalb hör auf, mich mit deinem Scheißgeschwätz zu nerven.«

»Mr. Slade, wenn Sie Sophia wirklich vergraben haben ...«

»Du kannst Gift drauf nehmen, dass ich das getan habe.«

»Hören Sie, ein so monströses Verbrechen bringt Sie für den Rest Ihres Lebens ins Gefängnis. Ich biete Ihnen an, dass Sie England verlassen können, ohne dass jemand Sie an der Grenze festhalten wird, wenn Sie mir jetzt sagen, wo Sophia ist.«

»Ich bin doch nicht geisteskrank. Natürlich nehmen die mich an der Grenze fest!«

»Es wird entsprechende Anweisungen geben, Sie nicht aufzuhalten.«

Er grinste. Gott, war die Alte bescheuert. Und was noch schlimmer war: Sie hielt auch ihn für völlig hirnamputiert.

»Ganz ehrlich, *Kate Linville*«, er sprach ihren Namen geziert und verächtlich aus. »So ein hohes Tier sind Sie nicht. Ich kenne mich ein bisschen aus. *Detective Sergeant*. Sie können mir so etwas gar nicht versprechen, Ihre Vorgesetzten machen Hackfleisch aus Ihnen und heben das sofort wieder auf. Ganz abgesehen davon: Ich habe keine Lust, die Schlampe Sophia zu retten. Nicht die geringste Lust. Sie bekommt, was sie verdient. Daran ändere ich nichts.«

»Man wird Sie jagen. Und man wird Sie finden.«

»Was du nicht sagst, Sergeant!«

»Mr. Slade ... Ian ...«

»*Mr. Slade ... Ian ...*«, äffte er sie mit hoher, gekünstelter Stimme nach. »Halt den Mund, oder ich erschieße dich auf der Stelle. Jetzt und hier. Kapiert?«

Sie öffnete den Mund, setzte zu einer Erwiderung an, und er dachte gerade, dass es das Beste wäre, ihr erneut den Socken in den Rachen zu schieben, anders war diese penetrante Polizistin offenbar nicht ruhigzustellen, da hörte er ein Brummen.

Ein Vibrationsgeräusch.

Er erstarrte.

Am Körper dieser verdammten Frau brummte etwas, und er hatte sich überzeugt, dass sie kein Handy hatte. Aber das Brummen *war* ein Handy.

Seine Intuition trog ihn eben nie. Er hatte gewusst, dass etwas nicht stimmte.

10

Er hörte den Motor des Autos, und dann schoss der verrostete Ford Transit schon die holprige Straße hinunter und hinterließ eine Staubwolke. Caleb war in hochgespannter Aufmerksamkeit gewesen, trotzdem zuckte er jetzt zusammen, wie kalt erwischt vom Gang der Ereignisse.

Wieso raste Ian Slade, als sei der Teufel hinter ihm her?

»Was hat der denn?«, fragte auch Alice, die auf dem Beifahrersitz kauerte.

»Sie steigen jetzt aus und verbarrikadieren sich im Haus«, befahl Caleb. »Wie besprochen. Schnell!«

Was immer passierte, er wollte Alice keinesfalls in der Schusslinie haben.

Alice sprang aus dem Wagen und schlug die Tür zu. Caleb startete sofort. Er hatte Ians Auto bereits aus den Augen verloren, was für den Moment in Ordnung war, weil Ian ihn keinesfalls im Rückspiegel zwischen den Büschen hätte hervorkommen sehen sollen. Er wusste, dass Slade als Nächstes die Hauptstraße des Dorfes nehmen musste, einen anderen vernünftigen Weg gab es nicht, um auf die Landstraße Richtung Nottingham zu gelangen – von der aus er allerdings dann in alle möglichen Himmelsrichtungen abbiegen konnte. Bis dahin musste Caleb Sichtkontakt haben. Sein Plan war, sich im Dorf hinter ihn zu setzen. Slade konnte dann nicht mehr wissen, woher er gekommen war, er hatte ihn nie zuvor gesehen, es war relativ sicher, dass er nicht misstrauisch werden würde. Wenn der Begriff *sicher* im Zusammenhang mit dieser ganzen Aktion überhaupt angebracht war. Im Grunde war es vollkommen verrückt, was sie gerade taten. Wenn Caleb daran dachte, dass in dem

Auto, das an ihm vorbeigeschossen war, Kate lag, an Händen und Füßen gefesselt und wehrlos in den Händen eines Psychopathen, der Menschen ermordete, wie sie ihm gerade in die Quere kamen, brach ihm der Schweiß aus. Er hätte sich nicht darauf einlassen dürfen, das wurde ihm mit jeder Sekunde klarer, aber für diese Erkenntnis war es jetzt zu spät. Er verstand Kates unbedingten Willen, Sophia Lewis zu retten, und, ja, wahrscheinlich hatte sie recht, und für Sophia gab es keinen anderen Weg als den, den sie gerade zu gehen versuchten. Aber eine Rettung durfte keine Gefahr für einen anderen Menschen darstellen, das gehörte zum Einmaleins der Polizeiarbeit. Und das Risiko, das Kate gerade einging, war zu groß.

Viel zu groß.

Er hatte die Dorfstraße erreicht, die schnurgerade durch den kleinen Ort führte. Stumm und leer lag sie vor ihm. Rechts und links parkten ein paar Autos. Eine träge Ruhe lag über der Szenerie. August und Ferien. Nicht einmal Pendler, die von der Arbeit zurückkamen, waren zu sehen. Wo zum Teufel war Slade geblieben? Er durfte hier nicht allzu schnell fahren, wollte er nicht unnötig Aufmerksamkeit auf sich ziehen. Er müsste ihn noch sehen.

»Verdammt«, fluchte Caleb.

Er fuhr weiter, mit erhöhter Geschwindigkeit. Warum war Slade vorhin so gerast? Er musste sich doch in Sicherheit wiegen, warum also sollte er es riskieren, einer Streife aufzufallen, indem er ein irres Tempo vorlegte? Fast, als habe er gezielt etwaige Verfolger abhängen wollen ... Aber er konnte es nicht wissen. Er konnte es, verflucht noch mal, nicht wissen!

Caleb hatte Kate exakt wieder so gefesselt, wie er sie vorgefunden hatte. Es hatte ihm selbst körperliche Schmerzen bereitet, sie wie ein Paket zusammenzuschnüren und zu wissen, wie qualvoll sich diese Fesselung schon nach kurzer Zeit für sie anfühlen würde. Aber sie hatte darauf beharrt.

»Wenn er merkt, dass irgendetwas anders ist als vorher, ist alles umsonst.«

Sie hatte den grässlichen Socken wieder in den Mund genommen, und Caleb hatte Klebeband darüber gepappt, sie hatten die Wasserflasche weggeräumt und alles wieder so hergestellt, wie es gewesen war. Die ganze Zeit über hatte Caleb den Instinkt gespürt, der ihm sagte, er solle das Unternehmen abbrechen. Aber Kate hatte eine Entschlossenheit ausgestrahlt, die es unmöglich machte, sie von dem eingeschlagenen Weg abzubringen.

Zuvor hatten sie Calebs Handy lautlos gestellt und an ihrem Körper versteckt. Kurz hatten sie beratschlagt, ob es besser wäre, es völlig auszuschalten. Kate hätte es im Zweifel wieder einschalten und den Pin eingeben müssen. Sie hatten sich dagegen entschieden, weil dieser gesamte Vorgang in einer kritischen Situation zu lange dauern konnte. Kate hatte das Handy in ihre Unterhose geschoben.

»Da verirrt er sich hoffentlich nicht hin«, sagte sie.

Caleb seufzte. »Das alles ist ...«

»Unumgänglich«, sagte Kate.

Caleb zog das Taschenmesser hervor, mit dem er vorher Kates Fesseln durchschnitten hatte. »Hier. Das nehmen Sie bitte. Nicht dass es besonders hilfreich wäre gegenüber einem mit einer Schusswaffe ausgestatteten Mann, aber es ist besser als nichts.«

»Aber wohin damit?«

Schließlich hatte es Kate in einen ihrer Schuhe gesteckt. Es drückte ziemlich, aber vermutlich würde sie nicht viel laufen müssen.

Sie hatte ein Handy und ein Taschenmesser. Caleb fand, selbst beides zusammen konnte man nur als *unzulänglich* bezeichnen.

Nun fuhr er die verdammte Dorfstraße entlang und sah keine Spur von dem schäbigen Kastenwagen und verstand einfach nicht, wie das sein konnte. Warum war Ian vorhin dermaßen schnell gestartet? Und warum hatte er dieses verrückte Tempo offenbar beibehalten? Denn sonst müsste er zu sehen sein. Caleb konnte weit genug geradeaus blicken. Er *müsste* ihn sehen.

Sein Handy piepte, genauer gesagt: das Handy von Alice. Er konnte seine eigene Nummer im Display sehen. Sie hatten sie zuvor gespeichert, damit er sofort wusste, wenn Kate anrief.

Er riss das Handy geradezu an sein Ohr. »Kate?«

»Nein, ich bin es, Alice.«

»Alice?« *Wie konnte das denn sein?*

»Das Handy lag hier im Haus. Im Flur. Daneben das Messer.«

»*Was?*«

»Er muss beides gefunden haben.«

»Das gibt's doch nicht, er hat sie erneut durchsucht?« Caleb fühlte sich plötzlich fast überwältigt von Panik, ein Gefühl, das er kaum je im Leben gehabt hatte. Er war niemand, der leicht in Panik geriet. Aber jetzt …

»Hier wird ein Anruf angezeigt«, sagte Alice. »Vor etwa zwanzig Minuten.«

»Das Ding ist auf lautlos.«

»Der Vibrationsalarm ist nicht ausgeschaltet«, sagte Alice. »Ich habe es eben überprüft.«

»Mist! Wieso haben wir daran nicht gedacht? Wieso hat er das gehört?«

»Weil man Vibration hören kann, wenn es ringsum sehr still ist«, sagte Alice. Sie klang verzweifelt.

»Verdammt, deshalb ist er so gerast. Er wusste, hier ist jemand. Er hat es darauf angelegt, uns abzuhängen.« Caleb schlug mit der Faust auf das Lenkrad. »Und er hat es geschafft.« Er fuhr an den Rand der Landstraße und hielt an. Es brachte nichts, hier weiterzufahren, Ian war nicht hier. Es war der Weg gewesen, den er logischerweise eingeschlagen hätte, wenn er sich in Sicherheit gewähnt hätte. So jedoch nahm Caleb an, dass er von der Hauptstraße im Dorf bereits nach rechts oder links in die Siedlungen abgebogen war und dann über eine Nebenstraße oder vielleicht sogar über einen Feldweg das Weite gesucht hatte. Er war über alle Berge. In irgendeine der vier Himmelsrichtungen, und Caleb hatte keine Ahnung, in welche.

Ihm war zum Heulen zumute. Und das kannte er noch weniger als Panik.

Reiß dich zusammen, Caleb, befahl er sich, reiß dich zusammen, alles andere macht es nur schlimmer.

»Wer ist der Anrufer? Können Sie das sehen? Steht da ein Name?«

»Nein. Aber es ist eine Nachricht auf der Mailbox.«

»Können Sie die abrufen und mir vorspielen?« Nicht, dass es wahrscheinlich einen Sinn machte.

Alice brauchte ein paar Augenblicke, um sich mit dem fremden Handy vertraut zu machen, dann vernahm Caleb eine ihm fremde Stimme von seiner Mailbox.

»Hallo, Inspector Hale. Wir haben heute früh telefoniert. Kamil Abrowsky hier.«

Caleb stöhnte auf. Der Therapeut. Dem wahrscheinlich irgendetwas eingefallen war und der im falschesten Moment angerufen hatte.

»Ich habe nachgedacht, und mir ist etwas eingefallen«, fuhr Abrowsky fort. »Sascha hatte ein paar Mal erwähnt, dass seiner Mutter noch immer das Haus in der Gegend von Nottingham gehört. Er hatte ja nach einigen Jahren wieder regelmäßig Kontakt mit seiner Mutter und hoffte immer, sie werde eines Tages dort mit ihm leben. Ich weiß nicht, ob Sie das voranbringt? Aber Sie hatten ja gefragt, ob es einen Ort gibt, an den sich Slade und Sascha vielleicht zurückgezogen haben könnten?« Er schwieg einen Moment. »Also, vielleicht hilft Ihnen das ja«, schloss er dann. »Auf Wiederhören.«

»Idiot!«, sagte Caleb wütend. »Wenn ihm das heute Morgen eingefallen wäre, hätten wir wahrscheinlich beide retten können. Sophia wäre noch da gewesen.«

Es brachte nichts, sich zu ärgern. Vorwärts schauen. Retten, was zu retten war. *Wenn es diese Chance noch gab.*

Er beendete die Verbindung. Er hatte keine Lust, nun noch irgendeinen Kommentar von Alice zu alldem zu hören. Sie hatte lange genug mit Ian Slade gemeinsame Sache gemacht. Spätestens, als er Sophia Lewis anschleppte, hätte sie zur Polizei gehen müssen, Angst hin oder her.

Was hatte Kate gesagt? *Sie haben das Autokennzeichen und die ungefähre Gegend. Wenn etwas schiefläuft, müssen Sie eben den gesamten Polizeiapparat in Bewegung setzen.*

Es war etwas schiefgelaufen. Gründlich.

Er wählte Helens Nummer. Zum Glück meldete sie sich schnell. Er begann, diese Frau zu lieben. Ohne sie würde schon lange gar nichts mehr gehen.

»Helen, ich brauche dringend Ihre Hilfe«, begann er, »hören Sie genau zu. Folgendes ist passiert …«

11

Er war zuerst mit einem völlig überhöhten Tempo gefahren, und jede Kurve hatte sich geradezu lebensgefährlich angefühlt, aber inzwischen fuhr er zwar nicht gerade langsam, aber doch mit einer relativ normalen Geschwindigkeit. Er musste unbedingt vermeiden, einer Streife aufzufallen. Allerdings hätte die Begegnung mit einem Polizeiauto vermutlich so oder so das Ende bedeutet – inzwischen dürfte seine Nummer bekannt sein, jeder Polizist des Landes hatte Anweisung, ihn zu stoppen oder sich zumindest an seine Fersen zu heften. Er hatte eine Geisel hinten im Wagen liegen. Seine einzige Trumpfkarte.

Aller Wahrscheinlichkeit nach war es ihm gelungen, die Polizisten, die mit Sicherheit um das Haus herum positioniert gewesen waren, abzuhängen. Er hatte nicht die Hauptstraße aus dem Dorf hinaus genommen, sondern er war durch Seitengassen gejagt und hatte schließlich über einen Schotterweg das Dorf verlassen. Niemand war ihm gefolgt.

Als das Handy vibriert hatte, war er erstarrt, dann hatte er sich blitzschnell in alle Richtungen des Zimmers gedreht, die entsicherte Pistole in der Hand, bereit, auf jeden Polizisten zu schießen, der sich zeigte. Aber dann war ihm klar geworden, was es bedeutete, dass er Kate nach wie vor geknebelt und gefesselt angetroffen hatte. Mit Sicherheit lauerte die Polizei in der Nähe, aber sie würden sich nicht zeigen. Sie wollten Sophia Lewis lebend finden. Er sollte sie dorthin bringen, was bedeutete, sie würden ihn verfolgen, aber sie mussten dabei vorsichtig sein, damit ihm nichts auffiel. Er würde einen Raketenstart hinlegen müssen ... Er hoffte, dass sie nicht überall im Dorf und an sämtlichen

Ausfahrtstraßen positioniert waren. Wobei es eigentlich nur eine einzige richtige Straße gab, ansonsten Feld- und Kieswege, die zwischen Kuhweiden und Feldern entlangführten.

Er bereute es, zurückgekommen zu sein. Er hatte dieses leise Unbehagen gespürt, und nun begriff er, dass er darauf hätte hören sollen. Er hatte schon immer ein gut funktionierendes inneres Radarsystem gehabt, und es hatte sich noch jedes Mal als Fehler erwiesen, es zu ignorieren.

Aber nun war es so. Nun musste er sehen, wie er aus der Situation wieder herauskam. Er hatte keine Lust, in den Knast zu gehen. Ums Verrecken nicht!

Er hatte Kates Körper mit einer Grobheit abgetastet, die sie mehr als einmal einen Schmerzenslaut ausstoßen ließ, und er hatte das Handy wahrhaftig in ihrer Unterhose gefunden. Er hätte große Lust gehabt, ihr dafür irgendeinen richtig schlimmen Schmerz zuzufügen, aber die Zeit drängte. Vielleicht ergab sich später noch die Gelegenheit, sie für diese Heimtücke bezahlen zu lassen.

»Wie viele Bullen sind hier um das Haus herum versteckt?«, fragte er.

»Hier ist niemand«, sagte sie. Sie hatte die Dreistigkeit, selbst angesichts einer klaren Beweislage das Offensichtliche noch abzustreiten. Als Antwort darauf schlug er ihr ins Gesicht, sodass ihr Kopf wie ein Tennisball zur Seite fiel und sie aufschrie. Leider konnte er nicht all seine Kraft zusammennehmen. Dann wäre sie bewusstlos gewesen, und das hätte alles verkompliziert.

In ihrem rechten Schuh fand er ein Taschenmesser. Wütend schleuderte er es auf den Boden. Die hatten geglaubt, die hatten *wirklich geglaubt,* ihn austricksen zu können.

Er begann, sich jetzt, da sie durch die sternenklare Augustnacht fuhren, etwas sicherer zu fühlen. Kate lag hinten im Wagen, gefesselt und erneut mit Socken im Mund, auf der Matratze, die der unglückliche Jack Gregory für seine Campingreisen dort hineingelegt hatte und die inzwischen ziemlich undefinierbar stank. Nach allerlei Körperflüssigkeiten, vor allem nach Sophia Lewis' Angstschweiß. Sie hatte gewusst, was sie erwartete, als er mit ihr zu ihrer letzten Fahrt aufgebrochen war. Sie war vor Angst halb wahnsinnig gewesen, ihre Augen hatten es verraten. Aber ihn konnte sie nicht erweichen. Er hatte immer gewusst, dass sie es gewesen war, die ihn damals verpfiffen hatte. Ihre verdammte allabendliche Joggingrunde hatte sie an der leer stehenden Garage vorbeigeführt, in der er wunderbare Dinge mit dem kleinen Mädchen hätte anstellen können, das dumm genug gewesen war, mit ihm gemeinsam den Garten seiner Eltern zu verlassen. Er hatte Sophias Gesicht gesehen, als sie in die Garage gestarrt hatte. Dann war sie um ihr Leben gerannt und hatte wahrscheinlich gehofft, er habe sie nicht erkannt. Ihm war gleich klar gewesen, dass sie die Bullen holen würde.

Nach seiner Entlassung aus dem Heim hatte er ziemlich mühsam ihre Adresse herausgefunden. Nervös, wie sie wohl all die Jahre hindurch gewesen war, hatte sie sich in keinem Wohnverzeichnis registrieren lassen. Aber über frühere Bekannte aus West Bromwich hatte er erfahren, dass sie in Manchester an einer Schule unterrichtete, und dann hatte er die Schulen abgeklappert, bis er sie endlich gefunden hatte. Er hatte ihr einen anonymen Brief geschrieben, der verkündete, dass er, Ian Slade, wieder auf freiem Fuß war. Sehr amüsant zu beobachten, dass sie bald daraufhin wegzog und an einer anderen Schule neu anheuerte. Hatte Riesenangst, das dumme Stück, und das zu Recht. Da, wo sie jetzt lag, konnte sie in aller Ruhe über die Fehler nachdenken, die sie gemacht hatte. Genau genommen war es nur ein einziger Fehler: Sie hätte ihn nicht verpfeifen dürfen damals.

Vor ihm lag die dunkle, stille Landstraße. Sie fuhren in Richtung südöstliche Küste, aber nur auf Nebenstrecken. Immer wieder wechselte er auf andere Straßen. Fast nie kam ihm ein anderes Auto entgegen. Im Rückspiegel keine Lichter, schon seit über einer Stunde nicht. Niemandem war es gelungen, an ihm dranzubleiben. Herrlich! Denen ging der Arsch auf Grundeis, da war er sicher. Er hatte die Kollegin in seinem Auto, den Lockvogel, aber anstatt dass er in die Falle getappt war, saß nun sie richtig tief in der Patsche. Derjenige, der diesen idiotischen Plan geschmiedet hatte, würde in der Luft zerrissen werden. Zu schön, diese Vorstellung. Ian hätte am liebsten zu pfeifen begonnen, so gut und siegessicher fühlte er sich. Ihm war eben nicht beizukommen. Er hatte alles so verdammt clever angefangen. Sie alle auszuspionieren: Sophia. Xenia. Oliver. Alice. Es war nicht einfach gewesen, aber er war hartnäckig, er war schlau, er hatte eine großartige Kombinationsgabe. Er hatte irgendwann gewusst, wo sie wohnten, wie sie lebten. Möglich war ihm das natürlich nur gewesen, weil er sich frühzeitig das Auto organisiert hatte, eines, in dem er auch wohnen konnte und total beweglich war. Der arme Kerl, Jack Gregory, der ihn mitgenommen hatte, als er sich am Straßenrand aufgestellt und den Daumen rausgehalten hatte, wann immer sich ein Kleinlaster, ein Campingbus oder ein Kastenwagen näherte. Gregory hatte angehalten und ihn einsteigen lassen. Ian fand den uralten Ford Transit nicht gerade erstklassig, aber besser als nichts. Immerhin hatte er hinterher festgestellt, dass er bereits zum Camper umfunktioniert war: mit einer Matratze, einem Gaskocher, Geschirr und Besteck … Gregorys hatte er sich an einem einsamen Rastplatz in den Yorkshire Dales entledigt, ein sauberer Schnitt durch die Kehle, und ihn sodann in eine steile Felsenschlucht gekippt. Unwahrscheinlich, dass ihn jemals jemand dort fand.

Der Transit war ihm und Sascha ein gutes Zuhause gewesen, bis Sascha Alice überredet hatte, mit ihm gemeinsam in das Haus bei Nottingham einzuziehen. Das war deutlich komfortabler und größer. Allerdings hatten damit dann auch die Probleme begonnen: Er hatte Alice misstraut, und das Haus hatte er immer als eine Falle empfunden. Als die es sich letztlich auch erwiesen hatte. *Hätte,* korrigierte er sich in den Konjunktiv. Wäre er nicht schlauer gewesen als sie alle.

Obwohl, wenn er ehrlich war, wäre er ihnen fast ins Netz gegangen. Gerettet hatte ihn das Handy. Also ein Zufall.

Das Pfeifen, das er hatte anstimmen wollen, erstarb ihm auf den Lippen. Es war verdammt knapp gewesen. Er durfte nicht leichtsinnig werden. Er war noch lange nicht in Sicherheit.

Die Frage war, was er als Nächstes tun würde. Seinen ursprünglichen Plan, mit Kate als Geisel auf den Kontinent zu fliehen, hatte er nicht aufgegeben, aber die Situation hatte sich deutlich zugespitzt. Jedes Passagierschiff, das von irgendeinem Hafen Englands aus in den Stunden des nächsten und übernächsten Tages ablegen würde, wäre mit Polizei besetzt. Ebenso die Abfertigung am Eurotunnel in Dover. Das konnte sogar Wochen anhalten, denn sie würden nun alles daransetzen, Kate zu befreien. Sie würden ihn nicht erschießen, da sie ihn lebend brauchten, wollten sie noch irgendeine Chance haben, das Versteck von Sophia Lewis zu erfahren. Das alles gab ihm eine gewisse Sicherheit, aber nur, was seine körperliche Unversehrtheit anging. Sie wollten ihn festnehmen, und es konnte ihnen gelingen. Da machte er sich nichts vor. Trotz seiner Geisel. Er war alleine, und irgendwann würden seine Kräfte nachlassen. Noch trug ihn das Adrenalin in seinem Körper, aber er hatte schon viel zu lange nicht mehr geschlafen, und er würde keine vierundzwanzig oder achtundvierzig Stunden mehr durchhalten. Wenn er einschliefe, hatten sie ihn.

Durch den Rückspiegel spähte er in den hinteren Teil des Wagens. Es gab eine Trennwand, die bis knapp unter die Decke reichte, einen zwei Handbreit starken Spalt jedoch freiließ. Man konnte im Grunde nichts erkennen, zumal es hinten keine Fenster gab, durch die etwas Licht hineingekommen wäre – was allerdings jetzt in der Nacht auch nur wenig gebracht hätte. Aber obwohl er die Lage dadurch nicht im Blick hatte, machte er sich keine Sorgen. Kate war gut verschnürt und lag wie ein hingeworfenes, bewegungsloses Bündel auf der Matratze. Wegen der Knebelung konnte sie nicht reden, aber er wäre jede Wette eingegangen, dass sie wach war. Hellwach.

Sicher dachte sie verzweifelt über eine Möglichkeit nach zu entkommen. Dass er sie nicht zu Sophia führen würde, hatte er ihr gesagt, jetzt ging es für sie darum, sich selbst zu retten.

Was ihr nicht gelingen konnte. Armes Ding.

»Ich denke, wir verschieben unseren Trip nach Frankreich«, sagte er. Er drehte den Kopf halb nach hinten und sprach sehr laut, damit sie ihn verstand. Der alte Kastenwagen rumpelte entsetzlich, seine Geräusche übertönten alles. »Wir haben alle Zeit der Welt, nicht wahr?«

Die hatten sie natürlich nicht, vor allem, weil sie kein Geld hatten. Andererseits war er findig in solchen Dingen.

»Mir schwebt irgendein Ferienhaus vor. In Südengland.

Was hältst du von Cornwall? Nette Gegend. Ich habe ja Alice dort ausfindig gemacht. Hat mir gefallen.«

Sie erwiderte nichts. Wie auch.

»Am besten wäre ein Rentnerehepaar«, fuhr er fort. »In dem Haus. Die haben Vorräte, Bargeld und eine EC-Karte. Und sind leicht und schnell ruhigzustellen. Man kann sie im Keller einsperren. Man kann ihnen aber auch einfach das Licht ausblasen. Muss ich sehen. Wird sich ergeben.«

Es war nicht so einfach, wie er es darstellte. Auch alte Leute waren meist irgendwie vernetzt. Hatten Kinder und Enkel, Nachbarn, Freunde. Die Zeit, jemanden zu suchen, der völlig einsam im Leben stand, hatte er nicht. Er hatte sich in Oliver Walshs Wohnung ein paar Geldscheine aus einer Schublade geklaut, aber sehr weit kamen sie damit nicht. Es konnte auch gefährlich sein, in einen Supermarkt zu gehen, Tankstellen anzufahren … Er schaute vorsichtshalber gleich auf die Benzinanzeige. Viertel voll. Ewig reichte das auch nicht mehr.

Er merkte, wie ihm der Schweiß ausbrach. Gerade hatte er sich unbesiegbar gefühlt, aber kaum dachte er genauer über seine Lage nach, wurde ihm klar, wie wenig Grund er hatte, euphorisch zu sein. Er hätte nicht zurückfahren dürfen. Er hätte Sophia loswerden und dann so schnell wie möglich das Weite suchen müssen. Der Plan, mit Kate ein Schutzschild zu haben, war nicht dumm gewesen, aber er hatte ihn nicht wirklich zu Ende gedacht und vor allem hatte er bei diesem ganzen Manöver viel zu viel Zeit verloren. Jetzt hing er auf der Insel fest – in einem Auto, nach dem überall gefahndet wurde, mit einem Gesicht, das am nächsten Tag wahrscheinlich in jeder Zeitung abgebildet sein dürfte und längst im Internet kursierte. Mit einer entführten Polizistin im Laderaum …

Nicht die Nerven verlieren, befahl er sich. Dir fällt etwas ein. Dir fällt *immer* etwas ein.

Er spähte erneut nach hinten. Dunkelheit. Er wünschte, er könnte sie atmen hören. Er wusste nicht, warum, aber es hätte ihn beruhigt.

DIENSTAG, 6. AUGUST

I

Mitternacht war vorbei. Zumindest vermutete sie es. Sie hatte das Gefühl, dass sie seit vielen Stunden unterwegs waren und dass dieses Auto niemals mehr stehen bleiben würde. Ian führte sie nicht zu Sophia. Und natürlich hatte Caleb längst den Anschluss verloren, ihn wahrscheinlich von Anfang an nicht gehabt. Ihr Plan hatte darauf gebaut, dass Ian ahnungslos war, nur dann hätte er funktionieren können. Nachdem er erkannt hatte, was gespielt wurde, hatte er durch einen überbeschleunigten Start und wilde Zickzackfahrten durch das Dorf alles zunichtegemacht.

Kate war auf sich alleine gestellt.

Für den Moment ging es nicht mehr darum, Sophia zu finden. Sondern das eigene Leben zu retten. Ian diente sie vorläufig als lebender Schutzschild. Wenn er sie nicht mehr brauchte, überlebte sie keine zehn Minuten mehr.

Die Matratze, auf der sie mit dem Gesicht nach unten lag, stank schauderhaft. Nach Essensresten, nach Sperma, nach Urin und nach hundert Dingen mehr, die Kate nicht einordnen konnte. Es war ihr erst nach einiger Zeit gelungen, sich auf die Seite zu drehen. Sie roch den Gestank immer noch, aber sie presste wenigstens nicht mehr ihre Nase hinein. Und sie bekam etwas besser Luft. Am liebsten hätte sie sich auf den Rücken gerollt, aber dann hätte sie mit ihrem Gewicht auf ihren gefesselten Händen gelegen, und das hätte den Schmerz der nach hinten gebogenen Schultern ins Unerträgliche gesteigert.

Wenn sie den Kopf etwas anhob, sah sie durch den schmalen Spalt über der Trennwand die Nacht jenseits der Windschutzscheibe, und sie sah die Spitze von Ian Slades Kopf. Ian war auch im Sitzen groß, sein Kopf stieß fast an die Decke. Sie entsann sich seiner breiten Schultern, seiner muskulösen Oberarme. Sie war ihm kräftemäßig nicht einmal ansatzweise gewachsen. Ganz abgesehen davon, dass er eine Waffe hatte

Überrumpelung wäre die einzige Chance.

Ihre Augen hatten sich rasch an die Dunkelheit hinten im Wagen gewöhnt, und sie konnte zumindest schattenhaft die Behälter ausmachen, die entlang der Kopfseite aufgestellt waren und die sie schon von der ersten Fahrt her kannte. Nach wie vor vermutete Kate, dass der ermordete Jack Gregory darin seine Campingutensilien aufbewahrte: Geschirr, Besteck, Zahnputzsachen, Decken und Handtücher. Am meisten von all diesen Dingen interessierte sie das Besteck. Weil der Mensch mit Gabeln aß und mit Messern. Und auch größere Schneidemesser, für Brot etwa, brauchte. Das hieß, in unmittelbarer Nähe befanden sich Gegenstände, die als Waffen geeignet waren.

Dank ihrer völligen Unbeweglichkeit jedoch waren sie vollkommen unerreichbar für sie.

Wichtig war es jetzt, nicht frühzeitig aufzugeben. Was schwerfiel angesichts all der Dinge, die sie über den Mann wusste, in dessen Gewalt sie sich befand. Er hatte Inspector

Stewart über den Haufen geschossen und seinen Komplizen Sascha kaltblütig erledigt, als dieser begann, ein Problem für ihn darzustellen. Er hatte den Studenten, dem dieser schäbige Kastenwagen gehört hatte, umgebracht, weil er ein Auto brauchte. Er hatte Xenia im Zug zu erschießen versucht. Ganz zu schweigen davon, was er mit Sophia …

Ihre wild kreisenden Gedanken verhakten sich plötzlich. Sophia. Irgendetwas war da … irgendetwas im Zusammenhang mit Sophia …

Er hatte sie vergraben. Sie lag in einer Kiste in einem Erdloch. Irgendwo. Wenn Kate das Grauen beiseiteschob, das sie unweigerlich befiel, wenn sie sich Sophias Situation vorstellte, blieb eine pragmatische Frage: Wo war der Spaten?

Sie rollte sich nun doch auf den Rücken, ignorierte den Schmerz. Er hatte ihre Arme grausam nach hinten gezerrt. Ihre Schultern fühlten sich nun an, als würden sie endgültig aus den Gelenken gekugelt.

Zum Glück bekam Slade von allem, was hinten geschah, nichts mit. Dieses Auto hatte einen dermaßen lauten Motor und schepperte und rumpelte überdies bei jeder noch so kleinen Bodenerhebung, dass man sich kaum hätte verständigen können und eigentlich nichts voneinander hörte. Zudem vermutete sie, dass Slade im Rückspiegel nur die völlige Schwärze des Laderaums sehen konnte. Höchstwahrscheinlich nahm er sie nicht einmal als Schatten wahr.

Mit etwas Schwung drehte sie sich so, dass sie auf ihrer linken Seite zu liegen kam und nun die Wand gegenüber der seitlichen Schiebetür im Blick hatte. Die üblichen Plastikbehälter. Und davor er.

Der Spaten.

Sie konnte die Erde riechen, die an der Schaufel klebte.

Wohltuend neben dem Gestank, der der Matratze entströmte. Wie an einem noch kühlen, frischen ersten Frühlingstag.

Langsam – es ging in ihrer Lage alles so elend langsam – schob sie sich an die Spatenschaufel heran, dann nahm sie allen Mut zusammen und drehte sich wieder auf den Rücken, rollte dann auf die Seite, auf der sie ursprünglich gelegen hatte. Nun aber so, dass ihre gefesselten Handgelenke direkt an der scharfen Kante der Schaufel lagen.

Es war aus ihrer Haltung heraus schmerzhaft und mühsam, die Nylonschnur, mit der sie gefesselt war, an der Kante hin- und herzureiben. Es belastete Muskeln, von deren Existenz sie zuvor nichts gewusst hatte. Schon bald taten ihr die Arme und die Schultern so weh, dass sie hätte weinen mögen. Aber sie hielt durch. Wenn sie die Arme frei und den Spaten in die Hände bekäme, hatte sie eine Chance, selbst gegen einen Riesen wie Ian Slade.

Das Nylonseil zerriss genau in dem Moment, als Ian die Straße verließ, der Unebenheit nach zu schließen, in einen Feldweg bog und dort zum Stehen kam.

Kate riss das Klebeband vom Gesicht und zerrte den Strumpf aus ihrem Mund. Sie schnappte nach Luft, versuchte zugleich, keinen Laut zu verursachen. Noch hatte sie ihre Füße nicht befreit und war sehr eingeschränkt bewegungsfähig. Wenn er jetzt nach hinten kam, um nach ihr zu schauen, wäre alles umsonst.

2

Er pinkelte in ein abgeerntetes Getreidefeld und fühlte sich zumindest körperlich erleichtert. Wenn er den Kopf hob, sah er Sterne am Himmel. Eine Augustnacht wie aus dem Bilderbuch. Samtschwarz. Ein bisschen spürte man schon den Herbst.

Er tippte sich an die Stirn. Als ob er nichts Besseres zu tun hätte, als jetzt über den Herbst oder die Farbe eines nächtlichen Himmels nachzudenken.

Die Zeit drängte. Er musste von der Straße. Möglichst, bevor es wieder heller Tag war. Er wurde im ganzen Land gesucht, darauf hätte er gewettet.

Seinem Gefühl nach waren sie vielleicht in Kent. Er kannte sich in England so schlecht aus. Er war zwölf gewesen, als er in das verdammte Heim gekommen war, und dann hatte er bis in seine Zwanziger hinein dort festgesessen. Im Geographieunterricht hatte er gepennt. Er hatte tatsächlich nur rudimentäre Kenntnisse über die Lage einzelner Grafschaften. Aber Kent könnte hinkommen.

Er würde jetzt nach einem einsamen Haus Ausschau halten und dort eindringen, die Bewohner entweder im Schlaf überraschen und ausschalten, oder, was am Ende doch besser wäre, er würde ein leeres Haus finden und sich dort verstecken. Er musste unbedingt schlafen, sonst nickte er über dem Steuer ein. Er musste einen Plan schmieden. Er musste untertauchen. Vorübergehend.

Er stieg wieder ein und ließ den Motor an. Irgendein Cottage … Bei Nacht natürlich nicht wirklich gut auszumachen. Aber auf den Tag durfte er nicht warten. Die Uhr am Armaturenbrett zeigte zwei Uhr morgens an. Zum Glück wurde es im August nicht mehr so früh hell wie im Mai oder Juni. Aber allzu viel Zeit blieb ihm trotzdem nicht.

Er rollte auf die Landstraße zurück. Sie war so schmal und kurvig, dass ihm niemand entgegenkommen durfte. Wenn er auf einer Straße wie dieser in eine Polizeikontrolle geriet, war er verloren. Er konnte nicht wenden, und er käme an seinem Gegenüber nicht vorbei. Auf den Nebenstrecken waren viele Straßen von dieser Art. Ein Grund mehr, schleunigst ein Versteck zu suchen.

Er fuhr schnell. Zu schnell. Aber egal. Um ihn herum herrschte völlige Einsamkeit.

Er spürte eine latente Panik. Das war gar nicht gut. Die Panik rührte nicht nur aus seiner prekären Situation, sondern auch aus der Erkenntnis, dass er einen riesigen Fehler gemacht hatte, als er zum Haus zurückgefahren war, um Kate zu holen. Er konnte seit Stunden nicht anders, als sich diesen Fehler einzugestehen, und das machte ihn völlig fertig. Denn eigentlich machte er keine Fehler, schon gar keine so blöden. Nicht er! Dass es trotzdem passiert war, nagte an dem Bild, das er von sich hatte. Und an seinem Selbstvertrauen. Und wenn sein Selbstvertrauen erst nachhaltig bröckelte, würde er noch mehr Fehler machen, und dann … Er verbot sich weiterzudenken. Das führte bloß in eine Spirale nach unten.

Leider war das Radio in dieser Schrottkiste kaputt. Sonst hätte er sich wenigstens mit Musik zudröhnen können. Vielleicht wäre es ihm dann besser gegangen. Vielleicht …

Er trat ruckartig auf die Bremse, als ihm plötzlich das Gatter eines Weidezaunes den Weg versperrte. Sein Handy und seine Pistole, beides auf dem Beifahrersitz abgelegt, rutschten in den Fußraum, aber er achtete nicht darauf. Die Straße, in die er zuletzt abgebogen war und die auch gar keine richtige Straße war, endete an einer Weide. So weit er das sehen konnte, ging es jenseits des Gatters nicht weiter – es sei denn, er wollte versuchen, durch sumpfiges Grasland zu rollen, und das wäre so ziemlich das Dümmste, was er tun konnte.

Wütend schlug er mit der Faust auf das Lenkrad. Irgendwie hatte sich einfach alles gegen ihn verschworen. Diese idiotischen Nebenstraßen, diese verdammten englischen Dörfer. Er hatte sich immer gefragt, wie Menschen auf dem Land leben konnten. Nur Kühe und Schafe und verfluchte Weidezäune.

Er sah ein, dass ihm nichts anderes übrig bleiben würde als zu wenden, aber so schmal wie dieser Weg war, bedeutete das, nahezu auf der Stelle zu drehen.

Im Handschuhfach gab es eine Taschenlampe, er nahm sie, stieg aus und beleuchtete die Umgebung. Rechts und links des Weges erstreckten sich Kornfelder, die bereits abgeerntet waren. Flache Gräben dienten wohl als Ablauf für Regenwasser, stellten für ihn jedoch das Problem dar: Wenn er über ihren Rand geriet, verloren seine Räder die Bodenhaftung. Die Gräben machten die ihm zur Verfügung stehende Fläche noch kleiner.

Er fluchte lange und ausgiebig, dann stieg er ein und begann das Wendemanöver. Millimeterweise vor und wieder zurück, ganz leicht das Steuer einschlagen, wieder etwas zurück, wieder etwas vor … Die alte Klapperkiste besaß keine Servolenkung, schon bald schmerzten seine Arme. Der bis auf einen Spalt zugebaute Laderaum machte die Sache nicht leichter, da er nur durch die beiden Seitenspiegel etwas sehen konnte; wegen der Dunkelheit sowieso wenig genug. Im Grunde rangierte er rein instinktiv. Vor, zurück, vor, zurück …

Das Auto sackte nach hinten ab.

»Scheiße!«, brüllte er.

Er war anscheinend mit mindestens einem Hinterrad in den verdammten Graben gerutscht. Ein paar Mal gab er sinnlos und wütend Gas, aber außer, dass der Motor wüst aufheulte, passierte nichts. Die blöde Karre hatte Hinterradantrieb, und deshalb war da jetzt überhaupt nichts zu machen.

Er stieg erneut aus. Er schwitzte heftig, nicht nur wegen der Anstrengung des Rangierens, sondern auch aus Wut und Frust und weil ihm die Zeit weglief. Bevor es hell wurde, musste er ein Versteck gefunden haben, und anstatt es zu suchen, hing er jetzt in einem Graben an einer Schafweide. Nicht der Ort, an dem er unmittelbar Angst vor vorüberfahrenden Polizeistreifen hatte, aber es tauchten vielleicht Bauern auf, und die hatten womöglich im Frühstücksfernsehen sein Gesicht gesehen und sein Auto … Wütend trat er gegen einen der Vorderreifen mit den hoffnungslos abgenutzten Profilen. Der ganze Zustand dieses Schrottautos machte die Sache nicht leichter.

Wie sich herausstellte, hing das Auto mit dem rechten Hinterrad im Graben, und die einzige Möglichkeit, die Ian sah, um es wieder flottzukriegen, war die, das Rad irgendwie abzustützen, was bedeutete, er musste Erde und Schotter in den Graben schaufeln und hoffen, dass der Reifen darauf genug Halt fand. Er starrte zum Himmel hinauf. Er war nicht mehr von der samtigen Schwärze wie bei seinem letzten Halt. Er begann, sich langsam in ein sanftes Anthrazitgrau zu verfärben. Die Morgendämmerung war nicht mehr fern.

»Okay, okay, ich muss nachdenken«, sagte er zu sich selbst. Es half jetzt nichts, nur immer wieder in heiligem Zorn gegen die Räder zu treten. Er musste handeln, und das möglichst schnell.

Ihm fiel der Spaten ein, der hinten im Auto lag. Nicht dass er gerade jetzt Lust hatte, diese idiotische Polizistin zu sehen, die ihm letztlich diese ganze Situation eingebrockt hatte, aber zum Glück konnte sie ihn nicht blöd anlabern, denn sonst hätte er für nichts garantiert. Er schob die seitliche Schiebetür auf, die er glücklicherweise einige Wochen zuvor geölt hatte, sie ließ sich ohne Mühe und fast lautlos bewegen. Im Inneren des Wagens war es dunkel, und es stank. Schattenhaft nahm er die Gestalt von Kate wahr. Sie lag auf der Seite, genauso, wie er sie platziert hatte.

Der Spaten hatte seiner Erinnerung nach auf der gegenüberliegenden Seite vor den Plastikbehältern gelegen, aber als er die Stelle nun mit seiner Taschenlampe beleuchtete, konnte er ihn nicht entdecken. Bei seiner rasanten Fahrweise war das eigentlich kein Wunder. Wahrscheinlich war er ganz nach hinten ins Auto gerutscht.

Es half nichts, er musste hineinsteigen. Er kletterte hinauf und robbte auf den Knien zur Rückseite des Wagens, mit der Taschenlampe die Ecken ausleuchtend. Verdammt noch mal, wo war der blöde Spaten geblieben? So ein Ding löste sich nicht in Luft auf, oder?

Als er die Bewegung schräg hinter sich wahrnahm, eher spürte als sah, versuchte er, sich umzudrehen, aber es war schon zu spät. Irgendetwas sauste durch die Luft, im Bruchteil von Sekunden, und gleich darauf spürte er einen furchtbaren Schmerz an der Ferse seines rechten Fußes, so schlimm, dass er brüllte wie ein Stier und gleich darauf meinte, ohnmächtig zu werden. Der Schmerz schoss sein Bein hinauf, breitete sich über seinen Hüften aus, jagte bis in seine Brust, quetschte sein Herz zusammen, seine Lunge, nahm ihm den Atem ... Verflucht, was war passiert? *Was war passiert?*

Der Schmerz lähmte ihn derart, dass er es nur mit größter Mühe schaffte, sich umzudrehen. Die Taschenlampe war ihm aus der Hand gefallen und glühte auf dem Metallboden vor sich hin. Er konnte sehen, dass Kate gerade wieselflink aus dem Auto sprang. Sie hielt den Spaten in der Hand. Er begriff, dass sie ihm mit dem Ding in die Achillessehne geschlagen, diese vermutlich durchtrennt, womöglich sogar den Knochen gespalten hatte. Ihm wurde plötzlich übel, und er erbrach sich in die Ecke. Die Schmerzen hämmerten inzwischen bis in seinen Kopf hinauf. Er meinte, von einer zunehmenden Lähmung befallen zu sein, und bewegte probehalber die Finger zuerst seiner rechten, dann seiner linken Hand. Funktionierte. Er war nicht gelähmt. Die Schmerzen setzten ihn nur total außer Gefecht.

Und das durfte nicht sein. Ausgerechnet jetzt konnte er nicht wimmernd liegen bleiben und warten, bis die Polizei kam und ihn festnahm.

Die Schiebetür ging zu.

Er biss die Zähne zusammen. Die Tränen liefen ihm vor Schmerz über die Wangen, als er auf die Tür zurobbte. Er würde Kate töten. Und wenn es das Letzte war, was er tat in diesem Leben.

Sie war schon so gut wie tot.

3

Kate hatte völlig verkrampfte Beine vom langen Liegen, aber sie ignorierte das Ziehen in ihren Muskeln, sprang aus dem Wagen und zog die Schiebetür hinter sich zu. Sie hielt den Spaten noch in der Hand. Es war eine heikle Situation im Auto gewesen, sie hatte nicht einfach blind losschlagen dürfen, denn die Gefahr, ihn mit der schweren Eisenschaufel tödlich zu verletzen, war groß gewesen. Die Schaufel war geeignet, einem Menschen den Schädel zu spalten, aber sie brauchten Ian lebend, sonst war Sophia verloren. Sie hatte nur Sekunden zur Verfügung gehabt, sie hatte zielsicher treffen müssen, und zwar so, dass Ian unmittelbar außer Gefecht gesetzt wurde. Er musste zumindest für den Moment komplett ausgeschaltet, jedoch nicht tot sein. Das alles in der Enge und im Dämmerlicht des nur schwach von der Taschenlampe beleuchteten Laderaums. Als er hineinstieg, hatte sie geglaubt, ihr Herzschlag müsse sie verraten, so heftig und hämmernd war er, aber Ian hatte nichts wahrgenommen, hatte geleuchtet und gesucht und wie verrückt geschwitzt, das hatte sie riechen können. Sie hatte sich blitzschnell aufgerichtet, auf seine Beine gezielt und zugeschlagen. Sein mörderisches Gebrüll verriet ihr, dass sie getroffen hatte.

Nun stand sie draußen auf einem Feldweg, keuchend wie nach einem Dauerlauf und sah sich um. Sie erfasste die Situation sofort: Der eine Hinterreifen des Kastenwagens hing über einem flachen Graben, das Auto stand quer über dem Weg. Davor ein Gatter. Ian hatte wenden müssen, dabei war das Rad abgerutscht. Sie wusste jetzt, weshalb er nach hinten gekommen war: Er hatte den Spaten gesucht, weil seine einzige Chance, den Wagen zu bewegen, darin bestand, Erde unter das Rad zu schaufeln. Aber auf dem Spaten hatte sie halb gelegen, mit zum Schein hinter dem Rücken gekreuzten Händen, zusammengebundenen Füßen. In Wahrheit frei. Auf ihre Gelegenheit wartend und wissend, dass sie nur eine einzige haben würde, keine zweite.

Ihre Hoffnung, dass der Zündschlüssel steckte, erfüllte sich, wie sie mit einem Blick in den Fahrerraum feststellte, aber das nützte ihr nichts, weil sie nicht losfahren konnte. Ihr Plan war gewesen, sofort zu starten, weil Ian während der Fahrt den Laderaum nicht hätte verlassen können, zumindest nicht ohne sich erheblich zu verletzen. Erst vor dem nächsten Polizeirevier würde sie anhalten.

Aber das würde nun nicht funktionieren.

Sie schaute sich um. Weit und breit nichts. Kein Dorf, kein Gehöft. Felder, Wiesen und Weiden, so weit das Auge reichte. Am Horizont ein Waldstück, das sich schemenhaft aus der zerfließenden Nacht schälte. Die Dämmerung kam jetzt schnell. Irgendwo zwitscherte jubilierend ein Vogel.

Wunderbare Idylle, aber die Nähe von Menschen wäre ihr jetzt gerade deutlich lieber gewesen. Ian würde versuchen, das Auto zu verlassen. Es gab kein Schloss an der Schiebetür.

Kate warf den Spaten ein Stück weit weg, nah genug, dass sie ihn wieder greifen konnte, weil sie ihn womöglich noch brauchte, aber weit genug, dass er nicht in Ians Hände fiel. Sie neigte sich über den Fahrersitz, suchte am Armaturenbrett hektisch nach irgendetwas, das nach einer Zentralverriegelung aussah, aber das Auto war steinalt. Probeweise stellte sie die Zündung ein und drückte auf alles, was eine Verriegelung hätte auslösen können, aber nichts passierte.

Verriegeln funktionierte nicht, wegfahren auch nicht. Ian hatte ein Handy und eine Waffe. Wenn er die beiden Dinge nicht am Körper trug, was sie inständig hoffte, mussten sie sich irgendwo hier vorne befinden.

Kate hatte keine Taschenlampe, und die Dämmerung spendete noch kein Licht. Sie drehte an dem Schalter für die Lampe an der Windschutzscheibe, aber es geschah nichts. Sie sah, dass gar keine Birne eingeschraubt war.

Und dann entdeckte sie, dass im Fußraum des Beifahrersitzes etwas lag. Es war so dunkel dort, dass sie nicht erkennen konnte, was es war, aber es *könnte* sich um das Handy handeln. Oder um die Waffe. Oder um beides.

Sie neigte sich erneut über den Fahrersitz und versuchte, den Gegenstand mit dem ausgestreckten Arm zu erreichen. Im nächsten Augenblick spürte sie einen eisenharten Griff um ihren rechten Fußknöchel, und schon wurde sie mit einem so brutalen Ruck zurückgerissen und dabei umgedreht, dass sie mit dem Gesicht gegen das Lenkrad knallte und ihr für einen kurzen Moment schwarz vor den Augen wurde.

»Ich mach dich tot!«, keuchte Ian Slade. »Ich mach dich tot!«

Sie war wieder hellwach. Sie hatte den Eindruck, dass ihre Nase gebrochen sein könnte, aber für den Moment war das ihr geringstes Problem. Sie lag auf dem Rücken auf dem Fahrersitz, ihre Beine ragten aus dem Auto, eines davon wurde von Ian Slade festgehalten. Er stand wie ein gewaltiger Turm über ihr. Im fahlen grauen Licht des erwachenden Morgens konnte sie sehen, dass sein Gesicht schweißüberströmt und kalkweiß war. Er stand mit seiner linken Körperseite tief eingeknickt da, offenbar trug sie sein ganzes Gewicht, da sein verletztes Bein außer Gefecht war. Er musste halb irre sein vor Schmerz, aber er hatte es geschafft, den Laderaum zu verlassen und sie zu überwältigen, und sie sah in seinen Augen, dass er es tun würde, er würde sie jetzt umbringen, und wenn er sie mit seinen bloßen Händen erwürgte.

Sie versuchte, ihr Bein loszureißen, aber er hielt es eisern umklammert. Er hätte sich längst auf sie gestürzt, aber seine Verletzung bedeutete ein ernsthaftes Handicap, er schwankte und biss die Zähne zusammen. Kate winkelte ihr freies Bein an und trat ihn dann mit so viel Kraft, wie sie in ihrer ungünstigen Position aufbringen konnte, gegen die Hüfte. Einen Schrank wie ihn hätte das normalerweise kaum beeindruckt, aber er schwankte und verlagerte unwillkürlich sein Gewicht für einen Moment auf den verletzten Fuß. Er brüllte ohrenbetäubend, der Schmerz musste unerträglich sein. Gleichzeitig lockerte sich sein Griff um Kates Fuß. Sie entriss ihm ihr Bein, zog sich blitzschnell auf den Beifahrersitz zurück, griff in den Fußraum unter sich, schnappte sich die Pistole und richtete sich auf. Sie kauerte nun auf dem Sitz, Ian stand draußen. In seinen Augen flackerte der Wahnsinn. Der Wahnsinn des Schmerzes, der Wahnsinn der Wut.

»Bleiben Sie, wo Sie sind«, sagte Kate. Sie hielt die entsicherte Waffe auf ihn gerichtet. »Keine Bewegung!«

Er taxierte sie lauernd. Er vermutete, dass sie ihn nicht erschießen würde, aber da sie sich in akuter Lebensgefahr befand, konnte er nicht sicher sein. Er wartete auf den Moment, ihr die Pistole entreißen zu können. Sie konnte ihm das ansehen. Ergeben würde er sich nicht, um keinen Preis.

Und dann machte er plötzlich einen Satz nach vorne, und sie zögerte keine Sekunde mehr und schoss.

Er brach vor dem Auto zusammen, versuchte noch, sich am Türrahmen festzuhalten, rutschte jedoch ab und blieb auf dem Weg liegen. Er murmelte etwas, was Kate nicht verstand. Die Waffe noch immer entsichert, kroch sie vorsichtig über den Fahrersitz auf ihn zu. Sie sah, dass sich seine Hose am Oberschenkel dunkel färbte. Sie hatte ihn ins Bein getroffen, was bedeutete, er würde nicht sofort sterben, aber er brauchte schnell ärztliche Hilfe, sonst konnte er verbluten.

Er hielt die Augen geschlossen und atmete flach. Kate nahm nicht an, dass von ihm noch eine Gefahr drohte, aber sie behielt ihn im Blick und die Waffe auf ihn gerichtet, während sie nach dem Handy tastete. Sie fand es. Garantiert mit Prepaidkarte.

Sie tippte Calebs Nummer ein, hoffte, dass sich sein Handy inzwischen wieder in seinem Besitz befand. Er war sofort am Apparat. »Ja?«

»Caleb? Hier ist Kate!«

»Kate?« Er schrie ihren Namen. »Kate?«

»Ja. Ich bin es.«

»Um Gottes willen, wo sind Sie? Wir suchen landesweit nach euch. Sind Sie in Ordnung?«

»Ja.« Ihre Nase schmerzte, und sie bekam etwas schlecht Luft, aber das schien ihr nicht unbedingt erwähnenswert. »Alles o. k. mit mir. Aber ich weiß nicht, wo wir sind.«

»Was ist mit Slade?«

»Der liegt angeschossen neben seinem Auto. Caleb, er braucht dringend und schnell einen Arzt. Er verliert sehr viel Blut.«

»Gibt es irgendeinen Anhaltspunkt, wo ihr sein könntet?«

Sie blickte durch die Windschutzscheibe. Es war ein gutes Stück heller geworden, aber das half ihr nicht. Wiesen, Felder, Weiden. Wald.

»Die Gegend ist ziemlich flach«, sagte sie, »daher würde ich vermuten, wir sind nicht nach Norden gefahren. Wir müssten von der Fahrzeit her sonst schon tief in Schottland sein. Da ist es bergiger.«

»Nicht überall«, sagte Caleb.

»Ich würde Kent oder Sussex vermuten. Caleb, ich kann hier nicht weg. Das Auto ist halb in einen Graben gerutscht.«

»Können Sie es da irgendwie rauskriegen?«

»Ich weiß nicht …« Sie sah zu dem Spaten hin, den sie ins Feld geworfen hatte. »Ja, vielleicht. Aber keine Chance, Ian Slade ins Auto zu schaffen. Ich kann ihn mit Sicherheit alleine nicht bewegen. Ich müsste ihn hier liegen lassen und …«

»Keine gute Idee. Sie müssen sich um ihn kümmern. Er muss überleben.«

»Ich weiß. Ich rede mit ihm.« Sie nahm das Handy von ihrem Ohr. »Ian? Ian, hören Sie mich?«

Er blinzelte mit einem Auge. Gott sei Dank. Er war so weiß im Gesicht, dass sie einen Moment lang schon gedacht hatte, er sei tot.

»Ian, Sie brauchen dringend einen Arzt. Sie verbluten. Sagen Sie mir bitte, wo wir sind. Wie hieß das letzte Dorf, durch das wir gekommen sind?«

Er öffnete jetzt beide Augen und sah sie an. Er zog die Oberlippe ein Stück hoch, was wohl ein verächtliches Grinsen sein sollte. *Leck mich doch,* sagte dieses Grinsen.

Dann schloss er die Augen wieder.

»Kate?«, fragte Caleb.

Sie presste das Handy wieder an ihr Ohr. »Südengland, ich bin mir ziemlich sicher. Irgendwo in der totalen Wildnis.«

Sie hörte ihn seufzen. »Wir versuchen, euch zu orten. Wir haben die ganze Zeit über verzweifelt versucht, Slades Handynummer herauszufinden, aber wir konnten keinen Empfänger ausfindig machen, der je von ihm angerufen wurde. Aber okay, ich habe jetzt die Nummer hier im Display. Meinen Sie, Sie schaffen es, ihn am Leben zu halten?«

»Ich tue alles.«

»Wir beeilen uns.«

Das Gespräch war beendet. Vorsichtig kletterte Kate aus dem Wagen, gewärtig, dass Slade jeden Moment wieder nach ihrem Bein greifen würde. Allerdings sah er nicht so aus, als habe er noch die Kraft für einen Angriff. Sein Atem ging noch flacher, und seine Gesichtsfarbe wechselte in ein blasses Grau. Der Blutfleck auf seinem Oberschenkel hatte sich bis zum Knie hinunter und auf dem Boden ringsum ausgebreitet. Er verlor viel zu schnell viel zu viel Blut.

Beim Anblick seines rechten Fußes musste Kate würgen. Der Fuß schien nur noch an einer letzten Sehne zu hängen. Sie hatte ihm mit dem Spaten fast den Knöchel durchgehackt. Wie hoch dort der Blutverlust war, konnte sie nicht erkennen. Was sie aber sah, auch ohne ein Arzt zu sein: dass Ian Slade nicht mehr viel Zeit blieb. Ohne schnelle Hilfe hatte er keine Chance.

Sie stieg in den Laderaum, wühlte in den Kisten und fand ein kleines Handtuch, das sie mit hinausnahm. Sie kniete neben Ian nieder, legte das Handtuch zu einem Quadrat zusammengefaltet auf die Schussverletzung und drückte mit aller Kraft dagegen. Es war die effizienteste Methode, eine Blutung zu stoppen. Bei diesen Mengen jedoch … Es schien nicht aufhören zu wollen. Wahrscheinlich hatte die Kugel eine Hauptschlagader getroffen.

»Slade, bitte. Sie schaffen das nicht. Sagen Sie mir, wo wir sind.«

Er reagierte nicht.

»Sagen Sie mir, wo Sophia ist. Bitte!«

Erneut keinerlei Regung.

Sie nahm das Handtuch von der Wunde, da es ohnehin nichts half, und band damit das Bein oberhalb der Wunde ab. Würde wahrscheinlich auch nicht helfen, aber etwas anderes fiel ihr jetzt nicht mehr ein. Sie holte die Wasserflasche, die Ian in der Fahrertür verstaut hatte, und flößte ihm etwas Wasser ein. Er trank mühsam. Er atmete mühsam. Es sah schlecht aus.

Sie nahm selbst ein paar Schlucke Wasser, griff das Handy und die Pistole. »Ich bin gleich zurück«, sagte sie. Es war fraglich, ob er sie hörte.

Kate rannte die schmale Straße entlang, die eher ein schlecht asphaltierter Feldweg war. Es gab noch die Chance, dass sie an eine etwas größere Straße gelangte, auf der vielleicht ein Auto entlangkam. Oder sie entdeckte irgendwo ein Ortsschild, einen Wegweiser, irgendetwas. Sie lief, so schnell sie konnte, obwohl ihre Nase zuschwoll und sie schlecht Luft bekam.

Am Ende des Weges traf sie auf eine Landstraße, sehr schmal, aber sie verband zweifellos Ortschaften miteinander. Kate entschied sich, nach links zu gehen, aber sie hätte auch eine Münze werfen können: Es konnte richtig oder falsch sein. Es war nicht zu überblicken.

Sie lief die Straße entlang, rannte zwischendurch immer wieder und dachte gerade darüber nach, ob es besser sei, umzukehren und es in der entgegengesetzten Richtung zu versuchen, als sie in der Ferne tatsächlich ein Auto kommen sah. Rasch schob sie die Pistole unter ihr T-Shirt, das voll blutiger Flecken war. Es war schon fraglich, ob jemand überhaupt anhielt, weil eine abgekämpfte und inzwischen ziemlich abgerissen aussehende Frau in den ersten Morgenstunden des Tages in tiefster Einsamkeit an einem Straßenrand stand und winkte, aber garantiert tat es niemand, wenn diese Frau dann auch noch mit einer Schusswaffe herumfuchtelte.

Der Wagen kam näher. Ein blauer Fiat. Am Steuer eine Frau. Hoffentlich besaß sie den Mut anzuhalten. Kate wünschte, sie besäße noch ihren Dienstausweis. Er hätte sie vertrauenerweckender erscheinen lassen.

Das Auto wurde langsamer. Kate winkte heftig. Der Wagen hielt. Die Frau ließ die Scheibe ein kleines Stück hinunter und sah Kate misstrauisch an. »Was ist passiert?«

»Ich hatte einen Unfall«, sagte Kate. »Ein ganzes Stück die Straße hinauf.«

»Sie bluten!«, sagte die Frau.

»Mein Begleiter ist verletzt. Ich habe ihn notdürftig verarztet. Ich muss Polizei und Sanitäter herbeirufen, aber ich weiß nicht, wo ich bin.«

»Sie wissen nicht, wo Sie sind?«

»Er ist gefahren, ich habe geschlafen. Ich weiß nicht, wie der letzte Ort hieß, durch den wir gekommen sind.«

»Also, der nächste Ort ist Charing. Etwa vier Meilen von hier. Wir sind hier auf einer Landstraße, die ziemlich parallel zur M20, Richtung Folkestone verläuft.«

»Oh, vielen Dank. Dann weiß ich Bescheid.«

»Okay«, sagte die Frau. Sie betrachtete stirnrunzelnd Kates blutverschmiertes T-Shirt. Ihr war das alles mehr als suspekt.

»Könnten Sie mich vielleicht noch mitnehmen bis zurück zur Unfallstelle?«, fragte Kate.

Statt zu antworten, schloss die Frau ihr Fenster, gab Gas und fuhr eilig weiter. Kate konnte es ihr nicht verdenken. Sie selbst warnte andere Menschen immer wieder eindringlich davor, Fremde im Auto mitzunehmen.

Während sie zurücklief, rief sie Caleb erneut an und gab ihm die Angaben weiter, die sie nun hatte.

»Wir brauchen vor allem so schnell wie möglich einen

Notarzt«, keuchte sie im Rennen. »Es geht Slade wirklich schlecht. Ohne Hilfe überlebt er die nächste Stunde nicht.«

»Der Notarzt wird hier von den Kollegen schon losgeschickt«, sagte Caleb. »Können Sie bis dahin etwas für ihn tun?«

»Ich habe das Bein abgebunden, aber ...« Es fiel ihr schwer zu atmen, während sie gleichzeitig rannte, telefonierte und ihre Nase unaufhaltsam zuschwoll. »Beeilt euch!«, stieß sie nur noch hervor, dann schaltete sie das Handy aus und rannte weiter, so schnell sie konnte.

Als sie in den Weg einbog, der zu dem Gatter führte, empfand sie die Szenerie vor ihren Augen als gespenstisch: der heraufdämmernde Sommermorgen, der rötlich verfärbte Horizont, die zwitschernden Vögel. Schafe spazierten gemächlich auf der Weide herum, bei Nacht hatte man sie gar nicht gesehen.

Im Vordergrund der quer stehende Kastenwagen. Davor der verletzte Mann auf dem Boden liegend.

Der Mann, der als einziger Mensch auf der Welt wusste, wo sich Sophia Lewis in diesen Minuten befand.

Sie sank, um Atem ringend, neben ihm auf die Knie. Angstvoll tastete sie nach seinem Puls. Er war kaum spürbar, ebenso wie der Herzschlag. Der Blutverlust war unvermindert weitergegangen. In Ian Slade war nur noch ein Hauch von Leben. Sie begriff, dass er es nicht schaffen würde, bis die Hilfe kam.

Sie berührte sein Gesicht. »Ian! Ian, können Sie mich hören?«

Seine Augenlider flatterten.

»Ian! Bitte!«

Tatsächlich öffnete er die Augen. Sein Blick war verschwommen. Der Mann lag im Sterben. Kate spürte ein trockenes Schluchzen in ihrer Kehle aufsteigen. Sie dachte an Sophia. Sie hätte schreien mögen vor Verzweiflung.

»Ian, hören Sie mir zu, Sie sind in ein paar Minuten tot. Der Notarzt kommt, aber er wird nicht rechtzeitig hier sein. Verstehen Sie?«

Ian gab einen undeutlichen Laut von sich, aber Kate konnte nichts verstehen.

»Ian, sagen Sie mir, wo Sophia ist. Gehen Sie nicht mit dieser Schuld von der Welt. Vielleicht müssen Sie sich dafür verantworten.«

Sie nahm nicht an, dass Ian Slade an Gott glaubte, aber auch Menschen, die das nicht taten, machten sich manchmal Gedanken, was wohl jenseits der Schwelle wartete, die man mit dem letzten Schritt überquerte.

»Ian, gehen Sie nicht so. Bitte. Sagen Sie mir, wo sie ist.«

Er sah sie an. Sein Blick war etwas klarer geworden. Er verzog den Mund zu etwas, das einem Grinsen glich.

Dann fiel sein Kopf zur Seite.

Ian Slade starb.

In all den Jahren hatte ich Sascha zweimal in dem Heim in Birmingham besucht. Ich ging nicht gerne dorthin, wegen meiner Schuldgefühle, aber ganze zwei Mal raffte ich mich auf. Beim ersten Besuch war er zwölf Jahre alt, beim zweiten fünfzehn.

Es ging ihm nicht gut, das konnte ich sehen. Er war immer … seltsam gewesen, aber doch auch fröhlich, besonders in der letzten Zeit mit Xenia. Nun war er wie in sich zusammengesunken. Blass und spitz, eingeschüchtert, verstört. Ich sah ein paar von den Typen, mit denen er dort zusammenlebte, und ich konnte mir denken, dass sie ihm das Leben nicht leicht machten. Er war der Typ Mensch, der mit grausamer Sicherheit immer und überall zum Opfer wurde, und je härter die Umgebung, desto härter sein Opferdasein.

Er berichtete mir, dass Alice ihm manchmal Briefe schrieb. Mich verwunderte das. Ich hatte immer den Eindruck gehabt, dass Alice sich bereits in der Zeit daheim von ihm abgewandt hatte, dass sie ja gerade über die Schwierigkeiten, die er in unser Leben gebracht hatte, am Ende gestürzt war. Jetzt nahm sie offenbar eine Beziehung wieder auf, vor der sie die ganze Zeit zuvor nur noch geflohen war.

Aber vielleicht fiel es ihr leichter aus der Ferne. Ohne die täglichen Einschränkungen. Und ohne die Bürde der Verantwortung tragen zu müssen.

Und vielleicht hatte sie auch bloß ein schlechtes Gewissen. Wie ich. Am Ende noch schlimmer.

Als ich Sascha drei Jahre später erneut besuchte und mir ein fünfzehnjähriger, immer noch zu kleiner, zu dünner, zu blasser

Junge gegenüberstand, konnte ich zumindest feststellen, dass er etwas entspannter wirkte. Ich hoffte, dass er nicht mehr so sehr drangsaliert wurde, wobei ich mir aber nicht erklären konnte, wieso, denn er war zwar etwas gewachsen, aber er sah noch immer mickrig aus und nicht so, als habe er irgendeinem Angriff – verbaler oder körperlicher Natur – auch nur das Geringste entgegenzusetzen. Nach wie vor das klassische Opfer.

Ich fragte ihn, wie es ihm gehe, und er sagte, es sei alles besser geworden.

»Hast du Freunde gefunden?«, wollte ich hoffnungsvoll wissen.

Er zögerte. »Ich habe jemanden, der auf mich aufpasst«, sagte er dann.

»Auf dich aufpasst?«

Er nickte. »Die anderen dürfen mir nichts tun. Sonst kriegen sie Ärger mit ihm.«

Das klang allerdings nicht nach einer klassischen Freundschaft, und etwas beklommen fragte ich mich, was es mit diesem Beschützer-Verhältnis auf sich haben mochte. Beschützer beschützen nicht immer aus uneigennützigen Gründen. Was sprang für den anderen dabei heraus?

»Stell ihn mir doch mal vor«, sagte ich, betont unbekümmert.

Sascha wurde sofort etwas unruhig. »Ich muss schauen, ob … er Zeit hat … Er …«

Der Rest verlor sich in unverständlichem Gemurmel.

Mir war klar, dass Sascha auf seinen Beschützer angewiesen war. Dass er aber auch Angst vor ihm hatte.

»Weshalb ist dein … Bekannter denn hier?«, fragte ich. Man landete ja nicht in diesem Heim, weil man da draußen als ein netter, normaler Typ aufgefallen war.

»Er hat ein Kind entführt.«

»Ein Kind entführt?«, fragte ich erschrocken. »Aber er muss doch selbst fast noch ein Kind sein?«

»Er war zwölf. Da hat er ein Kind entführt.«

»Und was hat er mit dem Kind angestellt?«

Sascha zuckte mit den Schultern. »Nichts. Er wurde geschnappt.«

»Okay.«

Wir schauten einander an. Mir wurde ganz schlecht bei dem Gedanken, dass Saschas Mitinsasse tatsächlich ein Kind entführt hatte, während Sascha ja nichts verbrochen hatte. Er kam hier mit Frühkriminellen zusammen, ohne selbst kriminell zu sein.

Wir hätten das nicht tun dürfen. Aber was hätten wir machen sollen?

Ich lernte jenen Kumpanen an diesem Tag nicht kennen. Er zeigte sich uns nicht, und Sascha war zu schüchtern, um auf die Suche nach ihm zu gehen. Vielleicht ahnte er auch, dass mir dieser Junge nicht gefallen würde.

Wir verließen das Heim am Nachmittag, weil ich Sascha zu einem Eis einladen wollte. Als er mir gegenüber im Café saß und hingebungsvoll und tatsächlich mit einem Ausdruck von Glück auf dem zarten Gesicht sein Zitroneneis in ganz kleinen Portionen aß, um länger etwas davon zu haben, wallte plötzlich ein Gefühl der Zuneigung zu ihm in mir auf, und für einen Moment bekam ich fast keine Luft, so erstickend lastete die Schuld auf mir. Er war ein sanftes und gutherziges Geschöpf. Er musste sich in einer Umgebung behaupten, für die er nicht im Geringsten angelegt war. Er musste sich einem dubiosen Beschützer unterwerfen, weil er anders nicht überleben konnte.

Und das alles ohne irgendeine eigene Schuld.

In einer spontanen Geste legte ich meine Hand auf seine. Er ließ den Eislöffel sinken und sah mich fragend an. »Ja?«

»Es tut mir leid, Sascha«, sagte ich leise, »wie alles gekommen ist.«

Er lächelte leicht. Es war ein herzzerreißend trauriges Lächeln.

»Ich weiß«, sagte er, »aber das muss dir nicht leidtun. Ich mache das für Alice.«

Mir fiel meinerseits der Löffel fast aus der Hand. Ich weiß nicht, was genau ich geglaubt hatte. Was Sascha betraf, dachte ich ja Gedanken nie ganz zu Ende, weil alles immer nur quälend war, aber ich war irgendwie davon ausgegangen, dass er schon glaubte, er habe den Tod seiner kleinen Schwester verursacht. Oder dass er zumindest meinte, wir hätten recht, auch wenn er es verdrängt hatte ... Er war erst sieben Jahre alt und deutlich entwicklungsverzögert gewesen. Ich hatte wohl zumindest gehofft, dass in seinem Kopf ein unklares, verschwommenes Bild vorherrschte, was jene Zeit und jenes Ereignis anging.

»Für Alice?«, wiederholte ich, kaum hörbar.

»Ja«, sagte er. »Damit sie nicht ins Gefängnis muss.«

Er wusste es. Er hatte es begriffen. Er mochte anders sein als wir, aber er war kein Dummkopf. Er hatte immer genau gewusst, was passiert war. Wahrscheinlich auch in dem Moment, da er gegenüber Jugendamt und Polizei alles zugegeben hatte.

Er liebte Alice. Und in seiner Liebe zeigte er eine Größe und Opferbereitschaft, die alles übertraf, wozu Alice oder ich oder irgendjemand, den ich kannte, fähig waren.

Ich besuchte ihn nie wieder.

Ich ertrug es nicht.

»Sie kommen zurück«, sagte Xenia. Sie stand am Wohnzimmerfenster von Kates Haus und blickte hinaus in den strahlend sonnigen Tag. »Ich glaube, der Chief Inspector kommt mit rein.«

»Ich mache schnell Kaffee«, sagte Colin. Er schaltete den Kaffeeautomaten in der Küche an. Messy lag ausgestreckt auf den Fliesen. Es war ihr zu heiß draußen.

Colin kehrte ins Wohnzimmer zurück und trat neben Xenia. Kate und Caleb kamen draußen den Gartenweg entlang auf die Haustür zu. Caleb im schwarzen Anzug, Kate in einem schwarzen Kleid, das wie die meisten ihrer Kleidungsstücke ziemlich formlos an ihr herunterhing, viel zu warm für den Sommertag war und sich keiner Moderichtung zuordnen ließ. Colin empfand dies als einen äußerst liebenswerten, weil offensichtlich trotz jeder Anstrengung unveränderbaren Wesenszug von Kate: ihre Unfähigkeit, sich auch nur ansatzweise elegant anzuziehen.

Die beiden kamen von Robert Stewarts Beerdigung. Colin konnte sich vorstellen, wie es in ihnen aussah.

Er ging zur Tür und öffnete sie. »Kommt rein. War es sehr schlimm? Mögt ihr einen Kaffee?«

Beide wirkten verschwitzt und deprimiert.

»Kaffee wäre großartig«, sagte Kate und streifte ihre

Schuhe ab. Auf bloßen Füßen ging sie in die Küche. Caleb zog sein Jackett aus und folgte ihr.

Colin stellte zwei große Becher Cappuccino und zwei Gläser Wasser auf den Küchentisch. Xenia brachte eine Schüssel mit frischem Kirsch-Crumble.

»Habe ich vorhin gemacht«, erklärte sie. »Ich dachte, Sie haben vielleicht Hunger.«

Sie und Colin sahen Kate und Caleb an wie besorgte Eltern, die ihren Kindern helfen möchten, aber nicht wissen, wie sie das am besten anstellen sollen.

»Das ist sehr nett, danke, Xenia«, sagte Kate. Ihre angebrochene Nase war geschwollen, die Haut darüber gerötet. Sie sah zu Tode erschöpft aus, und alle wussten, dass das nicht nur mit dem Begräbnis zusammenhing.

Colin berührte vorsichtig Xenias Arm. »Komm, wir lassen die beiden alleine«, meinte er.

Xenia nickte. Sie verließen die Küche und schlossen diskret die Tür hinter sich.

Der Kaffee weckte Lebensgeister, von denen Kate schon geglaubt hatte, sie seien gar nicht mehr vorhanden. Dankbar gab sie sich der belebenden Wirkung des Koffeins hin. Die Beerdigung war so schrecklich gewesen, dass sie kaum gewusst hatte, wie sie sie überstehen sollte, und sie hatte nur deshalb nicht geweint, weil sie dann noch weniger Luft bekommen hätte. Die Vertrautheit der kleinen Küche, der Garten draußen, Messy, die aufgestanden war und um ihre Beine strich – das alles gab ihr etwas Frieden zurück.

Caleb setzte seinen Becher ab. Er hatte eine Spur von weißem Milchschaum über der Oberlippe. »Wohnen die jetzt hier?«, fragte er mit einer Kopfbewegung in Richtung Tür. »Xenia und Colin?«

Kate zuckte mit den Schultern. »Ich bin ganz froh, dass sie gerade da sind. Xenia will auf keinen Fall zu ihrem Mann zurück, aber solange nicht klar ist, was jetzt juristisch auf sie zukommt wegen der Sache mit der Familie Walsh damals, wohnt sie hier. Und Colin hat Urlaub genommen und bleibt offensichtlich auch erst mal.« Sie machte eine kurze Pause. »Ich glaube, zwischen den beiden bahnt sich etwas an. Zwischen Xenia und Colin. Würde mich freuen.«

»Dann trägt er ihr nicht nach, dass sie ihn in der Wildnis hat sitzen lassen und mit seinem Auto abgehauen ist?«

»Ich glaube nicht. Sie haben viel geredet. Er weiß, dass sie sich in einer Notsituation befand.«

»Schön«, sagte Caleb. Leise fügte er hinzu: »Wenigstens ein Lichtblick, nicht? Am Ende dieser ganzen Tragödie.«

Sie nickte. Sie waren beide noch wie benommen. Robert Stewart zu beerdigen war für Caleb noch schlimmer gewesen als für Kate, er hatte damit Abschied von einer ganzen Epoche, von der vertrauensvollen Zusammenarbeit zweier Männer über zwei Jahrzehnte nehmen müssen. Auch wenn es während der letzten Wochen zu einem Bruch zwischen ihnen gekommen war: Die Erinnerung an die guten Zeiten überwog.

Kate hatte ihren Vorgesetzten verloren. Sie waren nicht besonders gut miteinander zurechtgekommen, und sie hatten einander noch nicht lange gekannt. Aber sie hatte unmittelbar neben ihm gestanden, als er erschossen wurde. Dieses Erlebnis, dieses Bild würde sie nie wieder vergessen können.

Aber am schlimmsten, am allerschlimmsten war die Tragödie mit Sophia.

Ihr ungewisses Schicksal.

Oder, je nach Sichtweise: ihr nur allzu gewisses Schicksal.

Es war vier Tage her, seit Ian Slade sie aus dem Farmhaus in Nottingham fortgebracht hatte. Ob er sie wirklich lebend vergraben oder zuvor erschossen hatte, wusste niemand. Es wurde fieberhaft nach ihr gesucht. Man hatte die Zeit genommen, die Ian Slade an jenem vergangenen Montag unterwegs gewesen war, hatte ausgerechnet, wie weit er etwa gekommen sein konnte, wenn man Hin- und Rückweg, sein Auto, seine Fahrweise berechnete und auch davon ausging, dass er Zeit gebraucht hatte, Sophia wo und wie auch immer verschwinden zu lassen. Daraus hatte sich ein riesiges Areal ergeben, das nun von Hundertschaften der Polizei mit Spürhunden bei Tag und Nacht abgesucht wurde. Zwischendurch hatte es ein Gewitter mit starkem Regen gegeben, Spuren und Gerüche waren größtenteils zerstört worden. Zudem war jedem klar, dass man sich nur um ein Minimum verrechnet haben oder eine der Komponenten fehlerhaft angenommen haben musste, und schon würde sich ein weiteres gewaltiges Gebiet ergeben, das von der Suche derzeit unberücksichtigt blieb. Aber irgendwo mussten sie die Grenze ziehen. Bei alldem wusste niemand, ob Sophia Lewis überhaupt noch lebte. Mit jeder Stunde, die verstrich, wurde die Situation kritischer. Hatte sie, wo auch immer sie sich befand, die Chance, irgendwie Nahrung und Flüssigkeit aufzunehmen? Es war Slade zuzutrauen, dass er durch entsprechende Vorrichtungen ihren Leidensweg in die Länge zu ziehen versuchte.

Daher gab es noch eine Spur Hoffnung, und niemand war bereit, diese Frau jetzt schon aufzugeben.

Ganz Großbritannien nahm Anteil an ihrem Schicksal. Die Medien berichteten ununterbrochen von der Geschichte. Sophia Lewis hatte sogar Boris Johnson und seine »Leave«-Kampagne aus den Schlagzeilen gedrängt. Darin lag die Chance: Das ganze Land suchte mit. Jeder Waldspaziergänger, jeder Wanderer, jeder Hundebesitzer hielt unterwegs die Augen offen. Es gab Hunderte von Meldungen, Menschen, die besonders zum Tatzeitpunkt innerhalb des in Frage kommenden Gebietes etwas Verdächtiges beobachtet hatten, vor allem Hinweise auf den Kastenwagen, der in einsamen Gegenden zufällig gesehen worden war. Jeder Spur wurde sofort nachgegangen.

Kate rührte einen zweiten Löffel Zucker in ihren restlichen Kaffee. Nicht gesund, aber die Süße tat ihr gut.

»Kate«, sagte Caleb.

Sie blickte auf, beunruhigt von der Dringlichkeit in seiner Stimme. »Ja?«

»Ich höre auf.«

»Sie hören auf? Wie meinen Sie das?«

Er spielte mit seinem Kaffeelöffel herum. Er sah gequält aus, jedoch auch entschlossen. »Ich meine, dass ich ja die ganze Zeit über vorhatte, in meinen Beruf zurückzukehren, irgendwie. Ich hing komplett in den Seilen, das wissen Sie ja, aber im Hinterkopf war das für mich immer eine Übergangsphase. Eine furchtbare Zeit, aus der ich herausfinden und dann wieder als Detective Chief Inspector arbeiten würde.«

Sie musterte ihn erschrocken. »Und das ist nicht mehr so?«

»Nein. Jayden White, der mir letztlich zum Verhängnis geworden ist, aber auch das Schicksal von Sophia Lewis haben mir gezeigt: Wenn ich in diesem Beruf bleibe, schaffe ich es niemals aus der Sucht heraus. Nie. Ich ertrage Geschehnisse dieser Art nicht mehr, wahrscheinlich habe ich sie nie ertragen. Es hat einen Grund, dass ich trinke. Der Grund ist die ständige Konfrontation mit dem Schlechten auf der Welt. Mit den menschlichen Abgründen. Und die Erkenntnis, wie machtlos wir letztlich dagegen sind.«

»Wir sind nicht immer machtlos.«

»Aber oft, Kate. Für mich: zu oft.«

»Aber was wollen Sie denn dann machen?«

»Keine Ahnung. Das werde ich sehen.«

Sie lehnte sich zurück. Sie hatte ein Gespür für aussichtslose Situationen, und im Moment begriff sie: Calebs Entschluss war unwiderruflich. Er würde davon nicht mehr abweichen.

»Ich bin Ihretwegen nach Scarborough gekommen«, sagte sie.

Er nickte. »Ich weiß. Wir hatten uns das ganz anders gedacht. Aber Sie müssen trotzdem bleiben, Kate.«

»Das ist keineswegs sicher, das wissen Sie ja.« Kate war für den Moment beurlaubt, was nicht dasselbe war wie suspendiert, aber sie hatte um diesen Urlaub nicht gebeten. Ein sehr wütender Chief Superintendent hatte ihr nahegelegt, sich nach den *Strapazen* – er hatte das Wort ziemlich zynisch ausgesprochen – für mindestens zehn Tage zu *erholen*. Dann werde man weitersehen. Es war klar, dass Kates und Calebs eigenmächtiges Vorgehen, das noch dazu in ein Desaster geführt hatte, Konsequenzen nach sich ziehen würde. Der Chief Superintendent hatte von einem *kompletten Versagen* gesprochen und angedeutet, für Sophia Lewis wäre die ganze Geschichte gut ausgegangen, hätte Kate nach ihrer Befreiung durch Caleb – eine Tat, für die Caleb bislang keinerlei Lob ausgesprochen worden war – Kollegen verständigt und Ian Slade nach dessen Rückkehr in Alice Walshs Haus festnehmen lassen. Kate wusste, dass er falschlag. Sie wusste, dass Ian niemals das Versteck preisgegeben hätte und dass die einzige Chance genau in dem Plan bestanden hatte, den sie und Caleb hatten durchführen wollen. Dass er so dramatisch schiefgegangen war, änderte an dieser Tatsache nichts.

»Er wird Sie nicht suspendieren, Kate«, sagte Caleb. »Er muss sich jetzt aufplustern, aber Sie werden mit einer Verwarnung davonkommen. So viele gute Leute haben die nicht. Ich bin weg. Robert Stewart ist tot. Der Chef kann es sich nicht leisten, dass Sie jetzt auch noch verschwinden. Sie müssen sich in den nächsten Jahren vorsichtig verhalten, aber dann ist die Sache durch.«

Die nächsten Jahre ... Das klang nach einer schrecklich langen Zeit. Nach einer trostlosen Zeit: ohne ihn.

»Aber ich wollte *mit Ihnen* arbeiten!«

»Ich kann nicht mehr, Kate«, sagte er leise. »Ich habe versagt. Auf der ganzen Linie.«

»Nein!«

»Doch. Ich habe bei Jayden White Fehler gemacht. Und jetzt wieder. Ich hätte Sie nicht als Lockvogel einsetzen dürfen. Ich hätte diese ganze wahnsinnige Idee unterbinden müssen. Slade ist tot. Sophia Lewis verloren. Wir hätten ihn festnehmen und verhören müssen.«

Genau das, was der Superintendent auch meinte. Und trotzdem war es falsch.

»Wir hatten Gründe, dass wir es nicht getan haben. Caleb, wir haben uns das doch nicht leicht gemacht. Wir waren überzeugt, dass er nicht reden würde. Ich bin noch immer davon überzeugt: Er hätte nicht geredet. In acht Wochen vielleicht. Er hätte uns mit Wonne zu ihrer Leiche geschickt. Vorher hätte er nichts gesagt.«

»Wie können Sie so sicher sein?«

»Ich befand mich in seiner Gewalt. Ich war in seiner nächsten Nähe. Noch nie habe ich das Böse, das Kranke, das Perverse so unverfälscht gespürt. Er hätte nicht geredet. Ich würde einen Eid darauf schwören.«

»Okay«, sagte Caleb, »okay.« Er sah aus, als sei er innerlich zerbrochen. Sie hätte gerne ihren Arm ausgestreckt und seine Wange berührt, aber sie wagte es nicht.

»Das Allerschlimmste ist«, sagte Caleb, »dass Sie dabei hätten sterben können, Kate. Das ist der Gedanke, den ich nicht mehr loswerde. Dass wir Ihr Leben aufs Spiel gesetzt haben.«

Sie nickte. Gerade auch dafür, für die Missachtung der wichtigsten Grundregel, würden sie noch jede Menge Ärger bekommen.

»Mir ist klar geworden …«, setzte er an, sprach dann nicht weiter und sagte stattdessen plötzlich: »Gehen Sie nicht weg, Kate. Bitte. Was immer sein wird, gehen Sie nicht weg.«

»Weggehen? Aus Scarborough?«

»Aus meinem Leben. Von mir. Ich möchte nicht, dass Sie weggehen.«

»Ich gehe nicht weg«, sagte Kate.

»Versprechen Sie mir das?«

»Das verspreche ich Ihnen.«

Sie schauten hinaus in den leuchtenden Sommertag. Sie dachten beide an Sophia. Daran, wie lange es dauern würde, bis sie sich diese bittere Niederlage vergeben konnten, wenn Sophia nicht lebend gefunden wurde.

Kate dachte an den Begriff, den Caleb benutzt hatte: Machtlosigkeit.

Ihn drückte das Wort zu Boden. In Kate ließ es Widerstandskräfte wachsen. Selbst in einem Moment wie diesem.

Sie wagte es jetzt doch. Sie griff über den Tisch nach seiner Hand. Sie fühlte sich eiskalt und schwer an.

Sie saßen einfach da und hielten einander fest. Es gab nichts sonst, was sie tun konnten.

Für diesen Tag, für diese Stunden musste es reichen.